Исаак БАБЕЛЬ

1894 — 1940

РУССКАЯ КЛАССИКА. XX ВЕК

Исаак БАБЕЛЬ

Одесские рассказы

Рассказы
Пьесы

Москва
«ЭКСМО-ПРЕСС»
2000

УДК 882
ББК 84(2Рос-Рус)6-4
Б 12

Литературно-художественное издание

Исаак Бабель

ОДЕССКИЕ РАССКАЗЫ

Редактор *Т. Улищенко*
Художественный редактор *И. Сауков*
Подбор иллюстраций *Л. Рофварга*
Корректор *Т. Алесина*

Разработка серийного оформления
П. Сацкий

Подписано в печать с готовых монтажей 10.11.2000.
Формат 84×108 $^1/_{32}$. Гарнитура «Балтика». Печать офсетная.
Усл. печ. л. 33,6. Уч.-изд. л. 37,47.
Доп. тираж 5000 экз. Заказ 5340.

Изд. лиц. № 065377 от 22.08.97
ЗАО «Издательство «ЭКСМО-Пресс»,
125190, Москва, Ленинградский проспект,
д. 80, корп. 16, подъезд 3.

Налоговая льгота — общероссийский классификатор
продукции ОК-005-93, том 2; 953000 — книги, брошюры

Бабель И. Э.
Б 12   Одесские рассказы: Рассказы. Пьесы. — М.:
Изд-во ЭКСМО-Пресс, 2000. — 640 с. (Серия «Русская
классика. XX век»).

ISBN 5-04-002863-6

УДК 882
ББК 84(2Рос-Рус)6-4

Автобиография

Родился в 1894 году в Одессе, на Молдаванке, сын торговца-еврея. По настоянию отца изучал до шестнадцати лет еврейский язык, Библию, Талмуд. Дома жилось трудно, потому что с утра до ночи заставляли заниматься множеством наук. Отдыхал я в школе. Школа моя называлась Одесское коммерческое имени императора Николая I училище. Там обучались сыновья иностранных купцов, дети еврейских маклеров, сановитые поляки, старообрядцы и много великовозрастных бильярдистов. На переменах мы уходили, бывало, в порт на эстакаду, или в греческие кофейни играть на бильярде, или на Молдаванку пить в погребах дешевое бессарабское вино. Школа эта незабываема для меня еще и потому, что учителем французского языка был там m-r Вадон. Он был бретонец и обладал литературным дарованием, как все французы. Он обучил меня своему языку, я затвердил с ним французских классиков, сошелся близко с французской колонией в Одессе и с пятнадцати лет начал писать рассказы на французском языке. Я писал их два года, но потом бросил: пейзане и всякие авторские размышления выходили у меня бесцветно, только диалог удавался мне.

Потом, после окончания училища, я очутился в Киеве и в 1915 году в Петербурге. В Петербурге мне пришлось ужасно худо, у меня не было правожительства, я избегал полиции и квартировал в погребе на Пушкинской улице у одного растерзанного, пьяного официанта. Тогда, в 1915 году, я начал разносить мои сочинения по редакциям, но меня отовсюду гнали, все редакторы (покойный Измайлов, Поссе и др.) убеждали меня поступить куда-нибудь в лавку, но я не послушался их и в конце 1916 года попал к Горькому. И вот —

я всем обязан этой встрече и до сих пор произношу имя Алексея Максимовича с любовью и благоговением. Он напечатал первые мои рассказы в ноябрьской книжке «Летописи» за 1916 год (я был привлечен за эти рассказы к уголовной ответственности по 1001 ст.), он научил меня необыкновенно важным вещам, и потом, когда выяснилось, что два-три сносных моих юношеских опыта были всего только случайной удачей, и что с литературой у меня ничего не выходит, и что я пишу удивительно плохо,— Алексей Максимович отправил меня в люди.

И я на семь лет — с 1917 по 1924 — ушел в люди. За это время я был солдатом на румынском фронте, потом служил в Чека, в Наркомпросе, в продовольственных экспедициях 1918 года, в Северной армии против Юденича, в Первой Конной армии, в Одесском губкоме, был выпускающим в 7-й советской типографии в Одессе, был репортером в Петербурге и в Тифлисе и проч. И только в 1923 году я научился выражать мои мысли ясно и не очень длинно. Тогда я вновь принялся сочинять.

Начало литературной моей работы я отношу поэтому к началу 1924 года, когда в 4-й книге журнала «Леф» появились мои рассказы «Соль», «Письмо», «Смерть Долгушова», «Король» и др.

Одесские рассказы

Король

Венчание кончилось, раввин опустился в кресло, потом он вышел из комнаты и увидел столы, поставленные во всю длину двора. Их было так много, что они высовывали свой хвост за ворота на Госпитальную улицу. Перекрытые бархатом столы вились по двору, как змеи, которым на брюхо наложили заплаты всех цветов, и они пели густыми голосами — заплаты из оранжевого и красного бархата.

Квартиры были превращены в кухни. Сквозь закопченные двери било тучное пламя, пьяное и пухлое пламя. В его дымных лучах пеклись старушечьи лица, бабьи тряские подбородки, замусоленные груди. Пот, розовый, как кровь, розовый, как пена бешеной собаки, обтекал эти груди разросшегося, сладко воняющего человечьего мяса. Три кухарки, не считая судомоек, готовили свадебный ужин, и над ними царила восьмидесятилетняя Рейзл, традиционная, как свиток Торы, крохотная и горбатая.

Перед ужином во двор затесался молодой человек, неизвестный гостям. Он спросил Беню Крика. Он отвел Беню Крика в сторону.

— Слушайте, Король,— сказал молодой человек,— я имею вам сказать пару слов. Меня послала тетя Хана с Костецкой...

— Ну хорошо,— ответил Беня Крик, по прозвищу Король,— что это за пара слов?

— В участок вчера приехал новый пристав, велела вам сказать тетя Хана...

— Я знал об этом позавчера,— ответил Беня Крик.— Дальше.

— Пристав собрал участок и сказал участку речь...

— Новая метла чисто метет,— ответил Беня Крик.— Он хочет облаву. Дальше...

— А когда будет облава, вы знаете, Король?

— Она будет завтра.

— Король, она будет сегодня.

— Кто сказал тебе это, мальчик?

— Это сказала тетя Хана. Вы знаете тетю Хану?

— Я знаю тетю Хану. Дальше.

— Пристав собрал участок и сказал им речь. «Мы должны задушить Беню Крика,— сказал он,— потому что там, где есть государь император, там нет короля. Сегодня, когда Крик выдает замуж сестру и все они будут там, сегодня нужно сделать облаву...»

— Дальше.

— ...Тогда шпики начали бояться. Они сказали: если мы сделаем сегодня облаву, когда у него праздник, так Беня рассерчает, и уйдет много крови. Так пристав сказал: самолюбие мне дороже...

— Ну, иди,— ответил Король.

— Что сказать тете Хане за облаву?

— Скажи: Беня знает за облаву.

И он ушел, этот молодой человек. За ним последовали человека три из Бениных друзей. Они сказали, что вернутся через полчаса. И они вернулись через полчаса. Вот и все.

За стол садились не по старшинству. Глупая старость жалка не менее, чем трусливая юность. И не по богатству. Подкладка тяжелого кошелька сшита из слез.

За столом на первом месте сидели жених с невестой. Это их день. На втором месте сидел Сендер Эйхбаум, тесть Короля. Это его право. Историю Сендера Эйхбаума следует знать, потому что это не простая история.

Как сделался Беня Крик, налетчик и король налетчиков, зятем Эйхбаума? Как сделался он зятем человека, у которого было шестьдесят дойных коров без одной? Тут все дело в налете. Всего год тому назад Беня написал Эйхбауму письмо.

«*Мосье Эйхбаум,*— написал он,— *положите, прошу вас, завтра утром под ворота на Софийевскую, 17, двадцать тысяч рублей. Если вы этого не сделаете, так вас ждет такое, что это не слыхано, и вся Одесса будет о вас говорить. С почтением Беня Король*».

Три письма, одно яснее другого, остались без ответа. Тогда Беня принял меры. Они пришли ночью — девять человек с длинными палками в руках. Палки были обмотаны просмоленной паклей. Девять пылающих звезд зажглись на скотном дворе Эйхбаума. Беня отбил замки у сарая и стал выводить коров по одной. Их ждал парень с ножом. Он опрокидывал корову с одного удара и погружал нож в коровье сердце. На земле, залитой кровью, расцвели факелы, как огненные розы, и загремели выстрелы. Выстрелами Беня отгонял работниц, сбежавшихся к коровнику. И вслед за ним и другие налетчики стали стрелять в воздух, потому что если не стрелять в воздух, то можно убить человека. И вот, когда шестая корова с предсмертным мычанием упала к ногам Короля, тогда во двор в одних кальсонах выбежал Эйхбаум и спросил:

— Что с этого будет, Беня?

— Если у меня не будет денег — у вас не будет коров, мосье Эйхбаум. Это дважды два.

— Зайди в помещение, Беня.

И в помещении они договорились. Зарезанные коровы были поделены ими пополам, Эйхбауму была гарантирована неприкосновенность и выдано в том удостоверение с печатью. Но чудо пришло позже.

Во время налета, в ту грозную ночь, когда мычали подкалываемые коровы и телки скользили в материнской крови, когда факелы плясали, как черные девы, и бабы-молочницы шарахались и визжали под дулами дружелюбных браунингов,— в ту грозную ночь во двор выбежала в вырезной рубашке дочь старика Эйхбаума — Циля. И победа Короля стала его поражением.

Через два дня Беня без предупреждения вернул Эйхбауму все забранные у него деньги и после этого явился вечером с визитом. Он был одет в оранжевый костюм, под его манжеткой сиял бриллиантовый браслет; он вошел в комнату, поздоровался и попросил у Эйхбаума руки его дочери Цили. Старика хватил легкий удар, но он поднялся. В старике было еще жизни лет на двадцать.

— Слушайте, Эйхбаум,— сказал ему Король,— когда вы умрете, я похороню вас на первом еврейском кладбище, у самых ворот. Я поставлю вам, Эйхбаум, памятник из розового мрамора. Я сделаю вас старостой Брод-ской синагоги. Я брошу специальность, Эйхбаум, и по-ступлю в ваше дело компаньоном. У нас будет двести коров, Эйхбаум. Я убью всех молочников, кроме вас. Вор не будет ходить по той улице, на которой вы живе-те. Я выстрою вам дачу на шестнадцатой станции... И вспомните, Эйхбаум, вы ведь тоже не были в молодо-сти раввином. Кто подделал завещание, не будем об этом говорить громко?.. И зять у вас будет Король, не сопляк, а Король, Эйхбаум...

И он добился своего, Беня Крик, потому что он был страстен, а страсть владычествует над мирами. Ново-брачные прожили три месяца в тучной Бессарабии, среди винограда, обильной пищи и любовного пота. Потом Беня вернулся в Одессу для того, чтобы выдать замуж сорокалетнюю сестру свою Двойру, страдаю-щую базедовой болезнью. И вот теперь, рассказав ис-торию Сендера Эйхбаума, мы можем вернуться на свадьбу Двойры Крик, сестры Короля.

На этой свадьбе к ужину подали индюков, жареных куриц, гусей, фаршированную рыбу и уху, в которой перламутром отсвечивали лимонные озера. Над мерт-выми гусиными головками покачивались цветы, как пышные плюмажи. Но разве жареных куриц выносит на берег пенистый прибой одесского моря?

Все благороднейшее из нашей контрабанды, все, чем славна земля из края в край, делало в ту звездную, в ту синюю ночь свое разрушительное, свое обольститель-ное дело. Нездешнее вино разогревало желудки, слад-ко переламывало ноги, дурманило мозги и вызывало отрыжку, звучную, как призыв боевой трубы. Черный кок с «Плутарха», прибывшего третьего дня из Порт-Саида, вынес за таможенную черту пузатые бутылки ямайского рома, маслянистую мадеру, сигары с планта-ций Пирпонта Моргана и апельсины из окрестностей Иерусалима. Вот что выносит на берег пенистый при-бой одесского моря, вот что достается иногда одесским нищим на еврейских свадьбах. Им достался ямайский ром на свадьбе Двойры Крик, и поэтому, насосавшись, как трефные свиньи, еврейские нищие оглушительно стали стучать костылями. Эйхбаум, распустив жилет, сощуренным глазом оглядывал бушующее собрание и любовно икал. Оркестр играл туш. Это было как дивизионный смотр. Туш — ничего кроме туша. Налетчики, сидевшие сомкнутыми рядами, вначале смущались присутствием посторонних, но потом они разошлись. Лева Кацап разбил на голове своей возлюбленной бутылку водки, Моня Артиллерист выстрелил в воздух. Но пределов своих восторг достиг тогда, когда, по обычаю старины, гости начали одарять новобрачных. Синагогальные шамесы, вскочив на столы, выпевали под звуки бурлящего туша количество подаренных рублей и серебряных ложек. И тут друзья Короля показали, чего стоит голубая кровь и неугасшее еще молдаванское рыцарство. Небрежным движением руки кидали они на серебряные подносы золотые монеты, перстни, коралловые нити.

Аристократы Молдаванки, они были затянуты в малиновые жилеты, их плечи охватывали рыжие пиджаки, а на мясистых ногах лопалась кожа цвета небесной лазури. Выпрямившись во весь рост и выпячивая животы, бандиты хлопали в такт музыке, кричали «горько» и бросали невесте цветы, а она, сорокалетняя Двойра, сестра Бени Крика, сестра Короля, изуродованная болезнью, с разросшимся зобом и вылезающими из орбит глазами, сидела на горе подушек рядом с щуплым мальчиком, купленным на деньги Эйхбаума и онемевшим от тоски.

Обряд дарения подходил к концу, шамесы осипли, и контрабас не ладил со скрипкой. Над двориком протянулся внезапно легкий запах гари.

— Беня,— сказал папаша Крик, старый биндюжник, слывший между биндюжниками грубияном,— Беня, ты знаешь, что мине сдается? Мине сдается, что у нас горит сажа...

— Папаша,— ответил Король пьяному отцу,— пожалуйста, выпивайте и закусывайте, пусть вас не волнует этих глупостей...

И папаша Крик последовал совету сына. Он закусил и выпил. Но облачко дыма становилось все ядовитее. Где-то розовели уже края неба. И уже стрельнул в вышину узкий, как шпага, язык пламени. Гости, привстав, стали обнюхивать воздух, и бабы их взвизгнули. Налетчики переглянулись тогда друг с другом. И только Беня, ничего не замечавший, был безутешен.

— Мине нарушают праздник,— кричал он, полный отчаяния,— дорогие, прошу вас, закусывайте и выпивайте...

Но в это время во дворе появился тот самый молодой человек, который приходил в начале вечера.

— Король,— сказал он,— я имею вам сказать пару слов...

— Ну, говори,— ответил Король,— ты всегда имеешь в запасе пару слов...

— Король,— произнес неизвестный молодой человек и захихикал,— это прямо смешно, участок горит, как свечка...

Лавочники онемели. Налетчики усмехнулись. Шестидесятилетняя Манька, родоначальница слободских бандитов, вложив два пальца в рот, свистнула так пронзительно, что ее соседи покачнулись.

— Маня, вы не на работе,— заметил ей Беня,— холоднокровней, Маня...

Молодого человека, принесшего эту поразительную новость, все еще разбирал смех.

— Они вышли с участка, человек сорок,— рассказывал он, двигая челюстями,— и пошли на облаву; так они отошли шагов пятнадцать, как уже загорелось... Побежите смотреть, если хотите...

Но Беня запретил гостям идти смотреть на пожар. Отправился он с двумя товарищами. Участок исправно пылал с четырех сторон. Городовые, тряся задами, бегали по задымленным лестницам и выкидывали из окон сундучки. Под шумок разбегались арестованные. Пожарные были исполнены рвения, но в близлежащем кране не оказалось воды. Пристав — та самая метла, что чисто метет,— стоял на противоположном тротуаре и покусывал усы, лезшие ему в рот. Новая метла стояла без движения. Беня, проходя мимо пристава, отдал ему честь по-военному.

— Доброго здоровьичка, ваше высокоблагородие,— сказал он сочувственно.— Что вы скажете на это несчастье? Это же кошмар...

Он уставился на горящее здание, покачал головой и почмокал губами:

— Ай-ай-ай...

* * *

А когда Беня вернулся домой, во дворе потухали уже фонарики и на небе занималась заря. Гости разошлись, и музыканты дремали, опустив головы на ручки своих контрабасов. Одна только Двойра не собиралась спать. Обеими руками она подталкивала оробевшего мужа к дверям их брачной комнаты и смотрела на него плотоядно, как кошка, которая, держа мышь во рту, легонько пробует ее зубами.

Как это делалось в Одессе

Начал я.

— Реб Арье-Лейб,— сказал я старику,— поговорим о Бене Крике. Поговорим о молниеносном его начале и ужасном конце. Три тени загромождают пути моего воображения. Вот Фроим Грач. Сталь его поступков — разве не выдержит она сравнения с силой Короля? Вот Колька Паковский. Бешенство этого человека содержало в себе все, что нужно для того, чтобы властвовать. И неужели Хаим Дронг не сумел различить блеск новой звезды? Но почему же один Беня Крик взошел на вершину веревочной лестницы, а все остальные повисли внизу, на шатких ступенях?

Реб Арье-Лейб молчал, сидя на кладбищенской стене. Перед нами расстилалось зеленое спокойствие могил. Человек, жаждущий ответа, должен запастись терпением. Человеку, обладающему знанием, приличествует важность. Поэтому Арье-Лейб молчал, сидя на кладбищенской стене. Наконец он сказал:

— Почему он? Почему не они, хотите вы знать? Так вот — забудьте на время, что на носу у вас очки, а в душе осень. Перестаньте скандалить за вашим письменным столом и заикаться на людях. Представьте себе на мгновенье, что вы скандалите на площадях и заикаетесь на бумаге. Вы тигр, вы лев, вы кошка. Вы можете переночевать с русской женщиной, и русская женщина останется вами довольна. Вам двадцать пять лет. Если бы к небу и к земле были приделаны кольца, вы схватили бы эти кольца и притянули бы небо к земле. А папаша у вас биндюжник Мендель Крик. Об чем думает такой папаша? Он думает об выпить хорошую стопку водки, об дать кому-нибудь по морде, об своих конях — и ничего больше. Вы хотите жить, а он заставляет вас умирать двадцать раз на день. Что сделали бы вы на месте Бени Крика? Вы ничего бы не сделали. А он сделал. Поэтому он Король, а вы держите фигу в кармане.

Он — Бенчик — пошел к Фроиму Грачу, который тогда уже смотрел на мир одним только глазом и был тем, что он есть. Он сказал Фроиму:

— Возьми меня. Я хочу прибиться к твоему берегу. Тот берег, к которому я прибьюсь, будет в выигрыше.

Грач спросил его:

— Кто ты, откуда ты идешь и чем ты дышишь?

— Попробуй меня, Фроим,— ответил Беня,— и перестанем размазывать белую кашу по чистому столу.

— Перестанем размазывать кашу,— ответил Грач,— я тебя попробую.

И налетчики собрали совет, чтобы подумать о Бене Крике. Я не был на этом совете. Но говорят, что они собрали совет. Старшим был тогда покойный Левка Бык.

— Что у него делается под шапкой, у этого Бенчика?— спросил покойный Бык.

И одноглазый Грач сказал свое мнение:

— Беня говорит мало, но он говорит смачно. Он говорит мало, но хочется, чтобы он сказал еще что-нибудь.

— Если так,— воскликнул покойный Левка,— тогда попробуем его на Тартаковском.

— Попробуем его на Тартаковском,— решил совет, и все, в ком еще квартировала совесть, покраснели, услышав это решение. Почему они покраснели? Вы узнаете об этом, если пойдете туда, куда я вас поведу.

Тартаковского называли у нас «полтора жида» или «девять налетов». «Полтора жида» называли его потому, что ни один еврей не мог вместить в себе столько дерзости и денег, сколько было у Тартаковского. Ростом он был выше самого высокого городового в Одессе, а весу имел больше, чем самая толстая еврейка. А «девятью налетами» прозвали Тартаковского потому, что фирма Левка Бык и компания произвели на его контору не восемь и не десять налетов, а именно девять. На долю Бени, который еще не был тогда Королем, выпала честь совершить на «полтора жида» десятый налет. Когда Фроим передал ему об этом, он сказал «да» и вышел, хлопнув дверью. Почему он хлопнул дверью? Вы узнаете об этом, если пойдете туда, куда я вас поведу.

У Тартаковского душа убийцы, но не наш. Он вышел из нас. Он наша кровь. Он наша плоть, как будто одна мама нас родила. Пол-Одессы служит в его лавках. И он пострадал через своих же молдаванских. Два раза они выкрадывали его для выкупа, и однажды во время погрома его хоронили с певчими. Слободские громилы били тогда евреев на Большой Арнаутской. Тартаковский убежал от них и встретил похоронную процессию с певчими на Софийской. Он спросил:

— Кого это хоронят с певчими?

Прохожие ответили, что это хоронят Тартаковского. Процессия дошла до Слободского кладбища. Тогда наши вынули из гроба пулемет и начали сыпать по слободским громилам. Но «полтора жида» этого не предвидел. «Полтора жида» испугался до смерти. И какой хозяин не испугался бы на его месте?

Десятый налет на человека, уже похороненного однажды, это был грубый поступок. Беня, который еще не был тогда Королем, понимал это лучше всякого другого. Но он сказал Грачу «да» и в тот же день написал Тартаковскому письмо, похожее на все письма в этом роде:

«Многоуважаемый Рувим Осипович! Будьте настолько любезны положить к субботе под бочку с дождевой водой... и так далее. В случае отказа, как вы это себе в последнее время стали позволять, вас ждет большое разочарование в вашей семейной жизни. С почтением знакомый вам

Бенцион Крик».

Тартаковский не поленился и ответил без промедления.

«Беня! Если бы ты был идиот, то я бы написал тебе как идиоту. Но я тебя за такого не знаю, и упаси

Боже тебя за такого знать. Ты, видно, представляешься мальчиком. Неужели ты не знаешь, что в этом году в Аргентине такой урожай, что хоть завались, и мы сидим с нашей пшеницей без почина?.. И скажу тебе, положа руку на сердце, что мне надоело на старости лет кушать такой горький кусок хлеба и переживать эти неприятности, после того как я отработал всю жизнь, как последний ломовик. И что же я имею после этих бессрочных каторжных работ? Язвы, болячки, хлопоты и бессонницу. Брось этих глупостей, Беня. Твой друг, гораздо больше, чем ты это предполагаешь,— Рувим Тартаковский».

«Полтора жида» сделал свое. Он написал письмо. Но почта не доставила письмо по адресу. Не получив ответа, Беня рассерчал. На следующий день он явился с четырьмя друзьями в контору Тартаковского. Четыре юноши в масках и с револьверами ввалились в комнату.

— Руки вверх!— сказали они и стали махать пистолетами.

— Работай спокойнее, Соломон,— заметил Беня одному из тех, кто кричал громче других,— не имей эту привычку быть нервным на работе,— и, оборотившись к приказчику, белому, как смерть, и желтому, как глина, он спросил его:

— «Полтора жида» в заводе?

— Их нет в заводе,— ответил приказчик, фамилия которого была Мугинштейн, а по имени он звался Иосиф и был холостым сыном тети Песи, куриной торговки с Серединской площади.

— Кто будет здесь, наконец, за хозяина?— стали допрашивать несчастного Мугинштейна.

— Я здесь буду за хозяина,— сказал приказчик, зеленый, как зеленая трава.

— Тогда отчини нам, с Божьей помощью, кассу! — приказал ему Беня, и началась опера в трех действиях.

Нервный Соломон складывал в чемодан деньги, бумаги, часы и монограммы; покойник Иосиф стоял перед ним с поднятыми руками, и в это время Беня рассказывал истории из жизни еврейского народа.

— Коль раз он разыгрывает из себя Ротшильда,— говорил Беня с Тартаковском,— так пусть он горит огнем. Объясни мне, Мугинштейн, как другу: вот получает он от меня деловое письмо; отчего бы ему не сесть за пять копеек на трамвай и не подъехать ко мне на квартиру, и не выпить с моей семьей стопку водки и закусить чем Бог послал? Что мешало ему выговорить передо мной душу? «Беня,— пусть бы он сказал,— так и так, вот тебе мой баланс, повремени мне пару дней, дай вздохнуть, дай мне развести руками». Что бы я ему ответил? Свинья со свиньей не встречается, а человек с человеком встречается. Мугинштейн, ты меня понял?

— Я вас понял,— сказал Мугинштейн и солгал, потому что совсем ему не было понятно, зачем «полтора жида», почтенный богач и первый человек, должен был ехать на трамвае закусывать с семьей биндюжника Менделя Крика.

А тем временем несчастье шлялось под окнами, как нищий на заре. Несчастье с шумом ворвалось в контору. И хотя на этот раз оно приняло образ еврея Савки Буциса, но оно было пьяно, как водовоз.

— Го-гу-го,— закричал еврей Савка,— прости меня, Бенчик, я опоздал,— и он затопал ногами и стал махать руками. Потом он выстрелил, и пуля попала Мугинштейну в живот.

Нужны ли тут слова? Был человек, и нет человека. Жил себе невинный холостяк, как птица на ветке,— и вот он погиб через глупость. Пришел еврей, похожий на матроса, и выстрелил не в какую-нибудь бутылку с сюрпризом, а в живого человека. Нужны ли тут слова?

— Тикать с конторы!— крикнул Беня и побежал последним. Но, уходя, он успел сказать Буцису: — Клянусь гробом моей матери, Савка, ты ляжешь рядом с ним...

Теперь скажите мне вы, молодой господин, режущий купоны на чужих акциях, как поступили бы вы на месте Бени Крика? Вы не знаете, как поступить. А он знал. Поэтому он Король, а мы с вами сидим на стене Второго еврейского кладбища и отгораживаемся от солнца ладонями.

Несчастный сын тети Песи умер не сразу. Через час после того, как его доставили в больницу, туда явился Беня. Он велел вызвать к себе старшего врача и сиделку и сказал им, не вынимая рук из кремовых штанов.

— Я имею интерес,— сказал он,— чтобы больной Иосиф Мугинштейн выздоровел. Представляюсь на всякий случай — Бенцион Крик. Камфору, воздушные подушки, отдельную комнату — давать с открытой душой. Если нет, то на всякого доктора, будь он даже доктором философии, приходится не более трех аршин земли.

И все же Мугинштейн умер в ту же ночь. И тогда только «полтора жида» поднял крик на всю Одессу.

— Где начинается полиция,— вопил он,— и где кончается Беня?

— Полиция кончается там, где начинается Беня,— отвечали резонные люди, но Тартаковский не успокаивался, и он дождался того, что красный автомобиль с музыкальным ящиком проиграл на Серединской площади свой первый марш из оперы «Смейся, паяц». Среди бела дня машина подлетела к домику, в котором жила тетя Песя.

Автомобиль гремел колесами, плевался дымом, сиял медью, вонял бензином и играл арии на своем сигнальном рожке. Из автомобиля выскочил некто и прошел в кухню, где на земляном полу билась маленькая тетя Песя. «Полтора жида» сидел на стуле и махал руками.

— Хулиганская морда,— прокричал он, увидя гостя,— бандит, чтобы земля тебя выбросила! Хорошую моду себе взял — убивать живых людей...

— Мосье Тартаковский,— ответил ему Беня Крик тихим голосом,— вот идут вторые сутки, как я плачу за дорогим покойником, как за родным братом. Но я знаю, что вы плевать хотели на мои молодые слезы. Стыд, мосье Тартаковский,— в какой несгораемый шкаф упрятали вы стыд? Вы имели сердце послать матери нашего покойного Иосифа сто жалких карбованцев. Мозг вместе с волосами поднялся у меня дыбом, когда я услышал эту новость.

Тут Беня сделал паузу. На нем был шоколадный пиджак, кремовые штаны и малиновые штиблеты.

— Десять тысяч единовременно,— заревел он,— десять тысяч единовременно и пенсию до ее смерти, пусть она живет сто двадцать лет. А если нет, тогда выйдем из этого помещения, мосье Тартаковский, и сядем в мой автомобиль...

Потом они бранились друг с другом. «Полтора жида» бранился с Беней. Я не был при этой ссоре. Но те, кто были, те помнят. Они сошлись на пяти тысячах наличными и пятидесяти рублях ежемесячно.

— Тетя Песя,— сказал тогда Беня всклокоченной старушке, валявшейся на полу,— если вам нужна моя жизнь, вы можете получить ее, но ошибаются все, даже Бог. Вышла громадная ошибка, тетя Песя. Но разве со стороны Бога не было ошибкой поселить евреев в России, чтобы они мучились, как в аду? И чем было бы плохо, если бы евреи жили в Швейцарии, где их окружали бы первоклассные озера, гористый воздух и сплошные французы? Ошибаются все, даже Бог. Слушайте меня ушами, тетя Песя. Вы имеете пять тысяч на руки и пятьдесят рублей в месяц до вашей смерти,— живите сто двадцать лет. Похороны Иосифа будут по первому разряду: шесть лошадей, как шесть львов, две колесницы с венками, хор из Бродской синагоги, сам Миньковский придет отпевать покойного вашего сына...

И похороны состоялись на следующее утро. О похоронах этих спросите у кладбищенских нищих. Спросите о них у шамесов из синагоги, торговцев кошерной птицей или у старух из второй богадельни. Таких похорон Одесса еще не видала, а мир не увидит. Городовые в этот день одели нитяные перчатки. В синагогах, увитых зеленью и открытых настежь, горело электричество. На белых лошадях, запряженных в колесницу, качались черные плюмажи. Шестьдесят певчих шли впереди процессии. Певчие были мальчиками, но они пели женскими голосами. Старосты синагоги торговцев кошерной птицей вели тетю Песю под руки. За старостами шли члены общества приказчиков-евреев, а за приказчиками-евреями — присяжные поверенные, доктора медицины и акушерки-фельдшерицы. С одного бока тети Песи находились куриные торговки со Старого базара, а с другого бока находились почетные молочницы с Бугаевки, завороченные в оранжевые шали. Они топали ногами, как жандармы на параде в табельный день. От их широких бедер шел запах моря и молока. И позади всех плелись служащие Рувима Тартаковского. Их было сто человек, или двести, или две тысячи. На них были черные сюртуки с шелковыми лацканами и новые сапоги, которые скрипели, как поросята в мешке.

И вот я буду говорить, как говорил Господь на горе Синайской из горящего куста. Кладите себе в уши мои слова. Все, что я видел, я видел своими глазами, сидя здесь, на стене Ворого кладбища, рядом с шепелявым Мойсейкой и Шимшоном из погребальной конторы. Видел это я, Арье-Лейб, гордый еврей, живущий при покойниках.

Колесница подъехала к кладбищенской синагоге. Гроб поставили на ступени. Тетя Песя дрожала, как птичка. Кантор вылез из фаэтона и начал панихиду. Шестьдесят певчих вторили ему. И в эту минуту красный автомобиль вылетел из-за поворота. Он проиграл «Смейся, паяц» и остановился. Люди молчали как убитые. Молчали деревья, певчие, нищие. Четыре человека вылезли из-под красной крыши и тихим шагом поднесли к колеснице венок из невиданных роз. А когда панихида кончилась, четыре человека подвели под гроб свои стальные плечи, с горящими глазами и выпяченной грудью зашагали вместе с членами общества приказчиков-евреев.

Впереди шел Беня Крик, которого тогда никто еще не называл Королем. Первым приблизился он к могиле, взошел на холмик и простер руку.

— Что хотите вы делать, молодой человек? — подбежал к нему Кофман из погребального братства.

— Я хочу сказать речь, — ответил Беня Крик.

И он сказал речь. Ее слышали все, кто хотел слушать. Ее слышал я, Арье-Лейб, и шепелявый Мойсейка, который сидел на стене со мною рядом.

— Господа и дамы, — сказал Беня Крик, — господа и дамы, — сказал он, и солнце встало над его головой, как часовой с ружьем. — Вы пришли отдать последний долг честному труженику, который погиб за медный грош. От своего имени и от имени всех, кто здесь не присутствует, благодарю вас. Господа и дамы! Что видел наш дорогой Иосиф в своей жизни? Он видел пару пустяков. Чем занимался он? Он пересчитывал чужие деньги. За что погиб он? Он погиб за весь трудящийся класс. Есть люди, уже обреченные смерти, и есть люди, еще не начавшие жить. И вот пуля, летевшая в обреченную грудь, пробивает Иосифа, не видевшего в своей жизни ничего, кроме пары пустяков. Есть люди, умеющие пить водку, и есть люди, не умеющие пить водку, но все же пьющие ее. И вот первые получают удовольствие от горя и от радости, а вторые страдают за всех тех, кто пьет водку, не умея пить ее. Поэтому, господа и дамы, после того как мы помолимся за нашего бедного Иосифа, я прошу вас проводить к могиле неизвестного вам, но уже покойного Савелия Буциса...

И, сказав эту речь, Беня Крик сошел с холмика. Молчали люди, деревья и кладбищенские нищие. Два могильщика пронесли некрашеный гроб к соседней могиле. Кантор, заикаясь, окончил молитву. Беня бросил первую лопату и перешел к Савке. За ним пошли, как овцы, все присяжные поверенные и дамы с брошками. Он заставил кантора пропеть над Савкой полную панихиду, и шестьдесят певчих вторили кантору. Савке не снилась такая панихида — поверьте слову Арье-Лейба, старого старика.

Говорят, что в тот день «полтора жида» решил закрыть дело. Я при этом не был. Но то, что ни кантор, ни хор, ни погребальное братство не просили денег за похороны,— это видел я глазами Арье-Лейба. Арье-Лейб — так зовут меня. И больше я ничего не мог видеть, потому что люди, тихонько отойдя от Савкиной могилы, бросились бежать, как с пожара. Они летели в фаэтонах, в телегах и пешком. И только те четыре, что приехали на красном автомобиле, на нем же и уехали. Музыкальный ящик проиграл свой марш, машина вздрогнула и умчалась.

— Король,— глядя ей вслед, сказал шепелявый Мойсейка, тот самый, что забирает у меня лучшие места на стенке.

Теперь вы знаете все. Вы знаете, кто первый произнес слово «король». Это был Мойсейка. Вы знаете, почему он не назвал так ни одноглазого Грача, ни бешеного Кольку. Вы знаете все. Но что пользы, если на носу у вас по-прежнему очки, а в душе осень?..

Отец

Фроим Грач был женат когда-то. Это было давно, с того времени прошло двадцать лет. Жена родила тогда Фроиму дочку и умерла от родов. Девочку назвали Басей. Ее бабушка по матери жила в Тульчине. Старуха не любила своего зятя. Она говорила о нем: Фроим по занятию ломовой извозчик, и у него есть вороные лошади, но душа Фроима чернее, чем вороная масть его лошадей...

Старуха не любила зятя и взяла новорожденную к себе. Она прожила с девочкой двадцать лет и потом умерла. Тогда Баська вернулась к своему отцу. Это все случилось так.

В среду, пятого числа, Фроим Грач возил в порт на пароход «Каледония» пшеницу из складов общества Дрейфус. К вечеру он кончил работу и поехал домой. На повороте с Прохоровской улицы ему встретился кузнец Иван Пятирубель.

— Почтение, Грач,— сказал Иван Пятирубель,— какая-то женщина колотится до твоего помещения...

Грач проехал дальше и увидел на своем дворе женщину исполинского роста. У нее были громадные бока и щеки кирпичного цвета.

— Папаша,— сказала женщина оглушительным басом,— меня уже черти хватают со скуки. Я жду вас целый день... Знайте, что бабушка умерла в Тульчине.

Грач стоял на биндюге и смотрел на дочь во все глаза.

— Не крутись перед конями,— закричал он в отчаянии,— бери уздечку у коренника, ты мне коней побить хочешь...

Грач стоял на возу и размахивал кнутом. Баська взяла коренника за уздечку и подвела лошадей к конюшне. Она распрягла их и пошла хлопотать на кухню. Девушка повесила на веревку отцовские портянки, она вытерла песком закопченный чайник и стала разогревать зразу в чугунном котелке.

— У вас невыносимый грязь, папаша,— сказала она и выбросила за окно прокисшие овчины, валявшиеся на полу,— но я выведу этот грязь! — прокричала Баська и подала отцу ужинать.

Старик выпил водки из эмалированного чайника и съел зразу, пахнущую как счастливое детство. Потом он взял кнут и вышел за ворота. Туда пришла и Баська вслед за ним. Она одела мужские штиблеты и оранжевое платье, она одела шляпу, обвешанную птицами, и уселась на лавочке. Вечер шатался мимо лавочки, сияющий глаз заката падал в море за Пересыпью, и небо было красно, как красное число в календаре. Вся торговля прикрылась уже на Дальницкой, и налетчики проехали на глухую улицу к публичному дому Иоськи Самуэльсона. Они ехали в лаковых экипажах, разодетые, как птицы колибри, в цветных пиджаках. Глаза их были выпучены, одна нога отставлена к подножке, и в стальной протянутой руке они держали букеты, завороченные в папиросную бумагу. Отлакированные их пролетки двигались шагом, в каждом экипаже сидел один человек с букетом, и кучера, торчавшие на высоких сиденьях, были украшены бантами, как шафера на свадьбах. Старые еврейки в наколках лениво следили течение привычной этой процессии — они были ко всему равнодушны, старые еврейки, и только сыновья лавочников и корабельных мастеров завидовали королям Молдаванки.

Соломончик Каплун, сын бакалейщика, и Моня Артиллерист, сын контрабандиста, были в числе тех, кто пытался отвести глаза от блеска чужой удачи. Оба они прошли мимо нее, раскачиваясь, как девушки, узнавшие любовь, они пошептались между собой и стали двигать руками, показывая, как бы они обнимали Баську, если б она этого захотела. И вот Баська тотчас же этого захотела, потому что она была простая девушка из Тульчина, из своекорыстного подслеповатого городишка. В ней было весу пять пудов и еще несколько фунтов, всю жизнь прожила она с ехидной порослью подольских маклеров, странствующих книгонош, лесных подрядчиков и никогда не видела таких людей, как Соломончик Каплун. Поэтому, увидев его, она стала шаркать по земле толстыми ногами, обутыми в мужские штиблеты, и сказала отцу:

— Папаша,— сказала она громовым голосом,— посмотрите на этого господинчика: у него ножки, как у куколки, я задушила бы такие ножки...

— Эге, пани Грач,— прошептал тогда старый еврей, сидевший рядом, старый еврей по фамилии Голубчик,— я вижу, дите ваше просится на травку...

— Вот морока на мою голову,— ответил Фроим Голубчику, поиграл кнутом и пошел к себе спать и заснул спокойно, потому что не поверил старику. Он не поверил старику и оказался кругом неправ. Прав был Голубчик. Голубчик занимался сватовством на нашей улице, по ночам он читал молитвы над зажиточными покойниками и знал о жизни все, что можно о ней знать. Фроим Грач был неправ. Прав был Голубчик.

И действительно, с этого дня Баська все свои вечера проводила за воротами. Она сидела на лавочке и шила себе приданое. Беременные женщины сидели с ней рядом; груды холста ползли по ее раскоряченным могущественным коленям; беременные бабы наливались всякой всячиной, как коровье вымя наливается на пастбище розовым молоком весны, и в это время мужья их один за другим приходили с работы. Мужья бранчливых жен отжимали под водопроводным краном всклокоченные свои бороды и уступали потом место горбатым старухам. Старухи купали в корытах жирных младенцев, они шлепали внуков по сияющим ягодицам и заворачивали их в поношенные свои юбки. И вот Баська из Тульчина увидела жизнь Молдаванки, щедрой нашей матери,— жизнь, набитую сосущими младенцами, сохнущим тряпьем и брачными ночами, полными пригородного шика и солдатской неутомимости. Девушка захотела и себе такой же жизни, но она узнала тут, что дочь одноглазого Грача не может рассчитывать на достойную партию. Тогда она перестала называть отца отцом.

— Рыжий вор,— кричала она ему по вечерам,— рыжий вор, идите вечерять...

И это продолжалось до тех пор, пока Баська не сшила себе шесть ночных рубашек и шесть пар панталон с кружевными оборками. Кончив подшивку кружев, она заплакала тонким голосом, непохожим на ее голос, и сказала сквозь слезы непоколебимому Грачу:

— Каждая девушка,— сказала она ему,— имеет свой интерес в жизни, и только одна я живу как ночной сторож при чужом складе. Или сделайте со мной что-нибудь, папаша, или я делаю конец моей жизни...

Грач выслушал до конца свою дочь, он одел парусовую бурку и на следующий день отправился в гости к бакалейщику Каплуну на Привозную площадь.

Над лавкой Каплуна блестела золотая вывеска. Это была первая лавка на Привозной площади. В ней пахло многими морями и прекрасными жизнями, неизвестными нам. Мальчик поливал из лейки прохладную глубину магазина и пел песню, которую прилично петь только взрослым. Соломончик, хозяйский сын, стоял за стойкой; на стойке этой были поставлены маслины, пришедшие из Греции, марсельское масло, кофе в зернах, лиссабонская малага, сардины фирмы «Филипп и Кано» и кайенский перец. Сам Каплун сидел в жилетке на солнцепеке, в стеклянной пристроечке, и ел арбуз — красный арбуз с черными косточками, с косыми косточками, как глаза лукавых китаянок. Живот Каплуна лежал на столе под солнцем, и солнце ничего не могло с ним поделать. Но потом бакалейщик увидел Грача в парусиновой бурке и побледнел.

— Добрый день, мосье Грач,— сказал он и отодвинулся.— Голубчик предупредил меня, что вы будете, и я приготовил для вас фунтик чаю, что это — редкость...

И он заговорил о новом сорте чая, привезенном в Одессу на голландских пароходах. Грач слушал его терпеливо, но потом прервал, потому что он был простой человек, без хитростей.

— Я простой человек, без хитростей,— сказал Фроим,— я нахожусь при моих конях и занимаюсь моим занятием. Я даю новое белье за Баськой и пару старых грошей, и я сам есть за Баськой,— кому этого мало, пусть тот горит огнем...

— Зачем нам гореть?— ответил Каплун скороговоркой и погладил руку ломового извозчика.— Не надо такие слова, мосье Грач, ведь вы же у нас человек, который может помочь другому человеку, и, между прочим, вы можете обидеть другого человека, а то, что вы не краковский раввин, так я тоже не стоял под венцом с племянницей Мозеса Монтефиоре, но... но мадам

Каплун... есть у нас мадам Каплун, грандиозная дама, у которой сам Бог не узнает, чего она хочет...

— А я знаю,— прервал лавочника Грач,— я знаю, что Соломончик хочет Баську, но мадам Каплун не хочет меня...

— Да, я не хочу вас,— прокричала тогда мадам Каплун, подслушивавшая у дверей, и она взошла в стеклянную пристроечку, вся пылая, с волнующейся грудью,— я не хочу вас, Грач, как человек не хочет смерти; я не хочу вас, как невеста не хочет прыщей на голове. Не забывайте, что покойный дедушка наш был бакалейщик, покойный папаша был бакалейщик и мы должны держаться нашей бранжи...

— Держитесь вашей бранжи,— ответил Грач пылающей мадам Каплун и ушел к себе домой.

Там ждала его Баська, разодетая в оранжевое платье, но старик, не посмотрев на нее, разостлал кожух под телегами, лег спать и спал до тех пор, пока могучая Баськина рука не выбросила его из-под телеги.

— Рыжий вор,— сказала девушка шепотом, непохожим на ее шепот,— отчего должна я переносить биндюжницкие ваши манеры, и отчего вы молчите как пень, рыжий вор?..

— Баська,— произнес Грач,— Соломончик тебя хочет, но мадам Каплун не хочет меня... Там ищут бакалейщика.

И, поправив кожух, старик снова полез под телеги, а Баська исчезла со двора...

Все это случилось в субботу, в нерабочий день. Пурпурный глаз заката, обшаривая землю, наткнулся вечером на Грача, храпевшего под своим биндюгом. Стремительный луч уперся в спящего с пламенной укоризной и вывел его на Дальницкую улицу, пылившую и блестевшую, как зеленая рожь на ветру. Татары шли вверх по Дальницкой, татары и турки со своими муллами. Они возвращались с богомолья из Мекки к себе домой в Оренбургские степи и в Закавказье. Пароход привез их в Одессу, и они шли из порта на постоялый двор Любки Шнейвейс, прозванной Любкой Казак. Полосатые несгибаемые халаты стояли на татарах и затопляли мостовую бронзовым потом пустыни. Белые полотенца были замотаны вокруг их фесок, и это обозначало человека, поклонившегося праху пророка. Богомольцы дошли до угла, они повернули к Любкиному двору, но не смогли там пройти, потому что у ворот собралось множество людей. Любка Шнейвейс, с кошелем на боку, била пьяного мужика и толкала его на мостовую. Она била сжатым кулаком по лицу, как в бубен, и другой рукой поддерживала мужика, чтобы он не отваливался. Струйки крови ползли у мужика между зубами и возле уха, он был задумчив и смотрел на Любку, как на чужого человека, потом он упал на камни и заснул. Тогда Любка толкнула его ногой и вернулась к себе в лавку. Ее сторож Евзель закрыл за ней ворота и помахал рукой Фроиму Грачу, проходившему мимо...

— Почтение, Грач,— сказал он,— если хотите что-нибудь наблюдать из жизни, то зайдите к нам на двор, есть с чего посмеяться...

И сторож повел Грача к стене, где сидели богомольцы, прибывшие накануне. Старый турок в зеленой чалме, старый турок, зеленый и легкий, как лист, лежал на траве. Он был покрыт жемчужным потом, он трудно дышал и ворочал глазами.

— Вот,— сказал Евзель и поправил медаль на истертом своем пиджаке,— вот вам жизненная драма из оперы «Турецкая хвороба». Он кончается, старичок, но к нему нельзя позвать доктора, потому что тот, кто кончается по дороге от бога Мухаммеда к себе домой, тот считается у них первый счастливец и богач... Халваш,— закричал Евзель умирающему и захохотал,— вот идет доктор лечить тебя...

Турок посмотрел на сторожа с детским страхом и ненавистью и отвернулся. Тогда Евзель, довольный собою, повел Грача на противоположную сторону двора, к винному погребу. В погребе горели уже лампы и играла музыка. Старые евреи с грузными бородами играли румынские и еврейские песни. Мендель Крик пил за столом вино из зеленого стакана и рассказывал о том, как его искалечили собственные сыновья — старший Беня и младший Левка. Он орал свою историю хриплым и страшным голосом, показывал размолотые свои зубы и давал щупать раны на животе. Волынские цадики с фарфоровыми лицами стояли за его стулом и слушали с оцепенением похвальбу Менделя Крика. Они удивлялись всему, что слышали, и Грач презирал их за это.

— Старый хвастун,— пробормотал он о Менделе и заказал себе вина.

Потом Фроим подозвал к себе хозяйку Любку Казак. Она сквернословила у дверей и пила водку стоя.

— Говори,— крикнула она Фроиму и в бешенстве скосила глаза.

— Мадам Любка,— ответил ей Фроим и усадил рядом с собой,— вы умная женщина, и я пришел до вас как до родной мамы. Я надеюсь на вас, мадам Любка,— сначала на Бога, потом на вас.

— Говори,— закричала Любка, побежала по всему погребу и потом вернулась на свое место.

И Грач сказал:

— В колониях,— сказал он,— немцы имеют богатый урожай на пшеницу, а в Константинополе бакалея идет за половину даром. Пуд маслин покупают в Константинополе за три рубля, а продают их здесь по тридцать копеек за фунт... Бакалейщикам стало хорошо, мадам Любка, бакалейщики гуляют очень жирные, и если подойти к ним с деликатными руками, так человек мог бы стать счастливым... Но я остался один в моей работе, покойник Лева Бык умер, мне нет помощи ниоткуда, и вот я один, как бывает один Бог на небе.

— Беня Крик,— сказала тогда Любка,— ты пробовал его на Тартаковском, чем плох тебе Беня Крик?

— Беня Крик? — повторил Грач, полный удивления.— И он холостой, мне сдается?

— Он холостой,— сказала Любка,— округти его с Баськой, дай ему денег,— выведи его в люди...

— Беня Крик,— повторил старик, как эхо, как дальнее эхо,— я не подумал о нем...

Он встал, бормоча и заикаясь, Любка побежала вперед, и Фроим поплелся за ней следом. Они прошли во двор и поднялись во второй этаж. Там, во втором этаже, жили женщины, которых Любка держала для приезжающих.

— Наш жених у Катюши,— сказала Любка Грачу,— подожди меня в коридоре,— и она прошла в крайнюю комнату, где Беня Крик лежал с женщиной по имени Катюша.

— Довольно слюни пускать,— сказала хозяйка молодому человеку,— сначала надо пристроиться к какому-нибудь делу, Бенчик, и потом можно слюни пускать... Фроим Грач ищет тебя. Он ищет человека для работы и не может найти его...

И она рассказала все, что знала о Баське и о делах одноглазого Грача.

— Я подумаю,— ответил ей Беня, закрывая простыней Катюшины голые ноги,— я подумаю, пусть старик обождет меня.

— Обожди его,— сказала Любка Фроиму, оставшемуся в коридоре,— обожди его, он подумает...

Хозяйка придвинула стул Фроиму, и он погрузился в безмерное ожидание. Он ждал терпеливо, как мужик в канцелярии. За стеной стонала Катюша и заливалась смехом. Старик продремал два часа и, может быть, больше. Вечер давно уже стал ночью, небо почернело, и млечные его пути исполнились золота, блеска и прохлады. Любкин погреб был закрыт уже, пьяницы валялись во дворе, как сломанная мебель, и старый мулла в зеленой чалме умер к полуночи. Потом музыка пришла с моря, валторны и трубы с английских кораблей, музыка пришла с моря и стихла, но Катюша, обстоятельная Катюша все еще накаляла для Бени Крика свой расписной, свой русский и румяный рай. Она стонала за стеной и заливалась смехом; старый Фроим сидел не двигаясь у ее дверей, он ждал до часу ночи и потом постучал.

— Человек,— сказал он,— неужели ты смеешься надо мной?

Тогда Беня открыл наконец двери Катюшиной комнаты.

— Мосье Грач,— сказал он, конфузясь, сияя и закрываясь простыней,— когда мы молодые, так мы думаем на женщин, что это товар, но это же всего только солома, которая горит ни от чего...

И, одевшись, он поправил Катюшину постель, взбил ее подушки и вышел со стариком на улицу. Гуляя, дошли они до русского кладбища, и там, у кладбища, сошлись интересы Бени Крика и кривого Грача, старого налетчика. Они сошлись на том, что Баська приносит своему будущему мужу три тысячи рублей приданого, две кровных лошади и жемчужное ожерелье. Они сошлись еще на том, что Каплун обязан уплатить две тысячи рублей Бене, Баськиному жениху. Он был повинен в семейной гордости — Каплун с Привозной площади, он разбогател на константинопольских маслинах, он не пощадил первой Баськиной любви, и поэтому Беня Крик решил взять на себя задачу получения с Каплуна двух тысяч рублей.

— Я возьму это на себя, папаша,— сказал он будущему своему тестю,— Бог поможет нам, и мы накажем всех бакалейщиков...

Это было сказано на рассвете, когда ночь прошла уже,— и вот тут начинается новая история, история падения дома Каплунов, повесть о медленной его гибели, о поджогах и ночной стрельбе. И все это — судьба высокомерного Каплуна и судьба девушки Баськи — решилось в ту ночь, когда ее отец и внезапный ее жених гуляли вдоль русского кладбища. Парни тащили тогда девушек за ограды, и поцелуи раздавались на могильных плитах.

Любка Казак

На Молдаванке, на углу Дальницкой и Балковской улиц, стоит дом Любки Шнейвейс. В ее доме помещается винный погреб, постоялый двор, овсяная лавка и голубятня на сто пар крюковских и николаевских голубей. Лавки эти и участок номер сорок шесть на одесских каменоломнях принадлежат Любке Шнейвейс, прозванной Любкой Казак, и только голубятня составляет собственность сторожа Евзеля, отставного солдата с медалью. По воскресеньям Евзель выходит на Охотницкую и продает голубей чиновникам из города и соседским мальчишкам. Кроме сторожа, на Любкином дворе живет еще Песя-Миндл, кухарка и сводница, и управляющий Цудечкис, маленький еврей, похожий ростом и бороденкой на молдаванского раввина нашего — Бен Зхарью. О Цудечкисе я знаю много историй. Первая из них — история о том, как Цудечкис поступил управляющим на постоялый двор Любки, прозванной Казак.

Лет десять тому назад Цудечкис смаклеровал одному помещику молотилку с конным приводом и вечером повел помещика к Любке для того, чтобы отпраздновать покупку. Покупщик его носил возле усов подусники и ходил в лаковых сапогах. Песя-Миндл дала ему на ужин фаршированную еврейскую рыбу и потом очень хорошую барышню, по имени Настя. Помещик переночевал, и наутро Евзель разбудил Цудечкиса, свернувшегося калачиком у порога Любкиной комнаты.

— Вот,— сказал Евзель,— вы хвалились вчера вечером, что помещик купил через вас молотилку, так будьте известны, что, переночевав, он убежал на рассвете, как самый последний. Теперь вынимайте два рубля за закуску и четыре рубля за барышню. Видно, вы тертый старик.

Но Цудечкис не отдал денег. Евзель втолкнул его тогда в Любкину комнату и запер на ключ.

— Вот,— сказал сторож,— ты будешь здесь, а потом приедет Любка с каменоломни и с Божьей помощью выймет из тебя душу. Аминь.

— Каторжанин,— ответил солдату Цудечкис и стал осматриваться в новой комнате,— ты ничего не знаешь, каторжанин, кроме своих голубей, а я верю еще в Бога, который выведет меня отсюда, как вывел всех евреев — сначала из Египта и потом из пустыни...

Маленький маклер много еще хотел высказать Евзелю, но солдат взял с собой ключ и ушел, громыхая сапогами. Тогда Цудечкис обернулся и увидел у окна сводницу Песю-Миндл, которая читала книгу «Чудеса и сердце Баал-Шема». Она читала хасидскую книгу с золотым обрезом и качала ногой дубовую люльку. В люльке этой лежал Любкин сын, Давидка, и плакал.

— Я вижу хорошие порядки на этом Сахалине,— сказал Цудечкис Песе-Миндл,— вот лежит ребенок и разрывается на части, что это жалко смотреть, и вы, толстая женщина, сидите, как камень в лесу, и не можете дать ему соску...

— Дайте вы ему соску,— ответила Песя-Миндл, не отрываясь от книжки,— если только он возьмет у вас, старого обманщика, эту соску, потому что он уже большой, как кацап, и хочет только мамашенькиного молока, и мамашенька его скачет по своим каменоломням, пьет чай с евреями в трактире «Медведь», покупает в гавани контрабанду и думает о своем сыне, как о прошлогоднем снеге...

— Да,— сказал тогда самому себе маленький маклер,— ты у фараона в руках, Цудечкис,— и он отошел к восточной стене, пробормотал всю утреннюю молитву с прибавлениями и взял потом на руки плачущего младенца. Давидка посмотрел на него с недоумением и помахал малиновыми ножками в младенческом поту, а старик стал ходить по комнате и, раскачиваясь, как цадик на молитве, запел нескончаемую песню.

— А-а-а,— запел он,— вот всем детям дули, а Давидочке нашему калачи, чтобы он спал и днем и в ночи... А-а-а, вот всем детям кулаки...

Цудечкис показал Любкиному сыну кулачок с серыми волосами и стал повторять про дули и калачи до тех пор, пока мальчик не заснул и пока солнце не дошло до середины блистающего неба. Оно дошло до середины и задрожало, как муха, обессиленная зноем. Дикие мужики из Нерубайска и Татарки, остановившиеся на Любкином постоялом дворе, полезли под телеги и заснули там диким заливистым сном, пьяный мастеровой вышел к воротам и, разбросав рубанок и пилу, свалился на землю, свалился и захрапел посредине мира, весь в золотых мухах и голубых молниях июля. Неподалеку от него, в холодке, уселись морщинистые немцы-колонисты, привезшие Любке вино с бессарабской границы. Они закурили трубки, и дым от их изогнутых чубуков стал путаться в серебряной щетине небритых и старческих щек. Солнце свисало с неба, как розовый язык жаждущей собаки, исполинское море накатывалось вдали на Пересыпь, и мачты дальних кораблей колебались на изумрудной воде Одесского залива. День сидел в разукрашенной ладье, день подплывал к вечеру, и навстречу вечеру, только в пятом часу, вернулась из города Любка. Она приехала на чалой лошаденке с большим животом и с отросшей гривой. Парень с толстыми ногами и в ситцевой рубахе открыл ей ворота, Евзель поддержал узду ее лошади, и тогда Цудечкис крикнул Любке из своего заточения:

— Почтение вам, мадам Шнейвейс, и добрый день. Вот вы уехали на три года по делам и набросили мне на руки голодного ребенка...

— Цыть, мурло,— ответила Любка старику и слезла с седла,— кто это разевает там рот в моем окне?

— Это Цудечкис, тертый старик,— ответил хозяйке солдат с медалью и стал рассказывать ей всю историю с помещиком, но он не досказал до конца, потому что маклер, перебивая его, завизжал изо всех сил.

— Какая нахальства,— завизжал он и швырнул вниз ермолку,— какая нахальства набросить на руки чужого ребенка и самой пропасть на три года... Идите дайте ему цицю...

— Вот я иду к тебе, аферист,— пробормотала Любка и побежала к лестнице. Она вошла в комнату и вынула грудь из запыленной кофты.

Мальчик потянулся к ней, искусал чудовищный ее сосок, но не добыл молока. У матери надулась жила на лбу, и Цудечкис сказал ей, тряся ермолкой:

— Вы все хотите захватить себе, жадная Любка; весь мир тащите вы к себе, как дети тащат скатерть с хлебными крошками; первую пшеницу хотите вы и первый виноград; белые хлебы хотите вы печь на солнечном припеке, а маленькое дите ваше, такое дите, как звездочка, должно захлянуть без молока...

— Какое там молоко,— закричала женщина и надавила грудь,— когда сегодня прибыл в гавань «Плутарх» и я сделала пятнадцать верст по жаре?.. А вы, вы запели длинную песню, старый еврей,— отдайте лучше шесть рублей...

Но Цудечкис опять не отдал денег. Он распустил рукав, обнажил руку и сунул Любке в рот худой и грязный локоть.

— Давись, арестантка,— сказал он и плюнул в угол.

Любка подержала во рту чужой локоть, потом вынула его, заперла дверь на ключ и пошла во двор. Там уже дожидался ее мистер Троттибэрн, похожий на колонну из рыжего мяса. Мистер Троттибэрн был старшим механиком на «Плутархе». Он привез с собой к Любке двух матросов. Один из матросов был англичанином, другой был малайцем. Все втроем они втащили во двор контрабанду, привезенную из Порт-Саида. Их ящик был тяжел, они уронили его на землю, и из ящика выпали сигары, запутавшиеся в японском шелку. Множество баб сбежалось к ящику, и две пришлые цыганки, колеблясь и гремя, стали заходить сбоку.

— Прочь, галота!— крикнула им Любка и увела моряков в тень под акацию.

Они сели там за стол. Евзель подал им вина, и мистер Троттибэрн развернул свои товары. Он вынул из тюка сигары и тонкие шелка, кокаин и напильники, необандероленный табак из штата Виргиния и черное вино, купленное на острове Хиосе. Всякому товару была особая цена, каждую цифру запивали бессарабским вином, пахнущим солнцем и клопами. Сумерки побежали по двору, сумерки побежали, как вечерняя волна на широкой реке, и пьяный малаец, полный удивления, тронул пальцем Любкину грудь. Он тронул ее одним пальцем, потом всеми пальцами по очереди.

Желтые и нежные его глаза повисли над столом, как бумажные фонари на китайской улице; он запел чуть слышно и упал на землю, когда Любка толкнула его кулаком.

— Смотрите, какой хорошо грамотный,— сказала о нем Любка мистеру Троттибэрну,— последнее молоко пропадет у меня от этого малайца, а вот тот еврей съел уже меня за это молоко...

И она указала на Цудечкиса, который, стоя в окне, стирал свои носки. Маленькая лампа коптила в комнате у Цудечкиса, лоханка его пенилась и шипела, он высунулся из окна, почувствовав, что говорят о нем, и закричал с отчаянием.

— Ратуйте, люди! — закричал он и помахал руками.
— Цыть, мурло! — захохотала Любка.— Цыть.

Она бросила в старика камнем, но не попала с первого раза. Женщина схватила тогда пустую бутылку из-под вина. Но мистер Троттибэрн, старший механик, взял у нее бутылку, нацелился и угодил в раскрытое окно.

— Мисс Любка,— сказал старший механик, вставая, и он собрал к себе пьяные ноги,— много достойных людей приходят ко мне, мисс Любка, за товаром, но я никому не даю его, ни мистеру Кунинзону, ни мистеру Батю, ни мистеру Купчику, никому, кроме вас, потому что разговор ваш мне приятен, мисс Любка...

И, утвердившись на вздрогнувших ногах, он взял за плечи своих матросов, одного англичанина, другого малайца, и пошел танцевать с ними по захолодевшему двору. Люди с «Плутарха» — они танцевали в глубокомысленном молчании. Оранжевая звезда, скатившись к самому краю горизонта, смотрела на них во все глаза. Потом они получили деньги, взялись за руки и вышли на улицу, качаясь, как качается висячая лампа на корабле. С улицы им видно было море, черная вода Одесского залива, игрушечные флаги на потонувших мачтах и пронизывающие огни, зажженные в просторных недрах. Любка проводила танцующих гостей до переезда; она осталась одна на пустой улице, засмеялась своим мыслям и вернулась домой. Заспанный парень в ситцевой рубахе запер за нею ворота, Евзель принес хозяйке дневную выручку, и она отправилась спать к себе наверх. Там дремала уже Песя-Миндл, сводница, и Цудечкис качал босыми ножками дубовую люльку.

— Как вы замучили нас, бессовестная Любка,— сказал он и взял ребенка из люльки,— но вот учитесь у меня, паскудная мать...

Он приставил мелкий гребень к Любкиной груди и положил сына ей в кровать. Ребенок потянулся к матери, накололся на гребень и заплакал. Тогда старик подсунул ему соску, но Давидка отвернулся от соски.

— Что вы колдуете надо мной, старый плут?— пробормотала Любка, засыпая.

— Молчать, паскудная мать! — ответил ей Цудечкис.— Молчать и учитесь, чтоб вы пропали...

Дитя опять укололось о гребень, оно нерешительно взяло соску и стало сосать ее.

— Вот,— сказал Цудечкис и засмеялся,— я отлучил вашего ребенка, учитесь у меня, чтоб вы пропали...

Давидка лежал в люльке, сосал соску и пускал блаженные слюни. Любка проснулась, открыла глаза и закрыла их снова. Она увидела сына и луну, ломившуюся к ней в окно. Луна прыгала в черных тучах, как заблудившийся теленок.

— Ну, хорошо,— сказала тогда Любка,— открой Цудечкису дверь, Песя-Миндл, и пусть он придет завтра за фунтом американского табаку...

И на следующий день Цудечкис пришел за фунтом необандероленного табаку из штата Виргиния. Он получил его и еще четвертку чаю в придачу. А через неделю, когда я пришел к Евзелю покупать голубей, я увидел нового управляющего на Любкином дворе. Он был крохотный, как раввин наш, Бен Зхарья. Цудечкис был новым управляющим.

Он пробыл в своей должности пятнадцать лет, и за это время я узнал о нем множество историй. И, если сумею, я расскажу их все по порядку, потому что это очень интересные истории.

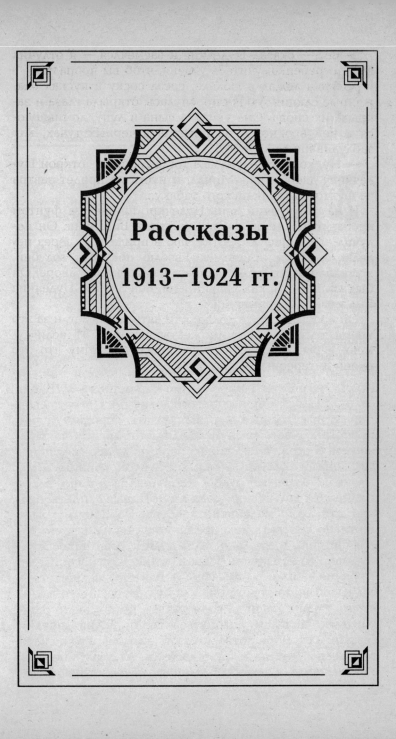

Рассказы
1913—1924 гг.

Старый Шлойме

Хотя наш городок и невелик, хотя все жители в нем наперечет, хотя Шлойме прожил в городке 60 лет безвыездно, но все-таки не каждый бы вам сказал, кто такой Шлойме и что он из себя представляет. Это потому, что его просто забыли, как забывают ненужную, не попадающуюся на глаза вещь. Такой вещью и был старый Шлойме. Ему было 86 лет. Глаза его слезились; лицо, маленькое, грязное, морщинистое лицо, обросло желтоватой, никогда не расчесываемой бородой и космами густых, спутанных волос на голове. Шлойме почти никогда не умывался, редко менял платье, и от него дурно пахло; сын и невестка, у которых он жил, махнули на него рукой, запрятали в теплый угол и забыли о нем. Теплый угол и еда — вот что осталось у Шлойме, и, казалось, ему было этого довольно. Погреть свои старые, изломанные кости, скушать хороший кусок жирного, сочного мяса было для него высшим наслаждением. К столу он приходил первый; жадно следил немигающими глазами за каждым куском, длинными костлявыми пальцами судорожно запихивал пищу в рот и ел, ел, ел до тех пор, пока ему отказывали дать еще, еще хоть один маленький кусочек. На Шлойме было противно смотреть в то время, когда он ел: вся его тощая фигурка дрожала, пальцы в жиру, лицо такое жалкое, полное страшной боязни, чтобы его не обидели, чтобы не забыли о нем. Иногда невестка подшучивала над Шлойме: за столом она как будто случайно обходила его; старик начинал волноваться, беспомощно оглядываться, пытался улыбнуться своим искривленным, беззубым ртом; он хотел доказать, что для него не важно кушанье, что он и так обойдется, но в глубине глаз, в складке рта, в протянутых молящих руках чувствовалась такая просьба, эта с таким трудом скорченная улыбка была так жалка, что шутки забывались и старый Шлойме получал свою порцию.

Так и жил он в своем углу — ел и спал, а летом еще грелся на солнышке. Способность соображать он, казалось, давно утратил. Дела сына, домашние события не интересовали его. Безучастно смотрел он на все происходящее, и только шевелилась боязнь, как бы внук не подсмотрел, что у него под подушкой спрятан засохший кусок пряника. Никогда никто не говорил с Шлойме, не советовался с ним, не просил у него помощи. И Шлойме был очень доволен, когда однажды после ужина сын подошел к нему и громко крикнул на ухо: «Папаша, нас выселяют отсюда, слышите, выселяют, гонят!» Голос сына дрожал, лицо перекосилось точно от боли. Шлойме медленно поднял свои выцветшие глаза, осмотрелся, с трудом что-то сообразил, запахнулся в засаленный сюртук, ничего не ответил и побрел спать.

С этого дня Шлойме начал замечать, что в доме творится что-то неладное. Сын был расстроен, не занимался делом, иногда плакал и украдкой смотрел на жующего отца. Внук перестал ходить в гимназию. Невестка кричала визгливым голосом, ломала руки, прижимала к себе своего мальчика и плакала, горько, с надрывом плакала.

У Шлойме нашлось теперь занятие — он смотрел и старался соображать. Смутные мысли шевелились в давно не работавшем мозгу. «Их гонят отсюда!» Шлойме знал, за что их гонят. «Но ведь он не может уехать! Ему 86 лет; он хочет отогреться. На дворе холодно, сыро... Нет, Шлойме никуда не уйдет. Ему некуда идти, совсем некуда». Шлойме забился в свой угол, и ему захотелось обнять деревянную расшатанную кровать, погладить печку, милую, теплую, такую же старую, как и он, печку. «Он вырос здесь, прожил свою бедную, неприветливую жизнь и хочет, чтобы его старые кости покоились на маленьком родном кладбище». В минуты таких дум Шлойме неестественно оживлялся, шел к сыну, хотел говорить ему много и горячо, посоветовать что-нибудь, но... он так давно ни с кем не говорил, никому ничего не советовал. И слова застывали в беззубом рте, поднятая рука бессильно опускалась. Шлойме, весь съежившись, как бы застыдившись своего порыва, угрюмо шел обратно к себе и прислушивался, о чем говорит сын с невесткой. Он плохо слышал, но что-то чувствовал, со страхом, с ужасом чувствовал. В такие минуты сын ощущал устремленный на него тяжелый и безумный взгляд выжившего из ума старика, и пара маленьких глаз с проклятым вопросом беспрестанно о чем-то догадывалась, что-то выпытывала. Один раз слово было произнесено слишком громко: невестка забыла, что Шлойме еще не умер. И вслед за этим словом послышался тихий, точно придушенный вой. Это был старый Шлойме. Колеблющимися шагами, грязный и всклокоченный, он медленно приполз к сыну, схватил его за руки, погладил их, поцеловал, не отводя от сына воспаленного взора, несколько раз покачал головой, и впервые за много-много лет слезы выкатились из его глаз. Больше он ничего не сказал. С трудом поднялся с колен, костлявой рукой вытер слезы, для чего-то стряхнул пыль с сюртука и побрел обратно к себе, туда, где в углу стояла теплая печка... Шлойме хотел обогреться. Ему сделалось холодно.

С той поры Шлойме ни о чем другом не думал. Он знал одно: сын его хотел уйти от своего народа, к новому Богу. Старая, забытая вера всколыхнулась в нем. Шлойме никогда не был религиозен, редко молился и раньше слыл даже безбожником. Но уйти, совсем, навсегда уйти от своего Бога, Бога униженного и страдающего народа — этого он не понимал. Тяжело ворочались мысли в его голове, туго соображал он, но эти слова неизменно, твердо, грозно стояли перед ним: «Нельзя этого, нельзя!». И когда понял Шлойме, что несчастье неотвратимо, что сын не выдержит, то он сказал себе: «Шлойме, старый Шлойме, что тебе теперь делать?» Беспомощно оглянулся старик вокруг себя, по-детски жалобно сморщил рот и хотел заплакать горькими, старческими слезами. Их не было, облегчающих слез. И тогда, в ту минуту, когда сердце его заныло, когда ум понял безмерность несчастья, тогда Шлойме в последний раз любовно осмотрел свой теплый угол и решил, что его не прогонят отсюда, никогда не прогонят. «Старику Шлойме не дают съесть кусок засохшего пряника, который лежит у него под подушкой. Ну так что ж? Шлойме расскажет Богу, как его обидели, Бог ведь есть, Бог примет его». В этом Шлойме был уверен.

Ночью, дрожа от холода, поднялся он с кровати. Тихо, чтобы никого не разбудить, зажег маленькую керосиновую лампу. Медленно, по-стариковски охая и ежась, начал напяливать на себя свое грязное платье. Потом взял табуретку, веревку, приготовленную накануне, и, колеблясь от слабости, хватаясь за стены, вышел на улицу. Сразу сделалось так холодно... Все тело дрожало. Шлойме быстро укрепил веревку на крюке, встал возле двери, поставил табуретку, взобрался на нее, обмотал веревку вокруг худой трясущейся шеи, последним усилием оттолкнул табуретку, успел еще осмотреть потускневшими глазами городок, в котором он прожил 60 лет безвыездно, и повис...

Был сильный ветер, и вскоре щуплое тело старого Шлойме закачалось перед дверью дома, в котором он оставил теплую печку и засаленную отцовскую Тору.

Детство. У бабушки

По субботам я возвращался домой поздно, после шести уроков. Хождение по улице не казалось мне пустым занятием. Во время ходьбы удивительно хорошо мечталось и все, все было родное. Я знал вывески, камни домов, витрины магазинов. Я их знал особенно, только для себя и твердо был уверен, что вижу в них главное, таинственное, то, что мы, взрослые, называем сущностью вещей. Все мне крепко ложилось на душу. Если говорили при мне о лавке, я вспоминал вывеску, золотые потертые буквы, царапину в левом углу ее, барышню-кассиршу с высокой прической и вспоминал воздух, который живет возле этой лавки и не живет ни у какой другой. А из лавок, людей, воздуха, театральных афиш я составлял мой родной город. Я до сих пор помню, чувствую и люблю его; чувствую так, как мы чувствуем запах матери, запах ласки, слов и улыбки; люблю потому, что в нем я рос, был счастлив, грустен и мечтателен, страстно, неповторимо мечтателен.

Шел я всегда по главной улице, там было больше всего людей.

Та суббота, о которой мне хочется рассказать, приходилась на начало весны. В эту пору у нас в воздухе нет тихой нежности, так сладостной в средней России над мирной речкой, над скромной долиной. У нас блестящая, легкая прохлада, неглубокая, веющая холодком страстность. Я был совсем пузырем в то время и ничего не понимал, но весну чувствовал и от холодка цвел и румянился.

Ходьба занимала у меня много времени. Я долго рассматривал бриллианты в окне ювелира, прочитал театральные афиши от «а» до «ижицы», а однажды осматривал в магазине мадам Розали бледно-розовые корсеты с длинными волнистыми подвязками. Собираясь идти дальше, я наткнулся тогда на высокого студента с большими черными усами. Он улыбался и спросил меня: «Изучаете?». Я смутился. Тогда он важно похлопал меня по плечу и покровительственно сказал: «Продолжайте в том же духе, коллега. Хвалю. Всех благ!». Расхохотался, повернулся и ушел. Я был очень сконфужен, поплелся домой и на витрины мадам Розали уже не заглядывался.

Этот субботний день полагалось проводить у бабушки. У нее была отдельная комната, в самом конце квартиры, за кухней. В углу комнаты стояла печь: бабушка всегда зябла. В комнате было жарко, душно, и от этого мне всегда бывало тоскливо, хотелось вырваться, хотелось на волю.

Я перетащил к бабушке мои принадлежности, книги, пюпитр и скрипку. Стол для меня был уже накрыт. Бабушка села в углу. Я ел. Мы молчали. Дверь была заперта. Мы были одни. На обед была холодная фаршированная рыба с хреном (блюдо, ради которого стоит принять иудейство), жирный, вкусный суп, жареное мясо с луком, салат, компот, кофе, пирог и яблоки. Я съел все. Я был мечтателем, это правда, но с большим аппетитом. Бабушка убрала посуду. В комнате сделалось чисто. На окошке стояли чахленькие цветы. Из всего живущего бабушка любила своего сына, внука, собаку Мимку и цветы. Пришла и Мимка, свернулась калачиком на диване и заснула тотчас. Она была ужасная соня, но славная собака, добрая, разумная, небольшая и красивая. Мимка была мопсом. Шерсть у нее была светлая. До старости она не обрюзгла, не отяжелела, а осталась стройной и тонкой. Она у нас долго жила, от рождения до смерти, весь свой пятнадцатилетний собачий век, и любила нас,— это так понятно, а больше всех суровую и ко всему безжалостную бабушку. О том, какие друзья, молчаливые и скрытные, они были, я расскажу в другой раз. Это очень хорошая, трогательная и ласковая история.

Итак, нас было трое — я, бабушка и Мими. Мими спала. Бабушка, добрая, в праздничном шелковом платье, сидела в углу, а я должен был заниматься. Тот день был тяжелым для меня. В гимназии было 6 уроков, а должен был прийти г. Сор[окин], учитель музыки, и г. Л., учитель еврейского языка, отдавать пропущенный урок и пот[ом], м[ожет] б[ыть], Peysson*, учитель французского языка, и уроки приходилось приготовлять. С Л. я справился бы, мы были старые знакомые, но музыка, гаммы — какая тоска! Сначала я принялся за уроки. Разложил тетради, стал тщательно решать задачи. Бабушка не прерывала меня, Боже сохрани. От напряжения, от благоговения к моей работе у нее сделалось тупое лицо. Глаза ее, круглые, желтые, прозрачные, не отрывались от меня. Я перелистывал страницу — они медленно передвигались вслед за моей рукой. Другому от неотступно наблюдающего, неотрывного взгляда было бы очень тяжело, но я привык.

Потом бабушка меня выслушивала. По-русски, надо сказать, она говорила скверно, слова коверкала на свой, особенный, лад, смешивая русские с польскими и еврейскими. Грамотна по-русски, конечно, не была и книгу держала вниз головой. Но это не мешало мне рассказать ей урок с начала до конца. Бабушка слушала, ничего не понимала, но музыка слов для нее была сладка, она благоговела перед наукой, верила

* Пейссон (фр.).

мне, верила в меня и хотела, чтобы из меня вышел «богатырь» — так называла она богатого человека. Уроки я кончил и принялся за чтение книги, я тогда читал «Первую любовь» Тургенева. Мне все в ней нравилось, ясные слова, описания, разговоры, но в необыкновенный трепет меня приводила та сцена, когда отец Владимира бьет Зинаиду хлыстом по щеке. Я слышал свист хлыста, его гибкое кожаное тело остро, больно, мгновенно впивалось в меня. Меня охватывало неизъяснимое волнение. На этом месте я должен был бросить чтение, пройтись по комнате. А бабушка сидела недвижима, и даже жаркий одуряющий воздух стоял не шевелясь, точно чувствовал, что я занимаюсь, нельзя мне мешать. Жару в комнате все прибавлялось. Стала похрапывать Мимка. А раньше было тихо, призрачно тихо, не доносилось ни звука. Все мне было необыкновенно в тот миг и от всего хотелось бежать — и навсегда хотелось остаться. Темнеющая комната, желтые глаза бабушки, ее фигурка, закутанная в шаль, скрюченная и молчащая в углу, жаркий воздух, закрытая дверь, и удар хлыстом, и этот пронзительный свист — только теперь я понимаю, как это было странно, как много означало для меня. Из этого тревожного состояния меня вывел звонок. Пришел Сор[окин]. Я ненавидел его в ту минуту, ненавидел гаммы, эту непонятную, ненужную визгливую музыку. Надо признать, этот Сор[окин] был славный малый, носил черные волосы ежиком, имел большие красные руки и красивые полные губы. В тот день под бабушкиным оком он должен был работать целый час, даже больше, должен был стараться изо всех сил. Все это не находило никакого признания. Глаза старухи холодно и цепко передвигались вслед за его движениями, оставались к нему безразличными и чужими. Бабушке были не интересны посторонние люди. Она требовала, чтобы они исполняли свои обязательства по отношению к нам, и только. Начали мы заниматься. Я-то бабушку не боялся, но битый час приходилось испытывать на себе усердие не в меру моего бедного Сорокина. Он чувствовал себя очень необычно в этой отдаленной комнате, перед мирно спящей собакой и враждебной, холодно следящей старухой. Наконец он стал прощаться. Бабушка безучастно подала ему твердую, морщинистую, большую руку и даже не шевельнула ею. Уходя, он зацепился за стул.

Я выдержал и следующий час — урок господина Л., дождался минуты, когда и за ним закрылась дверь.

Наступил вечер. Зажглись в небе далекие золотые точки. Наш двор — глубокую клетку — ослепила луна. У соседей женский голос запел романс «Отчего я безумно люблю». Наши ушли в театр. Мне сделалось грустно. Я устал. Я так много читал, так много занимался, так много смотрел. Бабушка зажгла лампу. Ее комната сразу сделалась тихой; темная, тяжелая мебель мягко осветилась. Проснулась Мими, прошлась по комнатам, пришла снова к нам и стала дожидаться ужина. Прислуга внесла самовар. Бабушка была любительница чаю. Для меня был припасен пряник. Мы пили помногу. В глубоких и резких бабушкиных морщинах заблестел пот. «Хочешь спать?» — спросила она. Я ответил: «Нет». Мы стали разговаривать. И вновь я услышал бабушкины истории. Давно, много лет тому назад один еврей держал корчму. Он был беден, женат, обременен детьми и торговал безакцизной водкой. Приезжал к нему комиссар и мучил его. Ему стало трудно жить. Он пошел к цадику и сказал: «Рабби, мне досаждает комиссар до смерти. Просите за меня Бога». «Иди с миром,— сказал ему цадик.— Комиссар успокоится». Еврей ушел. На пороге своей корчмы он застал комиссара. Тот лежал мертвым с багровым вздутым лицом.

Бабушка замолчала. Самовар гудел. Соседка все пела. Луна все слепила. Мими помахала хвостом. Она была голодна.

— В старину люди верили,— промолвила бабушка.— Было проще жить на свете. Когда я была девушкой — взбунтовались поляки. Возле нас был графский майонтек. К графу приезжал сам царь. У него гуляли по семеро суток. Я ночью бегала к графскому замку и смотрела в освещенные окна. У графа была дочь и лучшие в мире жемчуга. Потом было восстание. Пришли солдаты и выволокли его на площадь. Мы все стояли вокруг и плакали. Солдаты вырыли яму. Старику хотели завязать глаза. Он сказал «не надо», стал против солдат и скомандовал: «пали». Граф был высокого роста, седой мужчина. Мужики его любили. Когда его стали закапывать, быстро приехал гонец. Он привез от царя помилование.

Самовар потухал. Бабушка выпила последний, холодный уже стакан чаю, пососала беззубым ртом кусочек сахару.

— Твой дед,— заговорила она,— знал много историй, но он ни во что не верил, только верил в людей. Он отдал все свои деньги друзьям, а когда пришел к ним, то его сбросили с лестницы, и он тронулся умом.

И бабушка рассказывает мне о моем деде, высоком, насмешливом, страстном и деспотичном человеке. Он играл на скрипке, писал по ночам сочинения и знал все языки. Им владела неугасимая жажда к знанию и жизни. В их старшего сына влюбилась генеральская дочь, он много скитался, играл в карты и умер в Канаде 37 лет. У бабушки остался один только сын и я. Все прошло. День склоняется к вечеру, и смерть приближается медленно. Бабушка замолкает, склоняет голову и плачет.

— Учись,— вдруг говорит она с силой,— учись, ты добьешься всего — богатства и славы. Ты должен знать все. Все будут падать и унижаться перед тобой. Тебе должны завидовать все. Не верь людям. Не имей друзей. Не отдавай им денег. Не отдавай им сердца.

Бабушка не рассказывает больше. Тишина. Бабушка думает о прошедших годах и печалях, думает о моей судьбе, и суровый завет ее тяжко — навеки — ложится на детские слабые мои плечи. В темном углу пышет зноем накалившаяся чугунная печь. Мне душно, мне нечем дышать, надо бежать на воздух, на волю, но нет сил поднять никнущую [голову?].

В кухне гремят посудой. Бабушка идет туда. Мы собираемся ужинать. Скоро я слышу ее металлический и гневный голос. Она кричит на прислугу. Мне странно и больно. Ведь так недавно она дышала миром и печалью. Прислуга огрызается. «Пошла вон, наймичка,— гремит нестерпимо высокий голос с неудержимой яростью.— Я здесь хозяйка. Ты добро уничтожаешь. Вон». Я не могу вынести этого оглушающего железного крика. Через приоткрытую дверь я вижу бабушку. Ее лицо напряжено, губа мелко и беспощадно вздрагивает, глотка вздулась, точно вспухла. Прислуга что-то возражает. «Уйди»,— сказала бабушка. Сделалось тихо. Прислуга согнулась и неслышно, точно боясь оскорбить тишину, выползла из комнаты.

Мы ужинаем в молчании. Едим сытно, обильно и долго. Прозрачные бабушкины глаза неподвижны, и куда они смотрят — я не знаю. После ужина она...*

Больше я не вижу ничего, потому что сплю очень крепко, сплю молодо за семью печатями в бабушкиной жаркой комнате.

Элья Исаакович
и Маргарита Прокофьевна

Гершкович вышел от надзирателя с тяжелым сердцем. Ему было объявлено, что если не выедет он из Орла с первым поездом, то будет отправлен по этапу. А выехать — значило потерять дело.

С портфелем в руке, худощавый и неторопливый, шел он по темной улице. На углу его окликнула высокая женская фигура:

— Котик, зайдешь?

Гершкович поднял голову, посмотрел на нее через блеснувшие очки, подумал и сдержанно ответил:

— Зайду.

Женщина взяла его под руку. Они пошли за угол.

— Куда же мы? В гостиницу?

— Мне надо на всю ночь,— ответил Гершкович,— к тебе.

— Это будет стоить трешницу, папаша.

— Два,— сказал Гершкович.

— Расчета нет, папаша...

* * *

Сторговались за два с полтиной. Пошли дальше.

Комната проститутки была небольшая, чистенькая, с порванными занавесками и розовым фонарем.

---

* Фраза обрывается, заключительный абзац написан на отдельном листке.

Когда пришли, женщина сняла пальто, расстегнула кофточку... и подмигнула.

— Э,— поморщился Гершкович,— какое глупство.

— Ты сердитый, папаша.

Она села к нему на колени.

— Нивроко,— сказал Гершкович,— пудов пять в вас будет?

— Четыре тридцать.

Она взасос поцеловала его в седеющую щеку.

* * *

— Э,— снова поморщился Гершкович,— я устал, хочу уснуть.

Проститутка встала. Лицо у нее сделалось скверное.

— Ты еврей?

Он посмотрел на нее через очки и ответил:

— Нет.

— Папашка,— медленно промолвила проститутка,— это будет стоить десятку.

Он поднялся и пошел к двери.

— Пятерку,— сказала женщина.

Гершкович вернулся.

— Постели мне,— устало сказал еврей, снял пиджак и осмотрелся, куда его повесить.— Как тебя зовут?

— Маргарита.

— Перемени простыню, Маргарита.

Кровать была широкая, с мягкой периной. Гершкович стал медленно раздеваться, снял белые носки, расправил вспотевшие пальцы на ногах, запер дверь на ключ, положил его под подушку и лег. Маргарита, позевывая, неторопливо сняла платье, скосив глаза, выдавила прыщик на плече и стала заплетать на ночь жиденькую косичку.

— Как тебя зовут, папашка?

— Эли, Элья Исаакович.

— Торгуешь?

— Наша торговля...— неопределенно ответил Гершкович.

Маргарита задула ночник и легла...

* * *

— Нивроко,— сказал Гершкович.— Откормилась.

Скоро они заснули.

На следующее утро яркий свет солнца залил комнату. Гершкович проснулся, оделся, подошел к окну.

— У нас море, у вас поле,— сказал он.— Хорошо.

— Ты откуда?— спросила Маргарита.

— Из Одессы,— ответил Гершкович.— Первый город, хороший город.— И он хитро улыбнулся.

— Тебе, я вижу, везде хорошо,— сказала Маргарита.

— И правда,— ответил Гершкович.— Везде хорошо, где люди есть.

— Какой ты дурак,— промолвила Маргарита, приподнимаясь на кровати.— Люди злые.

— Нет,— сказал Гершкович,— люди добрые. Их научили думать, что они злые, они и поверили.

Маргарита подумала, потом улыбнулась.

— Ты занятный,— медленно проговорила она и внимательно оглядела его.

— Отвернись. Я оденусь.

Потом завтракали, пили чай с баранками. Гершкович научил Маргариту намазывать хлеб маслом и по-особенному накладывать поверх колбасу.

— Попробуйте, а мне, между прочим, надо отправляться.

Уходя, Гершкович сказал:

— Возьмите три рубля, Маргарита. Поверьте, негде копейку заработать.

Маргарита улыбнулась.

— Жи́ла ты, жи́ла. Давай три. Придешь вечером?

— Приду.

Вечером Гершкович принес ужин — селедку, бутылку пива, колбасы, яблок. Маргарита была в темном глухом платье. Закусывая, разговорились.

— Полсотней в месяц не обойдешься,— говорила Маргарита.— Занятия такая, что дешевкой оденешься — щей не похлебаешь. За комнату отдаю пятнадцать, возьми в расчет...

— У нас в Одессе,— подумавши, ответил Гершкович, с напряжением разрезывая селедку на равные части,— за десять рублей вы имеете на Молдаванке царскую комнату.

— Прими в расчет, народ у меня толчется, от пьяного не убережешься...

— Каждый человек имеет свои неприятности,— промолвил Гершкович и рассказал о своей семье, о пошатнувшихся делах, о сыне, которого забрали на военную службу.

Маргарита слушала, положив голову на стол, и лицо у нее было внимательное, тихое и задумчивое.

После ужина, сняв пиджак и тщательно протерев очки суконкой, он сел за столик и, придвинув к себе лампу, стал писать коммерческие письма. Маргарита мыла голову.

Писал Гершкович неторопливо, внимательно, поднимая брови, по временам задумываясь, и, обмакивая перо, ни разу не забыл отряхнуть его от лишних чернил.

Окончив писать, он посадил Маргариту на копировальную книгу.

— Вы, нивроко, дама с весом. Посидите, Маргарита Прокофьевна, проше пана.

Гершкович улыбнулся, очки блеснули, и глаза сделались у него блестящие, маленькие, смеющиеся.

На следующий день он уезжал. Прохаживаясь по перрону, за несколько минут до отхода поезда Гершкович заметил Маргариту, быстро шедшую к нему с маленьким свертком в руках. В свертке были пирожки, и жирные пятна от них проступили на бумаге.

Лицо у Маргариты было красное, жалкое, грудь волновалась от быстрой ходьбы.

— Привет в Одессу,— сказала она,— привет...

— Спасибо,— ответил Гершкович, взял пирожки, поднял брови, над чем-то подумал и сгорбился.

Раздался третий звонок. Они протянули друг другу руки.

— До свидания, Маргарита Прокофьевна.

— До свиданья, Элья Исаакович.

Гершкович вошел в вагон. Поезд двинулся.

Мама, Римма и Алла

С самого утра день выдался хлопотливый.

Накануне раскапризничалась и ушла прислуга. Варваре Степановне пришлось все делать самой. Во-вторых, рано утром прислали счет на электричество. В-третьих, квартиранты, братья Растохины, студенты, предъявили совершенно неожиданную претензию. Ночью ими была якобы получена из Калуги телеграмма о том, что отец их болен и необходимо к нему выехать. Поэтому они освобождают комнату и просят возвратить им 60 рублей, выданные Варваре Степановне заимообразно.

Варвара Степановна на это ответила, что странно освобождать комнату в апреле, когда никто ее снимать не станет, и что деньги она затрудняется возвратить, потому что они были даны ей не заимообразно, а в виде платы за помещение, платы, выданной, правда, вперед.

Растохины с Варварой Степановной не согласились. Разговор принял замедленный и недружелюбный характер. Студенты были упрямые и недоумевающие остолопы в длиннополых и чистеньких сюртуках. Им показалось, что плакали их денежки. Старший предложил тогда, чтобы Варвара Степановна заложила у них свой буфет из столовой и трюмо.

Варвара Степановна побагровела и возразила, что она не позволит разговаривать с собой в таком тоне, что предложение растохинское совершеннейшая дичь, что законы она знает, муж ее членом окружного суда на Камчатке и прочее. Младший Растохин, вспылив, ответил, что наплевать им с высокого дерева на то, что муж ее членом окружного суда на Камчатке, что если попадет к ней копейка, то ее уж когтями не выдерешь, что пребывание свое у Варвары Степановны — весь этот сумбур, грязь, бестолковщину — они никогда не забудут и что окружной суд на Камчатке далеко, а мировой судья на Москве близко...

Так эта беседа и окончилась. Растохины ушли надутые, злобно-тупые, а Варвара Степановна направилась в кухню варить кофе другому своему квартиранту, студенту Станиславу Мархоцкому. Из комнаты его уж несколько минут доносились резкие и длительные звонки.

Варвара Степановна стояла в кухне перед спиртовой машинкой, на толстом носу ее было разъехавшееся от старости никелевое пенсне, седоватые волосы растрепались, утренняя розовая кофта была в пятнах. Она варила кофе и думала, что никогда эти мальчишки не разговаривали бы с ней в таком тоне, если бы не вечный недостаток в деньгах, если бы не эта несчастная необходимость перехватывать, прятаться и хитрить.

Когда кофе и яичница Мархоцкого были готовы, она отнесла завтрак ему в комнату.

Мархоцкий был поляк — высокий, костлявый, беловолосый, с холеными ногтями и длинными ногами. В то утро на нем была домашняя щегольская серая куртка с брандебурами.

Встречена была Варвара Степановна с неудовольствием.

— Мне надоело,— сказал он,— то, что никогда нет прислуги, приходится звонить по часу и опаздывать на лекции...

Прислуги действительно часто не бывало, и звонил Мархоцкий подолгу, но на этот раз причина его неудовольствия была в другом.

Накануне вечером он сидел с Риммой, старшей дочерью Варвары Степановны, на диване в гостиной. Варвара Степановна видела, как они поцеловались раза три и в темноте обнимались. Сидели они до одиннадцати, затем до двенадцати, потом Станислав положил голову на грудь Риммы и заснул. Кто в молодости не дремал в углу дивана на груди случайно встретившейся на жизненном пути гимназисточки? Худа в этом большого нет, последствий часто тоже не бывает, но все же надо считаться с окружающими, с тем, что девочке, может быть, в гимназию на следующее утро надо.

Только в половине второго Варвара Степановна довольно кисло заявила, что пора бы и честь знать. Мархоцкий, исполненный польского гонора, поджал губы и обиделся. Римма метнула на мать негодующий взгляд.

Тем дело и обошлось. Но Станислав, очевидно, и на следующее утро помнил об этом. Варвара Степановна подала ему завтрак, посолила яичницу и вышла.

Было 11 часов утра. Варвара Степановна открыла в комнате дочерей шторы. Легкие, блестящие лучи нежаркого солнца легли на грязноватый пол, на разбросанную повсюду одежду, на запыленную этажерку.

Девушки уже проснулись. Старшая, Римма, была худенькая, маленькая, быстроглазая, черноволосая. Алла была моложе на год — всего семнадцать лет, крупнее сестры, белая, медлительная в движениях, с нежной, рыхловатой кожей, с сладостно-задумчивым выражением голубых глаз.

Когда мать вышла, она заговорила. Полная голая рука ее лежала на одеяле, белые пальчики едва шевелились.

— Я видела сон, Римма,— сказала она.— Представь себе — странный городок, маленький, русский, непонятный... Светло-серое небо стоит очень низко, и горизонт совсем близко. Пыль на уличках тоже серая, гладкая, покойная. Все мертво, Римма. Ниоткуда ни звука, нигде ни одного человека. И вот мне кажется, что я иду по незнакомым мне переулочкам, вдоль маленьких, тихих деревянных домиков. То упираюсь в тупички, то выхожу на дорогу, из которой мне видны только десять шагов пути, и все же я иду по ней бесконечно. Впереди меня где-то вьется легкая пыль. Я подхожу ближе и вижу свадебные кареты. В одной из них Михаил с невестой. Невеста в фате, и лицо у нее счастливое. Я иду рядом с каретами, мне кажется, что я выше всех, и сердце у меня побаливает. Потом все замечают меня. Кареты останавливаются. Михаил подходит ко мне, берет меня за руку и медленно уводит в переулок. «Мой друг Алла,— говорит он монотонно,— все грустно, я знаю. Ничего нельзя сделать, потому что я не люблю вас». Я иду рядом с ним, сердце у меня все вздрагивает, и новые серые дорожки открываются перед нами.

Алла замолкла.

— Дурной сон,— прибавила она.— Кто знает? Может быть, потому что худо — все пойдет к лучшему и получится письмо.

— Черта с два,— ответила Римма,— раньше надо было умнее быть и не бегать на свидания. А у меня, знаешь, с мамой сегодня разговор будет...— неожиданно сказала она.

Римма встала, оделась, пошла к окну.

Весна была на Москве. Теплой сыростью блестел длинный, мрачный забор, тянувшийся на противоположной стороне почти во всю длину переулка.

У церкви, в палисаднике, трава была влажная, зеленая. Солнце мягко золотило потускневшие ризы, мелькало по темному лику иконы, поставленной на покосившемся столбике у входа в церковную ограду.

Девушки перешли в столовую. Там сидела Варвара Степановна и много и внимательно ела, поочередно пристально вглядываясь через очки в бисквитики, в кофе, в ветчину. Кофе она пила громкими и короткими глотками, а бисквиты съедала быстро, жадно, точно украдкой.

— Мама,— сурово сказала ей Римма и гордо подняла маленькое личико,— я хочу поговорить с тобой. Не надо вспыхивать. Все будет спокойно и раз навсегда. Я не могу жить с тобой больше. Дай мне свободу.

— Пожалуйста,— спокойно ответила Варвара Степановна, поднимая на Римму бесцветные глаза.— Это за вчерашнее?

— Не за вчерашнее, а по поводу него. Я задыхаюсь здесь.

— Что же ты делать будешь?

— На курсы пойду, изучу стенографию, теперь спрос...

— Теперь стенографистками хоть пруд пруди. Ухватятся за тебя...

— Я не прибегну к тебе, мама,— визгливо проговорила Римма,— я не прибегну к тебе. Дай мне свободу.

— Пожалуйста,— еще раз сказала Варвара Степановна,— я не задерживаю.

— И паспорт дай мне.

— Паспорта я не дам.

Разговор был неожиданно тихий. Теперь Римма почувствовала, что из-за паспорта можно раскричаться.

— Это мне нравится,— саркастически захохотала она,— где же меня пропишут без паспорта?

— Паспорта я не дам.

— Я на содержание пойду,— истерически закричала Римма,— я жандарму отдамся...

— Кто тебя возьмет?— Варвара Степановна критически осмотрела дрожащую фигурку и пылающее лицо дочери.— Не найдет жандарм получше...

— Я на Тверскую пойду,— кричала Римма,— я к старику пойду. Я не хочу жить с ней, с этой дурой, дурой, дурой...

— Ах вот как ты с матерью разговариваешь,— с достоинством поднялась Варвара Степановна,— в доме нужда, все разваливается, недостаток, я хочу забыться, а ты... Папа это будет знать...

— Я сама напишу на Камчатку,— в исступлении прокричала Римма,— я получу у папки паспорт...

Варвара Степановна вышла. Маленькая и взъерошенная Римма возбужденно шагала по комнате. Отдельные гневные фразы из будущего письма к отцу носились в ее мозгу.

«Милый папка! — напишет она,— у тебя свои дела, я знаю, но я должна все сказать тебе... Оставим на маминой совести утверждение, будто Стасик спал на моей груди. Он спал на вышитой подушечке, но центр тяжести в другом. Мама твоя жена, ты будешь пристрастен, но дома я не могу оставаться, она тяжелый человек... Если хочешь, я приеду к тебе на Камчатку, но паспорт мне нужен, папка...»

Римма шагала, а Алла сидела на диване и смотрела на сестру. Тихие и грустные мысли ложились ей на душу.

«Римма суетится,— думала она,— а я несчастна. Все тяжело, все непонятно...»

Она пошла к себе в комнату и легла. Мимо нее прошла Варвара Степановна в корсете, густо и наивно напудренная, красная, растерянная и жалкая.

— Я вспомнила,— сказала она,— Растохины съезжают сегодня. Надо отдать 60 рублей. Грозятся в суд подать. На шкапчике яйца лежат. Завари себе, а я схожу в ломбард.

Когда часов в шесть вечера Мархоцкий пришел с лекций домой, он застал в передней упакованные чемоданы. Из комнаты Растохиных доносился шум: очевидно, ссорились. Там же, в передней, Варвара Степановна как-то молниеносно и с отчаянной решимостью одолжила у него 10 рублей. Только очутившись в своей комнате, Мархоцкий рассудил, что сделал глупость.

Комната Мархоцкого отличалась от прочих помещений в квартире Варвары Степановны. Она была чисто убрана, уставлена безделушками и увешана коврами. На столах в порядке были разложены принадлежности для черчения, щегольские трубки, английский табак, костяные белые ножи для разрезывания бумаги.

Станислав не успел еще переодеться в свой домашний костюм, когда в комнату тихо вошла Римма. Прием она встретила сухой.

— Ты сердишься, Стасик?— спросила девушка.

— Я не сержусь,— ответил поляк,— я попросил бы только избавить меня от необходимости быть свидетелем эксцессов вашей матери.

— Скоро все кончится,— сказала Римма,— скоро я буду свободна, Стасик...

Она села рядом с ним на диванчик и обняла его.

— Я мужчина,— начал тогда Стасик,— это платоническое прозябание не для меня, у меня карьера впереди...

Он раздраженно говорил те слова, с которыми обычно в конце концов обращаются к некоторым женщинам. Говорить с ними не о чем, нежничать с ними скучно, а переходить к существенному они не хотят.

Стасик говорил, что его снедает желание; это мешает ему работать, вселяет беспокойство; надо кончить в ту или иную сторону; каково будет решение — ему почти все равно, лишь бы решение.

— Отчего сейчас же эти слова?— задумчиво промолвила Римма.— Отчего сейчас же «я мужчина» и что-то «надо кончить», отчего такое злое и холодное лицо? Неужели нельзя говорить ни о чем другом? Ведь это тяжело, Стасик. На улице весна, так красиво, а мы злимся...

Стасик не ответил. Оба молчали.

У горизонта потух пламенный закат, заливая алым блеском далекое небо. С другого конца его нависала легкая, медленно густевшая тьма. Комната была озарена последним румяным светом. На диване Римма все нежнее склонялась к студенту. Происходило то, что случалось у них обычно в этот прекраснейший час дня.

Станислав поцеловал девушку. Она положила голову на подушечку и закрыла глаза. Оба воспламенялись. Через несколько минут Станислав целовал ее беспрерывно и в порыве злобной, неутоленной страсти мотал по комнате худенькое и горячее тело. Он порвал ей кофточку и лиф. Римма, с запекшимися губами и с кругами под глазами, подставляла поцелуям свои губы и с искривленной, скорбной гримасой защищала девственность. В одну из этих минут кто-то постучал. Римма заметалась по комнате, прижимая к груди висевшие куски растерзанной кофточки.

Они открыли дверь не скоро. Оказалось, что к Станиславу пришел товарищ. Он проводил плохо скрытым насмешливым взглядом проскользнувшую мимо него Римму. Украдкой она пробралась к себе, переменила кофточку и постояла у холодного оконного стекла, чтобы остыть.

В ломбарде за фамильное серебро Варваре Степановне выдали всего сорок рублей. Десять рублей она одолжила у Мархоцкого, за остальными деньгами пешком бегала к Тихоновым, от Страстного на Покровку. В растерянности упустила даже из виду, что можно было поехать в трамвае.

Дома, кроме бушевавших Растохиных, ее ждал по делу помощник присяжного поверенного Мирлиц, высокий молодой человек с гнилыми корешками вместо зубов и с влажными серыми глуповатыми глазами.

Несколько времени тому назад Варвара Степановна из-за недостатка денег затеяла заложить по доверенности домик мужа на Коломне. Мирлиц принес текст закладной. Варваре Степановне казалось, что дело обстоит не совсем ладно, что следовало бы посоветоваться с кем-нибудь, прежде чем кончать дело, но слишком много всяких тревог, сказала она себе, выпало на ее долю... Бог с ними со всеми, с квартирантами, с дочерьми, с грубостями.

После делового разговора Мирлиц раскупорил принесенную им с собой бутылку крымского мускат-люнеля — он знал слабость Варвары Степановны. Выпили по стаканчику, готовились к повторению. Голоса зазвенели громче, мясистый нос Варвары Степановны покраснел, кости от корсета выпирали и были все наперечет. Мирлиц рассказывал что-то веселое и заливался. Римма в новой, перемененной кофточке безмолвно сидела в уголке.

После того как выпили мускат-люнель, Варвара Степановна и Мирлиц вышли погулять. Варвара Степановна почувствовала, что она чуть-чуть опьянела, ей было стыдно этого и в то же время было все равно, потому что слишком много тягости в жизни, Бог с ней совсем.

Вернулась Варвара Степановна раньше, чем предполагала, потому что не застала Бойко, к которым ходила в гости. Вернувшись, была поражена тишиной, господствовавшей в квартире. Обыкновенно в это время дурачились со студентами, хохотали, бегали. Только из ванной комнаты доносилась возня. Варвара Степановна пошла в кухню, через оконце которой можно было видеть, что делается в ванной...

Она подошла к окошку и увидела необыкновенную, странную картину, увидела вот что.

Печка, в которой нагревают воду, была накалена докрасна. Ванна была наполнена кипящей водой. У печки на коленях стояла Римма. В руках ее были щипцы для завивания волос. Она накаливала их на огне. У ванны стояла Алла, нагая. Длинные косы ее были распущены. Из глаз катились слезы.

— Подойди сюда,— сказала она Римме.— Послушай, может быть, бьется...

Римма приложила голову к ее чуть вздутому, нежному животу.

— Не бьется,— ответила она.— Все равно. Сомневаться нельзя.

— Я умру,— прошептала Алла.— Вода обожжет меня. Я не выдержу. Не надо щипцов. Ты не знаешь, как делается.

— Все так делают,— проговорила Римма.— Не хнычь, Алла. Не рожать же тебе.

Алла собралась уж сесть в ванну, но не успела, потому что в эту минуту прозвучал незабываемый, тихий хрипловатый голос матери:

— Что вы делаете, дети?

Часа через два Алла, укутанная, обласканная и оплаканная, лежала в широкой кровати Варвары Степановны. Она рассказала все. Ей было легко. Она казалась себе маленькой девочкой, у которой было смешное детское горе.

Римма бесшумно, безмолвно двигалась по спальне, убирала, сварила матери чай, заставила ее поужинать, сделала так, чтобы в комнате было чисто. Потом зажгла лампадку, в которую недели две уж забывали влить масла, разделась, стараясь не шуметь, и легла рядом с сестрой.

Варвара Степановна сидела у стола. Ей видна была лампадка, темно-красный ровный пламень ее, тускло озарявший Деву Марию. Опьянение как-то странно и легко бродило еще в голове. Девочки скоро заснули. У Аллы было белое, большое и спокойное лицо. Римма приникла к ней, вздыхала во сне и вздрагивала.

Около часу ночи Варвара Степановна зажгла свечу, положила перед собой листок бумаги и написала письмо мужу:

«Милый Николай! Сегодня приходил Мирлиц, очень порядочный еврей, а завтра будет господин, который дает деньги за дом. Я думаю, что поступаю как следует, но становлюсь все беспокойнее, потому что не полагаюсь на себя.

Я знаю — у тебя свои огорчения, служба, и не надо бы об этом писать, но дом наш, Николай, как-то не налаживается. Дети становятся взрослыми, жизнь нынче многого требует — курсы, стенографию,— девочки хотят больше свободы. Нужен отец, накричать, может быть, нужно; но на меня нечего полагаться. Мне все кажется, что это была ошибка — твой отъезд на Камчатку. Будь ты здесь, мы переехали бы в Староколенный, там очень светлая квартирка сдается.

Римма похудела и дурно выглядит. Целый месяц брали в молочной, напротив, сливки, дети очень поправились, но теперь перестали брать. Печень моя то дает себя чувствовать, то не болит. Пиши чаще. После твоих писем я остерегаюсь, не ем селедок, и печень не тревожит. Приезжай, Коля, мы бы отдохнули. Дети кланяются. Целую тебя крепко.

Твоя Варя».

Публичная библиотека

То, что это царство книги, чувствуется сразу. Люди, обслуживающие библиотеку, прикоснулись к книге, к отраженной жизни и сами как бы сделались лишь отражением живых, настоящих людей.

Даже служители в раздевальной загадочно тихи, исполнены созерцательного спокойствия, не брюнеты и не блондины, а так — нечто среднее.

Дома они, может быть, под воскресенье пьют денатурат и долго бьют жену, но в библиотеке характер их не шумлив, неприметен и завуалированно-сумрачен.

Есть и такой служитель: рисует. В глазах у него ласковая грусть. Раз в две недели, снимая пальто с толстого человека в черном пиджаке, он негромко говорит о том, что «Николай Сергеевич мои рисунки одобрили и Константин Васильевич также одобрили, первоначальное я произошел, но куда податься, между прочим, совсем неизвестно».

Толстый человек слушает. Он репортер, женат, обжорлив и заработался. Раз в две недели ходит в библиотеку отдыхать — читает об уголовных процессах, старательно рисует на бумажке план помещения, где происходило убийство, очень доволен и забывает о том, что женат и заработался.

Репортер слушает служителя с испуганным недоумением и думает о том — вот ведь как поступить с таким человеком? Дать гривенник, когда уйдешь,— может обидеться: художник; не дать — тоже может обидеться: все-таки служитель.

В читальном зале — служащие повыше: библиотекари. Одни из них — «замечательные» — обладают каким-нибудь ярко выраженным физическим недостатком: у этого пальцы скрючены, у того съехала набок голова и так и осталась. Они плохо одеты, тощи до крайности. Похоже на то, что ими фанатически владеет какая-то мысль, миру неизвестная.

Хорошо бы их описал Гоголь!

У библиотекарей «незамечательных» — начинающаяся нежная лысина, серые чистые костюмы, корректность во взорах и тягостная медлительность в движениях. Они постоянно что-то жуют и двигают челюстями, хотя ничего у них во рту нет, говорят привычным шепотом; вообще, испорчены книгой, тем, что нельзя сочно зевнуть.

Публика теперь, во время войны, изменилась. Меньше студентов. Совсем мало студентов. В кои-то веки увидишь студента, безбольно погибающего в уголку. Это — «белобилетник». Он в пенсне или деликатно подхрамывает. Есть, впрочем, еще государственники. Государственник — это человек рыхловатый, с обвисающими усами, уставший от жизни и большой созерцатель: что-то почитает, о чем-то подумает, посмотрит на узоры ламп и поникнет к книге. Ему надо кончать университет, надо идти в солдаты, а в общем, зачем торопиться? Успеется.

Прежний студент вернулся в библиотеку в обличье раненого офицера, с черной повязкой. Рана его заживает. Он молод и румян. Пообедал, прошелся по Невскому. На Невском уже огни. Совершает победное шествие Вечерняя Биржевка. У Елисеева выставлен виноград в просе. В гости еще рано. Офицер идет по старой памяти в Публичку, вытягивает под столом, за которым сидит, длинные ноги и читает «Аполлон». Скучновато. Напротив сидит курсистка. Учит анатомию и срисовывает желудок в тетрадочку. Происхождения она приблизительно калужского — широколица, ширококостна, румяна, добросовестна и вынослива. Если у нее есть возлюбленный, то это лучшее разрешение вопроса — добротный материал для любви.

Возле нее живописное tableau* — неизменная принадлежность каждой публичной библиотеки в Российской империи — спит еврей. Он измождён. Волос его пламенно черен. Щеки впали. Лоб в шишках, рот полуоткрыт. Он посапывает. Откуда он — неизвестно. Есть ли право на жительство — неизвестно. Читает каждый день. Спит тоже каждый день. На лице ужасная неистребимая усталость и почти безумие. Мученик книги, особенный, еврейский, неугасимый мученик.

Вблизи стойки библиотекарей с выдающимся интересом читает большая женщина в серой кофте и с широкой грудной клеткой. Она из тех, кто говорит в библиотеке неожиданно громко, откровенно и восторженно удивляется книжным словесам и, исполненная восхищения, заговаривает с соседями. Читает она вот поче-

* Картина (фр.).

му — ищет способ домашнего приготовления мыла. Лет ей приблизительно 45. Нормальна ли она? Этим вопросом задаются многие.

Есть еще один постоянный посетитель — жиденький полковник в просторном кителе, в широких штанах и в очень хорошо вычищенных сапожках. Ножки у него маленькие. Усы — цвета пепла сигары. Мажет их фиксатуаром, отчего получается гамма темно-серых цветов. Во дни оны был настолько бездарен, что не мог дослужиться до полковника, чтобы выйти в отставку генерал-майором. Будучи в отставке, весьма надоедал садовнику, прислуге и внуку, 73-х лет от роду проникся мыслью написать историю своего полка.

Пишет. Обложен тремя пудами материалов. Любим библиотекарями. Здоровается с ними с отменной вежливостью. Домашним больше не надоедает. Прислуга с удовольствием доводит сапожки до предельного блеска.

Много еще бывает в Публичке всяческого народу. Всех не опишешь. Вот столь измызганный субъект, что ему под стать только писать роскошную монографию о балете. Физиономия — трагическое издание лица Гауптмана, корпус — незначителен.

Есть, конечно, чиновники, вонзающиеся в груды «Русского инвалида» и «Правительственного вестника». Есть провинциальные юноши, во время чтения пламенеющие.

Вечер. В зале полумрак. У столов неподвижные фигуры — собрание усталости, любознательности, честолюбия...

За широкими окнами вьется мягкий снег. Недалеко — на Невском — кипит жизнь. Далеко — на Карпатах — льется кровь.

C'est la vie*.

Девять

Их девять человек. Все они ждут приема у редактора. Первым входит в кабинет широкоплечий молодой человек, обладающий громким голосом и ярким галсту-

---

* Такова жизнь (*фр.*).

ком. Представляется. Фамилия его — Сардаров. Профессия — куплетист. Просьба — издать куплеты. Есть предисловие, составленное знаменитым поэтом. Если нужно — может быть и послесловие.

Редактор внимает. Человек он задумчивый, медлительный, видавший виды. Спешить ему некуда. Номер составлен. Просматривает куплеты:

> Ах, жалобно стонет Франц —
> Иосиф в Вене —
> Ах, у мене уже совсем нету
> терпенья...

Редактор отвечает, что, к сожалению, и прочее. Журнал нуждается в статьях по кооперации, в заграничных корреспондентах...

Сардаров выпячивает грудь, до жестокости бонтонно извивается и с шумом уходит.

Вторым номером идет барышня — худенькая, застенчивая, очень красивая. Приходит она в третий раз. Стихи ее не для печати. Она очень хочет узнать — только этого она хочет,— стоит ли ей писать? Редактор говорит с ней ласково. Он видит ее иногда на Невском с высоким господином, изредка очень обстоятельно покупающим полдесятка яблок. Обстоятельность эта опасна. Стихи об этом свидетельствуют. В них бесхитростная история жизни.

«Ты хочешь тела,— пишет девушка,— возьми его, мой враг, мой друг, но где душе найти мечту?»

Редактор думает. Тело он возьмет скоро. К этому идет. Очень уж у тебя растерянные, слабые и красивые глаза. Мечту душа найдет менее быстро, а как женщина ты будешь пикантна.

В стихах девушка описывает жизнь «безумно-отпугивающую» или «безумно-прекрасную», прочие маленькие неприятности и еще «звуки, звуки, звуки вокруг меня, пьянящие, звуки без конца...»

Есть уверенность, что по удачном завершении дела, затеянного обстоятельным господином, девушка перестанет писать стихи и начнет ходить к акушеркам.

После девушки к редактору входит литератор Лунев, маленький и нервный человек. История здесь сложная.

Лунев когда-то разругал редактора. Человек он растерянный, семейный, талантливый и неудачливый. В суетливости своей, в погоне за рублем не совсем разбирает, кого можно ругать, кого нельзя. Сначала выругался, а потом неожиданно для самого себя принес рукописи, а потом понял, что все это глупо, что трудно жить на свете и что не везет, ах, как не везет. В приемной у него было небольшое сердцебиение, в кабинете ему заявили, что «вещица» недурна, но, au fond*, это же не литература, это же... Лунев лихорадочно согласился, неожиданно забормотал, что «вы-то, Александр Степанович, хороший человек, а я-то — к вам нехорошо,— все это можно разно понять, вот и все, я именно хотел оттенить, но все это глубже, честь имею...» У Лунева выступает уморительный румянец, дрожащими пальцами он собирает листки рукописи, и хочет он сделать вид, что не то он спокоен, не то он ироничен, а впрочем, Бог его знает, чего он хочет...

Лунева сменяют два очень обычных в редакциях персонажа. Первый персонаж — дама, розовая, жизнерадостная, белокурая дама. Идет от нее теплая волна духов. Глаза у нее светлые и наивные. Есть у нее сынок — девяти лет, и вот этот сынок, «вы знаете, он пишет по целым дням, мы сначала не обращали внимания, но все знакомые в восторге, уж на что мой муж, он служит в мелиоративном отделе, уж на что положительный человек, совсем не признает новой литературы, ни, знаете, Андреева, ни Нагродскую, но и он искренно смеялся, я принесла вам три тетради...»

Второй персонаж — Быховский. Он из Симферополя. Славный человек, жизнерадостный. Литературой он не занимается, дела у него к редактору, в сущности, нет, говорить ему, собственно, не о чем, но он подписчик, приехал он так — побеседовать и поделиться впечатлениями, окунуться в эту, знаете, петроградскую жизнь. Он и окунается. Редактор мямлит что-то о политике, о кадетах — Быховский расцветает и уверен, что принимает деятельное участие в общественной жизни страны.

* По существу (*фр.*).

Самый печальный посетитель — это Корб. Он еврей, истинный Агасфер. Родился в Литве, был ранен во время погрома в одном из южных городов. С тех пор у Корба очень болит голова. Потом он был в Америке. Во время войны очутился почему-то в Антверпене и 44-х лет от роду поступил в иностранный легион. У Мобежа его контузили в голову. Она у него трясется. Каким-то образом Корба эвакуировали в Россию, в Петроград. Он получает откуда-то пособие, снимает на Песках угол в смрадном подвале и пишет драму — «Царь Израильский». У Корба очень болит голова, по ночам он не спит, а ходит по подвалу и думает. Хозяин его, упитанный и снисходительный человек, курящий черные сигары по 4 коп. штука, сначала сердился, но потом, побежденный кротостью и трудолюбием Корба, исписывавшего сотни листов, полюбил его. На Корбе старый, выцветший антверпенский сюртук. Подбородок не брит, в глазах — и усталость, и фанатическое к чему-то стремление. У Корба болит голова, но он пишет драму, и эта драма начинается так: «Звони в колокола, погибла Иудея...»

После Корба остаются трое. Один из них молодой человек из провинции, неторопливый, размышляющий, долго усаживающийся в кресло и долго на нем сидящий. Его медлительное внимание привлекают картины на стенах, вырезки на столе, портреты сотрудников... Что ему, собственно, угодно? Собственно, ему ничего не угодно... Он работал в прессе... В какой прессе? В провинциальной... А вот интересно, в скольких экземплярах расходится ваш журнал, какая оценка труда?.. Молодому человеку объясняют, что на такие вопросы не всегда отвечают и что если он пишет, то — пожалуйста, а если не пишет, то... Молодой человек ответствует, что писать-то он не пишет, специальности у него нет, но он мог бы быть, например... редактором.

Выходит «редактор», входит Смурский... Тоже с биографией человек. Служил агрономом в Кашинском уезде Тверской губернии. Спокойный уезд, славная губерния. Но Смурского влекло в Петроград. Он предложил свои услуги в качестве агронома, кроме того, он принес в одну из редакций 20 рукописей. Из них две были приняты. Смурский пришел к убеждению, что ему везет в литературе. Услуг своих в качестве агронома больше не предлагал. Нынче ходит в визитке и с портфелем. Пишет каждый день и много. Печатают мало.

А девятый посетитель вот кто — Степан Драко, «путешественник пешком вокруг света, король жизни и лектор».

Одесса

Одесса очень скверный город. Это всем известно. Вместо «большая разница» там говорят «две большие разницы» и еще — «тудою и сюдою». Мне же кажется, что можно много сказать хорошего об этом значительном и очаровательнейшем городе в Российской империи. Подумайте — город, в котором легко жить, в котором ясно жить. Половину населения его составляют евреи, а евреи — это народ, который несколько очень простых вещей очень хорошо затвердил. Они женятся для того, чтобы не быть одинокими, любят для того, чтобы жить в веках, копят деньги для того, чтобы иметь дома и дарить женам каракулевые жакеты, чадолюбивы потому, что это же очень хорошо и нужно — любить своих детей. Бедных евреев из Одессы очень путают губернаторы и циркуляры, но сбить их с позиции нелегко, очень уж стародавняя позиция. Их и не собьют и многому от них научатся. В значительной степени их усилиями создалась та атмосфера легкости и ясности, которая окружает Одессу.

Одессит противоположен петроградцу. Становится аксиомой, что одесситы хорошо устраиваются в Петрограде. Они зарабатывают деньги. Потому что они брюнеты, в них влюбляются мягкотелые и блондинистые дамы. И вообще одессит в Петрограде имеет тенденцию селиться на Каменноостровском проспекте. Скажут, это пахнет анекдотом. Нет-с. Дело касается вещей, лежащих глубже. Просто эти брюнеты приносят с собой немного солнца и легкости.

Кроме джентльменов, приносящих немного солнца и много сардин в оригинальной упаковке, думается мне, что должно прийти, и скоро, плодотворное, животворящее влияние русского юга, русской Одессы, может быть (qui sait?*), единственного в России города, где может родиться так нужный нам наш национальный Мопассан. Я вижу даже маленьких, совсем маленьких змеек, предвещающих грядущее,— одесских певиц (я говорю об Изе Кремер) с небольшим голосом, но с радостью, художественно выраженной радостью в их существе, с задором, легкостью и очаровательным — то грустным, то трогательным — чувством жизни; хорошей, скверной и необыкновенно — quand meme et malgre tout** — интересной.

Я видел Уточкина, одессита pur sang***, беззаботного и глубокого, бесстрашного и обдумчивого, изящного и длиннорукого, блестящего и заику. Его заел кокаин или морфий, заел, говорят, после того, как он упал с аэроплана где-то в болотах Новгородской губернии. Бедный Уточкин, он сошел с ума, но мне все же ясно, что скоро настанет время, когда Новгородская губерния пешечком придет в Одессу.

Раньше всего, в этом городе есть просто материальные условия для того, например, чтобы взрастить мопассановский талант. Летом в его купальнях блестят на солнце мускулистые бронзовые фигуры юношей, занимающихся спортом, мощные тела рыбаков, не занимающихся спортом, жирные, толстопузые и добродушные телеса «негоциантов», прыщавые и тощие фантазеры, изобретатели и маклеры. А поодаль от широкого моря дымят фабрики и делает свое обычное дело Карл Маркс.

В Одессе очень бедное, многочисленное и страдающее еврейское гетто, очень самодовольная буржуазия и очень черносотенная городская дума.

В Одессе сладостные и томительные весенние вечера, пряный аромат акаций и исполненная ровного и неотразимого света луна над темным морем.

*   Кто знает? (*фр.*).
** Все же и несмотря ни на что (*фр.*).
*** Чистокровный (*фр.*).

В Одессе по вечерам на смешных и мещанских дачках под темным и бархатным небом лежат на кушетках толстые и смешные буржуа в белых носках и переваривают сытный ужин... За кустами их напудренных, разжиревших от безделья и наивно затянутых жен пламенно тискают темпераментные медики и юристы.

В Одессе «люди воздуха» рыщут вокруг кофеен для того, чтобы заработать целковый и накормить семью, но заработать-то не на чем, да и за что дать заработать бесполезному человеку — «человеку воздуха»?

В Одессе есть порт, а в порту — пароходы, пришедшие из Ньюкастля, Кардифа, Марселя и Порт-Саида; негры, англичане, французы и американцы. Одесса знала времена расцвета, знает времена увядания — поэтичного, чуть-чуть беззаботного и очень беспомощного увядания.

«Одесса,— в конце концов скажет читатель,— такой же город, как и все города, и просто вы неумеренно пристрастны».

Так-то так, и пристрастен я, действительно, и может быть, намеренно, но, parole d'honneur*, в нем что-то есть. И это что-то подслушает настоящий человек и скажет, что жизнь печальна, однообразна — все это верно,— но все же, quand meme et malgre tout** необыкновенно, необыкновенно интересна.

От рассуждений об Одессе моя мысль обращается к более глубоким вещам. Если вдуматься, то не окажется ли, что в русской литературе еще не было настоящего радостного, ясного описания солнца?

Тургенев воспел росистое утро, покой ночи. У Достоевского можно почувствовать неровную и серую мостовую, по которой Карамазов идет к трактиру, таинственный и тяжелый туман Петербурга. Серые дороги и покров тумана придушили людей, придушивши, забавно и ужасно исковеркали, породили чад и смрад страстей, заставили метаться в столь обычной человеческой суете. Помните ли вы плодородящее яркое солнце у Гоголя, человека, пришедшего из Украины? Если та-

* Честное слово (*фр.*).
** Все же и несмотря ни на что (*фр.*).

кие описания есть, то они эпизод. Но не эпизод — «Нос», «Шинель», «Портрет» и «Записки сумасшедшего». Петербург победил Полтавщину, Акакий Акакиевич скромненько, но с ужасающей властностью затер Грицько, а отец Матвей кончил дело, начатое Тарасом. Первым человеком, заговорившим в русской книге о солнце, заговорившим восторженно и страстно, был Горький. Но именно потому, что он говорит восторженно и страстно, это еще не совсем настоящее.

Горький — предтеча и самый сильный в наше время. Но он не певец солнца, а глашатай истины: если о чем-нибудь стоит петь, то знайте — это о солнце. В любви Горького к солнцу есть что-то от головы; только огромным своим талантом преодолевает он это препятствие.

Он любит солнце потому, что на Руси гнило и извилисто, потому что и в Нижнем, и в Пскове, и в Казани люди рыхлы, тяжелы, то непонятны, то трогательны, то безмерно и до одури надоедливы. Горький знает, почему он любит солнце, почему его следует любить. В сознательности этой и заключается причина того, что Горький — предтеча, часто великолепный и могучий, но предтеча.

А вот Мопассан, может быть, ничего не знает, а может быть — все знает; громыхает по сожженной зноем дороге дилижанс, сидят в нем, в дилижансе, толстый и лукавый парень Полит и здоровая крестьянская топорная девка. Что они там делают и почему делают — это уж их дело. Небу жарко, земле жарко. С Полита и с девки льет пот, а дилижанс громыхает по сожженной светлым зноем дороге. Вот и все.

В последнее время приохотились писать о том, как живут, любят, убивают и избирают в волостные старшины в Олонецкой, Вологодской или, скажем, в Архангельской губернии. Пишут все это самым подлинным языком, точка в точку так, как говорят в Олонецкой и Вологодской губерниях. Живут там, оказывается, холодно, дикости много. Старая история. И скоро об этой старой истории надоест читать. Да и уже надоело. И думается мне: потянутся русские люди на юг, к морю и солнцу. Потянутся — это, впрочем, ошибка. Тянутся уже много столетий. В неистребимом стремлении к степям, даже м[ожет] б[ыть] «к кресту на Святой Софии», таятся важнейшие пути для России.

Чувствуют — надо освежить кровь. Становится душно. Литературный мессия, которого ждут столь долго и столь бесплодно, придет оттуда — из солнечных степей, обтекаемых морем.

Вдохновение

Мне хотелось спать, и я был зол. В это время пришел Мишка читать свою повесть. «Запри дверь»,— сказал он и вытащил из кармана бутылку вина.

«Сегодня мой вечер. Окончил повесть. Мне кажется — это настоящее. Выпьем, друг».

Лицо у Мишки было бледное и потное.

«Дураки те, кто говорят, что нет счастья на земле,— сказал он.— Счастье — это вдохновение. Я писал вчера всю ночь и не заметил, как рассвело. Потом гулял по городу. Рано утром город удивителен: роса, тишина и совсем мало людей. Все прозрачно, и движется день — холодно-голубой, призрачный и нежный. Выпьем, друг. Я неошибочно чувствую: эта повесть — «перелом в моей жизни». Мишка налил себе вина и выпил. Пальцы его вздрагивали. У него была удивительной красоты рука — тонкая, белая, гладкая, с утончающимися в конце пальцами.

«Понимаешь — эту повесть надо пристроить,— продолжал он.— Везде примут. Теперь гадость печатают. Главное — протекция. Мне обещали. Сухотин все сделает...»

«Мишка,— сказал я,— ты бы просмотрел свою повесть, она у тебя совсем без помарок...»

«Пустяки, потом... Дома, понимаешь, смеются. Rira bien, qui rira le dernier*. Я, понимаешь, молчу. Через год увидим. Ко мне придут...» Бутылка подходила к концу.

«Брось пить, Мишка...»

«Возбудиться нужно,— ответил он,— вот за вчерашнюю ночь я 40 папирос выкурил...» Он вынул тетрадь. Она была очень толстая, очень. Я подумал — не попро-

* Смеется тот, кто смеется последним (фр.).

сить ли оставить мне ее. Но потом посмотрел на его бледный лоб, на котором вспухла жила, на криво и жалко болтавшийся галстучек и сказал:

«Ну, Лев Николаевич, автобиографию писать будешь — не забудь...»

Мишка улыбнулся.

«Мерзавец,— ответил он,— ты совсем не ценишь моего знакомства»

Я удобно уселся. Мишка склонился над тетрадью. В комнате были тишина и сумрак.

«В этой повести,— сказал Мишка,— я хотел дать новое произведение, окутанное дымкой мечты, нежность, полутени и намек... Мне противна, противна грубость нашей жизни...»

«Довольно предисловий,— ответил я,— читай...» Он начал. Я слушал внимательно. Это было нелегко. Повесть была бездарна и скучна. Конторщик влюбился в балерину и шатался под ее окнами. Она уехала. Конторщику стало больно, потому что его мечта любви была обманута.

Скоро я бросил слушать. Слова в этой повести были скучные, старые, гладкие, как обтесанные деревяшки. Ничего не было видно — каков человек конторщик, какова она.

Я посмотрел на Мишку. Глаза его разгорались. Пальцы комкали потухавшие папиросы. Лицо его — тупое и узкое, тягостно обрубленное ненужным мастером, толстый, торчащий и желтый нос, бледно-розовые, вспухшие губы — все светлело, медлительно, с неотвратимо внедрявшейся силой исполнялось творческого и радостно-уверенного восторга.

Он читал томительно долго, а когда кончил, неуклюже спрятал тетрадь и посмотрел на меня.

«Видишь ли, Мишка,— медленно сказал я,— видишь ли, об этом надо подумать... Идея у тебя очень оригинальная, есть нежность... Но, видишь ли, разработка... Надо, понимаешь, разгладить»...

«Я вынашивал эту вещь три года,— ответил Мишка,— конечно, есть шероховатости, но главное?..»

Он что-то понял. У него дрогнула губа. Он сгорбился и ужасно долго закуривал папиросу.

«Мишка,— тогда сказал я,— ты написал прекрасную вещь. У тебя мало еще техники, но ça viendra*. Черт побери, много же у тебя в голове помещается...»

Мишка обернулся, посмотрел на меня, и глаза его были как у ребенка — ласковые, сияющие и счастливые.

«Выйдем на улицу,— сказал он,— выйдем, мне душно...»

Улицы были темны и тихи.

Мишка крепко сжимал мою руку и говорил:

«Я неошибочно чувствую — у меня талант. Отец хочет, чтобы я искал себе службу. Я молчу. Осенью — в Петроград. Сухотин все сделает.— Он замолчал, зажег одну папиросу об другую и заговорил тише: — Иногда я чувствую вдохновение, от которого мне мучительно. Тогда я знаю, что то, что делаю, я делаю как нужно. Я дурно сплю, всегда кошмары и тоска. Мне нужно три часа проваляться, чтоб заснуть. По утрам голова болит, тупо, ужасно. Я могу писать только ночью, когда одиночество, когда тишина, когда душа горит. Достоевский всегда ночью писал и выпивал за это время самовар, а у меня папиросы... Знаешь, дым стоит под потолком...»

Мы подошли к Мишкиному дому. Лицо его осветил фонарь. Порывистое, худое, желтое, счастливое лицо.

«Мы еще повоюем, черт возьми,— сказал он и сильнее сжал мою руку.— В Петрограде все выбиваются»

«Все-таки, Мишка,— сказал я,— работать надо...»

«Сашка, друг,— ответил он. И крепко, покровительственно усмехнулся.— Я хитер, что знаю — то знаю, не беспокойся, не почию на лаврах. Приходи завтра. Посмотрим еще разок»

«Ладно,— проговорил я,— приду»

Мы расстались. Я пошел домой. Мне было очень грустно.

Doudou

Я был тогда санитаром в Н-ском госпитале. Однажды утром генерал С.— попечитель госпиталя — привел с собой молодую девушку и порекомендовал ее в качестве сестры милосердия. Конечно, приняли.

* Это придет (фр.).

Звалась новая сестра la petite Doudou*, была содержанкой генерала и по вечерам танцевала в кафешантане.

У нее была гибкая, вязкая гармоничная походка, прелестная, но чуть угловатая походка танцовщицы. Для того чтобы увидеть ее, я пошел потом в шантан. Она удивительно танцевала tango acrobatique**, с неясной нежной страстностью и целомудренно, сказал бы я.

В госпитале она благоговела перед всеми солдатами и ухаживала за ними, как прислуга. Однажды, когда старший врач, проходя по палате, увидел, как Doudou, стоя на коленях, тужится застегнуть кальсоны у корявого, апатичного мужичонки Дыбы, он сказал:

«Ты бы, брат Дыба, постыдился. Мужику поручил бы».

Doudou подняла тогда ласковое, тихое лицо и промолвила: «Oh mon docteur***, разве я не видела мужчин в кальсонах?».

Помню, на третий день Пасхи привезли к нам разбившегося летчика-француза — m-r Drouot. У него были раздроблены обе ноги. Он был бретонец, сильный, черный и молчаливый. Твердые щеки чуть отливали синевой. Так странно было видеть — мощное туловище, точеная крутая шея и разбитые, беспомощные ноги.

Положили его в отдельной комнатке. Doudou часами просиживала у него. Они тихо и душевно разговаривали. Drouot рассказывал о полетах, о том, что он одинок: никого из близких, и все так грустно. Он влюбился в нее (это чувствовалось ясно), но смотрел на нее так, как нужно: нежно, страстно и задумчиво. А Doudou, прижимая руки к груди, с тихим удивлением говорила в коридоре сестре Кирдецовой:

«Il m'aime, ma soeur, il m'aime»****.

В ночь на субботу она была дежурной и сидела у Drouot. Я находился в соседней комнате и видел их. Когда Doudou пришла, он сказал: «Doudou, ma bien aimée*****»,— склонил голову ей на грудь и медленно

---

* Крошка Дуду (*фр.*).
** Акробатическое танго (*фр.*).
*** О, доктор (*фр.*).
**** Он любит меня, сестра, любит (*фр.*).
***** Дуду, моя любимая (*фр.*).

стал целовать темно-синюю шелковую ее кофточку. Doudou стояла недвижимо. Пальцы ее вздрагивали и теребили пуговицы кофточки.

«Чего вы хотите?» — спросила Doudou.

Он ответил что-то.

Doudou задумчиво, внимательно оглядела его и медлительно отвернула кружево воротника. Показалась мягкая белая грудь. Drouot вздохнул, вздрогнул и припал к ней. У Doudou от боли призакрылись глаза. Все же она заметила, что ему неудобно, и расстегнула еще и лиф. Он притянул Doudou к себе, но сделал резкое движение и застонал.

«Вам больно! — сказала Doudou. — Не надо больше, вам нельзя...»

«Doudou, — ответил он, — я умру, если вы уйдете».

Я отошел от окна. Все же я видел еще жалкое и бледное лицо Doudou, видел, как растерянно старалась она не сделать ему больно, слышал стон страсти и боли.

История получила огласку. Doudou уволили, проще — выгнали. В последнюю минуту она стояла в вестибюле и прощалась со мной. Из глаз ее выкатывались тяжелые и светлые слезы, но она улыбалась, чтобы не огорчить меня.

«Прощайте, — сказала Doudou и протянула мне тонкую руку в светлой перчатке, — adieu, mon ami...»*. Потом помолчала и добавила, глядя мне прямо в глаза: «Il gele, il meurt, il est seul, il me prie, dirai-je non?»**

В это время в глубине вестибюля проковылял Дыба — грязнейший мужичонка. «Клянусь вам, — промолвила тогда Doudou тихим и вздрагивающим голосом, — клянусь вам, попроси меня Дыба, я сделала бы то же».

В щелочку

Есть у меня знакомая — мадам Кебчик. В свое время, уверяет мадам Кебчик, она меньше пяти рублей «ни за какие благи» не брала.

* Прощайте, мой друг... (*фр.*).
** Его знобит, он умирает, совсем один, он просит меня, неужели сказать «нет»? (*фр.*).

Теперь у нее семейная квартира, и в семейной квартире две девицы — Маруся и Тамара. Марусю берут чаще, чем Тамару. Одно окно из комнаты девушек выходит на улицу, другое — отдушина под потолком — в ванную. Я увидел это и сказал Фанни Осиповне Кебчик:

— По вечерам вы будете приставлять лестницу к окошечку, что в ванной. Я взбираюсь на лестницу и заглядываю в комнату к Марусе. За это пять рублей.

Фанни Осиповна сказала:

— Ах, какой балованный мужчина! — и согласилась.

По пяти рублей она получала нередко. Окошечком я пользовался тогда, когда у Маруси бывали гости.

Все шло без помех, но однажды случилось глупое происшествие. Я стоял на лестнице. Электричества Маруся, к счастью, не погасила. Гость был в этот раз приятный, непритязательный и веселый малый с безобидными этакими и длинными усами. Раздевался он хозяйственно: снимет воротник, взглянет в зеркало, найдет у себя под усами прыщик, рассмотрит его и выдавит платочком. Снимет ботинку и тоже исследует — нет ли в подошве изъяну.

Они поцеловались, разделись и выкурили по папироске. Я собирался слезать. В это мгновенье я почувствовал, что лестница скользит и колеблется подо мной. Я цепляюсь за окошко и вышибаю форточку. Лестница падает с грохотом. Я вишу под потолком.

Во всей квартире гремит тревога. Сбегаются Фанни Осиповна, Тамара и неведомый мне чиновник в форме министерства финансов. Меня снимают. Положение мое жалкое. В ванную входят Маруся и долговязый гость.

Девушка всматривается в меня, цепенеет и говорит тихо:

— Мерзавец, ах, какой мерзавец...

Она замолкает, обводит всех нас бессмысленным взглядом, подходит к долговязому, целует отчего-то его руку и плачет.

Плачет и говорит, целуя:

— Милый, Боже мой, милый...

Долговязый стоит дурак дураком. У меня непреодолимо бьется сердце. Я царапаю себе ладони и ухожу к Фанни Осиповне.

Через несколько минут Маруся знает все. Все известно и все забыто. Но я думаю: отчего девушка целовала долговязого?

— Мадам Кебчик,— говорю я,— приставьте лестницу в последний раз. Я дам десять рублей.

— Вы слетели с ума, как ваша лестница,— отвечает хозяйка и соглашается.

И вот я снова стою у отдушины, заглядываю снова и вижу — Маруся обвила гостя тонкими руками, она целует его медленными поцелуями, и из глаз у нее текут слезы.

— Милый мой,— шепчет она,— Боже мой, милый мой,— и отдается со страстью возлюбленной. И лицо у нее такое, как будто один есть у нее в мире защитник — долговязый.

И долговязый деловито блаженствует.

Шабос-нахаму

Было утро, был вечер — день пятый. Было утро, наступил вечер — день шестой. В шестой день — в пятницу вечером — нужно помолиться; помолившись, в праздничном капоре пройтись по местечку и к ужину поспеть домой. Дома еврей выпивает рюмку водки — ни Бог, ни Талмуд не запрещают ему выпить две,— съедает фаршированную рыбу и кугель с изюмом. После ужина ему становится весело. Он рассказывает жене истории, потом спит, закрыв один глаз и открыв рот. Он спит, а Гапка в кухне слышит музыку — как будто из местечка пришел слепой скрипач, стоит под окном и играет.

Так водится у каждого еврея. Но каждый еврей — это не Гершеле. Недаром слава о нем прошла по всему Острополю, по всему Бердичеву, по всему Вилюйску.

Из шести пятниц Гершеле праздновал одну. В остальные вечера он с семьей сидели во тьме и в холоде. Дети плакали. Жена швыряла укоры. Каждый из них был тяжел, как булыжник. Гершеле отвечал стихами.

Однажды — рассказывают такой случай — Гершеле захотел быть предусмотрительным. В среду он отправился на ярмарку, чтобы к пятнице заработать денег. Где есть ярмарка — там есть пан. Где есть пан — там вертятся десять евреев. У десяти евреев не заработаешь трех грошей. Все слушали шуточки Гершеле, но никого не оказывалось дома, когда дело подходило к расчету.

С желудком пустым, как духовой инструмент, Гершеле поплелся домой.

— Что ты заработал?— спросила у него жена.

— Я заработал загробную жизнь,— ответил он.— И богатый и бедный обещали мне ее.

У жены Гершеле было только десять пальцев. Она поочередно загибала каждый из них. Голос ее гремел, как гром в горах.

— У каждой жены — муж как муж. Мой же только и умеет, что кормить жену словечками. Дай Бог, чтобы к Новому году у него отнялся язык, и руки, и ноги.

— Аминь,— ответил Гершеле.

— В каждом окне горят свечи, как будто дубы зажгли в домах. У меня же свечи тонки, как спички, и дыму от них столько, что он рвется к небесам. У всех уже поспел белый хлеб, а мне муж принес дров мокрых, как только что вымытая коса...

Гершеле не обмолвился ни единым словом в ответ. Зачем подбрасывать поленьев в огонь, когда он и без того горит ярко? Это первое. И что можно ответить сварливой жене, когда она права? Это второе.

Пришло время, жена устала кричать. Гершеле отошел, лег на кровать и задумался.

— Не поехать ли мне к рабби Борухл?— спросил он себя.

(Всем известно, что рабби Борухл страдал черной меланхолией и для него не было лекарства лучшего, чем слова Гершеле.)

— Не поехать ли мне к рабби Борухл? Служки цадика дают мне кости, а себе берут мясо. Это правда. Мясо лучше костей, кости лучше воздуха. Поедем к рабби Борухл.

Гершеле встал и пошел запрягать лошадь. Она взглянула на него строго и грустно.

«Хорошо, Гершеле,— сказали ее глаза,— ты вчера не дал мне овса, позавчера не дал мне овса, и сегодня я ничего не получила. Если ты и завтра не дашь мне овса, то я должна буду задуматься о своей жизни».

Гершеле не выдержал внимательного взгляда, опустил глаза и погладил мягкие лошадиные губы. Потом он вздохнул так шумно, что лошадь все поняла, и решил: «Я пойду пешком к рабби Борухл».

Когда Гершеле отправился в путь — солнце высоко стояло на небе. Горячая дорога убегала вперед. Белые волы медленно тащили повозки с душистым сеном. Мужики, свесив ноги, сидели на высоких возах и помахивали длинными кнутами. Небо было синее, а кнуты черные.

Пройдя часть дороги — верст пять,— Гершеле приблизился к лесу. Солнце уже уходило со своего места. На небе разгорались нежные пожары. Босые девочки гнали с пастбища коров. У каждой из коров раскачивалось наполненное молоком розовое вымя.

В лесу Гершеле встретила прохлада, тихий сумрак. Зеленые листы склонялись друг к другу, гладили друг друга плоскими руками и, тихонько пошептавшись в вышине, возвращались к себе, шелестя и вздрагивая.

Гершеле не внимал их шепоту. В желудке его играл оркестр такой большой, как на балу у графа Потоцкого. Путь ему лежал далекий. С боков земли спешила легкая тьма, смыкалась над головою Гершеле и развевалась по земле. Недвижимые фонари зажглись на небе. Земля замолчала.

Настала ночь, когда Гершеле подошел к корчме. В маленьком окошке светился огонек. У окошка в теплой комнате сидела хозяйка Зельда и шила пеленки. Живот ее был столь велик, точно она собиралась родить тройню. Гершеле взглянул на ее маленькое красное личико с голубыми глазами и поздоровался.

— Можно у вас отдохнуть, хозяйка?

— Можно.

Гершеле сел. Ноздри его раздувались, как кузнечные мехи. Жаркий огонь сверкал в печи. В большом котле кипела вода, обдавая пеной белоснежные вареники. В золотистом супе покачивалась жирная курица. Из духовки несся запах пирога с изюмом.

Гершеле сидел на лавке, скорчившись, как роженица перед родами. В одну минуту в его голове рождалось больше планов, чем у царя Соломона насчитывалось жен.

В комнате было тихо, кипела вода, и качалась на золотистых волнах курица.

— Где ваш муж, хозяйка?— спросил Гершеле.

— Муж уехал к пану платить деньги за аренду.— Хозяйка замолчала. Детские ее глаза выпучились. Она сказала вдруг: — Я вот сижу здесь у окна и думаю. И я хочу вам задать вопрос, господин еврей. Вы, наверное, много странствуете по свету, учились у ребе и знаете про нашу жизнь. Я ни у кого не училась. Скажите, господин еврей, скоро ли придет к нам шабос-нахаму?

«Эге,— подумал Гершеле.— Вопросец хорош. Всякая картошка растет на Божьем огороде...»

— Я вас спрашиваю потому, что муж обещал мне — когда придет шабос-нахаму, мы поедем к мамаше в гости. И платье я тебе куплю, и парик новый, и к рабби Моталэми поедем просить, чтобы у нас родился сын, а не дочь,— все это тогда, когда придет шабос-нахаму. Я думаю — это человек с того света?

— Вы не ошиблись, хозяйка,— ответил Гершеле.— Сам Бог положил эти слова на ваши губы... У вас будет и сын и дочь. Это я и есть шабос-нахаму, хозяйка.

Пеленки сползли с колен Зельды. Она поднялась, и маленькая ее головка стукнулась о перекладину, потому что Зельда была высока и жирна, красна и молода. Высокая грудь ее походила на два тугих мешочка, набитых зерном. Голубые глаза ее раскрылись, как у ребенка.

— Это я и есть шабос-нахаму,— подтвердил Гершеле.— Я иду уже второй месяц, хозяйка, иду помогать людям. Это длинный путь — с неба на землю. Сапоги мои изорвались. Я привез вам поклон от всех ваших.

— И от тети Песи,— закричала женщина,— и от папаши, и от тети Голды, вы знаете их?

— Кто их не знает?— ответил Гершеле.— Я говорил с ними так, как говорю теперь с вами.

— Как они живут там?— спросила хозяйка, складывая дрожащие пальцы на животе.

— Плохо живут,— уныло промолвил Гершеле.— Как может житься мертвому человеку? Балов там не задают...

Хозяйкины глаза наполнились слезами.

— Холодно там,— продолжал Гершеле,— холодно и голодно. Они же едят, как ангелы. Никто на том свете не имеет права кушать больше, чем ангелы. Что ангелу надо? Он хватит глоток воды, ему довольно. Рюмочку водки вы там за сто лет не увидите ни разу...

— Бедный папаша...— прошептала пораженная хозяйка.

— На Пасху он возьмет себе одну латку. Блин ему хватает на сутки...

— Бедная тетя Песя,— задрожала хозяйка.

— Я сам голодный хожу,— склонив набок голову, промолвил Гершеле, и слеза покатилась по его носу и пропала в бороде.— Мне ведь ни слова нельзя сказать, я считаюсь там из их компании...

Гершеле не докончил своих слов.

Топоча толстыми ногами, хозяйка стремительно несла к нему тарелки, миски, стаканы, бутылки. Гершеле начал есть, и тогда женщина поняла, что он действительно человек с того света.

Для начала Гершеле съел политую прозрачным салом рубленую печенку с мелко порубленным луком. Потом он выпил рюмку панской водки (в водке этой плавали апельсиновые корки). Потом он ел рыбу, смешав ароматную уху с мягким картофелем и вылив на край тарелки полбанки красного хрена, такого хрена, что от него заплакали бы пять панов с чубами и кунтушами.

После рыбы Гершеле отдал должное курице и хлебал горячий суп с плававшими в нем капельками жира. Вареники, купавшиеся в расплавленном масле, прыгали в рот Гершеле, как заяц прыгает от охотника. Не надо ничего говорить о том, что случилось с пирогом,— что могло с ним случиться, если, бывало, по целому году Гершеле в глаза пирога не видел?..

После ужина хозяйка собрала вещи, которые она через Гершеле решила послать на тот свет,— папаше, тете Голде и тете Песе. Отцу она положила новый талес, бутыль вишневой настойки, банку малинового варенья и кисет табаку. Для тети Песи были приготовлены теплые серые чулки. К тете Голде поехали старый парик, большой гребень и молитвенник. Кроме этого, она снабдила Гершеле сапогами, караваем хлеба, шкварками и серебряной монетой.

— Кланяйтесь, господин шабос-нахаму, кланяйтесь всем,— напутствовала она Гершеле, уносившего с собой тяжелый узел.— Или погодите немного, скоро муж придет.

— Нет,— ответил Гершеле.— Надо спешить. Неужели вы думаете, что вы у меня одна?

В темном лесу спали деревья, спали птицы, спали зеленые листы. Побледневшие звезды, сторожащие нас, задремали на небе.

Отойдя с версту, запыхавшийся Гершеле остановился, скинул узел со спины, сел на него и стал рассуждать сам с собою.

— Ты должен знать, Гершеле,— сказал он себе,— что на земле живет много дураков. Хозяйка корчмы была дура. Муж ее, может быть, умный человек, с большими кулаками, толстыми щеками — и длинным кнутом. Если он приедет домой и нагонит тебя в лесу, то...

Гершеле не стал затруднять себя приисканием ответа. Он тотчас же закопал узел в землю и сделал знак, чтобы легко найти заветное место.

Потом он побежал в другую сторону леса, разделся догола, обнял ствол дерева и принялся ждать. Ожидание длилось недолго. На рассвете Гершеле услышал хлопанье кнута, причмокивание губ и топот копыт. Это ехал корчмарь, пустившийся в погоню за господином шабос-нахаму.

Поравнявшись с голым Гершеле, обнявшим дерево, корчмарь остановил лошадь, и лицо его сделалось таким же глупым, как у монаха, повстречавшегося с дьяволом.

— Что вы делаете здесь?— спросил он прерывистым голосом.

— Я человек с того света,— ответил Гершеле уныло.— Меня ограбили, забрали важные бумаги, которые я везу к рабби Борухл...

— Я знаю, кто вас ограбил,— завопил корчмарь.— И у меня счеты с ним. Какой дорогой он убежал?

— Я не могу сказать, какой дорогой,— горько прошептал Гершеле.— Если хотите, дайте мне вашу лошадь, я догоню его в мгновенье. А вы подождите меня здесь.

Разденьтесь, станьте у дерева, поддерживайте его, не отходя ни на шаг до моего приезда. Дерево это — священное, много вещей в нашем мире держится на нем...

Гершеле недолго нужно было всматриваться в человека, чтобы узнать, чем человек дышит. С первого взгляда он понял, что муж недалеко ушел от жены.

И вправду, корчмарь разделся, встал у дерева. Гершеле сел на повозку и поскакал. Он откопал свои вещи, взвалил их на телегу и довез до опушки леса.

Там Гершеле снова взвалил узел на плечи и, бросив лошадь, зашагал по дороге, которая вела прямо к дому святого рабби Борухл.

Было уже утро. Птицы пели, закрыв глаза. Лошадь корчмаря, понурясь, повезла пустую телегу к тому месту, где она оставила своего хозяина.

Он ждал ее, прижавшись к дереву, голый под лучами восходившего солнца. Корчмарю было холодно. Он переминался с ноги на ногу.

На поле чести

Печатаемые здесь рассказы — начало моих заметок о войне. Содержание их заимствовано из книг, написанных французскими солдатами и офицерами, участниками боев. В некоторых отрывках изменена фабула и форма изложения, в других я старался ближе держаться к оригиналу.

На поле чести

Германские батареи бомбардировали деревни из тяжелых орудий. Крестьяне бежали к Парижу. Они тащили за собой калек, уродцев, рожениц, овец, собак, утварь. Небо, блиставшее синевой и зноем, медлительно багровело, распухало и обволакивалось дымом.

Сектор у N занимал 37 пехотный полк. Потери были огромны. Полк готовился к контратаке. Капитан Ratin* обходил траншеи. Солнце было в зените. Из соседнего

* Ратен (*фр.*).

участка сообщили, что в 4 роте пали все офицеры. 4 рота продолжает сопротивление.

В 300 метрах от траншеи Ratin увидел человеческую фигуру. Это был солдат Виду, дурачок Виду. Он сидел скорчившись на дне сырой ямы. Здесь когда-то разорвался снаряд. Солдат занимался тем, чем утешаются дрянные старикашки в деревнях и порочные мальчишки в общественных уборных. Не будем говорить об этом.

— Застегнись, Виду,— с омерзением сказал капитан.— Почему ты здесь?

— Я... я не могу этого сказать вам... Я боюсь, капитан!..

— Ты нашел здесь жену, свинья! Ты осмелился сказать мне в лицо, что ты трус, Виду. Ты оставил товарищей в тот час, когда полк атакует. Bien, mon cochon*.

— Клянусь вам, капитан!.. Я все испробовал... Виду, сказал я себе, будь рассудителен... Я выпил бутыль чистого спирту для храбрости. Je ne peux pas, capitaine**. Я боюсь, капитан!..

Дурачок положил голову на колени, обнял ее двумя руками и заплакал. Потом он взглянул на капитана, и в щелках его свиных глазок отразилась робкая и нежная надежда.

Ratin был вспыльчив. Он потерял двух братьев на войне, и у него не зажила рана на шее. На солдата обрушилась кощунственная брань, в него полетел сухой град тех отвратительных, яростных и бессмысленных слов, от которых кровь стучит в висках, после которых один человек убивает другого.

Вместо ответа Виду тихонько покачивал своей круглой рыжей лохматой головой, твердой головой деревенского идиота.

Никакими силами нельзя было заставить его подняться. Тогда капитан подошел к самому краю ямы и прошипел совершенно тихо:

— Встань, Виду, или я оболью тебя с головы до ног.

Он сделал, как сказал. С капитаном Ratin шутки были плохи. Зловонная струя с силой брызнула в лицо солдата. Виду был дурак, деревенский дурак, но он

---

* Хорошо, мой поросенок *(фр.).*

** Я не могу, капитан *(фр.).*

не перенес обиды. Он закричал нечеловеческим и протяжным криком; этот тоскливый, одинокий, затерявшийся вопль прошел по взбороненным полям; солдат рванулся, заломил руки и бросился бежать полем к немецким траншеям. Неприятельская пуля пробила ему грудь. Ratin двумя выстрелами прикончил его из револьвера. Тело солдата даже не дернулось. Оно осталось на полдороге между вражескими линиями.

Так умер Селестин Виду, нормандский крестьянин, родом из Ори, 21 года, на обагренных кровью полях Франции.

То, что я рассказал здесь,— правда. Об этом написано в книге капитана Гастона Видаля «Figures et anecdotes de la grand Guerre»*. Он был этому свидетелем. Он тоже защищал Францию, капитан Видаль.

Дезертир

Капитан Жемье был превосходнейший человек, к тому же философ. На поле битвы он не знал колебаний, в частной жизни умел прощать маленькие обиды. Это немало для человека — прощать маленькие обиды. Он любил Францию с нежностью, пожиравшей его сердце, поэтому ненависть его к варварам, осквернившим древнюю ее землю, была неугасима, беспощадна, длительна, как жизнь.

Что еще сказать о Жемье? Он любил свою жену, сделал добрыми гражданами своих детей, был французом, патриотом, книжником, парижанином и любителем красивых вещей.

И вот в одно весеннее сияющее розовое утро капитану Жемье доложили, что между французскими и неприятельскими линиями задержан безоружный солдат. Намерение дезертировать было очевидно, вина несомненна, солдата доставили под стражей.

— Это ты, Божи?

— Это я, капитан,— отдавая честь, ответил солдат.

— Ты воспользовался зарей, чтоб подышать чистым воздухом?

Молчание.

* «Типы и анекдоты большой войны» (*фр.*).

— C'est bien*. Оставьте нас.

Конвой удалился. Жемье запер дверь на ключ. Солдату было двадцать лет.

— Ты знаешь, что тебя ожидает? Voyons**, объяснись.

Божи ничего не скрыл. Он сказал, что устал от войны.

— Я очень устал от войны, mon capitaine!*** Снаряды мешают спать шестую ночь...

Война ему отвратительна. Он не шел предавать, он шел сдаться.

Вообще говоря, он был неожиданно красноречив, этот маленький Божи. Он сказал, что ему всего двадцать лет, mon Dieu, c'est nature****, в двадцать лет можно совершить ошибку. У него есть мать, невеста, des bons amis*****. Перед ним вся жизнь, перед этим двадцатилетним Божи, и он загладит свою вину перед Францией.

— Капитан, что скажет моя мать, когда узнает, что меня расстреляли как последнего негодяя?

Солдат упал на колени.

— Ты не разжалобишь меня, Божи! — ответил капитан.— Тебя видели солдаты. Пять таких солдат, как ты,— и рота отравлена. C'est la defaite. Cela jamais******. Ты умрешь, Божи, но я спасаю тебя в твою последнюю минуту. В мэрии не будет известно о твоем позоре. Матери сообщат, что ты пал на поле чести. Идем.

Солдат последовал за начальником. Когда они достигли леса, капитан остановился, вынул револьвер и протянул его Божи.

— Вот способ избегнуть суда. Застрелись, Божи! Я вернусь через пять минут. Все должно быть кончено.

Жемье удалился. Ни единый звук не нарушил тишину леса. Офицер вернулся. Божи ждал его сгорбившись.

— Я не могу, капитан,— прошептал солдат.— У меня не хватает силы...

И началась та же канитель — мать, невеста, друзья, впереди жизнь...

— Я даю тебе еще пять минут, Божи! Не заставляй меня гулять без дела.

Когда капитан вернулся, солдат всхлипывал, лежа на земле. Пальцы его, лежавшие на револьвере, слабо шевелились.

Тогда Жемье поднял солдата и сказал, глядя ему в глаза, тихим и душевным голосом:

— Друг мой, Божи, может быть, ты не знаешь, как это делается?

Не торопясь, он вынул револьвер из мокрых рук юноши, отошел на три шага и прострелил ему череп.

* * *

И об этом происшествии рассказано в книге Гастона Видаля. И действительно, солдата звали Божи. Правильно ли данное мною капитану имя Жемье — этого я точно не знаю. Рассказ Видаля посвящен некоему Фирмену Жемье в знак глубокого благоговения. Я думаю, посвящения достаточно. Конечно, капитана звали Жемье. И потом, Видаль свидетельствует, что капитан действительно был патриот, солдат, добрый отец и человек, умевший прощать маленькие обиды. А это немало для человека — прощать маленькие обиды.

Семейство папаши Мареско

Мы занимаем деревню, отбитую у неприятеля. Это маленькое пикардийское селеньице — прелестное и скромное. Нашей роте досталось кладбище. Вокруг нас сломанные распятия, куски надгробных памятников, плиты, развороченные молотом неведомого осквернителя. Истлевшие трупы вываливаются из гробов, разбитых снарядами. Картина достойна тебя, Микеланджело!

Солдату не до мистики. Поле черепов превращено в траншеи. На то война. Мы живы еще. Если нам суждено увеличить население этого прохладного уголка, что ж — мы сначала заставили гниющих стариков поплясать под марш наших пулеметов.

Снаряд приподнял одну из надгробных плит. Это сделано для того, чтобы предложить мне убежище, никакого сомнения. Я водворился в этой дыре, que voules vous, on loge, ou on peut*.

И вот — весеннее, светлое, ясное утро. Я лежу на покойниках, смотрю на жирную траву, думаю о Гамлете. Он был неплохой философ, этот бедный принц. Черепа отвечали ему человеческими словами. В наше время это искусство пригодилось бы лейтенанту французской армии.

Меня окликает капрал:

— Лейтенант, вас хочет видеть какой-то штатский.

Какого дьявола ищет штатский в этой преисподней?

Персонаж делает свой выход. Поношенное, выцветшее существо. Оно облачено в воскресный сюртук. Сюртук забрызган грязью. За робкими плечами болтается мешок, наполовину пустой. В нем, должно быть, мороженый картофель; каждый раз, когда старик делает движение, что-то трещит в мешке.

— Eh bien**, в чем дело?

— Моя фамилия, видите ли, монсье Мареско,— шепчет штатский и кланяется.— Потому я и пришел...

— Дальше?

— Я хотел бы похоронить мадам Мареско и все семейство, господин лейтенант!

— Как вы сказали?

— Моя фамилия, видите ли,— папаша Мареско.— Старик приподнимает шляпу над серым лбом! — Может быть, слышали, господин лейтенант!

Папаша Мареско? Я слышал эти слова. Конечно, я их слышал. Вот она, вся история. Дня три тому назад, в начале нашей оккупации, всем мирным гражданам был отдан приказ эвакуироваться. Одни ушли, другие остались; оставшиеся засели в погребах. Бомбардировка победила мужество, защита камня оказалась ненадежной. Появились убитые. Целое семейство задохлось под развалинами подземелья. И это было семейство Мареско. Их фамилия осталась у меня в памяти — настоящая французская фамилия. Их было четверо — отец, мать и две дочери. Только отец спасся.

* Что вы хотите, живут где могут (фр.).
** Хорошо (фр.).

— Мой бедный друг, так это вы Мареско? Все это очень грустно. Зачем вам понадобился это несчастный погреб, к чему?

Меня перебил капрал.

— Они, кажется, начинают, лейтенант...

Этого следовало ожидать. Немцы заметили движение в наших траншеях. Залп по правому флангу, потом левее. Я схватил папашу Мареско за ворот и стащил его вниз. Мои молодцы, втянув головы в плечи, тихонько сидели под прикрытием, никто носу не высунул.

Воскресный сюртук бледнел и ежился. Недалеко от нас промяукала кошечка в 12 сантиметров.

— Что вам нужно, папаша, говорите живее. Вы видите, здесь кусаются.

— Mon lieutenant*, я все сказал вам, я хотел бы похоронить мое семейство.

— Отлично, я прикажу сходить за телами.

— Тела при мне, господин лейтенант!

— Что такое?

Он указал на мешок. В нем оказались скудные остатки семьи папаши Мареско.

Я вздрогнул от ужаса.

— Хорошо, старина, я прикажу их похоронить.

Он посмотрел на меня, как на человека, выпалившего совершенную глупость.

— Когда стихнет этот проклятый шум,— начал я снова,— мы выроем им превосходную могилу. Все будет сделано, pere Marescot**, будьте спокойны...

— Но у меня фамильный склеп...

— Отлично, укажите его нам.

— Но, но...

— Что такое — но?

— Но, mon lieutenant, мы в нем сидим все время.

Квакер

Заповедано — не убий. Вот почему Стон — квакер — записался в колонну автомобилистов. Он помогал своему отечеству, не совершая страшного греха человеко-

---

* Мой лейтенант (*фр.*).
** Папаша Мареско (*фр.*).

убийства. Воспитание и богатство дозволяли ему занять более высокую должность, но, раб своей совести, он принимал со смирением невидную работу и общество людей, казавшихся ему грубыми.

Что был Стон? Лысый лоб у вершины палки. Господь даровал ему тело лишь для того, чтобы возвысить мысли над жалкими скорбями мира сего. Каждое его движение было не более как победа, одержанная духом над материей. У руля своего автомобиля, каковы бы ни были грозные обстоятельства, он держался с деревянной неподвижностью проповедника на кафедре. Никто не видел, как Стон смеется.

Однажды утром, будучи свободен от службы, он возымел мысль выйти на прогулку для того, чтобы преклониться перед Создателем в его творениях. С огромной Библией под мышкой Стон пересекал длинными своими ногами лужайки, возрожденные весной. Вид ясного неба, щебетание воробьев в траве — все заливало его радостью.

Стон сел, открыл свою Библию, но в ту минуту увидел у изгиба аллеи непривязанную лошадь, с торчащими от худобы боками. Тотчас же голос долга с силой заговорил в нем: у себя на родине Стон был членом общества покровительства животным. Он приблизился к скотине, погладил ее мягкие губы и, забыв о прогулке, направился к конюшне. По дороге, не выпуская из рук своей Библии с застежками, он напоил лошадь у колодца.

Конюшенным мальчиком состоял некий юноша по фамилии Бэккер. Нрав этого молодого человека издавна составлял причину справедливого гнева Стона: Бэккер оставлял на каждом привале безутешных невест.

— Я бы мог,— сказал ему квакер,— объявить о вас майору, но надеюсь, что на этот раз и моих слов будет достаточно. Бедная, больная лошадь, которую я привел и за которой вы будете ухаживать, достойна лучшей участи, чем вы.

И он удалился размеренным, торжественным шагом, не обращая внимания на гоготание, раздававшееся позади него. Четырехугольный, выдвинутый вперед подбородок юноши с убедительностью свидетельствовал о непобедимом упорстве.

Прошло несколько дней. Лошадь все время бродила без призору. На этот раз Стон сказал Бэккеру с твердостью:

— Исчадие сатаны,— так приблизительно начиналась эта речь.— Всевышним позволено нам, может быть, погубить свою душу, но грехи ваши не должны всею тяжестью пасть на невинную лошадь. Поглядите на нее, негодяй. Она расхаживает здесь в величайшем беспокойстве. Я уверен, что вы грубо обращаетесь с ней, как и пристало преступнику. Еще раз повторяю вам, сын греха: идите к гибели с той поспешностью, какая вам покажется наилучшей, но заботьтесь об этой лошади, иначе вы будете иметь дело со мной.

С этого дня Стон счел себя облеченным Провидением особой миссией — заботой о судьбе обиженного четвероногого. Люди, по грехам их, казались ему малодостойными уважения; к животным же он испытывал неописуемую жалость. Утомительные занятия не препятствовали ему держать нерушимым его обещание Богу.

Часто по ночам квакер выбирался из своего автомобиля — он спал в нем, скорчившись на сиденье,— для того, чтобы убедиться, что лошадь находится в приличном отдалении от бэккеровского сапога, окованного гвоздями. В хорошую погоду он сам садился на своего любимца, и кляча, важно попрыгивая, рысцою носила по зеленеющим полям его тощее, длинное тело. С своим бесцветным желтым лицом, сжатыми бледными губами, Стон вызывал в памяти бессмертную и потешную фигуру рыцаря печального образа, трусящего на Росинанте среди цветов и возделанных полей.

Усердие Стона приносило плоды. Чувствуя себя под неусыпным наблюдением, грум всячески изловчался, чтобы не быть пойманным на месте преступления. Но наедине с лошадью он вымещал на ней ярость своей низкой души. Испытывая необъяснимый страх перед молчаливым квакером, он ненавидел Стона за этот страх и презирал себя. У него не было другого средства поднять себя в собственных глазах, как издеваться над лошадью, которой покровительствовал Стон. Такова презренная гордость человека. Запираясь с лошадью в конюшне, грум колол ее отвислые волосатые губы раскаленными иголками, сек ее проволочным кнутом

по спине и сыпал ей соль в глаза. Когда измученное, ослепленное едким порошком животное, оставленное наконец в покое, боязливо пробиралось к стойлу, качаясь, как пьяный, мальчишка ложился на живот и хохотал во все горло, наслаждаясь местью.

На фронте произошла перемена. Дивизия, к составу которой принадлежал Стон, была переведена на более опасное место. Религиозные его верования не разрешали ему убивать, но дозволяли быть убитым. Германцы наступали на Изер. Стон перевозил раненых. Вокруг него с поспешностью умирали люди разных стран. Старые генералы, чисто вымытые, с припухлостями на лице, стояли на холмиках и оглядывали окрестность в полевые бинокли. Гремела не переставая канонада. Земля издавала зловоние, солнце копалось в развороченных трупах.

Стон забыл свою лошадь. Через неделю совесть принялась за грызущую свою работу. Улучив время, квакер отправился на старое место. Он нашел лошадь в темном сарае, сбитом из дырявых досок. Животное еле держалось на ногах от слабости, глаза его были затянуты мутной пленкой. Лошадь слабо заржала, увидев своего верного друга, и положила ему на руки падавшую морду.

— Я ничем не виноват,— дерзко сказал Стону грум,— нам не выдают овса.

— Хорошо,— ответил Стон,— я добуду овес.

Он посмотрел на небо, сиявшее через дыру в потолке, и вышел.

Я встретил его через несколько часов и спросил — опасна ли дорога? Он казался более сосредоточенным, чем обыкновенно. Последние кровавые дни наложили на него тяжкую печать, он как будто носил траур по самом себе.

— Выехать было нетрудно,— глухо проговорил он,— в конце пути могут произойти неприятности.— И прибавил неожиданно: — Я выехал в фуражировку. Мне нужен овес.

На следующее утро солдаты, отправленные на поиски, нашли его убитым у руля автомобиля. Пуля пробила череп. Машина осталась во рву.

Так умер Стон-квакер из-за любви к лошади.

Справедливость в скобках

Первое дело я имел с Беней Криком, второе — с Любкой Шнейвейс. Можете вы понять такие слова? Во вкус этих слов можете вы войти? На этом пути смерти недоставало Сережки Уточкина. Я не встретил его на этот раз, и поэтому я жив. Как медный памятник стоит он над городом, он — Уточкин, рыжий и сероглазый. Все люди должны будут пробежать между его медных ног.

...Не надо уводить рассказ в боковые улицы. Не надо этого делать даже и в том случае, когда на боковых улицах цветет акация и поспевает каштан. Сначала о Бене, потом о Любке Шнейвейс. На этом кончим. И все скажут: точка стоит на том месте, где ей приличествует стоять.

...Я стал маклером. Сделавшись одесским маклером, я покрылся зеленью и пустил побеги. Обремененный побегами, я почувствовал себя несчастным. В чем причина? Причина в конкуренции. Иначе я бы на эту справедливость даже не высморкался. В моих руках не спрятано ремесла. Передо мной стоит воздух. Он блестит, как море под солнцем, красивый и пустой воздух. Побеги хотят кушать. У меня их семь, и моя жена восьмой побег. Я не высморкался на справедливость. Нет. Справедливость высморкалась на меня. В чем причина? Причина в конкуренции.

Кооператив назывался «Справедливость». Ничего худого о нем сказать нельзя. Грех возьмет на себя тот, кто станет говорить о нем дурно. Его держали шесть компаньонов, «primo de primo»*, к тому же специалисты по своей бранже**. Лавка у них была полна товару, а постовым милиционером поставили туда Мотю с Головковской. Чего еще надо? Больше, кажется, ничего не надо. Это дело предложил мне бухгалтер из «Справедливости». Честное слово, верное дело, спокойное дело. Я почистил мое тело платяной щеткой и переслал

* Первые из первых (*лат.*).
** Бранжа (*угол.*) — дело.

его Бене. Король сделал вид, что не заметил моего тела. Тогда я кашлянул и сказал:

— Так и так, Беня.

Король закусывал. Графинчик с водочкой, жирная сигара, жена с животиком, седьмой месяц или восьмой, верно не скажу. Вокруг террасы — природа и дикий виноград.

— Так и так, Беня,— говорю я.

— Когда? — спрашивает он меня.

— Коль раз вы меня спрашиваете,— отвечаю я королю,— так я должен высказать свое мнение. По-моему, лучше всего с субботы на воскресенье. На посту, между прочим, стоит не кто иной, как Мотя с Головковской. Можно и в будний день, но зачем, чтобы из спокойного дела вышло неспокойное?

Такое у меня было мнение. И жена короля с ним согласилась.

— Детка,— сказал ей тогда Беня,— я хочу, чтобы ты пошла отдохнуть на кушетке.

Потом он медленными пальцами сорвал золотой ободок с сигары и обернулся к Фроиму Штерну:

— Скажи мне, Грач, мы заняты в субботу, или мы не заняты в субботу?

Но Фроим Штерн человек себе на уме. Он рыжий человек с одним только глазом на голове. Ответить с открытой душой Фроим Штерн не может.

— В субботу,— говорит он,— вы обещали зайти в общество взаимного кредита...

Грач делает вид, что ему больше нечего сказать, и он беспечно втыкает свой единственный глаз в самый дальний угол террасы.

— Отлично,— подхватывает Беня Крик,— напомнишь мне в субботу за Цудечкиса, запиши это себе, Грач. Идите к своему семейству, Цудечкис,— обращается ко мне король,— в субботу вечерком, по всей вероятности, я зайду в «Справедливость». Возьмите с собой мои слова, Цудечкис, и начинайте идти.

Король говорит мало, и он говорит вежливо. Это пугает людей так сильно, что они никогда его не переспрашивают. Я пошел со двора, пустился идти по Госпитальной, завернул на Степовую, потом остановился, чтобы рассмотреть Бенины слова. Я попробовал их на ощупь и на вес, я подержал их между моими передними зубами и увидел, что это совсем не те слова, которые мне нужны.

— По всей вероятности,— сказал король, снимая медленными пальцами золотой ободок с сигары. Король говорит мало, и он говорит вежливо. Кто вникает в смысл немногих слов короля? По всей вероятности, зайду или, по всей вероятности, не зайду? Между «да» и «нет» лежат пять тысяч комиссионных. Не считая двух коров, которых я держу для своей надобности, у меня девять ртов, готовых есть. Кто дал мне право рисковать? После того, как бухгалтер из «Справедливости» был у меня, не пошел ли он к Бунцельману? И Бунцельман, в свою очередь, не побежал ли он к Коле Штифту, а Коля парень горячий до невозможности. Слова короля каменной глыбой легли на том пути, по которому рыскал голод, умноженный на девять голов. Говоря проще, я предупредил Бунцельмана на полголоса. Он входил к Коле в ту минуту, когда я выходил от Коли. Было жарко, и он вспотел. «Удержитесь, Бунцельман,— сказал я ему,— вы торопитесь напрасно, и вы потеете напрасно. Здесь я кушаю. Und damit Punktum*, как говорят немцы».

И был день пятый. И был день шестой. Суббота прошлась по молдаванским улицам. Мотя уже стал на посту, я уже спал на моей постели, Коля трудился в «Справедливости». Он нагрузил полбиндюга, и его цель была нагрузить еще полбиндюга. В это время в переулке послышался шум, загрохотали колеса, обитые железом: Мотя с Головковской взялся за телеграфный столб и спросил: «Пусть он упадет?». Коля ответил: «Еще не время». (Дело в том, что этот столб в случае нужды мог упасть.)

Телега шагом въехала в переулок и приблизилась к лавке. Коля понял, что это приехала милиция, и у него стало разрываться сердце на части, потому что ему было жалко бросать свою работу.

— Мотя,— сказал он,— когда я выстрелю, столб упадет.

* И с этим покончено (нем.).

— Безусловно,— ответил Мотя.

Штифт вернулся в лавку, и все его помощники пошли с ним. Они стали вдоль стены и вытащили револьверы. Десять глаз и пять револьверов были устремлены на дверь, все это не считая подпиленного столба. Молодежь была полна нетерпения.

— Тикай, милиция,— прошептал кто-то невоздержанный,— тикай, бо задавим...

— Молчать,— произнес Беня Крик, прыгая с антресолей.— Где ты видишь милицию, мурло? Король идет.

Еще немного,— и произошло бы несчастье, Беня сбил Штифта с ног и выхватил у него револьвер. С антресолей начали падать люди, как дождь. В темноте ничего нельзя было разобрать.

— Ну вот,— прокричал тогда Колька.— Беня хочет меня убить, это довольно интересно...

В первый раз в жизни короля приняли за пристава. Это было достойно смеха. Налетчики хохотали во все горло. Они зажгли свои фонарики, они надрывали свои животики, они катались по полу, задушенные смехом.

Один король не смеялся.

— В Одессе скажут,— начал он дельным голосом,— в Одессе скажут: король польстился на заработок своего товарища.

— Это скажут один раз,— ответил ему Штифт.— Никто не скажет ему этого два раза.

— Коля,— торжественно и тихим голосом продолжал король,— веришь ли ты мне, Коля?

И тут налетчики перестали смеяться. У каждого из них горел в руке фонарик, но смех выполз из кооператива «Справедливость».

— В чем я должен тебе верить, король?

— Веришь ли ты мне, Коля, что я здесь ни при чем?

И он сел на стул, этот присмиревший король, он закрыл пыльным рукавом глаза и заплакал. Такова была гордость этого человека, чтоб ему гореть огнем. И все налетчики, все до единого видели, как плачет от оскорбленной гордости их король.

Потом они встали друг перед другом. Беня стоял, и Штифт стоял. Они начали здоровкаться за руку, они извинялись, они целовали друг друга в губы, и каждый из них тряс руку своего товарища с такой силой, как будто он хотел ее оторвать. Уже рассвет начал хлопать своими подслеповатыми глазами, уже Мотя ушел в участок сменяться, уже два полных биндюга увезли то, что когда-то называлось кооперативом «Справедливость», а король и Коля все еще горевали, все еще кланялись и, закинув друг другу за шею руки, целовались нежно, как пьяные.

Кого искала судьба в это утро? Она искала меня, Цудечкиса, и она меня нашла.

— Коля,— спросил наконец король,— кто тебе указал на «Справедливость»?

— Цудечкис. А тебе, Беня, кто указал?

— И мне Цудечкис.

— Беня,— восклицает тогда Коля,— неужели же он останется у нас живой?

— Безусловно, что нет,— обращается Беня к одноглазому Штерну, который стоит в сторонке и хихикает, потому что он со мной в контрах,— закажешь, Фроим, глазетовый гроб, а я иду до Цудечкиса. Ты же, Коля, раз ты кое-что начал, то ты обязан это кончить, и очень прошу тебя от моего имени и от имени моей супруги зайти ко мне утром и закусить в кругу моей семьи.

Часов в пять утра, или нет, часа в четыре утра, а еще, может быть, и четырех не было, король зашел в мою спальню, взял меня, извините, за спину, снял с кровати, положил на пол и поставил свою ногу на мой нос. Услышав разные звуки и тому подобное, моя супруга спрыгнула и спросила Беню:

— Мосье Крик, за что вы обижаетесь на моего Цудечкиса?

— Как за что,— ответил Беня, не снимая ноги с моей переносицы, и слезы закапали у него из глаз,— он бросил тень на мое имя, он опозорил меня перед товарищами, можете проститься с ним, мадам Цудечкис, потому что моя честь дороже мне счастья и он не может оставаться живой...

Продолжая плакать, он топтал меня ногами. Моя супруга, видя, что я сильно волнуюсь, закричала. Это случилось в половине пятого, кончила она к восьми часам. Но она же ему задала, ох, как она ему задала! Это была роскошь!

— За что серчать на моего Цудечкиса,— кричала она, стоя на кровати, и я, корчась на полу, смотрел на нее с восхищением,— за что бить моего Цудечкиса? За то ли, что он хотел накормить девять голодных птенчиков? Вы, такой-сякой, вы — Король, вы зять богача и сами богач, и ваш отец богач. Вы человек, перед которым открыто все и вся, что значит для Бенчика одно неудачное дело, когда следующая неделя принесет вам семь удачных? Не сметь бить моего Цудечкиса! Не сметь!

Она спасла мне жизнь.

Когда проснулись дети, они начали кричать совместно с моей супругой. Беня все-таки испортил мне столько здоровья, сколько он понимал, что мне нужно испортить. Он оставил двести рублей на лечение и ушел. Меня отвезли в Еврейскую больницу. В воскресенье я умирал, в понедельник я поправлялся, а во вторник у меня был кризис.

Вот моя первая история. Кто виноват и где причина? Неужели Беня виноват? Нечего нам друг другу глаза замазывать. Другого такого, как Беня Король,— нет. Истребляя ложь, он ищет справедливость, и ту справедливость, которая в скобках и которая без скобок. Но ведь все другие невозмутимы, как холодец; они не любят искать, они не будут искать, и это хуже.

Я выздоровел. И это для того, чтобы из Бениных рук перелететь в Любкины. Сначала я о Бене, потом о Любке Шнейвейс. На этом кончим. И всякий скажет: точка стоит на том месте, где ей приличествует стоять.

Вечер у императрицы

В кармане кетовая икра и фунт хлеба. Приюта нет. Я стою на Аничковом мосту, прижавшись к Клодтовым коням. Разбухший вечер двигается с Морской. По Невскому, запутанные в вату, бродят оранжевые огоньки. Нужен угол. Голод пилит меня, как неумелый мальчуган скрипичную струну. Я перебираю в памяти квартиры, брошенные буржуазией. Аничков дворец вплывает в мои глаза всей своей плоской громадой. Вот он — угол.

Проскользнуть через вестибюль незамеченным — это нетрудно. Дворец пуст. Неторопливая мышь царапается в боковой комнате. Я в библиотеке вдовствующей императрицы Марии Федоровны. Старый немец, стоя посредине комнаты, закладывает в уши вату. Он собирается уходить. Удача целует меня в губы. Немец мне знаком. Когда-то я напечатал бесплатно его заявление об утере паспорта. Немец принадлежит мне всеми своими честными и вялыми потрохами. Мы решаем — я буду ждать Луначарского в библиотеке, потому что, видите ли, мне надобен Луначарский.

Мелодически тикающие часы смыли немца из комнаты. Я один. Хрустальные шары пылают надо мной желтым шелковым светом. От труб парового отопления идет неизъяснимая теплота. Глубокие диваны облекают покоем мое иззябшее тело.

Поверхностный обыск дает результаты. Я обнаруживаю в камине картофельный пирог, кастрюлю, щепотку чая и сахар. И вот спиртовая машинка высунула-таки свой голубоватый язычок. В этот вечер я поужинал по-человечески. Я разостлал на резном китайском столике, отсвечивавшем древним лаком, тончайшую салфетку. Каждый кусок этого сурового пайкового хлеба я запивал чаем, сладким, дымящимся, играющим коралловыми звездами на граненых стенках стакана. Бархат сидений поглаживал пухлыми ладонями мои худые бока. За окном на петербургский гранит, помертвевший от стужи, ложились пушистые кристаллы снега.

Свет сияющими лимонными столбами струился по теплым стенам, трогал корешки книг, и они мерцали ему в ответ голубым золотом.

Книги — истлевшие и душистые страницы,— они отвели меня в далекую Данию. Больше полустолетия тому назад их дарили юной принцессе, отправлявшейся из своей маленькой и целомудренной страны в свирепую Россию. На строгих титулах, выцветшими чернилами, в трех косых строчках, прощались с принцессой воспитавшие ее придворные дамы и подруги из Копенгагена — дочери государственных советников, учителя — пергаментные профессора из лицея, и отец-король, и мать-королева, плачущая мать. Длинные полки маленьких, пузатых книг с почерневшими золотыми обрезами, детские Евангелия, перепачканные чернилами, робкими кляксами, неуклюжими самодельными обращениями к Господу Иисусу, сафьяновые томики Ламартина и Шенье с засохшими, рассыпающимися в пыль цветами. Я перебираю эти истончившиеся листки, пережившие забвение, образ неведомой страны, нить необычайных дней возникает передо мной — низкие ограды вокруг королевских садов, роса на подстриженных газонах, сонные изумруды каналов и длинный король с шоколадными баками, покойное гудение колокола над дворцовой церковью и, может быть, любовь, девическая любовь, короткий шепот в тяжелых залах. Маленькая женщина с притертым пудрой лицом, пронырливая интриганка с неутомимой страстью к власткованью, яростная самка среди Преображенских гренадеров, безжалостная, но внимательная мать, раздавленная немкой,— императрица Мария Федоровна развивает передо мной свиток своей глухой и долгой жизни.

Только поздним вечером я оторвался от этой жалкой и трогательной летописи, от призраков с окровавленными черепами. У вычурного коричневого потолка по-прежнему спокойно пылали хрустальные шары, налитые роящейся пылью. Возле драных моих башмаков, на синих коврах застыли свинцовые ручейки. Утомленный работой мозга и этим жаром тишины, я заснул.

Ночью — по тускло блистающему паркету коридоров — я пробирался к выходу. Кабинет Александра III, высокая коробка с заколоченными окнами, выходящими на Невский. Комнаты Михаила Александровича — веселенькая квартира просвещенного офицера, занимающегося гимнастикой, стены обтянуты светленькой материей в бледно-розовых разводах, на низких каминах фарфоровые безделушки, подделанные под наивность и ненужную мясистость семнадцатого века.

Я долго ждал, прижавшись к колонне, пока не заснул последний придворный лакей. Он свесил сморщенные, по давней привычке, выбритые щеки, фонарь слабо золотил его упавший высокий лоб.

В первом часу ночи я был на улице. Невский принял меня в свое бессонное чрево. Я пошел спать на Николаевский вокзал. Те, кто бежал отсюда, пусть знают, что в Петербурге есть где провести вечер бездомному поэту.

Ходя

Неумолимая ночь. Разящий ветер. Пальцы мертвеца перебирают обледенелые кишки Петербурга. Багровые аптеки стынут на углах. Фармацевт уронил набок расчесанную головку. Мороз взял аптеку за фиолетовое сердце. И сердце аптеки издохло.

Никого на Невском. Чернильные пузыри лопаются в небе. Два часа ночи. Конец. Неумолимая ночь.

Девка и личность сидят на перилах кафе «Бристоль». Две скулящие спины. Две иззябшие вороны на голом кусте.

— Ежели волей сатаны вы наследуете усопшему императору, то ведите за собой народные массы, матереубийцы... Но, шалишь... Они держатся на латышах, а латыши — это монголы, Глафира!..

У личности по обеим сторонам лица висят щеки, как мешки старьевщика. У личности в порыжелых зрачках бродят раненые коты.

— Христом молю вас, Аристарх Терентьич, отойдите на Надеждинскую. Когда я с мужчиной — кто же познакомится?

Китаец в кожаном проходит мимо. Он поднимает буханку хлеба над головой. Он отмечает голубым ногтем линию на корке. Фунт. Глафира поднимает два пальца. Два фунта.

Тысяча пил стонет в окостенелом снегу переулков. Звезда блестит в чернильной тверди.

Китаец, остановившись, бормочет сквозь стиснутые зубы:

— Ты грязный, э?

— Я чистенькая, товарищ...

— Фунт.

На Надеждинской зажигаются зрачки Аристарха.

— Милый,— хрипло говорит девка,— со мной папаша крестный... Ты разрешишь ему поспать у стенки?..

Китаец медлительно кивает головой. О, мудрая важность Востока!

— Аристарх Терентьич,— прижимаясь к струящемуся кожаному плечу, кличет девка небрежно,— мой знакомый просют вас до себе в компанию...

Личность полна оживления.

— По причинам, от дирекции не зависящим,— не у дел...— шепчет она, играя плечами,— а было прошлое с кое-какой начинкой. Именно. Весьма лестно познакомиться — Шереметев.

В гостинице им дали ханжи и не потребовали денег. Поздно ночью китаец слез с кровати и пошел во тьму.

— Куда?— просипела Глафира, суча ногами.

Под спиной у нее натекло пятно от пота.

Китаец подошел к Аристарху, всхрапывавшему на полу у рукомойника. Он тронул старика за плечо и показал глазами на Глафиру.

— Отчего же, Васюк,— пролепетал с полу Аристарх,— ты обязательный, право,— и мелким шажком побежал к кровати.

— Уйди, пес,— сказала Глафира,— убил меня твой китаец.

— Она не слушается, Васюк,— прокричал Аристарх поспешно,— ты приказал, а она не слушается.

— Ми друг,— сказал китаец.— Он — можна. Э, стерфь...

— Вы пожилые, Аристарх Терентьич,— прошептала девушка, укладывая к себе старика,— а какое у вас понятие?

Точка.

Сказка про бабу

Жила-была баба, Ксенией звали. Грудь толстая, плечи круглые, глаза синие. Вот какая баба была. Кабы нам с вами!

Мужа на войне убили. Три года без мужа прожила, у богатых господ служила. Господа на день три раза горячее требовали. Дровами не топили никак,— углем. От углей жар невыносимый, в углях огненные розы тлеют.

Три года баба для господ готовила и честная была с мужчинами. А грудь-то пудовую куда денешь? Вот подите же!

На четвертый год к доктору пошла, говорит:

— В голове у меня тяжко: то огнем полыхает, а то слабну...

А доктор возьми да ответь:

— Нешто у вас на дворе мало парней бегает? Ах ты, баба...

— Не осмелиться мне,— плачет Ксения,— нежная я...

И верно, что нежная. Глаза у Ксении синие с горьковатою слезой.

Старуха Морозиха тут все дело спроворила.

Старуха Морозиха на всю улицу повитуха и знахарка была. Такие до бабьего чрева безжалостные. Им бы паровать, а там хоть трава не расти.

— Я,— грит,— тебя, Ксения, обеспечу. Суха земля потрескалась. Ей Божий дождик надобен. В бабе грибок ходить должен, сырой, вонюченькой.

И привела. Валентин Иванович называется. Неказист, да затейлив — умел песни складывать. Тела никакого, волос длинный, прыщи радугой переливаются. А Ксении бугай, что ли, нужен? Песни складывает и мужчина — лучше во всем мире не найти. Напекла баба блинов со сто, пирог с изюмом. На кровати у Ксении три перины положены, а подушек шесть, все пуховые,— катай, Валя!

Приспел вечер, сбилась компания в комнатенке за кухней, все по стопке выпили. Морозиха шелковый платочек надела, вот ведь какая почтенная. А Валентин бесподобные речи ведет:

— Ах, дружочек мой Ксения, заброшенный я на этом свете человек, замордованный я юноша. Не думайте обо мне как-нибудь легкомысленно. Придет ночь со звездами и с черными веерами — разве выразишь душу в стихе? Ах, много во мне этой застенчивости...

Слово по слово. Выпили, конечно, водки две бутылки полных, а вина и все три. Много не говорить, а пять рублей на угощение пошло — не шутка!

Валентин мой румянец получил прямо коричневый и стихи сказывает таково зычно.

Морозиха со стола тогда отодвинулась.

— Я,— говорит,— Ксеньюшка, отнесусь, Господь со мной,— промеж вас любовь будет. Как,— говорит,— вы на лежанку ляжете, ты с него сапоги сними. Мужчины — на них не настираешься...

А хмель-то играет. Валентин себя как за волосы цапнет, крутит их.

— У меня,— говорит,— виденья. Я как выпью — у меня виденья. Вот вижу я — ты, Ксения, мертвая, лицо у тебя омерзительное. А я поп — за твоим гробом хожу и кадилом помахиваю.

И тут он, конечно, голос поднял.

Ну, не больше чем женщина, она-то. Само собой, она уже и кофточку невзначай расстегнула.

— Не кричите, Валентин Иванович,— шепчет баба,— не кричите, хозяева услышат...

Ну, рази остановишь, когда ему горько сделалось?

— Ты меня вполне обидела,— плачет Валентин и качается,— ах, люди — змеи, чего захотели, душу купить захотели... Я,— грит,— хоть и незаконнорожденный, да дворянский сын... видала, кухарка?

— Я вам ласку окажу, Валентин Иванович...

— Пусти.

Встал и дверь распахнул.

— Пусти. В мир пойду.

Ну, куда ему идти, когда он, голубь, пьяненькой. Упал на постелю, обрыгал, извините, простынки и заснул, раб Божий.

А Морозиха уж тут.

— Толку не будет,— говорит,— вынесем.

Вынесли бабы Валентина на улицу и положили его в подворотне. Воротились, а хозяйка ждет уже в чепце и в богатейших кальсонах; кухарке своей замечание сделала.

— Ты по ночам мужчин принимаешь и безобразишь то же самое. Завтра утром получи вид и прочь из моего честного дома. У меня, говорит, дочь-девица в семье...

До синего рассвету плакала баба в сенцах, скулила:

— Бабушка Морозиха, ах, бабушка Морозиха, что ты со мной, с молодой бабой, иследала? Себя мне стыдно, и как я глаза на Божий свет подыму, и что я в ем, в Божьем свете, увижу?

Плачет баба, жалуется, среди изюмных пирогов сидючи, среди снежных пуховиков, Божьих лампад и виноградного вина. И теплые плечи ее колышутся.

— Промашка,— отвечает ей Морозиха,— тут попроще был надобен, нам Митюху бы взять...

А утро завело уже свое хозяйство. Молочницы по домам уже ходят. Голубое утро с изморозью.

Баграт-Оглы и глаза его быка

Я увидел у края дороги быка невиданной красоты. Склонившись над ним, плакал мальчик.

— Это Баграт-Оглы,— сказал заклинатель змей, поедавший в стороне скудную трапезу,— Баграт-Оглы, сын Кязима.

Я сказал:

— Он прекрасен, как двенадцать лун.

Заклинатель змей сказал:

— Зеленый плащ пророка никогда не прикроет своевольной бороды Кязима. Он был сутяга, оставивший своему сыну нищую хижину, тучных жен и бычка, которому не было пары. Но Алла велик...

— Алла иль Алла,— сказал я.

— Алла велик,— повторил старик, отбрасывая от себя корзину со змеями.— Бык вырос и стал могущественнейшим быком Анатолии. Мемед-хан, сосед, заболевший завистью, оскопил его этой ночью. Никто не приведет больше к Баграт-Оглы коров, ждущих зачатия. Никто не заплатит Баграт-Оглы ста пиастров за любовь его быка. Он нищ, Баграт-Оглы. Он рыдает у края дороги.

Безмолвие гор простирало над нами лиловые знамена. Снега сияли на вершинах. Кровь стекала по ногам изувеченного быка и закипала в траве. И, услышав стон быка, я заглянул ему в глаза и увидел смерть быка и свою смерть и пал на землю в неизмеримых страданиях.

— Путник,— воскликнул тогда мальчик с лицом, розовым, как заря,— ты извиваешься, и пена клокочет в углах твоих губ. Черная болезнь вяжет тебя канатами своих судорог.

— Баграт-Оглы,— ответил я, изнемогая,— в глазах твоего быка я нашел отражение всегда бодрствующей злобы соседей наших, Мемед-ханов. В их влажной глубине я нашел зеркала, в которых разгораются зеленые костры измены соседей наших, Мемед-ханов. Мою юность, убитую бесплодно, увидел я в зрачках изувеченного быка и мою зрелость, пробивавшуюся сквозь колючие изгороди равнодушия. Пути Сирии, Аравии и Курдистана, измеренные мною трижды, нахожу я в глазах твоего быка, о Баграт-Оглы, и их плоские пески не оставляют мне надежды. Ненависть всего мира вползает в отверстые глазницы твоего быка. Беги же от злобы соседей наших, Мемед-ханов, о Баграт-Оглы, и пусть старый заклинатель змей взвалит на себя корзину с удавами и бежит с тобою рядом...

И, огласив ущелье стоном, я поднялся на ноги. Я ощутил аромат эвкалиптов и ушел прочь. Многоголовый рассвет взлетел над горами как тысяча лебедей. Бухта Трапезунда блеснула вдали сталью своих вод. И я увидел море и желтые борты фелюг. Свежесть трав переливалась на развалинах византийской стены. Базары Трапезунда и ковры Трапезунда предстали предо мной. Молодой горец встретился мне у поворота в город. На вытянутой руке его сидел кобчик с закованной лапой. Походка горца была легка. Солнце всплывало над нашими головами. И внезапный покой сошел на мою душу скитальца.

Линия и цвет

Александра Федоровича Керенского я увидел впервые двадцатого декабря тысяча девятьсот шестнадцатого года в обеденной зале санатории Оллила. Нас познакомил присяжный поверенный Зацареный из Туркестана. О Зацарене я знал, что он сделал себе обрезание на сороковом году жизни. Великий князь Петр Николаевич, опальный безумец, сосланный в Ташкент, дорожил дружбой Зацареного. Великий князь этот ходил по улицам Ташкента нагишом, женился на казачке, ставил свечи перед портретом Вольтера, как перед образом Иисуса Христа, и осушил беспредельные равнины Аму-Дарьи. Зацареный был ему другом.

Итак — Оллила. В десяти километрах от нас сияли синие граниты Гельсингфорса. О Гельсингфорс, любовь моего сердца. О небо, текущее над эспланадой и улетающее, как птица.

Итак — Оллила. Северные цветы тлеют в вазах. Оленьи рога распростерлись на сумрачных плафонах. В обеденной зале пахнет сосной, прохладной грудью графини Тышкевич и шелковым бельем английских офицеров.

За столом рядом с Керенским сидит учтивый выкрест из департамента полиции. От него направо норвежец Никкельсен, владелец китобойного судна. Налево — графиня Тышкевич, прекрасная, как Мария-Антуанетта.

Керенский съел три сладких и ушел со мною в лес. Мимо нас пробежала на лыжах фрекен Кирсти.

— Кто это? — спросил Александр Федорович.

— Это дочь Никкельсена, фрекен Кирсти, — сказал я, — как она хороша...

Потом мы увидели вейку старого Иоганеса.

— Кто это? — спросил Александр Федорович.

— Это старый Иоганес, — сказал я. — Он везет из Гельсингфорса коньяк и фрукты. Разве вы не знаете кучера Иоганеса?

— Я знаю здесь всех, — ответил Керенский, — но я никого не вижу.

— Вы близоруки, Александр Федорович?

— Да, я близорук.

— Нужны очки, Александр Федорович.

— Никогда.

Тогда я сказал с юношеской живостью:

— Подумайте, вы не только слепы, вы почти мертвы. Линия, божественная черта, властительница мира, ускользнула от вас навсегда. Мы ходим с вами по саду очарований, в неописуемом финском лесу. До последнего нашего часа мы не узнаем ничего лучшего. И вот вы не видите обледенелых и розовых краев водопада там, у реки. Плакучая ива, склонившаяся над водопадом, — вы не видите ее японской резьбы. Красные стволы сосен осыпаны снегом. Зернистый блеск роится в снегах. Он начинается мертвенной линией, прильнувшей к дереву и на поверхности волнистой, как линия Леонардо, увенчан отражением пылающих облаков. А шелковый чулок фрекен Кирсти и линия ее уже зрелой ноги? Купите очки, Александр Федорович, заклинаю вас...

— Дитя,— ответил он,— не тратьте пороху. Полтинник за очки — это единственный полтинник, который я сберегу. Мне не нужна ваша линия, низменная, как действительность. Вы живете не лучше учителя тригонометрии, а я объят чудесами даже в Клязьме. Зачем мне веснушки на лице фрекен Кирсти, когда я, едва различая ее, угадываю в этой девушке все то, что я хочу угадать? Зачем мне облака на этом чухонском небе, когда я вижу мечущийся океан над моей головой? Зачем мне линии — когда у меня есть цвета? Весь мир для меня — гигантский театр, в котором я единственный зритель без бинокля. Оркестр играет вступление к третьему акту, сцена от меня далеко, как во сне, сердце мое раздувается от восторга, я вижу пурпурный бархат на Джульетте, лиловые шелка на Ромео и ни одной фальшивой бороды... И вы хотите ослепить меня очками за полтинник...

Вечером я уехал в город. О Гельсингфорс, пристанище моей мечты...

А Александра Федоровича я увидел через полгода, в июне семнадцатого года, когда он был верховным главнокомандующим российскими армиями и хозяином наших судеб.

В тот день Троицкий мост был разведен. Путиловские рабочие шли на Арсенал. Трамвайные вагоны лежали на улицах плашмя, как издохшие лошади.

Митинг был назначен в Народном доме. Александр Федорович произнес речь о России — матери и жене. Толпа удушала его овчинами своих страстей. Что увидел в ощетинившихся овчинах он — единственный зритель без бинокля? Не знаю... Но вслед за ним на трибуну взошел Троцкий, скривил губы и сказал голосом, не оставлявшим никакой надежды:

— Товарищи и братья...

Ты проморгал, капитан!

В Одесский порт пришел пароход «Галифакс». Он пришел из Лондона за русской пшеницей.

Двадцать седьмого января, в день похорон Ленина, цветная команда парохода — три китайца, два негра и один малаец — вызвала капитана на палубу. В городе гремели оркестры и мела метель.

— Капитан О'Нирн,— сказали негры,— сегодня нет погрузки, отпустите нас в город до вечера.

— Оставайтесь на местах,— ответил О'Нирн,— шторм имеет девять баллов, и он усиливается; возле Санжейки замерз во льдах «Биконсфильд», барометр показывает то, чего ему лучше не показывать. В такую погоду команда должна быть на судне. Оставаться на местах.

И, сказав это, капитан О'Нирн отошел ко второму помощнику. Они пересмеивались со вторым помощником, курили сигары и показывали пальцами на город, где в неудержимом горе мела метель и завывали оркестры.

Два негра и три китайца слонялись без толку по палубе. Они дули в озябшие ладони, притопывали резиновыми сапогами и заглядывали в приотворенную дверь капитанской каюты. Оттуда тек в девятибалльный шторм бархат диванов, обогретый коньяком и тонким дымом.

— Боцман!— закричал О'Нирн, увидев матросов.— Палуба не бульвар, загоните-ка этих ребят в трюм.

— Есть, сэр,— ответил боцман, колонна из красного мяса, поросшая красным волосом,— есть, сэр,— и он взял за шиворот взъерошенного малайца. Он поставил его к борту, выходившему в открытое море, и выбросил на веревочную лестницу. Малаец скатился вниз и побежал по льду. Три китайца и два негра побежали за ним следом.

— Вы загнали людей в трюм?— спросил капитан из каюты, обогретой коньяком и тонким дымом.

— Я загнал их, сэр,— ответил боцман, колонна из красного мяса, и стал у трапа, как часовой в бурю.

Ветер дул с моря — девять баллов, как девять ядер, пущенных из промерзших батарей моря. Белый снег бесился над глыбами льдов. И по окаменелым волнам, не помня себя, летели к берегу, к причалам, пять скорчившихся запятых с обуглившимися лицами и в развевающихся пиджаках. Обдирая руки, они вскарабкались на берег по обледенелым сваям, пробежали в порт и влетели в город, дрожавший на ветру.

Отряд грузчиков с черными знаменами шел на площадь, к месту закладки памятника Ленину. Два негра и китайцы пошли с грузчиками рядом. Они задыхались, жали чьи-то руки и ликовали ликованием убежавших каторжников.

В эту минуту в Москве, на Красной площади, опускали в склеп труп Ленина. У нас, в Одессе, выли гудки, мела метель и шли толпы, построившись в ряды. И только на пароходе «Галифакс» непроницаемый боцман стоял у трапа, как часовой в бурю. Под его двусмысленной защитой капитан О'Нирн пил коньяк в своей прокуренной каюте.

Он положился на боцмана, О'Нирн, и он проморгал — капитан.

У батьки нашего Махно

Шестеро махновцев изнасиловали минувшей ночью прислугу. Проведав об этом наутро, я решил узнать, как выглядит женщина после изнасилования, повторенного шесть раз. Я застал ее в кухне. Она стирала, наклонившись над лоханью. Это была толстуха с цветущими щеками. Только неспешное существование на плодоносной украинской земле может налить еврейку такими коровьими соками, навести такой сальный глянец на ее лицо. Ноги девушки, жирные, кирпичные, раздутые, как шары, воняли приторно, как только что вырезанное мясо. И мне показалось, что от вчерашней ее девственности остались только щеки, воспламененные более обыкновенного, и глаза, устремленные книзу.

Кроме прислуги, в кухне сидел еще мальчонок Кикин, рассыльный штаба батьки нашего Махно. Он слыл в штабе дурачком, и ему ничего не стоило пройтись на голове в самую неподходящую минуту. Не раз случалось мне заставать его перед зеркалом. Выгнув ногу с продранной штаниной, он подмигивал самому себе, хлопал себя по голому мальчишескому пузу, пел боевые песни и корчил победоносные гримасы, от которых сам же помирал со смеху. В этом мальчике воображение работало с необыкновенной живостью. Сегодня я снова застал его за особенной работой — он наклеивал на германскую каску полосы золоченой бумаги.

— Ты скольких вчера отпустила, Рухля?— сказал он и, сощурив глаз, осмотрел свою разукрашенную каску. Девушка молчала.

— Ты шестерых отпустила,— продолжал мальчик,— а есть которые бабы до двадцати человек могут отпустить. Братва наша одну хозяйку в Крапивном клепала, клепала, аж плюнули хлопцы, ну та толстее за тебя будет...

— Принеси воды,— сказала девушка.

Кикин принес со двора ведро воды. Шаркая босыми ногами, он прошел потом к зеркалу, нахлобучил на себя каску с золотыми лентами и внимательно осмотрел свое отражение. Вид зеркала увлек его. Засунув пальцы в ноздри, мальчик жадно следил за тем, как изменяется под давлением изнутри форма его носа.

— Я с экспедицией уйду,— обернулся он к еврейке,— ты никому не сказывай, Рухля. Стеценко в эскадрон меня берет. Там, по крайности, обмундирование, в чести будешь, и товарищей найду бойцовских, не то что здесь, барахольная команда... Вчера, как тебя поймали, а я за голову держал, я Матвей Васильичу говорю: что же, говорю, Матвей Васильич, вот уже четвертый переменяется, а я все держу да держу. Вы уже второй раз, Матвей Васильич, сходили, а когда я есть малолетний мальчик и не в вашей компании, так меня кажный может обижать... Ты, Рухля, сама небось слыхала евонные эти слова: мы, говорит, Кикин, никак тебя не обидим, вот дневальные все пройдут, потом и ты сходишь... Так вот они меня и допустили, как же... Это когда они тебя уже в лесок тащили, Матвей Васильич мне и говорит: сходи, Кикин, ежели желаешь. Нет, говорю, Матвей Васильич, не желаю я опосля Васьки ходить, всю жизнь плакаться...

Кикин сердито засопел и умолк. Он лег на пол и уставился вдаль, босой, длинный, опечаленный, с голым животом и сверкающей каской поверх соломенных волос.

— Вот народ рассказывает за махновцев, за их геройство,— произнес он угрюмо,— а мало-мало соли с ними поешь, так вот оно и видно, что каждый камень за пазухой держит...

Еврейка подняла от лохани свое налитое кровью лицо, мельком взглянула на мальчика и пошла из кухни тем трудным шагом, какой бывает у кавалериста, когда он после долгого перехода ставит на землю затекшие ноги. Оставшись один, мальчик обвел кухню скучающим взглядом, вздохнул, уперся ладонями в пол, закинул ноги и, не шевеля торчащими пятками, быстро заходил на руках.

Конец Св. Ипатия

Вчера я был в Ипатьевском монастыре, и монах Илларион, последний из обитающих здесь монахов, показывал мне дом бояр Романовых.

Московские люди пришли сюда в 1613 году просить на царство Михаила Федоровича.

Я увидел истоптанный угол, где молилась инокиня Марфа, мать царя, сумрачную ее опочивальню и вышку, откуда она смотрела гоньбу волков в костромских лесах.

Мы прошли с Илларионом по ветхим мостикам, заваленным сугробами, распугали ворон, угнездившихся в боярском терему, и вышли к церкви неописуемой красоты.

Обведенная венцом снегов, раскрашенная кармином и лазурью, она легла на задымленное небо севера, как пестрый бабий платок, расписанный русскими цветами.

Линии непышных ее куполов были целомудренны, голубые ее пристроечки были пузаты, и узорчатые переплеты окон блестели на солнце ненужным блеском.

В пустынной этой церкви я нашел железные ворота, подаренные Иваном Грозным, и обошел древние иконы, весь этот склеп и тлен безжалостной святыни.

Угодники — бесноватые нагие мужики с истлевшими бедрами — корчились на ободранных стенах, и рядом с ними была написана российская Богородица: худая баба, с раздвинутыми коленями и волочащимися грудями, похожими на две лишние зеленые руки.

Древние иконы окружили беспечное мое сердце холодом мертвенных своих страстей, и я едва спасся от них, от гробовых этих угодников.

Их Бог лежал в церкви, закостеневший и начищенный, как мертвец, уже обмытый в своем дому, но оставленный без погребения.

Один отец Илларион бродил вокруг своих трупов. Он припадал на левую ногу, задремывал, чесал в грязной бороде и скоро надоел мне.

Тогда я распахнул врата Ивана Четвертого, пробежал под черными сводами на площадку, и там блеснула мне Волга, закованная во льды.

Дым Костромы поднимался кверху, пробивая снега; мужики, одетые в желтые нимбы стужи, возили муку на дровнях, и битюги их вбивали в лед железные копыта.

Рыжие битюги, обвешанные инеем и паром, шумно дышали на реке, розовые молнии севера летали в соснах, и толпы, неведомые толпы, ползли вверх по обледенелым склонам.

Зажигательный ветер дул на них с Волги, множество баб проваливалось в сугробы, но бабы шли все выше и стягивались к монастырю, как осаждающие колонны.

Женский хохот гремел над горой, самоварные трубы и лохани въезжали на подъем, мальчишеские коньки стенали на поворотах.

Старые старухи втаскивали ношу на высокую гору — на гору святого Ипатия, младенцы спали в их салазках, и белые козы шли у старух на поводу.

— Черти,— закричал я, увидев их, и отступил перед неслыханным нашествием.— Не к инокине ли Марфе идете вы, чтобы просить на царство Михаила Романова, ее сына?

— Ну тебя к шуту! — ответила мне баба и выступила вперед.— Зачем играешь с нами на дороге? Нам детей, что ль, от тебя нести?

И, вложившись в сани, она вкатила их на монастырский двор и чуть не сбила с ног потерявшегося отца Иллариона. Она вкатила в колыбель царей московских свои лохани, своих гусей, свой граммофон без трубы и, назвавшись Савичевой, потребовала для себя квартиру № 19 в архиерейских покоях.

И, к удивлению моему, Савичевой дали эту квартиру и всем другим вслед за нею.

И мне объяснили тут, что союз текстильщиков отстроил в сгоревшем корпусе 40 квартир для рабочих Костромской объединенной льняной мануфактуры и что сегодня они переселяются в монастырь.

Отец Илларион, стоя в воротах, пересчитал всех коз и переселенцев; потом он позвал меня чай пить и в молчании поставил на стол чашки, украденные им во дворе при взятии в музей утвари бояр Романовых.

Мы пили чай из этих чашек до поту, бабьи босые ноги топтались перед нами на подоконниках: бабы мыли стекла на новых местах.

Потом дым повалил изо всех труб, точно сговорился, незнакомый петух взлетел на могилу игумена отца Сиония и загорланил, чья-то гармошка, протомившись в интродукциях, запела нежную песню, и чужая старушонка в зипуне, просунув голову в келью отца Иллариона, попросила у него взаймы щепотку соли ко щам.

Был уже вечер, когда к нам пришла старушонка; багровые облака пухли над Волгой, термометр на наружной стене показывал 40 градусов мороза, исполинские костры, изнемогая, метались на реке,— все же неунывающий какой-то парень упрямо лез по промерзшей лестнице к перекладине над воротами,— лез затем, чтобы повесить там пустяковый фонарик и вывеску, на которой было изображено множество букв: СССР и РСФСР, и знак союза текстилей, и серп и молот, и женщина, стоящая у ткацкого станка, от которого идут лучи во все стороны.

Иисусов грех

Жила Арина при номерах на парадной лестнице, а Серега — на черной, младшим дворником. Был промежду них стыд. Родила Арина Сереге на Прощеное воскресенье двойню. Вода текет, звезда сияет, мужик ярится. Произошла Арина в другой раз в интересное положение, шестой месяц катится, они, бабьи месяцы, катючие. Сереге в солдаты идтить, вот и запятая. Ари-на возьми и скажи:

— Дожидаться тебя мне, Сергуня, нет расчета. Четы-ре года мы будем в разлуке, за четыре года мало-мало, а троих рожу. В номерах служить — подол заворотить. Кто прошел — тот господин, хучь еврей, хучь всякий. Придешь ты со службы — утроба у мине утомленная, женщина я буду сношенная, рази я до тебя досягну?

— Диствительно,— качнул головой Серега.

— Женихи при мне сейчас находятся: Трофимыч, подрядчик, большие грубияне, да Исай Абрамыч, ста-ричок, Николо-Святской церкви староста, слабосиль-ный мужчина,— да мне сила ваша злодейская с души воротит, как на духу говорю, замордовали совсем... Рассыплюсь я от сего числа через три месяца, отнесу младенца в воспитательный и пойду за них замуж.

Серега это услыхал, снял с себя ремень, перетянул Арину геройски, по животу норовит.

— Ты,— говорит ему баба,— до брюха не очень кло-нись, твоя ведь начинка, не чужая...

Было тут бито-колочено, текли тут мужичьи слезы, текла тут бабья кровь, однако ни свету, ни выходу. Пришла тогда баба к Иисусу Христу и говорит:

— Так и так, Господи Иисусе. Я — баба Арина с но-мерей «Мадрид и Лувр», что на Тверской. В номерах служить — подол заворотить. Кто прошел — тот госпо-дин, хучь еврей, хучь всякий. Ходит тут по земле раб твой, младший дворник Серега. Родила я ему в про-шлом году на Прощеное воскресенье двойню...

И все она Господу расписала.

— А ежели Сереге в солдаты вовсе не пойтить?— возомнил тут Спаситель.

— Околоточный небось потащит...

— Околоточный,— поник головою Господь,— я об ем не подумал... Слышишь, а ежели тебе в чистоте пожить?..

— Четыре-то года?— ответила баба.— Тебя послу-шать — всем людям разживотиться надо, у тебя это давняя повадка, а приплод где возьмешь? Ты меня тол-ком облегчи...

Навернулся тут на Господни щеки румянец, задела его баба за живое, однако смолчал. В ухо себя не поцелуешь, это и Богу ведомо.

— Вот что, раба Божия, славная грешница дева Арина,— возвестил тут Господь во славе своей,— шаландается у меня на небесах ангелок, Альфредом звать, совсем от рук отбился, все плачет: что это вы, Господи, меня на двадцатом году жизни в ангелы произвели, когда я вполне бодрый юноша. Дам я тебе, угодница, Альфреда-ангела на четыре года в мужья. Он тебе и молитва, он тебе и защита, он тебе и хахаль. А родить от него не токмо что ребенка, а и утенка немыслимо, потому забавы в нем много, а серьезности нет...

— Это мне и надо,— взмолилась дева Арина,— я от их серьезности почитай три раза в два года помираю...

— Будет тебе сладостный отдых, дитя Божие Арина, будет тебе легкая молитва, как песня. Аминь.

На том и порешили. Привели сюда Альфреда. Щуплый парнишка, нежный, за голубыми плечиками два крыла колышутся, играют розовым огнем, как голуби в небесах плещутся. Облапила его Арина, рыдает от умиления, от бабьей душевности.

— Альфредушко, утешеньишко мое, суженый ты мой...

Наказал ей, однако, Господь, что, как в постелю ложиться, ангелу крылья сымать надо, они у него на задвижках, вроде как дверные петли, сымать и в чистую простыню на ночь заворачивать, потому — при каком-нибудь метании крыло сломать можно, оно ведь из младенческих вздохов состоит, не более того.

Благословил сей союз Господь в последний раз; призвал к этому делу архиерейский хор, весьма громогласное пение оказали, закуски никакой, а ни-ни, не полагается, и побежала Арина с Альфредом, обнявшись, по шелковой лестничке вниз, на землю. Достигли Петровки — вон ведь куда баба метнула — купила она Альфреду (он, между прочим, не то что без порток, а совсем натуральный был), купила она ему лаковые полсапожки, триковые брюки в клетку, егерскую фуфайку, жилетку из бархата электрик.

— Остальное,— говорит,— мы, дружочек, дома найдем...

В номерах Арина в тот день не служила, отпросилась. Пришел Серега скандалить, она к нему не вышла, а сказала из-за двери:

— Сергей Нифантьич, я себе сейчас ноги мыю и просю вас без скандалу удалиться...

Ни слова не сказал, ушел. Это уже ангельская сила начала себя оказывать.

А ужин Арина сготовила купецкий — эх, чертовское в ней было самолюбие. Полштофа водки, вино особо, сельдь дунайская с картошкой, самовар чаю. Альфред как эту земную благодать вкусил, так его и сморило. Арина в момент крылышки ему с петель сняла, упаковала, самого в постелю снесла.

Лежит у нее на пуховой перине, на драной многогрешной постели белоснежное диво, неземное сияние от него исходит, лунные столбы вперемежку с красными ходят по комнате, на лучистых ногах качаются. И плачет Арина и радуется, поет и молится. Выпало тебе, Арина, неслыханное на этой побитой земле, благословенна ты в женах!

Полштофа до дна выпили. Оно и сказалось. Как заснули — она на Альфреда брюхом раскаленным, шестимесячным, Серегиным, возьми и навались. Мало ей с ангелом спать, мало ей того, что никто рядом на стенку не плюет, не храпит, не сопит, мало ей этого, ражей бабе, яростной,— так нет, еще бы пузо греть вспученное и горючее. И задавила она ангела Божия, задавила спьяну да с угару, на радостях, задавила, как младенца недельного, под себя подмяла, и пришел ему смертный конец, и с крыльев, в простыню завороченных, бледные слезы закапали.

А пришел рассвет — деревья гнутся долу. В далеких лесах северных каждая елка попом сделалась, каждая елка преклонила колени.

Снова стоит баба перед престолом Господним, широка в плечах, могуча, на красных руках ее юный труп лежит.

— Воззри, Господи...

Тут Иисусово кроткое сердце не выдержало, проклял он в сердцах женщину:

— Как повелось на земле, так и с тобой поведется, Арина...

— Что ж, Господи,— отвечает ему женщина неслышным голосом,— я ли свое тяжелое тело сделала, я ли водку курила, я ли бабью душу, одинокую, глупую, выдумала...

— Не желаю я с тобой вожжаться,— восклицает Господь Иисус,— задавила ты мне ангела, ах ты, паскуда...

И кинуло Арину гнойным ветром на землю, на Тверскую улицу, в присужденные ей номера «Мадрид и Лувр». А там уж море по колено. Серега гуляет напоследях, как он есть новобранец. Подрядчик Трофимыч только что из Коломны приехал, увидел Арину, какая она здоровая да краснощекая.

— Ах ты, пузанок,— говорит, и тому подобное.

Исай Абрамыч, старичок, об этом пузанке прослышав, тоже гнусавит.

— Я,— говорит,— не могу с тобой закон иметь после происшедшего, однако тем же порядком полежать могу...

Ему бы в матери сырой земле лежать, а не то что как-нибудь иначе, однако и он в душу поплевал. Все точно с цепи сорвались — кухонные мальчишки, купцы и инородцы. Торговый человек — он играет.

И вот тут сказке конец.

Перед тем как родить, потому что время три месяца отчеканило, вышла Арина на черный двор за дворницкую, подняла свой ужасно громадный живот к шелковым небесам и промолвила бессмысленно:

— Вишь, Господи, вот пузо. Барабанят по ем, ровно горох. И что это такое — не пойму. И опять этого, Господи, не желаю...

Слезами омыл Иисус Арину в ответ, на колени стал Спаситель.

— Прости меня, Аринушка, Бога грешного, и что я это с тобой исделал...

— Нету тебе моего прощения, Иисус Христос,— отвечает ему Арина,— нету.

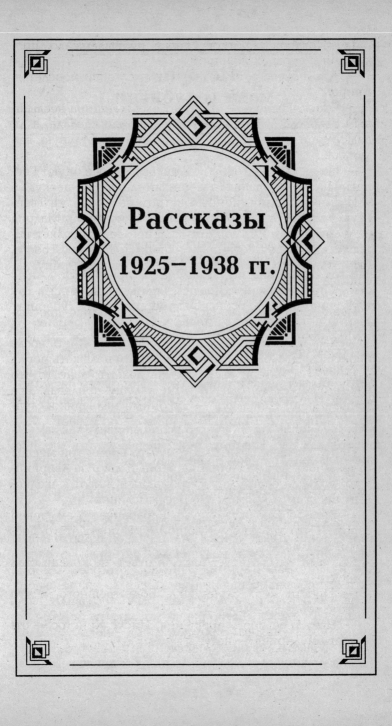

Рассказы
1925–1938 гг.

История
моей голубятни

М. Горькому

Вдетстве я очень хотел иметь голубятню. Во всю жизнь у меня не было желания сильнее. Мне было девять лет, когда отец посулил дать денег на покупку тесу и трех пар голубей. Тогда шел тысяча девятьсот четвертый год. Я готовился к экзаменам в приготовительный класс Николаевской гимназии. Родные мои жили в городе Николаеве, Херсонской губернии. Этой губернии больше нет, наш город отошел к Одесскому району.

Мне было всего девять лет, и я боялся экзаменов. По обоим предметам — по русскому и по арифметике — мне нельзя было получить меньше пяти. Процентная норма была трудна в нашей гимназии, всего пять процентов. Из сорока мальчиков только два еврея могли поступить в приготовительный класс. Учителя спрашивали этих мальчиков хитро; никого не спрашивали так замысловато, как нас. Поэтому отец, обещая купить голубей, требовал двух пятерок с крестами. Он совсем истерзал меня, я впал в нескончаемый сон наяву, в длинный детский сон отчаяния, и пошел на экзамен в этом сне и все же выдержал лучше других.

Я был способен к наукам. Учителя, хоть они и хитрили, не могли отнять у меня ума и жадной памяти. Я был способен к наукам и получил две пятерки. Но потом все изменилось. Харитон Эфрусси, торговец хлебом, экспортировавший пшеницу в Марсель, дал за своего сына взятку в пятьсот рублей, мне поставили пять с минусом вместо пяти, и в гимназию на мое место приняли маленького Эфрусси. Отец очень убивался тогда. С шести лет он обучал меня всем наукам, каким только можно было. Случай с минусом привел его в отчаяние. Он хотел побить Эфрусси или подкупить двух грузчиков, чтобы они побили Эфрусси, но мать отговорила его, и я стал готовиться к другому экзамену, в будущем году, в первый класс. Родные тайком от меня подбили учителя, чтобы он в один год прошел со мною курс приготовительного и первого классов сразу, и так как мы во всем отчаивались, то я выучил наизусть три книги. Эти книги были: грамматика Смирновского, задачник Евтушевского и учебник начальной русской истории Пуцыковича. По этим книгам дети не учатся больше, но я выучил их наизусть, от строки до строки, и в следующем году на экзамене из русского языка получил у учителя Караваева недосягаемые пять с крестом.

Караваев этот был румяный негодующий человек из московских студентов. Ему едва ли исполнилось тридцать лет. На мужественных его щеках цвел румянец, как у крестьянских ребят, сидела бородавка у него на щеке, из нее рос пучок пепельных кошачьих волос. Кроме Караваева, на экзамене был еще помощник попечителя Пятницкий, считавшийся важным лицом в гимназии и во всей губернии. Помощник попечителя спросил меня о Петре Первом, я испытал тогда чувство забвения, чувство близости конца и бездны, сухой бездны, выложенной восторгом и отчаянием.

О Петре Великом я знал наизусть из книжки Пуцыковича и стихов Пушкина. Я навзрыд сказал эти стихи, человечьи лица покатились вдруг в мои глаза и перемешались там, как карты из новой колоды. Они тасовались на дне моих глаз, и в эти мгновения, дрожа, выпрямляясь, торопясь, я кричал пушкинские строфы изо всех сил. Я кричал их долго, никто не прерывал безумного моего бормотанья. Сквозь багровую слепоту, сквозь свободу, овладевшую мною, я видел только старое, склоненные лицо Пятницкого с посеребренной бородой. Он не прерывал меня и только сказал Караваеву, радовавшемуся за меня и за Пушкина.

— Какая нация,— прошептал старик,— жидки ваши, в них дьявол сидит.

И когда я замолчал, он сказал:

— Хорошо, ступай, мой дружок...

Я вышел из класса в коридор и там, прислонившись к небеленой стене, стал просыпаться от судороги моих снов. Русские мальчики играли вокруг меня, гимназический колокол висел неподалеку, под пролетом казенной лестницы, сторож дремал на продавленном стуле. Я смотрел на сторожа и просыпался. Дети подбирались ко мне со всех сторон. Они хотели щелкнуть меня или просто поиграть, но в коридоре показался вдруг Пятницкий. Миновав меня, он приостановился на мгновение, сюртук трудной медленной волной пошел по его спине. Я увидел смятение на просторной этой, мясистой, барской спине и двинулся к старику.

— Дети,— сказал он гимназистам,— не трогайте этого мальчика,— и положил жирную, нежную руку на мое плечо.— Дружок мой,— обернулся Пятницкий, передай отцу, что ты принят в первый класс.

Пышная звезда блеснула у него на груди, ордена зазвенели у лацкана, большое черное мундирное его тело стало уходить на прямых ногах. Оно стиснуто было сумрачными стенами, оно двигалось в них, как движется барка в глубоком канале, и исчезло в дверях директорского кабинета. Маленький служитель понес ему чай с торжественным шумом, а я побежал домой, в лавку.

В лавке нашей, полон сомнения, сидел и скребся мужик-покупатель. Увидев меня, отец бросил мужика и, не колеблясь, поверил моему рассказу. Он закричал приказчику закрывать лавку и бросился на Соборную улицу покупать мне шапку с гербом. Бедная мать едва отодрала меня от помешавшегося этого человека. Мать была бледна в ту минуту и испытывала судьбу. Она гладила меня и с отвращением отталкивала. Она сказала, что о всех принятых в гимназию бывает объявление в газетах и что Бог нас покарает и люди над нами посмеются, если мы купим форменную одежду раньше времени. Мать была бледна, она испытывала судьбу в моих глазах и смотрела на меня с горькой жалостью, как на калечку, потому что одна она знала, как несчастлива наша семья.

Все мужчины в нашем роду были доверчивы к людям и скоры на необдуманные поступки, нам ни в чем не было счастья. Мой дед был раввином когда-то в Белой

Церкви, его прогнали оттуда за кощунство, и он с шумом и скудно прожил еще сорок лет, изучал иностранные языки и стал сходить с ума на восьмидесятом году жизни. Дядька мой Лев, брат отца, учился в Воложинском ешиботе, в 1892 году он бежал от солдатчины и похитил дочь интенданта, служившего в Киевском военном округе. Дядька Лев увез эту женщину в Калифорнию, в Лос-Анджелес, бросил ее там и умер в дурном доме среди негров и малайцев. Американская полиция прислала нам после смерти наследство из Лос-Анджелеса — большой сундук, окованный коричневыми железными обручами. В этом сундуке были гири от гимнастики, пряди женских волос, дедовский талес, хлысты с золочеными набалдашниками и цветочный чай в шкатулках, отделанных дешевыми жемчугами. Изо всей семьи оставались только безумный дядя Симон, живший в Одессе, мой отец и я. Но отец мой был доверчивый к людям, он обижал их восторгами первой любви, люди не прощали ему этого и обманывали. Отец верил поэтому, что жизнью его управляет злобная судьба, необъяснимое существо, преследующее его и во всем на него не похожее. И вот только один я оставался у моей матери изо всей нашей семьи. Как все евреи, я был мал ростом, хил и страдал от ученья головными болями. Все это видела моя мать, которая никогда не бывала ослеплена нищенской гордостью своего мужа и непонятной его верой в то, что семья наша станет когда-либо сильнее и богаче других людей на земле. Она не ждала для нас удачи, боялась купить форменную блузу раньше времени и только позволила мне сняться у фотографа для большого портрета.

Двадцатого сентября тысяча девятьсот пятого года в гимназии вывешен был список поступивших в первый класс. В таблице упоминалось и мое имя. Вся родня наша ходила смотреть на эту бумажку, и даже Шойл, мой двоюродный дед, пришел в гимназию. Я любил хвастливого этого старика за то, что он торговал рыбой на рынке. Толстые его руки были влажны, покрыты рыбьей чешуей и воняли холодными прекрасными мирами. Шойл отличался от обыкновенных людей еще и лживыми историями, которые он рассказывал о польском восстании 1861 года. В давние времена Шойл был корчмарем в Сквире; он видел, как солдаты Николая Первого расстреливали графа Годлевского и других польских инсургентов. Может быть, он и не видел этого. Теперь-то я знаю, что Шойл был всего только старый неуч и наивный лгун, но побасенки его не забыты мной, они были хороши. И вот даже глупый Шойл пришел в гимназию прочитать таблицу с моим именем и вечером плясал и топал на нашем нищем балу.

Отец устроил бал на радостях и позвал товарищей своих — торговцев зерном, маклеров по продаже имений и вояжеров, продававших в нашей округе сельскохозяйственные машины. Вояжеры эти продавали машины всякому человеку. Мужики и помещики боялись их, от них нельзя было отделаться, не купив чего-нибудь. Изо всех евреев вояжеры самые бывалые, веселые люди. На нашем вечере они пели хасидские песни, состоявшие всего из трех слов, но певшиеся очень долго, со множеством смешных интонаций. Прелесть этих интонаций может узнать только тот, кому приходилось встречать Пасху у хасидов или кто бывал на Волыни в их шумных синагогах. Кроме вояжеров, к нам пришел старый Либерман, обучавший меня Торе и древнееврейскому языку. Его называли у нас мосье Либерман. Он выпил бессарабского вина поболее, чем ему было надо, шелковые традиционные шнурки вылезли из-под красной его жилетки, и он произнес на древнееврейском языке тост в мою честь. Старик поздравил родителей в этом тосте и сказал, что я победил на экзамене всех врагов моих, я победил русских мальчиков с толстыми щеками и сыновей грубых наших богачей. Так в древние времена Давид, царь иудейский, победил Голиафа, и, подобно тому как я восторжествовал над Голиафом, так народ наш силой своего ума победит врагов, окруживших нас и ждущих нашей крови. Мосье Либерман заплакал, сказав это, плача, выпил еще вина и закричал: «Виват!». Гости взяли его в круг и стали водить с ним старинную кадриль, как на свадьбе в еврейском местечке. Все были веселы на нашем балу, даже мать пригубила вина, хоть она и не любила водки и не понимала, как можно любить ее; всех русских она

считала поэтому сумасшедшими и не понимала, как живут женщины с русскими мужьями.

Но счастливые наши дни наступили позже. Они наступили для матери тогда, когда по утрам до ухода в гимназию она стала приготовлять для меня бутерброды, когда мы ходили по лавкам и покупали елочное мое хозяйство — пенал, копилку, ранец, новые книги в картонных переплетах и тетради в глянцевых обертках. Никто в мире не чувствует новых вещей сильнее, чем дети. Дети содрогаются от этого запаха, как собака от заячьего следа, и испытывают безумие, которое потом, когда мы становимся взрослыми, называется вдохновением. И это чистое детское чувство собственничества над новыми вещами передавалось матери. Мы месяц привыкали к пеналу и к утреннему сумраку, когда я пил чай на краю большого освещенного стола и собирал книги в ранец; мы месяц привыкали к счастливой нашей жизни, и только после первой четверти я вспомнил о голубях.

У меня все было припасено для них — рубль пятьдесят копеек и голубятня, сделанная из ящика дедом Шойлом. Голубятня была выкрашена в коричневую краску. Она имела гнезда для двенадцати пар голубей, разные планочки на крыше и особую решетку, которую я придумал, чтобы удобнее было приманивать чужаков. Все было готово. В воскресенье двадцатого октября я собрался на Охотницкую, но на пути стали неожиданные препятствия.

История, о которой я рассказываю, то есть поступление мое в первый класс гимназии, происходила осенью тысяча девятьсот пятого года. Царь Николай давал тогда конституцию русскому народу, ораторы в худых пальто взгромождались на тумбы у здания городской думы и говорили речи народу. На улицах по ночам раздавалась стрельба, и мать не хотела отпускать меня на Охотницкую. С утра в день двадцатого октября соседские мальчики пускали змей против самого полицейского участка, и водовоз наш, забросив все дела, ходил по улице напомаженный, с красным лицом. Потом мы увидели, как сыновья булочника Калистова вытащили на улицу кожаную кобылу и стали делать гимнастику посреди мостовой. Им никто не мешал, городовой Семерников подзадоривал их даже прыгать повыше. Семерников был подпоясан шелковым домотканым пояском, и сапоги его были начищены в тот день так блестко, как не бывали они начищены раньше. Городовой, одетый не по форме, больше всего испугал мою мать, из-за него она не отпускала меня, но я пробрался на улицу задворками и добежал до Охотницкой, помещавшейся у нас за вокзалом.

На Охотницкой, на постоянном своем месте, сидел Иван Никодимыч, голубятник. Кроме голубей, он продавал еще кроликов и павлина. Павлин, распустив хвост, сидел на жердочке и поводил по сторонам бесстрастной головкой. Лапа его была обвязана крученой веревкой, другой конец веревки лежал прищемленный Ивана Никодимыча плетеным стулом. Я купил у старика, как только пришел, пару вишневых голубей с затрепанными пышными хвостами и пару чубатых и спрятал их в мешок за пазуху. У меня оставалось сорок копеек после покупки, но старик за эту цену не хотел отдать голубя и голубку крюковской породы. У крюковских голубей я любил их клювы, короткие, зернистые, дружелюбные. Сорок копеек была им верная цена, но охотник дорожился и отворачивал от меня желтое лицо, сожженное нелюдимыми страстями птицелова. К концу торга, видя, что не находится других покупщиков, Иван Никодимыч подозвал меня. Все вышло по-моему, и все вышло худо.

В двенадцатом часу дня или немногим позже по площади прошел человек в валеных сапогах. Он легко шел на раздутых ногах, в его истертом лице горели оживленные глаза.

— Иван Никодимыч,— сказал он, проходя мимо охотника,— складайте инструмент, в городе иерусалимские дворяне конституцию получают. На Рыбной бабелевского деда насмерть угостили.

Он сказал это и легко пошел между клетками, как босой пахарь, идущий по меже.

— Напрасно,— пробормотал Иван Никодимыч ему вслед,— напрасно,— закричал он строже и стал собирать кроликов и павлина и сунул мне крюковских голубей за сорок копеек.

Я спрятал их за пазуху и стал смотреть, как разбегаются люди с Охотницкой. Павлин на плече Ивана Никодимыча уходил последним. Он сидел, как солнце в сыром осеннем небе, он сидел, как сидит июль на розовом берегу реки, раскаленный июль в длинной холодной траве. На рынке никого уже не было, и выстрелы гремели неподалеку. Тогда я побежал к вокзалу, пересек сквер, сразу опрокинувшийся в моих глазах, и влетел в пустынный переулок, утоптанный желтой землей. В конце переулка на креслице с колесиками сидел безногий Макаренко, ездивший в креслице по городу и продававший папиросы с лотка. Мальчики с нашей улицы покупали у него папиросы, дети любили его, я бросился к нему в переулок.

— Макаренко,— сказал я, задыхаясь от бега, и погладил плечо безногого,— не видал ты Шойла?

Калека не ответил, грубое его лицо, составленное из красного жира, из кулаков, из железа, просвечивало. Он в волнении ерзал на креслице, жена его, Катюша, повернувшись ваточным задом, разбирала вещи, валявшиеся на земле.

— Чего насчитала?— спросил безногий и двинулся от женщины всем корпусом, как будто ему наперед невыносим был ее ответ.

— Камашей четырнадцать штук,— сказала Катюша, не разгибаясь,— пододеяльников шесть, теперь чепцы рассчитываю...

— Чепцы!— закричал Макаренко, задохся и сделал такой звук, как будто он рыдает.— Видно, меня, Катерина, Бог сыскал, что я за всех ответить должен... Люди полотно целыми штуками носят, у людей все, как у людей, а у нас чепцы...

И в самом деле, по переулку пробежала женщина с распалившимся красивым лицом. Она держала охапку фесок в одной руке и штуку сукна в другой. Счастливым отчаянным голосом сзывала она потерявшихся детей; шелковое платье и голубая кофта волочились за летящим ее телом, и она не слушала Макаренко, катившего за ней на кресле. Безногий не поспевал за ней, колеса его гремели, он изо всех сил вертел рычажки.

— Мадамочка,— оглушительно кричал он,— где брали сарпинку, мадамочка?

Но женщины с летящим платьем уже не было. Ей навстречу из-за угла выскочила вихлявая телега. Крестьянский парень стоял стоймя в телеге.

— Куда люди побегли?— спросил парень и поднял красную вожжу над клячами, прыгавшими в хомутах.

— Люди все на Соборной,— умоляюще сказал Макаренко,— там все люди, душа-человек; чего наберешь — все мне тащи, все покупаю...

Парень изогнулся над передком, хлестнул по пегим клячам. Лошади, как телята, прыгнули грязными своими крупами и пустились вскачь. Желтый переулок снова остался желт и пустынен; тогда безногий перевел на меня погасшие глаза.

— Меня, што ль, Бог сыскал,— сказал он безжизненно,— я вам, што ль, сын человеческий...

И Макаренко протянул мне руку, запятнанную проказой.

— Чего у тебя в торбе?— сказал он и взял мешок, согревший мое сердце.

Толстой рукой калека разворошил турманов и вытащил на свет вишневую голубку. Запрокинув лапки, птица лежала у него на ладони.

— Голуби,— сказал Макаренко и, скрипя колесами, подъехал ко мне,— голуби,— повторил он и ударил меня по щеке.

Он ударил меня наотмашь ладонью, сжимавшей птицу, Катюшин ваточный зад повернулся в моих зрачках, и я упал на землю в новой шинели.

— Семя ихнее разорить надо,— сказала тогда Катюша и разогнулась над чепцами,— семя ихнее я не могу навидеть и мужчин их вонючих...

Она еще сказала о нашем семени, но я ничего не слышал больше. Я лежал на земле, и внутренности раздавленной птицы стекали с моего виска. Они текли вдоль щек, извиваясь, брызгая и ослепляя меня. Голубиная нежная кишка ползла по моему лбу, и я закрывал последний незалепленный глаз, чтобы не видеть мира, расстилавшегося передо мной. Мир этот был мал и ужасен. Камешек лежал перед глазами, камешек, выщербленный, как лицо старухи с большой челюстью, обрывок бечевки валялся неподалеку и пучок перьев, еще дышавших. Мир мой был мал и ужасен. Я закрыл глаза, чтобы не видеть его, и прижался к земле, лежавшей подо мной в успокоительной немоте. Утоптанная эта земля ни в чем не была похожа на нашу жизнь и на ожидание экзаменов в нашей жизни. Где-то далеко по ней ездила беда на большой лошади, но шум копыт слабел, пропадал, и тишина, горькая тишина, поражающая иногда детей в несчастье, истребила вдруг границу между моим телом и никуда не двигавшейся землей. Земля пахла сырыми недрами, могилой, цветами. Я услышал ее запах и заплакал без всякого страха. Я шел по чужой улице, заставленной белыми коробками, шел в убранстве окровавленных перьев, один в середине тротуаров, подметенных чисто, как в воскресенье, и плакал так горько, полно и счастливо, как не плакал больше во всю мою жизнь. Побелевшие провода гудели над головой, дворняжка бежала впереди, в переулке сбоку молодой мужик в жилете разбивал раму в доме Харитона Эфрусси. Он разбивал ее деревянным молотом, замахивался всем телом и, вздыхая, улыбался на все стороны доброй улыбкой опьянения, пота и душевной силы. Вся улица была наполнена хрустом, треском, пением разлетавшегося дерева. Мужик бил только затем, чтобы перегибаться, запотевать и кричать необыкновенные слова на неведомом, нерусском языке. Он кричал их и пел, раздирал изнутри голубые глаза, пока на улице не показался крестный ход, шедший от думы. Старики с крашеными бородами несли в руках портрет расчесанного царя, хоругви с гробовыми угодниками метались над крестным ходом, воспламененные старухи летели вперед. Мужик в жилетке, увидав шествие, прижал молоток к груди и побежал за хоругвями, а я, выждав конец процессии, пробрался к нашему дому. Он был пуст. Белые двери его были раскрыты, трава у голубятни вытоптана. Один Кузьма не ушел со двора. Кузьма, дворник, сидел в сарае и убирал мертвого Шойла.

— Ветер тебя носит, как дурную щепку,— сказал старик, увидев меня,— убег на целые веки... Тут народ деда нашего, вишь, как тюкнул...

Кузьма засопел, отвернулся и стал вынимать у деда из прорехи штанов судака. Их было два судака всунуты в деда: один в прореху штанов, другой в рот, и хоть дед был мертв, но один судак жил еще и содрогался.

— Деда нашего тюкнули, никого больше,— сказал Кузьма, выбрасывая судаков кошке,— он весь народ из матери в мать погнал, изматерил дочиста, такой славный... Ты бы ему пятаков на глаза нанес...

Но тогда, десяти лет от роду, я не знал, зачем бывают надобны пятаки мертвым людям.

— Кузьма,— сказал я шепотом,— спаси нас...

И я подошел к дворнику, обнял его старую кривую спину с одним поднятым плечом и увидел деда из-за этой спины. Шойл лежал в опилках, с раздавленной грудью, с вздернутой бородой, в грубых башмаках, одетых на босу ногу. Ноги его, положенные врозь, были грязны, лиловы, мертвы. Кузьма хлопотал вокруг них, он подвязал челюсти и все примеривался, чего бы ему еще сделать с покойником. Он хлопотал, как будто у него в дому была обновка, и остыл, только расчесав бороду мертвецу.

— Всех изматерил,— сказал он, улыбаясь, и оглянул труп с любовью,— кабы ему татары попались, он татар погнал бы, но тут русские подошли, и женщины с ними, кацапки; кацапам людей прощать обидно, я кацапов знаю...

Дворник подсыпал покойнику опилок, сбросил плотницкий передник и взял меня за руку.

— Идем к отцу,— пробормотал он, сжимая меня все крепче,— отец твой с утра тебя ищет, как бы не помер...

И вместе с Кузьмой мы пошли к дому податного инспектора, где спрятались мои родители, убежавшие от погрома.

Первая любовь

Десяти лет от роду я полюбил женщину по имени Галина Аполлоновна. Фамилия ее была Рубцова. Муж ее, офицер, уехал на японскую войну и вернулся в октябре тысяча девятьсот пятого года. Он привез с собой много сундуков. В этих сундуках были китайские вещи: ширмы, драгоценное оружие, всего тридцать пудов. Кузьма говорил нам, что Рубцов купил эти вещи на деньги, которые он нажил на военной службе в инженерном управлении Маньчжурской армии. Кроме Кузьмы, другие люди говорили то же. Людям трудно было не судачить о Рубцовых, потому что Рубцовы были счастливы. Дом их прилегал к нашему владению, стеклянная их терраса захватывала часть нашей земли, но отец не бранился с ними из-за этого. Рубцов, податной инспектор, слыл в нашем городе справедливым человеком, он водил знакомство с евреями. И когда с японской войны приехал офицер, сын старика, все мы увидели, как дружно и счастливо они зажили. Галина Аполлоновна по целым дням держала мужа за руки. Она не сводила с него глаз, потому что не видела мужа полтора года, но я ужасался ее взгляда, отворачивался и трепетал. Я видел в них удивительную постыдную жизнь всех людей на земле, я хотел заснуть необыкновенным сном, чтобы мне забыть об этой жизни, превосходящей мечты. Галина Аполлоновна ходила, бывало, по комнате с распущенной косой, в красных башмаках и китайском халате. Под кружевами ее рубашки, вырезанной низко, видно было углубление и начало белых, вздутых, отдавленных книзу грудей, а на халате розовыми шелками вышиты были драконы, птицы, дуплистые деревья.

Весь день она слонялась с неясной улыбкой на мокрых губах и наталкивалась на нераспакованные сундуки, на гимнастические лестницы, разбросанные по полу. У Галины делались ссадины от этого, она подымала халат выше колена и говорила мужу:

— Поцелуй ваву...

И офицер, сгибая длинные ноги, одетые в драгунские чикчиры, в шпоры, в лайковые обтянутые сапоги, становился на грязный пол, и, улыбаясь, двигая ногами и подползая на коленях, он целовал ушибленное место, то место, где была пухлая складка от подвязки. Из моего окна я видел эти поцелуи. Они причиняли мне страдания, но об этом не стоит рассказывать, потому что любовь и ревность десятилетних мальчиков во всем похожи на любовь и ревность взрослых мужчин. Две недели я не подходил к окну и избегал Галины, пока случай не свел меня с нею. Случай этот был еврейский погром, разразившийся в пятом году в Николаеве и в других городах еврейской черты оседлости. Толпа наемных убийц разграбила лавку отца и убила деда моего Шойла. Все это случилось без меня, я покупал в то утро голубей у охотника Ивана Никодимыча. Пять лет из прожитых мною десяти я всею силою души мечтал о голубях, и вот, когда я купил их, калека Макаренко разбил голубей на моем виске. Тогда Кузьма отвел меня к Рубцовым. У Рубцовых на калитке был мелом нарисован крест, их не трогали, они спрятали у себя моих родителей. Кузьма привел меня на стеклянную террасу. Там сидела мать в зеленой ротонде и Галина.

— Нам надо умыться,— сказала мне Галина,— нам надо умыться, маленький раввин... У нас все лицо в перьях, и перья-то в крови...

Она обняла меня и повела по коридору, резко пахнувшему. Голова моя лежала на бедре Галины, бедро ее двигалось и дышало. Мы пришли на кухню, и Рубцова поставила меня под кран. Гусь жарился на кафельной плите, пылающая посуда висела по стенам, и рядом с посудой, в кухаркином углу, висел царь Николай, убранный бумажными цветами. Галина смыла остатки голубя, присохшие к моим щекам.

— Жених будешь, мой гарнесенький,— сказала она, поцеловав меня в губы запухшим ртом, и отвернулась.

— Ты видишь,— прошептала она вдруг,— у папки твоего неприятности, он весь день ходит по улицам без дела, позови папку домой...

И я увидел из окна пустую улицу с громадным небом над ней и рыжего моего отца, шедшего по мостовой. Он шел без шапки, весь в легких поднявшихся рыжих волосах, с бумажной манишкой, свороченной набок и застегнутой на какую-то пуговицу, но не на ту, на которую следовало. Власов, испитой рабочий в солдатских ваточных лохмотьях, неотступно шел за отцом.

— Так,— говорил он душевным хриплым голосом и обеими руками ласково трогал отца,— не надо нам свободы, чтобы жидам было свободно торговать... Ты подай светлость жизни рабочему человеку за труды за его, за ужасную эту громадность... Ты подай ему, друг, слышь, подай...

Рабочий молил о чем-то отца и трогал его, полосы чистого пьяного вдохновения сменялись на его лице унынием и сонливостью.

— На молокан должна быть похожа наша жизнь,— бормотал он и пошатывался на подворачивающихся ногах,— вроде молокан должна быть наша жизнь, но только без Бога этого сталоверского, от него евреям выгода, другому никому...

И Власов с отчаянием закричал о сталоверском Боге, пожалевшем одних евреев. Власов вопил, спотыкался и догонял неведомого своего Бога, но в эту минуту казачий разъезд перерезал ему путь. Офицер в лампасах, в серебряном парадном поясе ехал впереди отряда, высокий картуз был поставлен на его голове. Офицер ехал медленно и не смотрел по сторонам. Он ехал как бы в ущелье, где смотреть можно только вперед.

— Капитан,— прошептал отец, когда казак поравнялся с ним,— капитан,— сжимая голову, сказал отец и стал коленями в грязь.

— Чем могу?— ответил офицер, глядя по-прежнему вперед, и поднес к козырьку руку в замшевой лимонной перчатке.

Впереди, на углу Рыбной улицы, громилы разбивали нашу лавку и выкидывали из нее ящики с гвоздями, машинами и новый мой портрет в гимназической форме.

— Вот,— сказал отец и не встал с колен,— они разбивают кровное, капитан, за что...

Офицер что-то пробормотал, приложил к козырьку лимонную перчатку и тронул повод, но лошадь не пошла. Отец ползал перед ней на коленях, притирался к коротким ее, добрым, чуть взлохмаченным ногам.

— Слушаю-с,— сказал капитан, дернул повод и уехал, за ним двинулись казаки.

Они бесстрастно сидели в высоких седлах, ехали в воображаемом ущелье и скрылись в повороте на Соборную улицу.

Тогда Галина опять подтолкнула меня к окну.

— Позови папку домой,— сказала она,— он с утра ничего не ел.

И я высунулся из окна.

Отец обернулся, услышав мой голос.

— Сыночка моя,— пролепетал он с невыразимой нежностью.

И вместе с ним мы пошли на террасу к Рубцовым, где лежала мать в зеленой ротонде. Рядом с ее кроватью валялись гантели и гимнастический аппарат.

— Паршивые копейки,— сказала мать нам навстречу,— человеческую жизнь, и детей, и несчастное наше счастье — ты все им отдал... Паршивые копейки,— закричала она хриплым, не своим голосом, дернулась на кровати и затихла.

И тогда в тишине стала слышна моя икота. Я стоял у стены в нахлобученном картузе и не мог унять икоты.

— Стыдно так, мой гарнесенький,— улыбнулась Галина пренебрежительной своей улыбкой и ударила меня негнущимся халатом. Она прошла в красных башмаках к окну и стала навешивать китайские занавески на диковинный карниз. Обнаженные ее руки утопали в шелку, живая коса шевелилась на ее бедре, я смотрел на нее с восторгом.

Ученый мальчик, я смотрел на нее, как на далекую сцену, освещенную многими софитами. И тут же я вообразил себя Мироном, сыном угольщика, торговавшего на нашем углу. Я вообразил себя в еврейской самообороне, и вот, как и Мирон, я хожу в рваных башмаках, подвязанных веревкой. На плече, на зеленом шнурке, у меня висит негодное ружье, я стою на коленях у старого дощатого забора и отстреливаюсь от убийц. За забором моим тянется пустырь, на нем свалены груды запылившегося угля, старое ружье стреляет дурно, убийцы, в бородах, с белыми зубами, все ближе подступают ко мне; я испытываю гордое чувство близкой смерти и вижу в высоте, в синеве мира, Галину. Я вижу бойницу, прорезанную в стене гигантского дома, выложенного мириадами кирпичей. Пурпурный этот дом попирает переулок, в котором плохо убита серая земля, в верхней бойнице его стоит Галина. Пренебрежительной своей улыбкой она улыбается из недосягаемого окна, муж, полуодетый офицер, стоит за спиной и целует ее в шею...

Пытаясь унять икоту, я вообразил себе все это затем, чтобы мне горше, горячей, безнадежней любить Рубцову, и, может быть, потому, что мера скорби велика для десятилетнего человека. Глупые мечты помогли мне забыть смерть голубей и смерть Шойла, я позабыл бы, пожалуй, об этих убийствах, если бы в ту минуту на террасу не взошел Кузьма с ужасным этим евреем Абой.

Были сумерки, когда они пришли. На террасе горела скудная лампа, покривившаяся в каком-то боку,— мигающая лампа, спутник несчастий.

— Я деда обрядил,— сказал Кузьма, входя,— теперь очень красивые лежат, вот и служку привел, пускай поговорит чего-нибудь над стариком...

И Кузьма показал на шамеса Абу.

— Пускай поскулит,— проговорил дворник дружелюбно,— служке кишку напихать — служка цельную ночь Богу надоедать будет...

Он стоял на пороге — Кузьма — с добрым своим перебитым носом, повернутым во все стороны, и хотел рассказать как можно душевнее о том, как он подвязывал челюсти мертвецу, но отец прервал старика.

— Прошу вас, реб Аба,— сказал отец,— помолитесь над покойником, я заплачу вам...

— А я опасываюсь, что вы не заплатите,— скучным голосом ответил Аба и положил на скатерть бородатое брезгливое лицо,— я опасываюсь, что вы заберете мой карбач и уедете с ним в Аргентину, в Буэнос-Айрес, и откроете там оптовое дело на мой карбач... Оптовое дело,— сказал Аба, пожевал презрительными губами и потянул к себе газету «Сын отечества», лежавшую на столе. В газете этой было напечатано о царском манифесте 17-го октября и о свободе.

— «...Граждане свободной России,— читал Аба газету по складам и разжевывал бороду, которой он набрал полон рот,— граждане свободной России, с светлым вас Христовым воскресением...»

Газета стояла боком перед старым шамесом и колыхалась; он читал ее сонливо, нараспев и делал удивительные ударения на незнакомых ему русских словах. Ударения Абы были похожи на глухую речь негра, прибывшего с родины в русский порт. Они рассмешили даже мать мою.

— Я делаю грех,— вскричала она, высовываясь из-под ротонды,— я смеюсь, Аба... Скажите лучше, как вы поживаете и как семья ваша?

— Спросите меня о чем-нибудь другом,— пробурчал Аба, не выпуская бороды из зубов и продолжая читать газету.

— Спроси его о чем-нибудь другом,— вслед за Абой сказал отец и вышел на середину комнаты. Глаза его, улыбавшиеся нам в слезах, повернулись вдруг в орбитах и уставились в точку, никому не видную.

— Ой, Шойл,— произнес отец ровным, лживым, приготовляющимся голосом,— ой, Шойл, дорогой человек...

Мы увидели, что он закричит сейчас, но мать предупредила нас.

— Манус,— закричала она, растрепавшись мгновенно, и стала обрывать мужу грудь,— смотри, как худо нашему ребенку, отчего ты не слышишь его икотки, отчего это, Манус?..

Отец умолк.

— Рахиль,— сказал он боязливо,— нельзя передать тебе, как я жалею Шойла...

Он ушел в кухню и вернулся оттуда со стаканом воды.

— Пей, артист,— сказал Аба, подходя ко мне,— пей эту воду, которая поможет тебе, как мертвому кадило...

И правда, вода не помогла мне. Я икал все сильнее. Рычание вырывалось из моей груди. Опухоль, приятная на ощупь, вздулась у меня на горле. Опухоль дышала, надувалась, перекрывала глотку и вываливалась из воротника. В ней клокотало разорванное мое дыхание. Оно клокотало, как закипевшая вода. И когда к ночи я не был уже больше лопоухий мальчик, каким я был во всю мою прежнюю жизнь, а стал извивающимся клубком, тогда мать, закутавшись в шаль и ставшая выше ростом и стройнее, подошла к помертвевшей Рубцовой.

— Милая Галина,— сказала мать певучим, сильным голосом,— как мы беспокоим вас, и милую Надежду Ивановну, и всех ваших... Как мне стыдно, милая Галина...

С пылающими щеками мать теснила Галину к выходу, потом она кинулась ко мне и сунула шаль мне в рот, чтобы подавить мой стон.

— Потерпи, сынок,— шептала мать,— потерпи для мамы...

Но хоть бы и можно терпеть, я не стал бы этого делать, потому что не испытывал больше стыда...

Так началась моя болезнь. Мне было тогда десять лет. Наутро меня повели к доктору. Погром продолжался, но нас не тронули. Доктор, толстый человек, нашел у меня нервную болезнь.

Он велел поскорее ехать в Одессу, к профессорам, и дожидаться там тепла и морских купаний.

Мы так и сделали. Через несколько дней я выехал с матерью в Одессу к деду Лейви-Ицхоку и к дяде Симону. Мы выехали утром на пароходе, и уже к полдню бурные воды Буга сменились тяжелой зеленой волной моря. Передо мною открывалась жизнь у безумного деда Лейви-Ицхока, и я навсегда простился с Николаевом, где прошли десять лет моего детства.

Старательная женщина

Три махновца — Гнилошкуров и еще двое — условились с женщиной об любовных услугах. За два фунта сахару она согласилась принять троих, но на третьем не выдержала и закружилась по комнате. Женщина выбежала во двор и повстречалась во дворе с Махно. Он перетянул ее арапником и рассек верхнюю губу, досталось и Гнилошкурову.

Это случилось утром в девятом часу, потом прошел день в хлопотах, и вот ночь, и идет дождь, мелкий дождь, шепчущий, неодолимый. Он шуршит за стеной, передо мной в окне висит единственная звезда. Каменка потонула во мгле; живое гетто налито живой тьмой, и в нем идет неумолимая возня махновцев. Чей-то конь ржет тонко, как тоскующая женщина, за околицей скрипят бессонные тачанки, и канонада, затихая, укладывается спать на черной, на мокрой земле.

И только на далекой улице пылает окно атамана. Ликующим прожектором взрезывает оно нищету осенней ночи и трепещет, залитое дождем. Там, в штабе батьки, играет духовой оркестр в честь Антонины Васильевны, сестры милосердия, ночующей у Махно в первый раз. Меланхолические густые трубы гудят все сильнее, и партизаны, сбившись под моим окном, слушают громовой напев старинных маршей. Их трое сидит под моим окном — Гнилошкуров с товарищами, потом Кикин подкатывается к ним, бесноватый казачонок. Он мечет ноги в воздух, становится на руки, поет и верещит и затихает с трудом, как после припадка.

— Овсяница,— шепчет вдруг Гнилошкуров,— Овсяница,— говорит он с тоской,— отчего этому быть возможно, когда она после меня двоих свезла и вполне благополучно... И тем более подпоясуюсь я, она мне такое закидает, пожилой, говорит, мерси за компанию, вы мне приятный... Анелей, говорит, звать меня, такое у меня имя — Анеля... И вот, Овсяница, я так раскладаю, что она с утра гадкой зелени наелась, она наелась, и тут Петька наскочил на наше горе...

— Тут Петька наскочил,— сказал пятнадцатилетний Кикин, усаживаясь, и закурил папиросу.— Мужчина, она Петьке говорит, будьте настолько любезны, у меня последняя сила уходит, и как вскочит, завинтилась винтом, а ребята руки расставили, не выпущают ее из дверей, а она сыпит и сыпит...— Кикин встал, засиял глазами и захохотал.— Бежит она, а в дверях батько... Стоп, говорит, вы, без сомнения, венерическая, на этом же месте вас порубаю, и как вытянет ее, и она, видать, хотит ему свое сказать.

— И то сказать,— вступает тут, перебивая Кикина, задумчивый и нежный голос Петьки Орлова,— и то сказать, что есть жады между людьми, есть безжалостные жады... Я сказывал ей — нас трое, Анеля, возьми себе подругу, поделись сахаром, она тебе подсобит...

Нет, говорит, я на себя надеюсь, что выдержу, мне троих детей прокормить, неужели я девица какая-нибудь...

— Старательная женщина,— уверил Петьку Гнилошкуров, все еще сидевший под моим окном,— старательная до последнего...

И он умолк. Я услышал снова шум воды. Дождь по-прежнему лепечет, и ноет, и стенает по крышам. Ветер подхватывает его и гнет набок. Торжественное гудение труб замолкает на дворе Махно. Свет в его комнате уменьшился наполовину. Тогда встал с лавочки Гнилошкуров и преломил своим телом мутное мерцание луны. Он зевнул, заворотил рубаху, почесал живот, необыкновенно белый, и пошел в сарай спать. Нежный голос Петьки Орлова поплыл за ним по следам.

— Был в Гуляй-Поле пришлый мужик Иван Голубь,— сказал Петька,— был тихий мужик, непьющий, веселый в работе, много на себя ставил и подорвался насмерть... Жалели его люди в Гуляй-Поле и всем селом за гробом пошли, чужой был, а пошли...

И, подойдя к самой двери сарая, Петька забормотал об умершем Иване, он бормотал все тише, душевнее.

— Есть безжалостные между людей,— ответил ему Гнилошкуров, засыпая,— есть, это верное слово...

Гнилошкуров заснул, с ним еще двое, и только я остался у окна. Глаза мои испытывают безгласную тьму, зверь воспоминаний скребет меня, и сон нейдет.

...Она сидела с утра на главной улице и продавала ягоды. Махновцы платили ей отменными бумажками. У нее было пухлое, легкое тело блондинки. Гнилошкуров, выставив живот, грелся на лавочке. Он дремал, ждал, и женщина, спеша расторговаться, устремляла на него синие глаза и покрывалась медленным, нежным румянцем.

— Анеля,— шепчу я ее имя,— Анеля...

Карл-Янкель

В пору моего детства на Пересыпи была кузница Иойны Брутмана. В ней собирались барышники лошадьми, ломовые извозчики — в Одессе они называются биндюжниками — и мясники с городских скотобоен. Кузница стояла у Балтской дороги. Избрав ее наблюдательным пунктом, можно было перехватить мужиков, возивших в город овес и бессарабское вино. Ийона был пугливый, маленький человек, но к вину он был приучен, в нем жила душа одесского еврея.

В мою пору у него росли три сына. Отец доходил им до пояса. На пересыпском берегу я впервые задумался о могуществе сил, тайно живущих в природе. Три раскормленных бугая с багровыми плечами и ступнями лопатой — они сносили сухонького Ийону в воду, как сносят младенца. И все-таки родил их он и никто другой. Тут не было сомнений. Жена кузнеца ходила в синагогу два раза в неделю — в пятницу вечером и в субботу утром; синагога была хасидская, там доплясывались на Пасху до исступления, как дервиши. Жена Ийны платила дань эмиссарам, которых рассылали по южным губерниям галицийские цадики. Кузнец не вмешивался в отношения жены своей к Богу — после работы он уходил в погребок возле скотобойни и там, потягивая дешевое розовое вино, кротко слушал, о чем говорили люди,— о ценах на скот и политике.

Ростом и силой сыновья походили на мать. Двое из них, подросши, ушли в партизаны. Старшего убили под Вознесенском, другой Брутман, Семен, перешел к Примакову — в дивизию червонного казачества. Его выбрали командиром казачьего полка. С него и еще с нескольких местечковых юношей началась эта неожиданная порода еврейских рубак, наездников и партизанов.

Третий сын стал кузнецом по наследству. Он работает на плужном заводе Гена на старых местах. Он не женился и никого не родил.

Дети Семена кочевали вместе с его дивизией. Старухе нужен был внук, которому она могла бы рассказать о Баал-Шеме. Внука она дождалась от младшей дочери Поли. Одна во всей семье девочка пошла в маленького Ийону. Она была пуглива, близорука, с нежной кожей. К ней присватывались многие. Поля выбрала Овсея Белоцерковского. Мы не поняли этого выбора. Еще удивительнее было известие о том, что молодые живут счастливо. У женщин свое хозяйство; постороннему не видно, как бьются горшки. Но тут горшки разбил Овсей Белоцерковский. Через год после женитьбы он подал в суд на тещу свою Брану Брутман. Воспользовавшись тем, что Овсей был в командировке, а Поля ушла в больницу лечиться от грудницы, старуха похитила новорожденного внука, отнесла его к малому оператору Нафтуле Герчику, и там в присутствии десяти развалин, десяти древних и нищих стариков, завсегдатаев хасидской синагоги, над младенцем был совершен обряд обрезания.

Новость эту Овсей Белоцерковский узнал после приезда. Овсей был записан кандидатом в партию. Он решил посоветоваться с секретарем ячейки Госторга Бычачем.

— Тебя морально запачкали,— сказал ему Бычач,— ты должен двинуть это дело...

Одесская прокуратура решила устроить показательный суд на фабрике имени Петровского. Малый оператор Нафтула Герчик и Брана Брутман, шестидесяти двух лет, очутились на скамье подсудимых.

Нафтула был в Одессе такое же городское имущество, как памятник дюку де Ришелье. Он проходил мимо наших окон на Дальницкой с трепаной, засаленной акушерской сумкой в руках. В этой сумке хранились немудрящие его инструменты. Он вытаскивал оттуда то ножик, то бутылку водки с медовым пряником. Он нюхал пряник, прежде чем выпить, и, выпив, затягивал молитвы. Он был рыж, Нафтула, как первый рыжий человек на земле. Отрезая то, что ему причиталось, он не отцеживал кровь через стеклянную трубочку, а высасывал ее вывороченными своими губами. Кровь размазывалась по всклокоченной его бороде. Он выходил к гостям захмелевший. Медвежьи глазки его сияли весельем. Рыжий, как первый рыжий человек на земле, он гнусавил благословение над вином. Одной рукой Нафтула опрокидывал в заросшую, кривую, огнедышащую яму своего рта водку, в другой руке у него была тарелка. На ней лежал ножик, обагренный младенческой кровью, и кусок марли. Собирая деньги, Нафтула обходил с этой тарелкой гостей, он толкался между женщинами, валился на них, хватал за груди и орал на всю улицу.

— Толстые мамы,— орал старик, сверкая коралловыми глазками,— печатайте мальчиков для Нафтулы, молотите пшеницу на ваших животах, старайтесь для Нафтулы... Печатайте мальчиков, толстые мамы...

Мужья бросали деньги в его тарелку. Жены вытирали салфетками кровь с его бороды. Дворы Глухой и Госпитальной не оскудевали. Они кишели детьми, как устья рек икрой, Нафтула плелся со своим мешком, как сборщик подати. Прокурор Орлов остановил Нафтулу в его обходе.

Прокурор гремел с кафедры, стремясь доказать, что малый оператор является служителем культа.

— Верите ли вы в Бога?— спросил он Нафтулу.

— Пусть в Бога верит тот, кто выиграл двести тысяч,— ответил старик.

— Вас не удивил приход гражданки Брутман в поздний час, в дождь, с новорожденным на руках?..

— Я удивляюсь,— сказал Нафтула,— когда человек делает что-нибудь по-человечески, а когда он делает сумасшедшие штуки — я не удивляюсь...

Ответы эти не удовлетворили прокурора. Речь шла о стеклянной трубочке. Прокурор доказывал, что, высасывая кровь губами, подсудимый подвергал детей опасности заражения. Голова Нафтулы — кудлатый орешек его головы — болталась где-то у самого пола. Он вздыхал, закрывал глаза и вытирал кулачком провалившийся рот.

— Что вы бормочете, гражданин Герчик?— спросил его председатель.

Нафтула устремил потухший взгляд на прокурора Орлова.

— У покойного мосье Зусмана,— сказал он вздыхая,— у покойного вашего папаши была такая голова, что во всем свете не найти другую такую. И, слава Богу, у него не было апоплексии, когда он тридцать лет тому назад позвал меня на ваш брис*. И вот мы видим, что вы выросли большой человек у Советской власти и что Нафтула не захватил вместе с этим куском пустяков ничего такого, что бы вам потом пригодилось...

* *Брис* — обряд обрезания (*евр.*).

Он заморгал медвежьими глазками, покачал рыжим своим орешком и замолчал. Ему ответили орудия смеха, громовые залпы хохота. Орлов, урожденный Зусман, размахивая руками, кричал что-то, чего в канонаде нельзя было расслышать. Он требовал занесения в протокол... Саша Светлов, фельетонист «Одесских известий», послал ему из ложи прессы записку. «Ты баран, Сема,— значилось в записке,— убей его иронией, убивает исключительно смешное... Твой Саша»

Зал притих, когда ввели свидетеля Белоцерковского. Свидетель повторил письменное свое заявление. Он был долговяз, в галифе и кавалерийских ботфортах. По словам Овсея, Тираспольский и Балтский укомы партии оказывали ему полное содействие в работе по заготовке жмыхов. В разгаре заготовок он получил телеграмму о рождении сына. Посоветовавшись с заворгом Балтского укома, он решил, не срывая заготовок, ограничиться посылкой поздравительной телеграммы, приехал же он только через две недели. Всего было собрано по району шестьдесят четыре тысячи пудов жмыха. На квартире, кроме свидетельницы Харченко, соседки, по профессии прачки, и сына, он никого не застал. Супруга его отлучилась в лечебницу, а свидетельница Харченко, раскачивая люльку, что является устарелым, пела над ним песенку. Зная свидетельницу Харченко как алкоголика, он не счел нужным вникать в слова ее пения, но только удивился тому, что она называет мальчика Яшей, в то время как он указал назвать сына Карлом, в честь учителя Карла Маркса. Распеленав ребенка, он убедился в своем несчастье.

Несколько вопросов задал прокурор. Защита объявила, что у нее вопросов нет. Судебный пристав ввел свидетельницу Полину Белоцерковскую. Шатаясь, она подошла к барьеру. Голубоватая судорога недавнего материнства кривила ее лицо, на лбу стояли капли пота. Она обвела взглядом маленького кузнеца, вырядившегося точно в праздник — в бант и новые штиблеты, и медное, в седых усах, лицо матери. Свидетельница Белоцерковская не ответила на вопрос о том, что ей известно по данному делу. Она сказала, что отец ее был бедным человеком, сорок лет проработал он в кузнице на Балтской дороге. Мать родила шестерых детей, из них трое умерли, один является красным командиром, другой работает на заводе Гена...

— Мать очень набожна, это все видят, она всегда страдала от того, что дети ее неверующие, и не могла перенести мысли о том, что внуки ее не будут евреями. Надо принять во внимание — в какой семье мать выросла... Местечко Меджибож всем известно, женщины там до сих пор носят парики...

— Скажите, свидетельница,— прервал ее резкий голос. Полина замолкла, капли пота окрасились на ее лбу, кровь, казалось, просачивается сквозь тонкую кожу.— Скажите, свидетельница,— повторил голос, принадлежавший бывшему присяжному поверенному Самуилу Линингу...

Если бы синедрион существовал в наши дни,— Лининг был бы его главой. Но синедриона нет, и Лининг, в двадцать пять лет обучившийся русской грамоте, стал на четвертом десятке писать в сенат кассационные жалобы, ничем не отличавшиеся от трактатов Талмуда...

Старик проспал весь процесс. Пиджак его был засыпан пеплом. Он проснулся при виде Поли Белоцерковской.

— Скажите, свидетельница,— рыбий ряд синих выпадающих его зубов затрещал,— вам известно было о решении мужа назвать сына Карлом?

— Да.

— Как назвала его ваша мать?

— Янкелем.

— А вы, свидетельница, как вы называли вашего сына?

— Я называла его «дусенькой».

— Почему именно дусенькой?..

— Я всех детей называю дусеньками...

— Идем дальше,— сказал Лининг, зубы его выпали, он подхватил их нижней губой и опять сунул в челюсть,— идем далее... Вечером, когда ребенок был унесен к подсудимому Герчику, вас не было дома, вы были в лечебнице... Я правильно излагаю?

— Я была в лечебнице.

— В какой лечебнице вас пользовали?..

— На Нежинской улице, у доктора Дризо...

— Пользовали у доктора Дризо...

— Да.

— Вы хорошо это помните?..

— Как могу я не помнить...

— Имею представить суду справку,— безжизненное лицо Лининга приподнялось над столом,— из этой справки суд усмотрит, что в период времени, о котором идет речь, доктор Дризо отсутствовал и находился на конгрессе педиатров в Харькове...

Прокурор не возражал против приобщения справки.

— Идем далее,— треща зубами, сказал Лининг.

Свидетельница всем телом налегла на барьер. Шепот ее был едва слышен.

— Может быть, это не был доктор Дризо,— сказала она, лежа на барьере,— я не могу всего запомнить, я измучена...

Лининг чесал карандашом в желтой бороде, он терся сутулой спиной о скамью и двигал вставными зубами.

На просьбу предъявить бюллетень из страхкассы Белоцерковская ответила, что она потеряла его...

— Идем далее,— сказал старик.

Полина провела ладонью по лбу. Муж ее сидел на краю скамьи, отдельно от других свидетелей. Он сидел выпрямившись, подобрав под себя длинные ноги в кавалерийских ботфортах... Солнце падало на его лицо, набитое перекладинами мелких и злых костей.

— Я найду бюллетень,— прошептала Полина, и руки ее соскользнули с барьера.

Детский плач раздался в это мгновенье. За дверью плакал и кряхтел ребенок.

— О чем ты думаешь, Поля,— густым голосом прокричала старуха,— ребенок с утра не кормленный, ребенок захлял от крика...

Красноармейцы, вздрогнув, подобрали винтовки. Полина скользила все ниже, голова ее закинулась и легла на пол. Руки взлетели, задвигались в воздухе и обрушились.

— Перерыв,— закричал председатель.

Грохот взорвался в зале. Блестя зелеными впадинами, Белоцерковский журавлиными шагами подошел к жене.

— Ребенка покормить,— приставив руки рупором, крикнули из задних рядов.

— Покормят,— ответил издалека женский голос,— тебя дожидались...

— Припутана дочка,— сказал рабочий, сидевший рядом со мной,— дочка в доле...

— Семья, брат,— произнес его сосед,— ночное дело, темное... Ночью запутают, днем не распутаешь...

Солнце косыми лучами рассекало зал. Толпа туго ворочалась, дышала огнем и потом. Работая локтями, я пробрался в коридор. Дверь из красного уголка была приоткрыта. Оттуда доносилось кряхтенье и чавканье Карла-Янкеля. В красном уголке висел портрет Ленина, тот, где он говорит с броневика на площади Финляндского вокзала; портрет окружали цветные диаграммы выработки фабрики имени Петровского. Вдоль стены стояли знамена и ружья в деревянных станках. Работница с лицом киргизки, наклонив голову, кормила Карла-Янкеля. Это был пухлый человек пяти месяцев от роду в вязаных носках и с белым хохлом на голове. Присосавшись к киргизке, он урчал и стиснутым кулачком колотил свою кормилицу по груди.

— Галас какой подняли,— сказала киргизка,— найдется кому покормить...

В комнате вертелась еще девчонка лет семнадцати, в красном платочке и с щеками, торчавшими, как шишки. Она вытирала досуха клеенку Карла-Янкеля.

— Он военный будет,— сказала девочка,— ишь дерется...

Киргизка, легонько потягивая, вынула сосок изо рта Карл-Янкеля. Он заворчал и в отчаянии запрокинул голову с белым хохолком... Женщина высвободила другую грудь и дала ее мальчику. Он посмотрел на сосок мутными глазенками, что-то сверкнуло в них. Киргизка смотрела на Карла-Янкеля сверху, скосив черный глаз.

— Зачем военный,— сказала она, поправляя мальчику чепец,— он авиатор у нас будет, он под небом летать будет...

В зале возобновилось заседание.

Бой шел теперь между прокурором и экспертами, давшими уклончивое заключение. Общественный обвинитель, приподнявшись, стучал кулаком по пюпитру. Мне видны были и первые ряды публики — галицийские цадики, положившие на колени бобровые свои шапки. Они приехали на процесс, где, по словам варшавских газет, собирались судить еврейскую религию. Лица раввинов, сидевших в первом ряду, повисли в бурном пыльном сиянии солнца.

— Долой!— крикнул комсомолец, пробравшись к самой сцене.

Бой разгорался жарче.

Карл-Янкель, бессмысленно уставившись на меня, сосал грудь киргизки.

Из окна летели прямые улицы, исхоженные детством моим и юностью,— Пушкинская тянулась к вокзалу, Мало-Арнаутская вдавалась в парк у моря.

Я вырос на этих улицах, теперь наступил черед Карла-Янкеля, но за меня не дрались так, как дерутся за него, мало кому было дела до меня.

— Не может быть,— шептал я себе,— чтобы ты не был счастлив, Карл-Янкель... Не может быть, чтобы ты не был счастливее меня...

Пробуждение

Все люди нашего круга — маклеры, лавочники, служащие в банках и пароходных конторах — учили детей музыке. Отцы наши, не видя себе ходу, придумали лотерею. Они устроили ее на костях маленьких людей. Одесса была охвачена этим безумием больше других городов. И правда — в течение десятилетий наш город поставлял вундеркиндов на концертные эстрады мира. Из Одессы вышли Миша Эльман, Цимбалист, Габрилович, у нас начинал Яша Хейфец.

Когда мальчику исполнялось четыре или пять лет, мать вела крохотное, хилое это существо к господину Загурскому. Загурский содержал фабрику вундеркиндов, фабрику еврейских карликов в кружевных воротничках и лаковых туфельках. Он выискивал их в молдаванских трущобах, в зловонных дворах Старого базара. Загурский давал первое направление, потом дети отправлялись к профессору Ауэру в Петербург. В душах этих заморышей с синими раздутыми головами жила могучая гармония. Они стали прославленными виртуозами. И вот — отец мой решил угнаться за ними. Хоть я и вышел из возраста вундеркиндов — мне шел четырнадцатый год, но по росту и хилости меня можно было сбыть за восьмилетнего. На это была вся надежда.

Меня отвели к Загурскому. Из уважения к деду он согласился брать по рублю за урок — дешевая плата. Дед мой Лейви-Ицхок был посмешище города и украшение его. Он расхаживал по улицам в цилиндре и в опорках и разрешал сомнения в самых темных делах. Его спрашивали, что такое гобелен, отчего якобинцы предали Робеспьера, как готовится искусственный шелк, что такое кесарево сечение. Мой дед мог ответить на эти вопросы. Из уважения к учености его и безумию Загурский брал с нас по рублю за урок. Да и возился он со мною, боясь деда, потому что возиться было не с чем. Звуки ползли с моей скрипки, как железные опилки. Меня самого эти звуки резали по сердцу, но отец не отставал. Дома только и было разговора о Мише Эльмане, самим царем освобожденном от военной службы. Цимбалист, по сведениям моего отца, представлялся английскому королю и играл в Букингемском дворце; родители Габриловича купили два дома в Петербурге. Вундеркинды принесли своим родителям богатство. Мой отец примирился бы с бедностью, но слава была нужна ему.

— Не может быть,— нашептывали люди, обедавшие за его счет,— не может быть, чтобы внук такого деда...

У меня же в мыслях было другое. Проигрывая скрипичные упражнения, я ставил на пюпитре книги Тургенева или Дюма,— и, пиликая, пожирал страницу за страницей. Днем я рассказывал небылицы соседским мальчишкам, ночью переносил их на бумагу. Сочинительство было наследственное занятие в нашем роду. Лейви-Ицхок, тронувшийся к старости, всю жизнь писал повесть под названием «Человек без головы». Я пошел в него.

Нагруженный футляром и нотами, я три раза в неделю тащился на улицу Витте, бывшую Дворянскую, к Загурскому. Там вдоль стен, дожидаясь очереди, сидели еврейки, истерически воспламененные. Они прижимали к слабым своим коленям скрипки, превосходившие размерами тех, кому предстояло играть в Букингемском дворце.

Дверь в святилище открывалась. Из кабинета Загурского, шатаясь, выходили головастые, веснушчатые дети с тонкими шеями, как стебли цветов, и припадочным румянцем на щеках. Дверь захлопывалась, поглотив следующего карлика. За стеной, надрываясь, пел, дирижировал учитель, с бантом, в рыжих кудрях, с жидкими ногами. Управитель чудовищной лотереи, он населял Молдаванку и черные тупики Старого рынка призраками пиччикато и кантилены. Этот распев доводил потом до дьявольского блеска старый профессор Ауэр.

В этой секте мне нечего было делать. Такой же карлик, как и они, я в голосе предков различал другое внушение.

Трудно мне дался первый шаг. Однажды я вышел из дому, навьюченный футляром, скрипкой, нотами и двенадцатью рублями денег — платой за месяц ученья. Я шел по Нежинской улице, мне бы повернуть на Дворянскую, чтобы попасть к Загурскому, вместо этого я поднялся вверх по Тираспольской и очутился в порту. Положенные мне три часа пролетели в Практической гавани. Так началось освобождение. Приемная Загурского больше не увидела меня. Дела поважнее заняли все мои помыслы. С однокашником моим Немановым мы повадились на пароход «Кенсингтон» к старому одному матросу по имени мистер Троттибэрн. Неманов был на год моложе меня, он с восьми лет занимался самой замысловатой торговлей в мире. Он был гений в торговых делах и исполнил все, что обещал. Теперь он миллионер в Нью-Йорке, директор General Motors C°, компании столь же могущественной, как и Форд. Неманов таскал меня с собой потому, что я повиновался ему молча. Он покупал у мистера Троттибэрна трубки, провозимые контрабандой. Эти трубки точил в Линкольне брат старого матроса.

— Джентльмены,— говорил нам мистер Троттибэрн,— помяните мое слово, детей надо делать собственноручно... Курить фабричную трубку — это то же, что вставлять себе в рот клистир... Знаете ли вы, кто такое был Бенвенуто Челлини?.. Это был мастер. Мой брат в Линкольне мог бы рассказать вам о нем. Мой брат никому не мешает жить. Он только убежден в том, что детей надо делать своими руками, а не чужими... Мы не можем не согласиться с ним, джентльмены...

Неманов продавал трубки Троттибэрна директорам банка, иностранным консулам, богатым грекам. Он наживал на них сто на сто.

Трубки линкольнского мастера дышали поэзией. В каждую из них была уложена мысль, капля вечности. В их мундштуке светился желтый глазок, футляры были выложены атласом. Я старался представить себе, как живет в старой Англии Мэтью Троттибэрн, последний мастер трубок, противящийся ходу вещей.

— Мы не можем не согласиться с тем, джентльмены, что детей надо делать собственноручно...

Тяжелые волны у дамбы отдаляли меня все больше от нашего дома, пропахшего луком и еврейской судьбой. С Практической гавани я перекочевал за волнорез. Там на клочке песчаной отмели обитали мальчишки с Приморской улицы. С утра до ночи они не натягивали на себя штанов, ныряли под шаланды, воровали на обед кокосы и дожидались той поры, когда из Херсона и Каменки потянутся дубки с арбузами и эти арбузы можно будет раскалывать о портовые причалы.

Мечтой моей сделалось уменье плавать. Стыдно было сознаться бронзовым этим мальчишкам в том, что, родившись в Одессе, я до десяти лет не видел моря, а в четырнадцать не умел плавать.

Как поздно пришлось мне учиться нужным вещам! В детстве, пригвожденный к Гемаре, я вел жизнь мудреца, выросши — стал лазать по деревьям.

Уменье плавать оказалось недостижимым. Водобоязнь всех предков — испанских раввинов и франкфуртских менял — тянула меня ко дну. Вода меня не держала. Исполосованный, налитый соленой водой, я возвращался на берег — к скрипке и нотам. Я привязан был к орудиям моего преступления и таскал их с собой. Борьба раввинов с морем продолжалась до тех пор, пока надо мной не сжалился водяной бог тех мест —

корректор «Одесских новостей» Ефим Никитич Смолич. В атлетической груди этого человека жила жалость к еврейским мальчикам. Он верховодил толпами рахитичных заморышей. Никитич собирал их в клоповниках на Молдаванке, вел их к морю, зарывал в песок, делал с ними гимнастику, нырял с ними, обучал песням и, прожариваясь в прямых лучах солнца, рассказывал истории о рыбаках и животных. Взрослым Никитич объяснял, что он натурфилософ. Еврейские дети от историй Никитича помирали со смеху, они визжали и ластились, как щенята. Солнце окропляло их ползучими веснушками, веснушками цвета ящерицы.

За единоборством моим с волнами старик следил молча сбоку. Увидев, что надежды нет и что плавать мне не научиться, он включил меня в число постояльцев своего сердца. Оно было все тут с нами — его веселое сердце, никуда не заносилось, не жадничало и не тревожилось... С медными своими плечами, с головой состарившегося гладиатора, с бронзовыми, чуть кривыми ногами, он лежал среди нас за волнорезом, как властелин этих арбузных, керосиновых вод. Я полюбил этого человека так, как только может полюбить атлета мальчик, хворающий истерией и головными болями. Я не отходил от него и пытался услуживать.

Он сказал мне:

— Ты не суетись... Ты укрепи свои нервы. Плаванье придет само собой... Как это так — вода тебя не держит... С чего бы ей не держать тебя?

Видя, как я тянусь, Никитич для меня одного изо всех своих учеников сделал исключение, позвал к себе в гости на чистый просторный чердак в циновках, показал своих собак, ежа, черепаху и голубей. В обмен на эти богатства я принес ему написанную мною накануне трагедию.

— Я так и знал, что ты пописываешь,— сказал Никитич,— у тебя и взгляд такой... Ты все больше никуда не смотришь...

Он прочитал мои писания, подергал плечом, провел рукой по крутым седым завиткам, прошелся по чердаку.

— Надо думать,— произнес он врастяжку, замолкая после каждого слова,— что в тебе есть искра Божия...

Мы вышли на улицу. Старик остановился, с силой постучал палкой о тротуар и уставился на меня.

— Чего тебе не хватает?.. Молодость не беда, с годами пройдет... Тебе не хватает чувства природы.

Он показал мне палкой на дерево с красноватым стволом и низкой кроной.

— Это что за дерево?

Я не знал.

— Что растет на этом кусте?

Я и этого не знал. Мы шли с ним сквериком Александровского проспекта. Старик тыкал палкой во все деревья, он схватывал меня на плечо, когда пролетала птица, и заставлял слушать отдельные голоса.

— Какая это птица поет?

Я ничего не мог ответить. Названия деревьев и птиц, деление их на роды, куда летят птицы, с какой стороны восходит солнце, когда бывает сильнее роса — все это было мне неизвестно.

— И ты осмеливаешься писать?.. Человек, не живущий в природе, как живет в ней камень или животное, не напишет во всю свою жизнь двух стоящих строк... Твои пейзажи похожи на описание декораций. Черт меня побери,— о чем думали четырнадцать лет твои родители?..

О чем они думали?.. Об опротестованных векселях, об особняках Миши Эльмана... Я не сказал об этом Никитичу, я смолчал.

Дома — за обедом — я не прикоснулся к пище. Она не проходила в горло.

«Чувство природы,— думал я.— Бог мой, почему это не пришло мне в голову... Где взять человека, который растолковал бы мне птичьи голоса и названия деревьев?.. Что известно мне о них? Я мог бы распознать сирень, и то когда она цветет. Сирень и акацию. Дерибасовская и Греческая улицы обсажены акациями...»

За обедом отец рассказал новую историю о Яше Хейфеце. Не доходя до Робина, он встретил Мендельсона, Яшиного дядьку. Мальчик, оказывается, получает восемьсот рублей за выход. Посчитайте — сколько это выходит при пятнадцати концертах в месяц.

Я сосчитал — получилось двенадцать тысяч в месяц. Делая умножение и оставляя четыре в уме, я взглянул в окно. По цементному дворику, в тихонько отдуваемой крылатке, с рыжими колечками, выбивающимися из-под мягкой шляпы, опираясь на трость, шествовал господин Загурский, мой учитель музыки. Нельзя сказать, что он хватился слишком рано. Прошло уже больше трех месяцев, с тех пор как скрипка моя опустилась на песок у волнореза...

Загурский подходил к парадной двери. Я кинулся к черному ходу — его накануне заколотили от воров. Тогда я заперся в уборной. Через полчаса возле моей двери собралась вся семья. Женщины плакали. Бобка терлась жирным плечом о дверь и закатывалась в рыданиях. Отец молчал. Заговорил он так тихо и раздельно, как не говорил никогда в жизни.

— Я офицер,— сказал мой отец,— у меня есть имение. Я езжу на охоту. Мужики платят мне аренду. Моего сына я отдал в кадетский корпус. Мне нечего заботиться о моем сыне...

Он замолк. Женщины сопели. Потом страшный удар обрушился в дверь уборной, отец бился об нее всем телом, он налетал с разбегу.

— Я офицер,— вопил он,— я езжу на охоту... Я убью его... Конец...

Крючок соскочил с двери, там была еще задвижка, она держалась на одном гвозде. Женщины катались по полу, они хватали отца за ноги; обезумев, он вырывался. На шум подоспела старуха — мать отца.

— Дитя мое,—сказала она ему по-еврейски,— наше горе велико. Оно не имеет краев. Только крови недоставало в нашем доме. Я не хочу видеть кровь в нашем доме...

Отец застонал. Я услышал удалявшиеся его шаги. Задвижка висела на последнем гвозде.

В моей крепости я досидел до ночи. Когда все улеглись, тетя Бобка увела меня к бабушке. Дорога нам была дальняя. Лунный свет оцепенел на неведомых кустах, на деревьях без названия... Невидимая птица издала свист и угасла, может быть, заснула... Что это за птица? Как зовут ее? Бывает ли роса по вечерам?..

Где расположено созвездие Большой Медведицы? С какой стороны восходит солнце?..

Мы шли по Почтовой улице. Бобка крепко держала меня за руку, чтобы я не убежал. Она была права. Я думал о побеге.

В подвале

Я был лживый мальчик. Это происходило от чтения. Воображение мое всегда было воспламенено. Я читал во время уроков, на переменах, по дороге домой, ночью — под столом, закрывшись свисавшей до пола скатертью. За книгой я проморгал все дела мира сего — бегство с уроков в порт, начало бильярдной игры в кофейнях на Греческой улице, плаванье на Ланжероне. У меня не было товарищей. Кому была охота водиться с таким человеком?..

Однажды в руках первого нашего ученика, Марка Боргмана, я увидел книгу о Спинозе. Он только что прочитал ее и не утерпел, чтобы не сообщить окружившим его мальчикам об испанской инквизиции. Это было ученое бормотание — то, что он рассказывал. В словах Боргмана не было поэзии. Я не выдержал и вмешался. Тем, кто хотел меня слушать, я рассказал о старом Амстердаме, о сумраке гетто, о философах — гранильщиках алмазов. К прочитанному в книгах было прибавлено много своего. Без этого я не обходился. Воображение мое усиливало драматические сцены, переиначивало концы, таинственнее завязывало начала. Смерть Спинозы, свободная, одинокая его смерть, предстала в моем изображении битвой. Синедрион вынуждал умирающего покаяться, он не сломился. Сюда же я припутал Рубенса. Мне казалось, что Рубенс стоял у изголовья Спинозы и снимал маску с мертвеца.

Мои однокашники, разинув рты, слушали эту фантастическую повесть. Она была рассказана с воодушевлением. Мы нехотя разошлись по звонку. В следующую перемену Боргман подошел ко мне, взял меня под руку, мы стали прогуливаться вместе. Прошло немного времени — мы сговорились. Боргман не представлял из себя дурной разновидности первого ученика. Для сильных его мозгов гимназическая премудрость была каракулями на полях настоящей книги. Эту книгу он искал с жадностью. Двенадцатилетними несмышленышами мы знали уже, что ему предстоит ученая, необыкновенная жизнь. Он и уроков не готовил, только слушал их. Этот трезвый и сдержанный мальчик привязался ко мне из-за моей особенности перевирать все вещи в мире, такие вещи, проще которых и выдумать нельзя было.

В тот год мы перешли в третий класс. Ведомость моя была уставлена тройками с минусом. Я так был странен со своими бреднями, что учителя, подумав, не решились выставить мне двойки. В начале лета Боргман пригласил меня к себе на дачу. Его отец был директором Русского для внешней торговли банка. Этот человек был одним из тех, кто делал из Одессы Марсель или Неаполь. В нем жила закваска старого одесского негоцианта. Он принадлежал к обществу скептических и обходительных гуляк. Отец Боргмана избегал говорить по-русски; он объяснялся на грубоватом обрывистом языке ливерпульских капитанов. Когда в апреле к нам приехала итальянская опера, у Боргмана на квартире устраивался обед для труппы. Одутловатый банкир — последний из одесских негоциантов — завязывал двухмесячную интрижку с грудастой примадонной. Она увозила с собой воспоминания, не отягчавшие совести, и колье, выбранное со вкусом и стоившее не очень дорого.

Старик состоял аргентинским консулом и председателем биржевого комитета. К нему-то в дом я был приглашен. Моя тетка — по имени Бобка — разгласила об этом по всему двору. Она приодела меня как могла. Я поехал на паровичке к 16-й станции Большого фонтана. Дача стояла на невысоком красном обрыве у самого берега. На обрыве был разделан цветник с фуксиями и подстриженными шарами туи.

Я происходил из нищей и бестолковой семьи. Обстановка боргмановской дачи поразила меня. В аллеях, укрытые зеленью, белели плетеные кресла. Обеденный стол был покрыт цветами, окна обведены зелеными наличниками. Перед домом просторно стояла деревянная невысокая колоннада.

Вечером приехал директор банка. После обеда он поставил плетеное кресло у самого края обрыва, перед идущей равниной моря, задрал ноги в белых штанах, закурил сигару и стал читать «Manchester guardian». Гости, одесские дамы, играли на веранде в покер. В углу стола шумел узкий самовар с ручками из слоновой кости.

Картежницы и лакомки, неряшливые щеголихи и тайные распутницы с надушенным бельем и большими боками — женщины хлопали черными веерами и ставили золотые. Сквозь изгородь дикого винограда к ним проникало солнце. Огненный круг его был огромен. Отблески меди тяжелили черные волосы женщин. Искры заката входили в бриллианты — бриллианты, навешанные всюду: в углублениях разъехавшихся грудей, в подкрашенных ушах и на голубоватых припухлых самочьих пальцах.

Наступил вечер. Прошелестела летучая мышь. Море чернее накатывалось на красную скалу. Двенадцатилетнее мое сердце раздувалось от веселья и легкости чужого богатства. Мы с приятелем, взявшись за руки, ходили по дальней аллее. Боргман сказал мне, что он станет авиационным инженером. Есть слух о том, что отца назначат представителем Русского для внешней торговли банка в Лондон — Марк сможет получить образование в Англии.

В нашем доме, доме тети Бобки, никто не толковал о таких вещах. Мне нечем было отплатить за непрерывное это великолепие. Тогда я сказал Марку, что хоть у нас в доме все по-другому, но дед Лейви-Ицхок и мой дядька объездили весь свет и испытали тысячи приключений. Я описал эти приключения по порядку. Сознание невозможного тотчас же оставило меня, я провел дядьку Вольфа сквозь русско-турецкую войну — в Александрию, в Египет...

Ночь выпрямилась в тополях, звезды налегли на погнувшиеся ветви. Я говорил и размахивал руками. Пальцы будущего авиационного инженера трепетали в моей руке. С трудом просыпаясь от галлюцинаций, он пообещал прийти ко мне в следующее воскресенье.

Запасшись этим обещанием, я уехал на паровичке домой, к Бобке.

Всю неделю после этого визита я воображал себя директором банка. Я совершал миллионные операции с Сингапуром и Порт-Саидом. Я завел себе яхту и путешествовал на ней один. В субботу настало время проснуться. Назавтра должен был прийти в гости маленький Боргман. Ничего из того, что я рассказал ему,— не существовало. Существовало другое, много удивительнее, чем то, что я придумал, но двенадцати лет от роду я совсем еще не знал, как мне быть с правдой в этом мире. Дед Лейви-Ицхок, раввин, выгнанный из своего местечка за то, что он подделал на векселях подпись графа Браницкого, был на взгляд наших соседей и окрестных мальчишек сумасшедший. Дядьку Симон-Вольфа я не терпел за шумное его чудачество, полное бессмысленного огня, крику и притеснения. Только с Бобкой можно было сговориться. Бобка гордилась тем, что сын директора банка дружит со мной. Она считала это знакомство началом карьеры и испекла для гостя штрудель с вареньем и маковый пирог. Все сердце нашего племени, сердце, так хорошо выдерживающее борьбу, заключалось в этих пирогах. Деда с его рваным цилиндром и тряпьем на распухших ногах мы упрятали к соседям, Апельхотам, и я умолял его не показываться до тех пор, пока гость не уйдет. С Симон-Вольфом тоже уладилось. Он ушел со своими приятелями-барышниками пить чай в трактир «Медведь». В этом трактире прихватывали водку вместе с чаем, можно было рассчитывать, что Симон-Вольф задержится. Тут надо сказать, что семья, из которой я происхожу, не походила на другие еврейские семьи. У нас и пьяницы были в роду, у нас соблазняли генеральских дочерей и, не довезши до границы, бросали, у нас дед подделывал подписи и сочинял для брошенных жен шантажные письма.

Все старания я положил на то, чтобы отвадить Симон-Вольфа на весь день. Я отдал ему сбереженные три рубля. Прожить три рубля — это нескоро делается, Симон-Вольф вернется поздно, и сын директора банка никогда не узнает о том, что рассказ о доброте и силе моего дядьки — лживый рассказ. По совести говоря, если сообразить сердцем, это была правда, а не ложь, но при первом.взгляде на грязного и крикливого Симон-Вольфа непонятной этой истины нельзя было разобрать.

В воскресенье утром Бобка вырядилась в коричневое суконное платье. Толстая ее, добрая грудь лежала во все стороны. Она надела косынку с черными тиснеными цветами, косынку, которую одевают в синагогу на Судный день и на Рош-Гашоно. Бобка расставила на столе пироги, варенье, крендели и принялась ждать. Мы жили в подвале. Боргман поднял брови, когда проходил по горбатому полу коридора. В сенях стояла кадка с водой. Не успел Боргман войти, как я стал занимать его всякими диковинами. Я показал ему будильник, сделанный до последнего винтика руками деда. К часам была приделана лампа; когда будильник отсчитывал половинку или полный час, лампа зажигалась. Я показал еще бочонок с ваксой. Рецепт этой ваксы составлял изобретение Лейви-Ицхока, он никому этого секрета не выдавал. Потом мы прочитали с Боргманом несколько страниц из рукописи деда. Он писал по-еврейски на желтых квадратных листах, громадных, как географические карты. Рукопись называлась «Человек без головы». В ней описывались все соседи Лейви-Ицхока за семьдесят лет его жизни — сначала в Сквире и Белой Церкви, потом в Одессе. Гробовщики, канторы, еврейские пьяницы, поварихи на брисах и проходимцы, производившие ритуальную операцию,— вот герои Лейви-Ицхока. Все это были вздорные люди, косноязычные, с шишковатыми носами, прыщами на макушке и косыми задами.

Во время чтения появилась Бобка в коричневом платье. Она плыла с самоваром на подносе, обложенная своей толстой, доброй грудью. Я познакомил их. Бобка сказала: «Очень приятно», протянула вспотевшие, неподвижные пальцы и шаркнула обеими ногами. Все шло хорошо, как нельзя лучше. Апельхоты не выпускали деда. Я выволакивал его сокровища одно за другим: грамматики на всех языках и шестьдесят шесть томов Талмуда. Марка ослепил бочонок с ваксой, мудреный будильник и гора Талмуда, все эти вещи, которых нельзя увидеть ни в каком другом доме.

Мы выпили по два стакана чаю со штруделем; Бобка, кивая головой и пятясь назад, исчезла. Я пришел в радостное состояние духа, стал в позу и начал декламировать строфы, больше которых я ничего не любил в жизни. Антоний, склонясь над трупом Цезаря, обращается к римскому народу:

> О римляне, сограждане, друзья,
> Меня своим вниманьем удостойте.
> Не восхвалять я Цезаря пришел,
> Но лишь ему последний долг отдать.

Так начинает игру Антоний. Я задохся и прижал руки к груди.

> Мне Цезарь другом был, и верным другом,
> Но Брут его зовет властолюбивым,
> А Брут — достопочтенный человек...
> Он пленных приводил толпами в Рим,
> Их выкупом казну обогащая.
> Не это ли считать за властолюбье?..
> При виде нищеты он слезы лил,—
> Так мягко властолюбье не бывает.
> Но Брут его зовет властолюбивым,
> А Брут — достопочтенный человек...
> Вы видели во время Луперкалий,
> Я трижды подносил ему венец,
> И трижды от него он отказался.
> Ужель и это властолюбье?..
> Но Брут его зовет властолюбивым,
> А Брут — достопочтенный человек...

Перед моими глазами — в дыму Вселенной — висело лицо Брута. Оно стало белее мела. Римский народ, ворча, надвигался на меня. Я поднял руку,— глаза Боргмана покорно двинулись за ней,— сжатый мой кулак дрожал, я поднял руку... и увидел в окне дядьку Симон-Вольфа, шедшего по двору в сопровождении маклака Лейкаха. Они тащили на себе вешалку, сделанную из оленьих рогов, и красный сундук с подвесками в виде львиных пастей. Бобка тоже увидела их из окна.

Забыв про гостя, она влетела в комнату и схватила меня трясущимися ручками.

— Серденько мое, он опять купил мебель...

Боргман привстал в своем мундирчике и в недоумении поклонился Бобке. В дверь ломились. В коридоре раздался грохот сапог, шум передвигаемого сундука. Голоса Симон-Вольфа и рыжего Лейкаха гремели оглушительно. Оба были навеселе.

— Бобка,— закричал Симон-Вольф,— попробуй угадать, сколько я отдал за эти рога?!

Он орал, как труба, но в голосе его была неуверенность. Хоть и пьяный, Симон-Вольф знал, как ненавидим мы рыжего Лейкаха, подбивавшего его на все покупки, затоплявшего нас ненужной, бессмысленной мебелью.

Бобка молчала. Лейках пропищал что-то Симон-Вольфу. Чтобы заглушить змеиное его шипение, чтобы заглушить мою тревогу, я закричал словами Антония:

> Еще вчера повелевал Вселенной
> Могучий Цезарь; он теперь во прахе,
> И всякий нищий им пренебрегает.
> Когда б хотел я возбудить к восстанью,
> К отмщению сердца и души ваши,
> Я повредил бы Кассию и Бруту,
> Но ведь они почтеннейшие люди...

На этом месте раздался стук. Это упала Бобка, сбитая с ног ударом мужа. Она, верно, сделала горькое какое-нибудь замечание об оленьих рогах. Началось ежедневное представление. Медный голос Симон-Вольфа законопачивал все щели вселенной.

— Вы тянете из меня клей,— громовым голосом кричал мой дядька,— вы клей тянете из меня, чтобы запихать собачьи ваши рты... Работа отбила у меня душу. У меня нечем работать, у меня нет рук, у меня нет ног... Камень вы одели на мою шею, камень висит на моей шее...

Проклиная меня и Бобку еврейскими проклятиями, он сулил нам, что глаза наши вытекут, что дети наши еще во чреве матери начнут гнить и распадаться, что мы не будем поспевать хоронить друг друга и что нас за волосы стащат в братскую могилу.

Маленький Боргман поднялся со своего места. Он был бледен и озирался. Ему непонятны были обороты еврейского кощунства, но с русской матерщиной он был знаком. Симон-Вольф не гнушался и ею. Сын директора банка мял в руке картузик. Он двоился у меня в глазах, я силился перекричать все зло мира. Предсмертное мое отчаяние и свершившаяся уже смерть Цезаря слились в одно. Я был мертв, и я кричал. Хрипение поднималось со дна моего существа.

> Коль слезы есть у вас, обильным током
> Они теперь из ваших глаз польются.
> Всем этот плащ знаком. Я помню даже,
> Где в первый раз его накинул Цезарь:
> То было летним вечером, в палатке,
> Где находился он, разбив неврийцев.
> Сюда проник нож Кассия; вот рана
> Завистливого Каски; здесь в него
> Вонзил кинжал его любимец Брут.
> Как хлынула потоком алым кровь,
> Когда кинжал из раны он извлек...

Ничто не в силах было заглушить Симон-Вольфа. Бобка, сидя на полу, всхлипывала и сморкалась. Невозмутимый Лейках двигал за перегородкой сундук. Тут мой сумасбродный дед захотел прийти мне на помощь. Он вырвался от Апельхотов, подполз к окну и стал пилить на скрипке, для того, верно, чтобы посторонним людям не слышна была брань Симон-Вольфа. Боргман взглянул в окно, вырезанное на уровне земли, и в ужасе подался назад. Мой бедный дед гримасничал своим синим окостеневшим ртом. На нем был загнутый цилиндр, черная ваточная хламида с костяными пуговицами и опорки на слоновых ногах. Прокуренная борода висела клочьями и колебалась в окне. Марк бежал.

— Это ничего,— пробормотал он, вырываясь на волю,— это, право, ничего...

Во дворе мелькнули его мундирчик и картуз с поднятыми краями.

С уходом Марка улеглось мое волнение. Я ждал вечера. Когда дед, исписав еврейскими крючками квадратный свой лист (он описывал Апельхотов, у которых по моей милости провел весь день), улегся на койку и заснул, я выбрался в коридор. Пол там был земляной. Я двигался во тьме, босой, в длинной и заплатанной рубахе. Сквозь щели досок остриями света мерцали булыжники. В углу, как всегда, стояла кадка с водой. Я опустился в нее. Вода разрезала меня надвое. Я погрузил голову, задохся, вынырнул. Сверху, с полки, сонно смотрела кошка. Во второй раз я выдержал дольше, вода хлюпала вокруг меня, мой стон уходил в нее. Я открыл глаза и увидел на дне бочки парус рубахи и ноги, прижатые друг к дружке. У меня снова не хватило сил, я вынырнул. Возле бочки стоял дед в кофте. Единственный его зуб звенел.

— Мой внук,— он выговорил эти слова презрительно и внятно,— я иду принять касторку, чтобы мне было что принесть на твою могилу...

Я закричал, не помня себя, и опустился в воду с размаху. Меня вытащила немощная рука деда. Тогда впервые за этот день я заплакал,— и мир слез был так огромен и прекрасен, что все, кроме слез, ушло из моих глаз.

Я очнулся на постели, закутанный в одеяла. Дед ходил по комнате и свистел. Толстая Бобка грела мои руки на груди.

— Как он дрожит, наш дурачок,— сказала Бобка,— и где дитя находит силы так дрожать...

Дед дернул бороду, свистнул и зашагал снова. За стеной с мучительным выдохом храпел Симон-Вольф. Навоевавшись за день, он ночью никогда не просыпался.

Гапа Гужва

На масленой тридцатого года в Великой Кринице сыграли шесть свадеб. Их отгуляли с буйством, какого давно не было. Обычаи старины возродились. Один сват, захмелев, сунулся пробовать невесту — порядок этот лет двадцать как был оставлен в Великой Кринице.

Сват успел размотать кушак и бросил его на землю. Невеста, ослабев от смеха, трясла старика за бороду. Он наступал на нее грудью, гоготал и топал сапожищами. Старику, впрочем, не из чего было тревожиться. Из шести моняк, поднятых над хатами, только две были смочены брачной кровью, остальным невестам досвитки не прошли даром. Одну моняку достал красноармеец, приехавший на побывку, за другой полезла Гапа Гужва. Колотя мужчин по головам, она вскочила на крышу и стала взбираться по шесту. Он гнулся и качался под тяжестью ее тела. Гапа сорвала красную тряпку и съехала вниз по шесту. На изгорбине крыши стояли стол и табурет, а на столе пол-литра и нарезано кусками холодное мясо. Гапа опрокинула бутылку себе в рот; свободной рукой она размахивала монякой. Внизу гремела и плясала толпа. Стул скользил под Гапой, трещал и разъезжался. Березанские чабаны, гнавшие в Киев волов, воззрились на бабу, пившую водку в высоте, под самым небом.

— Разве то баба,— ответили им сваты,— то черт, вдова наша...

Гапа швыряла с крыши хлеб, прутья, тарелки. Допив водку, она разбила бутылку о выступ трубы. Мужики, собравшиеся внизу, ответили ей ревом. Вдова прыгнула на землю, отвязала дремавшую у тына кобылу с мохнатым брюхом и поскакала за вином. Она вернулась, обложенная фляжками, как черкес патронами. Кобыла, тяжело дыша, запрокидывала морду, жеребый ее живот западал и раздувался, в глазах тряслось лошадиное безумие.

Плясали на свадьбах с платочками, опустив глаза и топчась на месте. Одна Гапа разлеталась по-городскому. Она плясала в паре с любовником своим Гришкой Савченко. Они схватывались, словно в бою; в упрямой злобе обрывали друг другу плечи; как подшибленные, падали они на землю, выбивая дробь сапогами.

Шел третий день великокриницких свадеб. Дружки, обмазавшись сажей и вывернув тулупы, колотили в заслонки и бегали по селу. На улице зажглись костры. Через них прыгали люди с нарисованными рогами. Лошадей запрягли в лохани; они бились по кочкам и неслись через огонь. Мужики упали, сраженные сном. Хозяйки выбрасывали на задворки битую посуду. Новобрачные, помыв ноги, взошли на высокие постели, и только Гапа доплясывала одна в пустом сарае. Она кружилась, простоволосая, с багром в руках. Дубина ее, обмазанная дегтем, обрушивалась на стены. Удары сотрясали строение и оставляли черные липкие раны.

— Мы смертельные,— шептала Гапа, ворочая багром.

Солома и доски сыпались на женщину, стены рушились. Она плясала, простоволосая, среди развалин, в грохоте и пыли рассыпающихся плетней, летящей трухи и переламывающихся досок. В обломках вертелись, отбивая такт, ее сапожки с красными отворотами.

Спускалась ночь. В оттаявших ямах угасали костры. Сарай взъерошенной грудой лежал на пригорке. Через дорогу в сельраде зачадил рваный огонек. Гапа отшвырнула от себя багор и побежала по улице.

— Ивашко,— закричала она, врываясь в сельраду,— ходим гулять с нами, пропивать нашу жизнь...

Ивашко был уполномоченный рика по коллективизации. Два месяца прошло с тех пор, как начался разговор его с Великой Криницей. Положив на стол руки, Ивашко сидел перед мятой, обкусанной грудой бумаг. Кожа его возле висков сморщилась, зрачки больной кошки висели в глазницах. Над ними торчали розовые голые дуги.

— Не брезговай нашим крестьянством,— закричала Гапа и топнула ногой.

— Я не брезговаю,— уныло сказал Ивашко,— только мне нетактично с вами гулять.

Притоптывая и разводя руками, Гапа прошлась перед ним.

— Ходи с нами каравай делить,— сказала баба,— все твои будем, представник, только завтра, не сегодня...

Ивашко покачал головой:

— Мне нетактично с вами каравай делить,— сказал он,— разве ж вы люди?.. Вы ж на собак гавкаете, я от вас восемь кил весу потерял...

Он пожевал губами и прикрыл веки. Руки его потянулись, нашарили на столе холстинный портфель. Он встал, качнулся грудью вперед и, словно во сне, волоча ноги, пошел к выходу.

— Этот гражданин — чистое золото,— сказал ему вслед секретарь Харченко,— большую совесть в себе имеет, но только Великая Криница слишком грубо с ним обратилась...

Над прыщами и пуговкой носа у Харченки был выделан пепельный хохолок. Он читал газету, задрав ноги на скамью.

— Дождутся люди вороньковского судьи,— сказал Харченко, переворачивая газетный лист,— тогда воспомянут.

Гапа вывернула из-под юбки кошель с подсолнухами.

— Почему ты должность свою помнишь, секретарь,— сказала баба,— почему ты смерти боишься?.. Когда это было, чтобы мужик помирать отказывался?..

На улице, вокруг колокольни, кипело черное вспухшее небо, мокрые хаты выгнулись и сползли. Над ними трудно высекались звезды, ветер стлался понизу.

В сенях своей хаты Гапа услышала мерное бормотанье, чужой осипший голос. Странница, забредшая ночевать, подогнув под себя ноги, сидела на печи. Малиновые нити лампад оплетали угол. В прибранной хате развешана была тишина; спиртным, яблочным духом несло от стен и простенков. Большегубые дочери Гапы, задрав снизу головы, уставились на побирушку. Девушки поросли коротким, конским волосом, губы их были вывернуты, узкие лбы светились жирно и мертво.

— Бреши, бабуся Рахивна,— сказала Гапа и прислонилась к стене,— я тому охотница, когда брешут...

Под потолком Рахивна заплетала себе косицы, рядками накладывала на маленькую голову. У края печи расставились вымытые изуродованные ее ступни.

— Три патриарха рахуются в свете,— сказала старуха, мятое ее лицо поникло,— московского патриарха заточила наша держава, иерусалимский живет у турок, всем христианством владеет антиохийский патриарх... Он выслал на Украину сорок грецких попов, чтоб проклясть церкви, где держава сняла дзвоны... Грецкие попы прошли Холодный Яр, народ бачил их в Остроградском, к Прощеному воскресенью будут они у вас в Великой Кринице...

Рахивна прикрыла веки и умолкла. Свет лампады стоял в углублениях ее ступней.

— Вороньковский судья,— очнувшись, сказала старуха,— в одни сутки произвел в Воронькове колгосп... Девять господарей он забрал в холодную... Наутро их доля была идти на Сахалин. Доню моя, везде люди живут, везде Христос славится... Перебули тыи господари ночь в холодной, является стража — брать их... Видчиняет стража дверь от острога, на свете полное утро, девять господарей качаются под балками, на своих опоясках...

Рахивна долго возилась, прежде чем улечься, разбирая лоскутики, она шепталась со своим Богом, как шепчутся со стариком, который тут же лежит на печи, потом сразу и легко задышала. Чужой муж, Гришка Савченко, спал внизу на лаве. Он сложился, как раздавленный, на самом краю и выгнул спину; жилетка вздыбилась на ней, голова его была всунута в подушки.

— Мужицкое коханне.— Гапа встряхнула его и растолкала.— Я добре знаю мужицкое це коханне... Отворотили рыло — чоловик от жинки — и топтаются... Не к себе пришел, не к Одарке...

Полночи они катались по лаве*, во тьме, с сжатыми губами, с руками, протянутыми через тьму. Коса Гапы перелетала через подушку. На рассвете Гришка вскинулся, застонал и заснул, оскалившись. Гапе видны были коричневые плечи дочерей, низколобых, губатых, с черными грудями.

«Верблюды такие,— подумала она,— откуда они ко мне?..»

В дубовой раме окна двинулась тьма. Рассвет раскрыл в тучах фиолетовую полосу. Гапа вышла во двор. Ветер сжал ее, как студеная вода в реке. Она запрягла, взвалила на дровни мешки с пшеницей — за праздники мука подбилась у всех. В тумане, в пару рассвета проползла дорога.

На мельнице справились только к следующему вечеру. Весь день шел снег. У самого села, из льющейся прямой стены, навстречу Гапе вынырнул коротконогий

* *Лава* — скамейка, лавка, прикрепленная к стене избы (укр.).

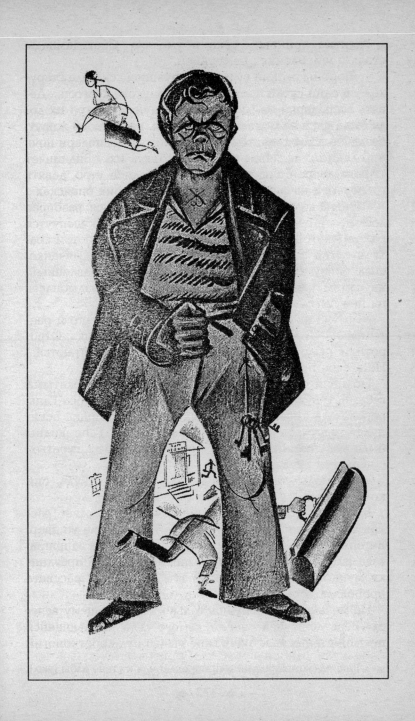

Юшко Трофим в размокшем треухе. Плечи его, накрытые снежным океаном, раздались и осели.

— Ну, просыпались,— забормотал он, подходя к саням, и поднял черное костистое лицо.

— А именно што?..— Гапа потянула к себе вожжи.— Ночью вся головка наехала,— сказал Трофим,— бабусю твою законвертовали... Голова рику приехал, секретарь райкому... Ивашку замели, на его должность — вороньковский судья...

Усы Трофима поднялись, как у моржа, снег шевелился на них. Гапа тронула лошадь, потом снова потянула вожжи.

— Трофиме, бабусю за што?..

— Кажуть, агитацию разводила про конец света...

Припадая на ногу, он пошел дальше, и сейчас же широкую его спину затерло небо, небо, слившееся с землей.

Подъехав к хате, Гапа постучала в окно кнутом. Дочери ее торчали у стола в шалях и башмаках, как на посиделках.

— Маты,— сказала старшая, сваливая мешки,— без вас приходила Одарка, взяла Гришку до дому...

Дочери накрыли на стол, поставили самовар. Поужинав, Гапа ушла в сельраду. Там, усевшись на лавках вдоль стен, молчали старики из села Великая Криница. Окно, разбитое во время прошлых споров, заделали листом фанеры, стекло лампы было протерто, к щербатой стене прибили плакат «Прохання не палить». Вороньковский судья, подняв плечи, читал у стола. Он читал книгу протоколов великокриницкой сельрады; воротник драпового его пальтишка был наставлен. Рядом за столом секретарь Харченко писал своему селу обвинительный акт. Он разносил по разграфленным листам все преступления, недоимки и штрафы, все раны, явные и скрытые. Приехав в село, Осмоловский, судья из Воронькова, отказался созвать сборы, общее собрание граждан, как это делали уполномоченные до него, он не произнес речи и только приказал составить список недоимщиков, бывших торговцев, списки их имущества, посевов и усадеб.

Великая Криница молчала, присев на лавки. Свист и треск Харченкиного пера юлил в тишине. Движение пронеслось и замерло, когда в сельраду вошла Гапа. Голова Евдоким Назаренко оживился, увидев ее.

— То есть первейший наш актив, товарищ судья,— Евдоким захохотал и потер ладони,— вдова наша, всех парубков нам перепортила...

Гапа, щурясь, стояла у двери. Гримаса тронула губы Осмоловского, узкий нос его сморщился. Он наклонил голову и сказал: «Здравствуйте».

— В колгосп первая записалась,— силясь разогнать тучу, Евдоким сыпал словами,— потом добрые люди подговорили, она и выписалась...

Гапа не двигалась. Кирпичный румянец лежал на ее лице.

— ...А кажуть добрые люди,— произнесла она звучным, низким своим голосом,— кажуть, что в колгоспе весь народ под одним одеялом спать будет...

Глаза ее смеялись в неподвижном лице.

— ...А я этому противница, гуртом спать, мы по двох любим, и горилку, батькови нашему черт, любим...

Мужики засмеялись и оборвали. Гапа щурилась. Судья поднял воспаленные глаза и кивнул ей. Он съежился еще больше, забрал голову в узкие рыжие руки и снова погрузился в книгу великокриницких протоколов. Гапа повернулась, статная ее спина зажглась перед оставшимися.

Во дворе, на мокрых досках, расставив колени, сидел дед Абрам, заросший диким мясом. Желтые космы падали на его плечи.

— Что ты, диду?— спросила Гапа.

— Журюсь,— сказал дед.

Дома у нее дочери уже легли. Поздней ночью, наискосок, в хатыне комсомольца Нестора Тягая ртутным языком повис огонек. Осмоловский пришел на отведенную ему квартиру. На лавку брошен был тулуп, судью ждал ужин — миска простокваши и краюха хлеба с луковицей. Сняв очки, он прикрыл ладонями больные глаза — судья, прозванный в районе «двести шестнадцать процентов». Этой цифры он добился на хлебозаготовках в буйном селе Воронькове. Тайны, песни, народные поверья облекали проценты Осмоловского.

Он жевал хлеб и луковицу и разостлал перед собой «Правду», инструкции райкома и сводки Наркомзема по коллективизации. Было поздно, второй час ночи, когда дверь его раскрылась и женщина, накрест стянутая шалью, переступила порог.

— Судья,— сказала Гапа,— что с блядьми будет?..

Осмоловский поднял лицо, обтянутое рябоватым огнем.

— Выведутся.

— Житье будет блядям или нет?

— Будет,— сказал судья,— только другое, лучшее.

Баба невидящими глазами уставилась в угол. Она тронула монисто на груди.

— Спасыби на вашем слове...

Монисто зазвенело. Гапа вышла, притворив за собой дверь.

Беснующаяся, режущая ночь набросилась на нее, кустарники туч, горбатые льдины с черным блеском в них. Просветляясь, низко неслись облака. Безмолвие распростерлось над Великой Криницей, над плоской, могильной, обледенелой пустыней деревенской ночи.

Конец богадельни

В пору голода не было в Одессе людей, которым жилось бы лучше, чем богадельщикам на втором еврейском кладбище. Купец суконным товаром Кофман когда-то воздвиг в память жены своей Изабеллы богадельню рядом с кладбищенской стеной. Над этим соседством много потешались в кафе Фанкони. Но прав оказался Кофман. После революции призреваемые на кладбище старики и старухи захватили должности могильщиков, канторов, обмывальщиц. Они завели себе дубовый гроб с покрывалом и серебряными кистями и давали его напрокат бедным людям.

Тес в то время исчез из Одессы. Наемный гроб не стоял без дела. В дубовом ящике покойник отстаивался у себя дома и на панихиде; в могилу же его сваливали облаченным в саван. Таков забытый еврейский закон.

Мудрецы учили, что не следует мешать червям соединиться с падалью, она нечиста. «Из земли ты произошел и в землю обратишься».

Оттого, что старый закон возродился, старики получали к своему пайку приварок, который никому в те годы не снился. По вечерам они пьянствовали в погребке Залмана Криворучки и подавали соседям объедки.

Благополучие их не нарушалось до тех пор, пока не случилось восстания в немецких колониях. Немцы убили в бою коменданта гарнизона Герша Лугового.

Его хоронили с почестями. Войска прибыли на кладбище с оркестрами, походными кухнями и пулеметами на тачанках. У раскрытой могилы были произнесены речи и даны клятвы.

— Товарищ Герш,— кричал, напрягаясь, Ленька Бройтман, начальник дивизии,— вступил в РСДРП большевиков в тысяча девятьсот одиннадцатом году, где проводил работу пропагандиста и агента связи. Репрессиям товарищ Герш начал подвергаться вместе с Соней Яновской, Иваном Соколовым и Моносзоном в тысяча девятьсот тринадцатом году в городе Николаеве...

Арье-Лейб, староста богадельни, держался со своими товарищами наготове. Ленька не успел кончить прощальное слово, как старики начали поворачивать гроб на сторону, чтобы вывалить мертвеца, прикрытого знаменем. Ленька незаметно толкнул Арье-Лейба шпорой.

— Отскочь,— сказал он,— отскочь отсюда... Герш заслужил у Республики...

На глазах оцепеневших стариков Луговой был зарыт вместе с дубовым ящиком, кистями и черным покрывалом, на котором серебром были вытканы щиты Давида и стих из древнееврейской заупокойной молитвы.

— Мы мертвые люди,— сказал Арье-Лейб своим товарищам после похорон,— мы у фараона в руках...

И он бросился к заведующему кладбищем Бройдину с просьбой о выдаче досок для нового гроба и сукна для покрывала. Бройдин пообещал, но ничего не сделал. В его планы не входило обогащение стариков. Он сказал в конторе:

— Мне больше сердце болит за безработных коммунальников, чем за этих спекулянтов...

Бройдин пообещал, но ничего не сделал. В погребке Залмана Криворучки на его голову и на головы членов союза коммунальников сыпались талмудические проклятия. Старики закляли мозг в костях Бройдина и членов союза, свежее семя в утробе их жен и пожелали каждому из них особый вид паралича и язвы.

Доход их уменьшился. Паек состоял теперь из синей похлебки с рыбьими костями. На второе подавалась ячная каша, ничем не подмасленная.

Старик из Одессы может есть всякую похлебку, из чего бы она ни была сварена, если только в нее положены лавровый лист, чеснок и перец. Тут ничего этого не было.

Богадельня имени Изабеллы Кофман разделила общую участь. Ярость изголодавшихся стариков возрастала. Она обрушилась на голову человека, который меньше всего ждал этого. Этим человеком оказалась докторша Юдифь Шмайсер, пришедшая в богадельню прививать оспу.

Губисполком издал распоряжение об обязательном оспопрививании. Юдифь Шмайсер разложила на столе свои инструменты и зажгла спиртовку. Перед окнами стояли изумрудные стены кладбищенских кустов. Голубой язычок пламени мешался с июньскими молниями.

Ближе всего к Юдифи стоял Меер Бесконечный, тощий старик. Он угрюмо следил за ее приготовлениями.

— Разрешите вас уколоть,— сказала ему Юдифь и взмахнула пинцетом. Она стала вытягивать из тряпья голубую плеть его руки.

Старик отдернул руку:

— Меня не во что колоть...

— Больно не будет,— вскричала Юдифь,— в мякоть не больно...

— У меня нет мякоти,— сказал Меер Бесконечный,— меня не во что колоть...

Из угла комнаты ему ответили глухим рыданием. Это рыдала Доба-Лея, бывшая повариха на обрезаниях. Меер искривил истлевшие щеки.

— Жизнь — смитье,— пробормотал он,— свет — бордель, люди — аферисты...

Пенсне на носике Юдифи закачалось, грудь ее вышла из накрахмаленного халата. Она открыла рот для того, чтобы объяснить пользу оспопрививания, но ее остановил Арье-Лейб, староста богадельни.

— Барышня,— сказал он,— нас родила мама так же, как и вас. Эта женщина, наша мама, родила нас для того, чтобы мы жили, а не мучались. Она хотела, чтобы мы жили хорошо, и она была права, как может быть права мать. Человек, которому хватает того, что Бройдин ему отпускает,— этот человек недостоин материала, который пошел на него. Ваша цель, барышня, состоит в том, чтобы прививать оспу, и вы, с божьей помощью, прививаете ее. Наша цель состоит в том, чтобы дожить нашу жизнь, а не домучить ее, и мы не исполняем этой цели.

Доба-Лея, усатая старуха с львиным лицом, зарыдала еще громче, услышав эти слова. Она зарыдала басом.

— Жизнь — смитье,— повторил Меер Бесконечный,— люди — аферисты...

Парализованный Симон-Вольф схватился за руль своей тележки и, визжа и выворачивая ладони, двинулся к двери. Ермолка сдвинулась с малиновой, раздутой его головы.

Вслед за Симоном-Вольфом на главную аллею, рыча и гримасничая, вывалились все тридцать стариков и старух. Они потрясали костылями и ревели, как голодные ослы.

Сторож, увидев их, захлопнул кладбищенские ворота. Могильщики подняли вверх лопаты с налипшей на них землей и корнями трав и остановились в изумлении.

На шум вышел бородатый Бройдин, в крагах и кепи велосипедиста и в кургузом пиджачке.

— Аферист,— закричал ему Симон-Вольф,— нас не во что колоть... У нас на руках нет мяса...

Доба-Лея оскалилась и зарычала. Тележкой парализованного она стала наезжать на Бройдина. Арье-Лейб начал, как всегда, с иносказаний, с притч, крадущихся издалека и к цели, не всем видимой.

Он начал с притчи о рабби Осии, отдавшем свое имущество детям, сердце — жене, страх — Богу, подать — цезарю и оставившему себе только место под масличным деревом, где солнце, закатываясь, светило дольше всего. От рабби Осии Арье-Лейб перешел к доскам для нового гроба и к пайку.

Бройдин расставил ноги в крагах и слушал, не поднимая глаз. Коричневое заграждение его бороды лежало неподвижно на новом френче; он, казалось, отдается печальным и мирным мыслям.

— Ты простишь меня, Арье-Лейб,— Бройдин вздохнул, обращаясь к кладбищенскому мудрецу,— ты простишь меня, если я скажу, что не могу не видеть в тебе задней мысли и политического элемента... За твоей спиной я не могу не видеть, Арье-Лейб, тех, кто знает, что они делают, точно так же, как и ты знаешь, что ты делаешь...

Тут Бройдин поднял глаза. Они мгновенно залились белой водой бешенства. Трясущиеся холмы его зрачков уперлись в стариков.

— Арье-Лейб,— сказал Бройдин сильным своим голосом,— прочитай телеграммы из Татреспублики, где крупные количества татар голодают, как безумные... Прочитай воззвание питерских пролетариев, которые работают и ждут, голодая, у своих станков...

— Мне некогда ждать,— прервал заведующего Арье-Лейб,— у меня нет времени...

— Есть люди,— ничего не слыша, гремел Бройдин,— которые живут хуже тебя, и есть тысячи людей, которые живут хуже тех, кто живет хуже тебя... Ты сеешь неприятности, Арье-Лейб, ты получишь завирюху. Вы будете мертвыми людьми, если я отвернусь от вас. Вы умрете, если я пойду своей дорогой, а вы своей. Ты умрешь, Арье-Лейб. Ты умрешь, Симон-Вольф. Ты умрешь, Меер Бесконечный. Но перед тем, как вам умереть, скажите мне,— я интересуюсь это знать,— есть у нас Советская власть или, может быть, ее нет у нас? Если ее нет у нас и я ошибся,— тогда отведите меня к господину Берзону на угол Дерибасовской и Екатерининской, где я отработал жилеточником все годы моей жизни... Скажи мне, что я ошибся, Арье-Лейб...

И заведующий кладбищем вплотную подошел к калекам. Трясущиеся его зрачки были выпущены на них. Они неслись на помертвевшее, застонавшее стадо, как лучи прожекторов, как языки пламени. Краги Бройдина трещали, пот кипел на изрытом лице, он все ближе подступал к Арье-Лейбу и требовал ответа — не ошибся ли он, считая, что Советская власть уже наступила...

Арье-Лейб молчал. Молчание это могло бы стать его гибелью, если бы в конце аллеи не показался босой Федька Степун в матросской рубахе.

Федьку контузили когда-то под Ростовом, он жил на излечении в хибарке рядом с кладбищем, носил на оранжевом полицейском шнуре свисток и наган без кобуры.

Федька был пьян. Каменные завитки кудрей выложены были на его лбу. Под завитками кривилось судорогой скуластое лицо. Он подошел к могиле Лугового, обнесенной увядшими венками.

— Где ты был, Луговой,— сказал Федька покойнику,— когда я Ростов брал?..

Матрос заскрипел зубами, засвистел в полицейский свисток и вытащил из-за пояса наган. Вороненое дуло револьвера осветилось.

— Подавили царей,— закричал Федька,— нету царей... Всем без гробов лежать...

Матрос сжимал револьвер. Грудь его была обнажена. На ней татуировкой разрисовано было слово «Рива» и дракон, голова которого загибалась к соску.

Могильщики с поднятыми вверх лопатами столпились вокруг Федьки. Женщины, обмывавшие покойников, вышли из своих клетей и приготовились реветь вместе с Добой-Леей. Воющие волны бились о запертые кладбищенские ворота.

Родственники, привезшие покойников на тачках, требовали, чтобы их впустили. Нищие колотили костылями об решетки.

— Подавили царей.— Матрос выстрелил в небо.

Люди прыжками понеслись по аллее. Бройдин медленно покрывался бледностью. Он поднял руку, согласился на все требования богадельни и, повернувшись по-солдатски, ушел в контору. Ворота в то же мгновение разъехались. Родственники умерших, толкая перед собой тележки, бойко катили их по дорожкам. Самозванные канторы пронзительными фальцетами запели

«Эль молей рахим»* над разрытыми могилами. Вечером они отпраздновали свою победу у Криворучки. Федьке поднесли три кварты бессарабского вина.

— «Гэвэл гаволим»**,— чокаясь с матросом, сказал Арье-Лейб,— ты душа-человек, с тобой можно жить... «Кулой гэвэл»***...

Хозяйка, жена Криворучки, перемывала за стенкой стаканы.

— Если у русского человека попадается хороший характер,— заметила мадам Криворучка,— так это действительно роскошь...

Федьку вывели во втором часу ночи.

— Гэвэл гаволим,— бормотал он губительные, непонятные слова, пробираясь по Степовой улице,— кулой гэвэл...

На следующий день старикам в Богадельне выдали по четыре куска пиленого сахару и мясо к борщу. Вечером их повезли в Городской театр на спектакль, устроенный Соцобесом. Шла «Кармен». Впервые в жизни инвалиды и уродцы увидели золоченые ярусы одесского театра, бархат его барьеров, масляный блеск его люстр.

В антрактах всем роздали бутерброды с ливерной колбасой.

На кладбище стариков отвезли на военном грузовике. Взрываясь и грохоча, он пролагал свой путь по замерзшим улицам. Старики заснули с оттопыренными животами. Они отрыгивались во сне и дрожали от сытости, как забегавшиеся собаки.

Утром Арье-Лейб встал раньше других. Он обратился к востоку, чтобы помолиться, и увидел на дверях объявление. В бумажке этой Бройдин извещал, что богадельня закрывается для ремонта и все призреваемые имеют сего числа явиться в Губернский отдел социального обеспечения для перерегистрации по трудовому признаку.

Солнце всплыло над верхушками зеленой кладбищенской рощи. Арье-Лейб поднес пальцы к глазам. Из потухших впадин выдавилась слеза.

* Заупокойная еврейская молитва.
** Суета сует (*евр.*).
*** И всяческая суета (*евр.*).

Каштановая аллея, светясь, уходила к мертвецкой. Каштаны были в цвету, деревья несли высокие белые цветы на растопыренных лапах. Незнакомая женщина в шали, туго подхватывавшей грудь, хозяйничала в мертвецкой. Там все было переделано наново — стены украшены елками, столы выскоблены. Женщина обмывала младенца. Она ловко ворочала его с боку на бок: вода бриллиантовой струей стекала по вдавившейся, пятнистой спинке.

Бройдин в крагах сидел на ступеньках мертвецкой. У него был вид отдыхающего человека. Он снял свое кепи и вытирал лоб желтым платком.

— В союзе я так и сказала товарищу Андрейчику,— голос незнакомой женщины был певуч,— мы работы не бежим... О нас пусть спросят в Екатеринославе... Екатеринослав знает нашу работу...

— Устраивайтесь, товарищ Блюма, устраивайтесь,— мирно сказал Бройдин, пряча в карман желтый платок,— со мной можно ладить... Со мной можно ладить...— повторил он и обратил сверкающие глаза к Арье-Лейбу, подтащившемуся к самому крыльцу,— не надо только плевать мне в кашу...

Бройдин не окончил своей речи: у ворот остановилась пролетка, запряженная высокой вороной лошадью. Из пролетки вылез заведующий комхозом в отложной рубашке. Бройдин подхватил его и повел к кладбищу.

Старый портняжеский подмастерье показал своему начальнику столетнюю историю Одессы, покоящуюся под гранитными плитами. Он показал ему памятники и склепы экспортеров пшеницы, корабельных маклеров и негоциантов, построивших русский Марсель на месте поселка Хаджибей. Они лежали тут — лицом к воротам — Ашкенази, Гессены и Эфрусси,— лощеные скупцы, философические гуляки, создатели богатств и одесских анекдотов. Они лежали под памятниками из лабрадора и розового мрамора, отгороженные цепями каштанов и акаций от плебса, жавшегося к стенам.

— Они не давали жить при жизни,— Бройдин стучал по памятнику сапогом,— они не давали умереть после смерти...

Воодушевившись, он рассказал заведующему комхозом свою программу переустройства кладбищ и план кампании против погребального братства.

— И вот этих убрать.— Заведующий указал на нищих, выстроившихся у ворот.

— Делается,— ответил Бройдин,— понемножку все делается...

— Ну, двигай,— сказал заведующий Майоров,— у тебя, отец, порядочек... Двигай...

Он занес ногу на подножку пролетки и вспомнил о Федьке.

— Это что за петрушка была?..

— Контуженый парень,— опустив глаза, сказал Бройдин,— и бывает невыдержанный... Но теперь ему объяснили, и он извиняется...

— Варит котелок,— сказал Майоров своему спутнику, отъезжая,— ворочает как надо...

Высокая лошадь несла к городу его и заведующего отделом благоустройства. По дороге им встретились старики и старухи, выгнанные из богадельни. Они прихрамывали, согнувшись под узелками, и плелись молча. Разбитные красноармейцы сгоняли их в ряды. Тележки парализованных скрипели. Свист удушья, покорное хрипение вырывалось из груди отставных канторов, свадебных шутов, поварих на обрезаниях и отслуживших приказчиков.

Солнце стояло высоко. Зной терзал груду лохмотьев, тащившихся по земле. Дорога их лежала по безрадостному, выжженному каменистому шоссе, мимо глинобитных хибарок, мимо полей, задавленных камнями, мимо раскрытых домов, разрушенных снарядами, и чумной горы. Невыразимо печальная дорога вела когда-то в Одессе от города к кладбищу.

Дорога

Я ушел с развалившегося фронта в ноябре семнадцатого года. Дома мать собрала мне белья и сухарей. В Киев я угодил накануне того дня, когда Муравьев начал бомбардировку города. Мой путь лежал на Петербург. Двенадцать суток отсидели мы в подвале гостиницы Хаима Цирюльника на Бессарабке. Пропуск на выезд я получил от коменданта советского Киева.

В мире нет зрелища унылее, чем Киевский вокзал. Временные деревянные бараки уже много лет оскверняют подступ к городу. На мокрых досках трещали вши. Дезертиры, мешочники, цыгане валялись вперемешку. Старухи галичанки мочились на перрон стоя. Низкое небо было изборождено тучами, налито мраком и дождем.

Трое суток прошло, прежде чем ушел первый поезд. Вначале он останавливался через каждую версту, потом разошелся, колеса застучали горячей, запели сильную песню. В нашей теплушке это сделало всех счастливыми. Быстрая езда делала людей счастливыми в восемнадцатом году. Ночью поезд вздрогнул и остановился. Дверь теплушки разошлась, зеленое сияние снегов открылось нам. В вагон вошел станционный телеграфист в дохе, стянутой ремешком, и мягких кавказских сапогах. Телеграфист протянул руку и пристукнул пальцем по раскрытой ладони.

— Документы об это место...

Первой у двери лежала на тюках неслышная, свернувшаяся старуха. Она ехала в Любань к сыну-железнодорожнику. Рядом со мной дремали, сидя, учитель Иегуда Вейнберг с женой. Учитель женился несколько дней тому назад и увозил молодую в Петербург. Всю дорогу они шептались о комплексном методе преподавания, потом заснули. Руки их и во сне были сцеплены, вдеты одна в другую.

Телеграфист прочитал их мандат, подписанный Луначарским, вытащил из-под дохи маузер с узким и грязным дулом и выстрелил учителю в лицо.

У женщины вздулась мягкая шея. Она молчала. Поезд стоял в степи. Волнистые снега роились полярным блеском. Из вагонов на полотно выбрасывали евреев. Выстрелы звучали неровно, как возгласы. Мужик с развязавшимся треухом отвел меня за обледеневшую поленницу дров и стал обыскивать. На нас, затмеваясь, светила луна. Лиловая стена леса курилась. Чурбаки негнувшихся мороженых пальцев ползли по моему телу. Телеграфист крикнул с площадки вагона:

— Жид или русский?

— Русский,— роясь во мне, пробормотал мужик,— хучь в раббины отдавай...

Он приблизил ко мне мятое озабоченное лицо,— отодрал от кальсон четыре золотых десятирублевки, зашитых матерью на дорогу, снял с меня сапоги и пальто, потом, повернув спиной, стукнул ребром ладони по затылку и сказал по-еврейски:

— Анклойф, Хаим*...

Я пошел, ставя босые ноги в снег. Мишень зажглась на моей спине, точка мишени проходила сквозь ребра. Мужик не выстрелил. В колоннах сосен, в накрытом подземелье леса качался огонек в венце багрового дыма. Я добежал до сторожки. Она курилась в кизяковом дыму. Лесник застонал, когда я ворвался в будку. Обмотанный полосами, нарезанными из шуб и шинелей, он сидел в бамбуковом бархатном креслице и крошил табак у себя на коленях. Растягиваемый дымом, лесник стонал, потом, поднявшись, он поклонился мне в пояс:

— Уходи, отец родной. Уходи, родной гражданин...

Он вывел меня на тропинку и дал тряпку, чтобы обмотать ноги. Я добрел до местечка поздним утром. В больнице не оказалось доктора, чтобы отрезать отмороженные мои ноги; палатой заведовал фельдшер. Каждое утро он подлетал к больнице на вороном коротком жеребце, привязывал его к коновязи и входил к нам воспламененный, с ярким блеском в глазах.

— Фридрих Энгельс,— светясь углями зрачков, фельдшер склонялся к моему изголовью,— учит вашего брата, что нации не должны существовать, а мы обратно говорим,— нация обязана существовать...

Срывая повязки с моих ног, он выпрямлялся и, скрипя зубами, спрашивал негромко:

— Куда? Куда вас носит... Зачем она едет, ваша нация?.. Зачем мутит, турбуется...

* Беги, Хаим (евр.).

Совет вывез нас ночью на телеге — больных, не поладивших с фельдшером, и старых евреек в париках, матерей местечковых комиссаров.

Ноги мои зажили. Я двинулся дальше по нищему пути на Жлобин, Оршу, Витебск.

Дуло гаубичного орудия служило мне прикрытием на перегоне Ново-Сокольники — Локня. Мы ехали на открытой площадке. Федюха, случайный спутник, проделывавший великий путь дезертиров, был сказочник, острослов, балагур. Мы спали под могучим, коротким, задранным вверх дулом и согревались друг от друга в холстинной яме, устланной сеном, как логово зверя. За Локней Федюха украл мой сундучок и исчез. Сундучок выдан был местечковым Советом и заключал в себе две пары солдатского белья, сухари и несколько денег. Двое суток — мы приближались к Петербургу — прошли без пищи. На Царскосельском вокзале я отбыл последнюю стрельбу. Заградительный отряд палил в воздух, встречая подходивший поезд. Мешочников вывели на перрон, с них стали срывать одежду. На асфальт, рядом с настоящими людьми, валились резиновые, налитые спиртом. В девятом часу вечера вокзал вышвырнул меня на Загородный проспект из воющего своего острога. На стене, через улицу, у заколоченной аптеки, термометр показывал 24 градуса мороза. В туннеле Гороховой гремел ветер; над каналом закатывался газовый рожок. Базальтовая, остывшая Венеция стояла недвижимо. Я вошел в Гороховую, как в обледенелое поле, заставленное скалами.

В доме номер два, в бывшем здании градоначальства, помещалась Чека. Два пулемета, две железные собаки, подняв морду, стояли в вестибюле. Я показал коменданту письма Вани Калугина, моего унтер-офицера в Шуйском полку. Калугин стал следователем в Чека; он звал меня в письмах.

— Ступай в Аничков,— сказал комендант,— он там теперь...

— Не дойти мне,— и я улыбнулся в ответ.

Невский Млечным Путем тек вдаль. Трупы лошадей отмечали его, как верстовые столбы. Поднятыми ногами лошади поддерживали небо, упавшее низко. Раскрытые животы их были чисты и блестели. Старик, похожий на гвардейца, провез мимо меня игрушечные резные сани. Напрягаясь, он вбивал в лед кожаные ноги, на макушке у него сидела тирольская шапочка, бечевка связывала бороду, сунутую в шаль.

— Не дойти мне,— сказал я старику.

Он остановился. Львиное, изрытое лицо его было полно спокойствия. Он подумал о себе и повлек сани дальше.

«Так отпадает необходимость завоевать Петербург»,— подумал я и попытался вспомнить имя человека, раздавленного копытами арабских скакунов в самом конце пути. Это был Иегуда Галеви.

Два китайца в котелках, с буханками хлеба под мышками стояли на углу Садовой. Зябким ногтем они отмечали дольки на хлебе и показывали их подходившим проституткам. Женщины безмолвным парадом проходили мимо них.

У Аничкова моста, у Клодтовых коней, я присел на выступ статуи.

Локоть мой подвернулся под голову, я растянулся на полированной плите, но гранит опалил меня, выстрелил мною, ударил и бросил вперед, ко дворцу.

В боковом, брусничного цвета, флигеле дверь была раскрыта. Голубой рожок блестел над заснувшим в креслах лакеем. В морщинистом чернильно-мертвенном лице спадала губа, облитая светом гимнастерка без пояса накрывала придворные штаны, шитый золотом позумент. Мохнатая, чернильная стрелка указывала путь к коменданту. Я поднялся по лестнице и прошел пустые низкие комнаты. Женщины, написанные черно и сумрачно, водили хороводы на потолках и стенах. Металлические сетки затягивали окна, на рамах висели отбитые шпингалеты. В конце анфилады, освещенный точно на сцене, сидел за столом в кружке соломенных мужицких волос — Калугин. Перед ним на столе горою лежали детские игрушки, разноцветные тряпицы, изорванные книги с картинками.

— Вот и ты,— сказал Калугин, поднимая голову,— здорово... Тебя здесь надо...

Я отодвинул рукой игрушки, разбросанные по столу, лег на блистающую его доску и... проснулся — прошли мгновения или часы — на низком диване. Лучи люстры играли надо мной в стеклянном водопаде. Срезанные с меня лохмотья валялись на полу в натекшей луже.

— Купаться,— сказал стоявший над диваном Калугин, поднял меня и понес в ванну. Ванна была старинная, с низкими бортами. Вода не текла из кранов. Калугин поливал меня из ведра. На палевых, атласных пуфах, на плетеных стульях без спинок разложена была одежда — халат с застежками, рубаха и носки из витого, двойного шелка. В кальсоны я ушел с головой, халат был скроен на гиганта, ногами я отдавливал себе рукава.

— Да ты шутишь с ним, что ли, с Александром Александровичем,— сказал Калугин, закатывая на мне рукава,— мальчик был пудов на девять...

Кое-как мы подвязали халат императора Александра Третьего и вернулись в комнату, из которой вышли. Это была библиотека Марии Федоровны, надушенная коробка с прижатыми к стенам золочеными, в малиновых полосах шкафами.

Я рассказал Калугину — кто убит у нас в Шуйском полку, кто выбран в комиссары, кто ушел на Кубань. Мы пили чай, в хрустальных стенах стаканов расплывались звезды. Мы заедали их колбасой из конины, черной и сыроватой. От мира отделял нас густой и легкий шелк гардин; солнце, вделанное в потолок, дробилось и сияло, душный жар налетал от труб парового отопления.

— Была не была,— сказал Калугин, когда мы разделались с кониной. Он вышел куда-то и вернулся с двумя ящиками — подарком султана Абдул-Гамида русскому государю. Один был цинковый, другой сигарный ящик, заклеенный лентами и бумажными орденами. «A sa majestè, l'Empereur de toutes les Russies*,— было выгравировано на цинковой крышке,— от доброжелательного кузена...»

Библиотеку Марии Федоровны наполнил аромат, который был ей привычен четверть столетия назад. Папиросы двадцать сантиметров в длину и толщиной в палец были обернуты в розовую бумагу; не знаю, курил ли кто в свете, кроме всероссийского самодержца,

---

* Его величеству, императору всероссийскому (*фр.*).

такие папиросы, но я выбрал сигару. Калугин улыбался, глядя на меня.

— Была не была,— сказал он,— авось не считаны... Мне лакеи рассказывали — Александр Третий был завзятый курильщик: табак любил, квас да шампанское... А на столе у него, погляди, пятачковые глиняные пепельницы да на штанах — латки...

И вправду, халат, в который меня облачили, был засален, лоснился и много раз чинен.

Остаток ночи мы провели, разбирая игрушки Николая Второго, его барабаны и паровозы, крестильные его рубашки и тетрадки с ребячьей мазней. Снимки великих князей, умерших в младенчестве, пряди их волос, дневники датской принцессы Дагмары, письма сестры ее, английской королевы, дыша духами и тленом, рассыпались под нашими пальцами. На титулах Евангелий и Ламартина подруги и фрейлины — дочери бургомистров и государственных советников — в косых старательных строчках прощались с принцессой, уезжавшей в Россию. Мелкопоместная королева Луиза, мать ее, позаботилась об устройстве детей; она выдала одну дочь за Эдуарда VII, императора Индии и английского короля, другую за Романова, сына Георга сделали королем греческим. Принцесса Дагмара стала Марией в России. Далеко ушли каналы Копенгагена, шоколадные баки короля Христиана. Рожая последних государей, маленькая женщина с лисьей злобой металась в частоколе преображенских гренадеров, но родильная ее кровь пролилась в неумолимую мстительную гранитную землю...

До рассвета не могли мы оторваться от глухой, гибельной этой летописи. Сигара Абдул-Гамида была докурена. Наутро Калугин повел меня в Чека, на Гороховую, 2. Он поговорил с Урицким. Я стоял за драпировкой, падавшей на пол суконными волнами. До меня долетали обрывки слов.

— Парень свой,— говорил Калугин,— отец лавочник, торгует, да он отбился от них... Языки знает...

Комиссар внутренних дел коммун Северной области вышел из кабинета раскачивающейся своей походкой.

За стеклами пенсне вываливались обожженные бессонницей, разрыхленные, запухшие веки.

Меня сделали переводчиком при Иностранном отделе. Я получил солдатское обмундирование и талоны на обед. В отведенном мне углу зала бывшего Петербургского градоначальства я принялся за перевод показаний, данных дипломатами, поджигателями и шпионами.

Не прошло и дня, как все у меня было,— одежда, еда, работа и товарищи, верные в дружбе и смерти, товарищи, каких нет нигде в мире, кроме как в нашей стране. Так началась тринадцать лет назад превосходная моя жизнь, полная мысли и веселья.

«Иван-да-Марья»

Сергей Васильевич Малышев, ставший потом председателем Нижегородского ярмарочного комитета, образовал летом восемнадцатого года первую в нашей стране продовольственную экспедицию. С одобрения Ленина он нагрузил несколько поездов товарами крестьянского обихода и повез их в Поволжье, для того чтобы там обменять на хлеб.

В эту экспедицию я попал конторщиком. Местом действия мы выбрали Ново-Николаевский уезд Самарской губернии. По вычислениям ученых этот уезд при правильном на нем хозяйствовании может прокормить всю Московскую область.

Неподалеку от Саратова, на прибрежной станции Увек, товары были перегружены на баржу. Трюм этой баржи превратился в самодельный универсальный магазин. Между выгнутыми ребрами плавучего склада мы прибили портреты Ленина и Маркса, окружили их колосьями, на полках расположили ситцы, косы, гвозди, кожу; не обошлось без гармоник и балалаек.

Там же, на Увеке, нам придали буксир — «Иван Тупицын», названный по имени волжского купца, прежнего хозяина. На пароходе разместился «штаб» — Малышев с помощниками и кассирами. Охрана и приказчики устроились в барже, под стойками.

Перегрузка заняла неделю. В июльское утро «Тупицын», вываливая жирные клубы дыма, потащил нас вверх по Волге, к Баронску. Немцы называли его Катариненштадт. Это теперь столица области немцев Поволжья, прекрасного края, населенного мужественными немногословными людьми.

Степь, прилегающая к Баронску, покрыта таким тяжелым золотом пшеницы, какое есть только в Канаде. Она завалена коронами подсолнухов и масляными глыбами чернозема. Из Петербурга, вылизанного гранитным огнем, мы перенеслись в русскую и этим еще более необыкновенную Калифорнию. Фунт хлеба стоил в нашей Калифорнии шестьдесят копеек, а не десять рублей, как на севере. Мы накинулись на булку с ожесточением, которого теперь нельзя передать; в паутинную мякоть вонзались собачьи отточившиеся зубы. Недели две после приезда нас томил хмель блаженного несварения желудка. Кровь, потекшая по жилам, имела — так мне казалось — вкус и цвет малинового варенья...

Малышев рассчитал верно: торговля пошла ходко. Со всех краев степи к берегу тянулись медленные потоки телег. По спинам сытых лошадей двигалось солнце. Солнце сияло на вершинах пшеничных холмов. Телеги тысячами точек спускались к Волге. Рядом с лошадьми шагали гиганты в шерстяных фуфайках, потомки голландских фермеров, переселенных при Екатерине в Приволжские урочища. Лица их остались такими же, как в Саардаме и Гаарлеме. Под патриархальным мхом бровей, в сети кожаных морщин, блестели капли поблекшей бирюзы. Дым трубок таял в голубых молниях, протянувшихся над степью. Колонисты медленно всходили на баржу по трапу; деревянные их башмаки стучали, как колокола твердости и покоя. Товар выбирали старухи в накрахмаленных чепцах и коричневых тальмах. Покупки выносились к бричкам. Доморощенные живописцы рассыпали вдоль этих возков охапки полевых цветов и розовые бычьи морды. Наружная сторона бричек была закрашена обыкновенно синим глубоким тоном. В нем горели восковые яблоки и сливы, тронутые солнечным лучом.

Из дальних мест приезжали на верблюдах. Животные ложились на берегу, расчерчивая горизонт сваливающимися горбами. Торговля наша кончалась к вечеру. Лавка запиралась; охрана, состоявшая из инвалидов, и приказчики разоблачались и прыгали с бортов в Волгу, подожженную закатом. В далекой степи красными валами ходили хлеба, в небе обрушивались стены заката. Купанье сотрудников продовольственной в Самарскую губернию экспедиции (так назывались мы в официальных бумагах) представляло собой необыкновенное зрелище. Калеки поднимали в воде илистые розовые фонтаны. Охранники были об одной ноге, другие недосчитывали руки или глаза. Они спрягались по двое, чтобы плавать. На двух человек приходилось две ноги, они колотили обрубками по воде, илистые струи втягивались водоворотом между их тел. Рыча и фыркая, калеки вываливались на берег; разыгравшись, они потрясали культяпками навстречу несущимся небесам, закидывали себя песком и боролись, уминая друг дружке обрубленные конечности. После купанья мы отправлялись ужинать в трактир Карла Бидермаера. Этот ужин увенчивал наши дни. Две девки с кроваво-кирпичными руками — Августа и Анна — подавали нам котлеты, рыжие булыжники, шевелившиеся в струях кипящего масла и заваленные скирдами жареного картофеля. Для вкуса в деревенскую городоподобную эту еду подбавляли лук и чеснок. Перед нами ставили банки с кислыми огурцами. Из круглых окошечек, вырезанных высоко, у потолка, шел с базарной площади дым заката. Огурцы курились в багровом дыму и пахли, как морской берег. Мы запивали мясо сидром. Обитатели Песков и Охты, обыватели пригородов, обледеневших в желтой моче, мы каждый вечер наново чувствовали себя завоевателями. Окошечки, высеченные в столетних черных стенах, походили на иллюминаторы. Сквозь них просвечивал дворик божественной чистоты, немецкий дворик с кустами роз и глициний, с фиолетовой пропастью раскрытой конюшни. Старухи в тальмах вязали у порогов чулки Гулливера. С пастбищ возвращались стада. Августа и Анна присаживались на скамеечки к коровам. В сумерках мерцали радужные коровьи глаза. Войны, казалось, не было и нет на свете. И все-таки фронт уральских казаков проходил в двадцати верстах от Баронска. Карл Бидермаер не догадывался о том, что гражданская война катится к его дому.

Ночью я возвращался в наш трюм с Селецким, таким же конторщиком, как и я. Он запевал по дороге. Из стрельчатых окон высовывались головы в колпаках. Лунный свет стекал по красным каналам черепицы. Глухой лай собак поднимался над русским Саардамом. Августы и Анны, окаменев, слушали пение Селецкого. Бас его доносил нас до степи, к готической изгороди хлебных амбаров. Лунные перекладины дрожали на реке, тьма была легка; она отступала к прибрежному песку; в порванном неводе загибались светящиеся черви.

Голос Селецкого был неестественной силы. Саженный детина, он принадлежал к тому разряду провинциальных Шаляпиных, которых, на счастье наше, рассеяно множество на Руси. У него было такое же лицо, как у Шаляпина,— не то шотландского кучера, не то екатерининского вельможи. Он был простоват, не в пример божественному своему прототипу, но голос его, безгранично, смертельно раздвигаясь, наполнял душу сладостью самоуничтожения и цыганского забытья. Кандальные песни он предпочитал итальянским ариям. От Селецкого первый раз услышал я гречаниновскую «Смерть». Грозно, неумолимо, страстно шло по ночам над темной водой:

...Она не забудет, придет, приголубит,
Обнимет, навеки полюбит,—
И брачный свой, тяжкий, наденет венец!..

В мгновенной оболочке, называемой человеком, песня течет, как вода вечности. Она все смывает и все родит.

Фронт проходил в двадцати верстах. Уральские казаки, соединившись с чешским батальоном майора Воженилика, пытались выбить из Николаевска разрозненные отряды красных. Севернее — из Самары — наступали войска Комуча — Комитета членов Учредительного собрания. Распыленные и необученные, наши части перегруппировались на левом берегу. Только что изменил Муравьев. Советским главнокомандующим был назначен Вацетис.

Оружие для фронта привозили из Саратова. Раз, а то и два раза в неделю к баронской пристани пришвартовывался бело-розовый самолетский пароход «Иван-да-Марья». Он привозил винтовки и снаряды. Палуба парохода бывала уставлена ящиками с набитыми по трафарету черепами, с надписью под черепами: «Смертельно».

Командовал пароходом Коростелев, испитой человек с льняным висячим волосом. Коростелев был бегун, неустроенная душа, бродяга. Он на парусниках ездил по Белому морю, пешком обошел Россию, побывал в тюрьме и в монастыре на послушании.

Возвращаясь от Бидермаера, мы всегда заходили к нему, если находили у пристани огни «Иван-да-Марьи». Однажды ночью, поравнявшись с хлебными амбарами, с волшебной этой линией синих и коричневых замков, мы увидели факел, пылавший высоко в небе. Мы возвращались с Селецким домой в том размягченном и страстном состоянии, какое может произвести необыкновенная эта сторона, молодость, ночь, тающие огненные кольца на реке.

Волга катилась неслышно. Огней не было на «Иван-да-Марье», корпус парохода темнел мертво, только факел рвался высоко над ним. Пламя металось над мачтой и чадило. Селецкий пел, побледнев и закинув голову. Он подошел к воде и оборвал. Мы взошли на мостики, никем не охраняемые. На палубе валялись ящики и орудийные колеса. Я толкнул дверь капитанской каюты, она открылась. На залитом столе горела без стекла жестяная лампа. Железка, окружавшая фитиль, плавилась. Окна были забиты горбатыми досками. От бидонов, валявшихся под столом, шел серный дух самогона. Коростелев в холщовой рубахе сидел на полу в зеленых струях блевотины. Монашеский волос, склеившись, стоял вокруг его лица. Коростелев, не отрываясь, смотрел с полу на своего комиссара латыша Ларсона. Тот, поставив перед собой желтый картон «Правды», читал его в свете плавящегося керосинового костра.

— Вот ты какой,— сказал с полу Коростелев,— продолжай то, что ты говорил... Мучай нас, если хочешь...

— Зачем я буду говорить,— отозвался Ларсон, повернулся спиной и отгородился своим картоном,— лучше я тебя послушаю...

На бархатном диване, свесив ноги, сидел рыжий мужик.

— Лисей,— сказал ему Коростелев,— водки.

— Вся,— ответил Лисей,— и достать негде...

Ларсон отставил картон и захохотал вдруг, точно дробь стал выбивать.

— Российскому человеку выпить требуется,— латыш говорил с акцентом,— у российского человека душа мало-мало разошлась, а тут достать негде... Зачем тогда Волга называется?..

Худая детская шея Коростелева вытянулась, ноги его в холщовых штанах разбросались по полу. Жалобное недоумение отразилось в его глазах, потом они засияли.

— Мучай нас,— сказал он чуть слышно и вытянул шею,— мучай нас, Карл...

Лисей сложил пухлые руки и посмотрел на латыша сбоку:

— Ишь, Волгу ремизит... Нет, товарищ, ты нашу Волгу не ремизь, не порочь... Знаешь, как у нас песня играется: «Волга-матушка, река-царица...»

Мы с Селецким все стояли у двери. Я подумывал об отступлении.

— Вот никоим образом не пойму,— обратился к нам Ларсон (он, видимо, продолжал давнишний спор),— может, товарищи разъяснят мне, как это так выходит, что железобетон оказывается хуже березок да осинок, а дирижабли хуже калуцкого дерьма?..

Лисей повертел головой в ваточном воротнике. Ноги его не доставали до полу, пухлыми пальцами, прижатыми к животу, он плел невидимую сеть.

— Что ты, друг, об Калуге знаешь,— успокоительно сказал Лисей,— в Калуге, я тебе скажу, знаменитый народ живет: великолепный, если желаешь знать, народ...

— Водки,— произнес с полу Коростелев.

Ларсон снова запрокинул поросячью свою голову и резко захохотал.

— Мы-ста да вы-ста,— пробормотал латыш, придвигая к себе картон,— авось да небось...

Бурный пот был на его лбу, в колтуне бесцветных волос плавали масляные струи огня.

— Авось да небось,— он снова фыркнул,— мы-ста да вы-ста...

Коростелев потрогал пальцами вокруг себя. Он двинулся и пополз, забирая вперед руками, таща за собой скелет в холщовой рубахе.

— Ты не смеешь мучить Россию, Карл,— прошептал он, подползши к латышу, ударил его сведенной ручкой по лицу и с визгом стал об него стучаться.

Тот надулся и поверх сползших очков осмотрел всех нас. Потом он обмотал вокруг пальцев шелковую реку волос Коростелева и вдавил его лицом в пол. Он поднял его и снова опустил.

— Получил,— отрывисто сказал Ларсон и отшвырнул костлявое тело,— и еще получишь...

Коростелев, упершись в ладони, приподнялся над полом по-собачьи. Кровь текла у него из ноздрей, глаза косили. Он поводил ими, потом вскинулся и с воем забрался под стол.

— Россия,— проговорил он под столом и забился,— Россия...

Лопаты босых его ступней выскочили и втянулись. Одно только слово — со свистом и стоном — можно было расслышать в его визге.

— Россия,— выл он, протягивая руки, и колотился головой.

Рыжий Лисей сидел на бархатном диване.

— С полдня завелись,— обернулся он ко мне и Селецкому,— все об Рассее бьются, все Рассею жалеют...

— Водки,— твердо сказал из-под стола Коростелев. Он вылез и стал на ноги. Волосы его, замокшие в кровавой луже, падали на щеку.

— Где водка, Лисей?

— Водка, друг, в Вознесенском, сорок верст, хошь по воде сорок верст, хошь по земле сорок верст... Там ноне храм, самогон обязан быть... Немцы, что хошь делай, не держат...

Коростелев повернулся и вышел на прямых журавлиных ногах.

— Мы калуцкие,— неожиданно закричал Ларсон.

— Не уважает Калугу,— вздохнул Лисей,— хоть ты што... А я в ей был, в Калуге... В ей стройный народ живет, знаменитый...

За стеной прокричали команду, послышался звук якоря, якорь пошел вверх. Брови Лисея поднялись.

— Никак в Вознесенское едем?..

Ларсон захохотал, откинув голову. Я выбежал из каюты. Босой Коростелев стоял на капитанском мостике. Медный отблеск луны лежал на раскроенном его лице. Сходни упали на берег. Матросы, кружась, наматывали канаты.

— Дмитрий Алексеевич,— крикнул вверх Селецкий,— нас-то отпусти, мы-то при чем?..

Машины, взорвавшись, перешли на беспорядочный стук. Колесо рыло воду. У пристани мягко разодралась сгнившая доска. «Иван-да-Марья» ворочал носом.

— Поехали,— сказал Лисей, вышедший на палубу,— поехали в Вознесенское за самогоном...

Раскручивая колесо, «Иван-да-Марья» набирал быстроту. В машине нарастала масляная толкотня, шелест, свист, ветер. Мы летели во мраке, не сворачивая по сторонам, сбивая бакены, сигнальные вешки и красные огни. Вода, пенясь под колесами, летела назад, как позлащенное крыло птицы. Луна врылась в черные водовороты. «Фарватер Волги извилист,— вспомнил я фразу из учебника,— он изобилует мелями...» Коростелев переминался на капитанском мостике. Голубая светящаяся кожа обтягивала его скулы.

— Полный,— сказал он в рупор.

— Есть полный,— ответил глухой невидимый голос.

— Еще дай...

Внизу молчали.

— Сорву машину,— ответил голос после молчания.

Факел сорвался с мачты и проволочился по крутящейся волне. Пароход качнулся; взрыв, продрожав, прошел по корпусу. Мы летели во мраке, никуда не сворачивая. На берегу взвилась ракета, по нас ударили трехдюймовкой. Снаряд просвистал в мачтах. Поваренок, тащивший по палубе самовар, поднял голову. Самовар выскользнул из его рук, покатился по лестнице, треснул, и блещущая струя понеслась по грязным ступеням. Поваренок оскалился, привалился к лестнице и заснул. Изо рта его забил смертный запах самогона. Внизу, среди замаслившихся цилиндров, кочегары, голые до пояса, ревели, размахивали руками, валились на пол. В жемчужном свечении валов отражались искаженные их лица. Команда парохода «Иван-да-Марья» была пьяна. Один рулевой твердо двигал свой круг. Он обернулся, увидев меня.

— Жид,— сказал мне рулевой,— что с детьми будет?..

— С какими детьми?

— Дети не учатся,— сказал рулевой, ворочая кругом,— дети воры будут...

Он приблизил ко мне свинцовые синие скулы и заскрипел зубами. Челюсти его скрежетали, как жернова. Зубы, казалось, размалываются в песок.

— Загрызу...

Я попятился от него. По палубе проходил Лисей.

— Что будет, Лисей?

— Должен довезти,— сказал рыжий мужик и сел на лавочку отдохнуть.

Мы спустили его в Вознесенском. «Храма» там не оказалось, ни огней, ни карусели. Пологий берег был темен, прикрыт низким небом. Лисей потонул в темноте. Его не было больше часу, он вынырнул у самой воды, нагруженный бидонами. Его сопровождала рябая баба, статная, как лошадь. Детская кофта, не по ней, обтягивала грудь бабы. Какой-то карлик в остроконечной ватной шапке и маленьких сапожках, разинув рот, стоял тут же и смотрел, как мы грузились.

— Сливочный,— сказал Лисей, ставя бидоны на стол,— самый сливочный самогон...

И гонка призрачного нашего корабля возобновилась. Мы приехали в Баронск к рассвету. Река расстилалась необозримо. Вода стекала с берега, оставляя атласную синюю тень. Розовый луч ударил в туман, повисший на клочьях кустов. Глухие крашеные стены амбаров, тонкие их шпили медленно повернулись и стали подплывать к нам. Мы подходили к Баронску под раскаты песни. Селецкий прочистил горло бутылкой самого сливочного и распелся. Тут все было — «Блоха» Мусоргского, хохот Мефистофеля и ария помешавшегося Мельника: «Не мельник я — я ворон...».

Босой Коростелев, перегнувшись, лежал на перильцах капитанского мостика. Голова его с прикрытыми веками поматывалась, рассеченное лицо было закинуто к небу, по нем блуждала неясная детская улыбка. Коростелев очнулся, когда мы замедлили ход.

— Алеша,— сказал он в рупор,— самый полный. И мы врезались в пристань с полного хода. Доска, помятая нами в прошлый раз, разлетелась. Машину застопорили вовремя.

— Вот и довез,— сказал Лисей, оказавшийся рядом со мной,— а ты, друг, опасывался...

На берегу выстроились уже чапаевские тачанки. Радужные полосы темнели и остывали на берегу, только что оставленном водой. У самой пристани валялись зарядные ящики, брошенные в прежние приезды. На одном из ящиков в папахе и неподпоясанной рубахе сидел Макеев, командир сотни у Чапаева. Коростелев пошел к нему, расставив руки.

— Опять я, Костя, начудил,— сказал он с детской своей улыбкой,— все горючее извел...

Макеев боком сидел на ящике, клочья папахи свисали над безбровыми желтыми дугами глаз. Маузер с некрашеной ручкой лежал у него на коленях. Он выстрелил, не оборачиваясь, и промахнулся.

— Фу-ты ну-ты,— пролепетал Коростелев, весь светясь,— вот ты и рассердился...— Он шире расставил худые руки.— Фу-ты ну-ты...

Макеев вскочил, завертелся и выпустил из маузера все патроны. Выстрелы прозвучали торопливо. Коростелев еще что-то хотел сказать, но не успел, вздохнул и упал на колени. Он опустился к ободьям, к колесам тачанки, лицо его разлетелось, молочные пластинки черепа прилипли к ободьям. Макеев, пригнувшись, выдергивал из обоймы последний застрявший патрон.

— Отшутились,— сказал он, обводя взглядом красноармейцев и всех нас, скопившихся у сходен.

Лисей, приседая, протрусил с попоной в руках и накрыл ею Коростелева, длинного, как дерево. На пароходе шла одиночная стрельба. Чапаевцы, бегая по палубе, арестовывали команду. Баба, приставив ладонь к рябому лицу, смотрела с борта на берег сощуренными, незрячими глазами.

— Я те погляжу,— сказал ей Макеев,— я научу горючее жечь...

Матросов выводили по одному. За амбарами их встречали немцы, высыпавшие из своих домов. Карл Бидермаер стоял среди своих земляков. Война пришла к его порогу.

В этот день нам выпало много работы. Большое село Фриденталь приехало за товаром. Цепь верблюдов легла у воды. Вдали, в бесцветной жести горизонта, завертелись ветряки.

До обеда мы ссыпали в баржу фридентальское зерно, к вечеру меня вызвал Малышев. Он умывался на палубе «Тупицына». Инвалид с зашпиленным рукавом сливал ему из кувшина. Малышев фыркал, кряхтел, подставляя щеки. Обтираясь полотенцем, он сказал своему помощнику, продолжая, видимо, ранее затеянный разговор:

— И правильно... Будь ты трижды хороший человек,— и в скитах ты был, и по Белому морю ходил, и человек ты отчаянный,— а вот горючее, сделай милость, не жги...

Мы пошли с Малышевым в каюту. Я обложился там ведомостями и стал писать под диктовку телеграмму Ильичу.

— Москва. Кремль. Ленину.

В телеграмме мы сообщали об отправке пролетариям Петербурга и Москвы первых маршрутов с пшеницей, двух поездов по двадцать тысяч пудов зерна в каждом.

Гюи де Мопассан

Зимой шестнадцатого года я очутился в Петербурге с фальшивым паспортом и без гроша денег. Приютил меня учитель русской словесности — Алексей Казанцев.

Он жил на Песках, в промерзшей, желтой, зловонной улице. Приработком к скудному его жалованью были переводы с испанского; в ту пору входил в славу Бласко Ибаньес.

Казанцев и проездом не бывал в Испании, но любовь к этой стране заполняла его существо — он знал в Испании все замки, сады и реки. Кроме меня, к Казанцеву жалось еще множество вышибленных из правильной жизни людей. Мы жили впроголодь. Изредка бульварные листки печатали мелким шрифтом наши заметки о происшествиях.

По утрам я околачивался в моргах и полицейских участках.

Счастливее нас был все же Казанцев. У него была родина — Испания.

В ноябре мне представилась должность конторщика на Обуховском заводе, недурная служба, освобождавшая от воинской повинности.

Я отказался стать конторщиком.

Уже в ту пору — двадцати лет от роду — я сказал себе: лучше голодовка, тюрьма, скитания, чем сидение за конторкой часов по десяти в день. Особой удали в этом обете нет, но я не нарушал его и не нарушу. Мудрость дедов сидела в моей голове: мы рождены для наслаждения трудом, дракой, любовью, мы рождены для этого и ни для чего другого.

Слушая мои рации, Казанцев ерошил желтый короткий пух на своей голове. Ужас в его взгляде перемешивался с восхищением.

На Рождестве к нам привалило счастье. Присяжный поверенный Бендерский, владелец издательства «Альциона», задумал выпустить в свет новое издание сочинений Мопассана. За перевод взялась жена присяжного поверенного — Раиса. Из барской затеи ничего не вышло.

У Казанцева, переводившего с испанского, спросили, не знает ли он человека в помощь Раисе Михайловне. Казанцев указал на меня.

На следующий день, облачившись в чужой пиджак, я отправился к Бендерским. Они жили на углу Невского и Мойки, в доме, выстроенном из финляндского гранита и обложенном розовыми колонками, бойницами, каменными гербами. Банкиры без роду и племени, выкресты, разжившиеся на поставках, настроили в Петербурге перед войной множество пошлых, фальшиво величавых этих замков.

По лестнице пролегал красный ковер. На площадках, поднявшись на дыбы, стояли плюшевые медведи. В их разверстых пастях горели хрустальные колпаки. Бендерские жили в третьем этаже. Дверь открыла горничная в наколке, с высокой грудью. Она ввела меня в гостиную, отделанную в древнеславянском стиле. На стенах висели синие картины Рериха — доисторические камни и чудовища. По углам — на поставцах — расставлены были иконы древнего письма. Горничная с высокой грудью торжественно двигалась по комнате. Она была стройна, близорука, надменна. В серых раскрытых ее глазах окаменело распутство. Девушка двигалась медленно. Я подумал, что в любви она, должно быть, ворочается с неистовым проворством. Парчовый полог, висевший над дверью, заколебался. В гостиную, неся большую грудь, вошла черноволосая женщина с розовыми глазами. Не нужно было много времени, чтобы узнать в Бендерской упоительную эту породу евреек, пришедших к нам из Киева и Полтавы, из степных, сытых городов, обсаженных каштанами и акациями. Деньги оборотистых своих мужей эти женщины переливают в розовый жирок на животе, на затылке, на круглых плечах. Сонливая, нежная их усмешка сводит с ума гарнизонных офицеров.

— Мопассан — единственная страсть моей жизни,— сказала мне Раиса.

Стараясь удержать качание больших бедер, она вышла из комнаты и вернулась с переводом «Мисс Гарриэт». В переводе ее не осталось и следа от фразы Мопассана, свободной, текучей, с длинным дыханием страсти. Бендерская писала утомительно правильно, безжизненно и развязно — так, как писали раньше евреи на русском языке.

Я унес рукопись к себе и дома в мансарде Казанцева — среди спящих — всю ночь прорубал просеки в чужом переводе. Работа эта не так дурна, как кажется. Фраза рождается на свет хорошей и дурной в одно и то же время. Тайна заключается в повороте, едва ощутимом. Рычаг должен лежать в руке и обогреваться. Повернуть его надо один раз, а не два.

Наутро я снес выправленную рукопись. Раиса не лгала, когда говорила о своей страсти к Мопассану. Она сидела недвижимо во время чтения, сцепив руки; атласные эти руки текли к земле, лоб ее бледнел, кружевце между отдавленными грудями отклонялось и трепетало.

— Как вы это сделали?

Тогда я заговорил о стиле, об армии слов, об армии, в которой движутся все роды оружия. Никакое железо не может войти в человеческое сердце так леденяще, как точка, поставленная вовремя. Она слушала, склонив голову, приоткрыв крашеные губы. Черный луч сиял в лакированных ее волосах, гладко прижатых и разделенных пробором. Облитые чулком ноги с сильными и нежными икрами расставились по ковру.

Горничная, уводя в сторону окаменевшие распутные глаза, внесла на подносе завтрак.

Стеклянное петербургское солнце ложилось на блеклый неровный ковер. Двадцать девять книг Мопассана стояли над столом на полочке. Солнце тающими пальцами трогало сафьяновые корешки книг — прекрасную могилу человеческого сердца.

Нам подали кофе в синих чашечках, и мы стали переводить «Идиллию». Все помнят рассказ о том, как голодный юноша-плотник отсосал у толстой кормилицы молоко, тяготившее ее. Это случилось в поезде, шедшем из Ниццы в Марсель, в знойный полдень, в стране роз, на родине роз, там, где плантации цветов спускаются к берегу моря...

Я ушел от Бендерских с двадцатью пятью рублями аванса. Наша коммуна на Песках была пьяна в этот вечер, как стадо упившихся гусей. Мы черпали ложкой зернистую икру и заедали ее ливерной колбасой. Захмелев, я стал бранить Толстого.

— Он испугался, ваш граф, он струсил... Его религия — страх... Испугавшись холода, старости, граф сшил себе фуфайку из веры...

— И дальше? — качая птичьей головой, спрашивал меня Казанцев.

Мы заснули рядом с собственными постелями. Мне приснилась Катя, сорокалетняя прачка, жившая под нами. По утрам мы брали у нее кипяток. Я и лица ее толком не успел разглядеть, но во сне мы с Катей Бог знает что делали. Мы измучили друг друга поцелуями. Я не удержался от того, чтобы зайти к ней на следующее утро за кипятком.

Меня встретила увядшая, перекрещенная шалью женщина, с распустившимися пепельно-седыми завитками и отсыревшими руками.

С этих пор я всякое утро завтракал у Бендерских. В нашей мансарде завелась новая печка, селедка, шоколад. Два раза Раиса возила меня на острова. Я не утерпел и рассказал ей о моем детстве. Рассказ вышел мрачным, к собственному моему удивлению. Из-под кротовой шапочки на меня смотрели блестящие испуганные глаза. Рыжий мех ресниц жалобно вздрагивал.

Я познакомился с мужем Раисы — желтолицым евреем с голой головой и плоским сильным телом, косо устремившимся к полету. Ходили слухи о его близости к Распутину. Барыши, получаемые им на военных поставках, придали ему вид одержимого. Глаза его блуждали, ткань действительности порвалась для него. Раиса смущалась, знакомя новых людей со своим мужем. По молодости лет я заметил это на неделю позже, чем следовало.

После Нового года к Раисе приехали из Киева две ее сестры. Я принес как-то рукопись «Признания» и, не застав Раисы, вернулся вечером. В столовой обедали. Оттуда доносилось серебристое кобылье ржанье и гул мужских голосов, неумеренно ликующих. В богатых домах, не имеющих традиций, обедают шумно. Шум был еврейский — с перекатами и певучими окончаниями. Раиса вышла ко мне в бальном платье с голой спиной. Ноги в колеблющихся лаковых туфельках ступали неловко.

— Я пьяна, голубчик.— И она протянула мне руки, унизанные цепями платины и звездами изумрудов.

Тело ее качалось, как тело змеи, встающей под музыку к потолку. Она мотала завитой головой, бренча перстнями, и упала вдруг в кресло с древнерусской резьбой. На пудреной ее спине тлели рубцы.

За стеной еще раз взорвался женский смех. Из столовой вышли сестры с усиками, такие же полногрудые и рослые, как Раиса. Груди их были выставлены вперед, черные волосы развевались. Обе были замужем за своими собственными Бендерскими. Комната наполнилась бессвязным женским весельем, весельем зрелых женщин. Мужья закутали сестер в котиковые манто, в оренбургские платки, заковали их в черные ботики; под снежным забралом платков остались только нарумяненные пылающие щеки, мраморные носы и глаза с семитическим близоруким блеском. Пошумев, они уехали в театр, где давали «Юдифь» с Шаляпиным.

— Я хочу работать,— пролепетала Раиса, протягивая голые руки,— мы упустили целую неделю...

Она принесла из столовой бутылку и два бокала. Грудь ее свободно лежала в шелковом мешке платья; соски выпрямились, шелк накрыл их.

— Заветная,— сказала Раиса, разливая вино,— мускат восемьдесят третьего года. Муж убьет меня, когда узнает...

Я никогда не имел дела с мускатом восемьдесят третьего года и не задумался выпить три бокала один за другим. Они тотчас же увели меня в переулки, где веяло оранжевое пламя и слышалась музыка.

— Я пьяна, голубчик... Что у нас сегодня?

— Сегодня у нас «L'aveu»...

— Итак, «Признание». Солнце — герой этого рассказа, le soleil de France*... Расплавленные капли солнца, упав на рыжую Селесту, превратились в веснушки. Солнце отполировало отвесными своими лучами, вином и яблочным сидром рожу кучера Полита. Два раза в неделю Селеста возила в город на продажу сливки, яйца и куриц. Она платила Политу за проезд десять су за себя и четыре су за корзину. И в каждую поездку Полит, подмигивая, справляется у рыжей Селесты: «Когда же мы позабавимся, ma belle?**» — «Что это значит, мсье Полит?» Подпрыгивая на козлах, кучер объяснил: «Позабавиться — это значит позабавиться, черт меня побери... Парень с девкой — музыки не надо...».

* Солнце Франции... (фр.)
** Красавица (фр.).

— Я не люблю таких шуток, мсье Полит,— ответила Селеста и отодвинула от парня свои юбки, нависшие над могучими икрами в красных чулках.

Но этот дьявол Полит все хохотал, все кашлял,— когда-нибудь мы позабавимся, ma belle,— и веселые слезы катились по его лицу цвета кирпичной крови и вина.

Я выпил еще бокал заветного мускатa. Раиса чокнулась со мной.

Горничная с окаменевшими глазами прошла по комнате и исчезла.

Ce diable de Polyte...* За два года Селеста переплатила ему сорок восемь франков. Это пятьдесят франков без двух. В конце второго года, когда они были одни в дилижансе и Полит, хвативший сидра перед отъездом, спросил по своему обыкновению: «А не позабавиться ли нам сегодня, мамзель Селеста?».— Она ответила, потупив глаза: «Я к вашим услугам, мсье Полит...».

Раиса с хохотом упала на стол. Ce diable de Polyte...

Дилижанс был запряжен белой клячей. Белая кляча с розовыми от старости губами пошла шагом. Веселое солнце Франции окружило рыдван, закрытый от мира порыжевшим козырьком. Парень с девкой, музыки им не надо...

Раиса протянула мне бокал. Это был пятый.

— Mon vieux**, за Мопассана...

— А не позабавиться ли нам сегодня, ma belle...

Я потянулся к Раисе и поцеловал ее в губы. Они задрожали и вспухли.

— Вы забавный,— сквозь зубы пробормотала Раиса и отшатнулась.

Она прижалась к стене, распластав обнаженные руки. На руках и на плечах у нее зажглись пятна. Изо всех Богов, распятых на кресте, это был самый обольстительный.

— Потрудитесь сесть, мсье Полит...

Она указала мне на косое синее кресло, сделанное в славянском стиле. Спинку его составляли сплетения,

* Этот пройдоха Полит... (*фр.*)
** Старина (*фр.*).

вырезанные из дерева с расписными хвостами. Я побрел туда, спотыкаясь.

Ночь подложила под голодную мою юность бутылку муската восемьдесят третьего года и двадцать девять книг, двадцать девять петард, начиненных жалостью, гением, страстью... Я вскочил, опрокинул стул, задел полку. Двадцать девять томов обрушились на ковер, страницы их разлетелись, они стали боком... и белая кляча моей судьбы пошла шагом.

— Вы забавный,— прорычала Раиса.

Я ушел из гранитного дома на Мойке в двенадцатом часу, до того, как сестры и муж вернулись из театра. Я был трезв и мог ступать по одной доске, но много лучше было шататься, и я раскачивался из стороны в сторону, распевая на только что выдуманном мною языке. В туннелях улиц, обведенных цепью фонарей, валами ходили пары тумана. Чудовища ревели за кипящими стенами. Мостовые отсекали ноги идущим по ним.

Дома спал Казанцев. Он спал сидя, вытянув тощие ноги в валенках. Канареечный пух поднялся на его голове. Он заснул у печки, склонившись над «Дон-Кихотом» издания 1624 года. На титуле этой книги было посвящение герцогу де Броглио. Я лег неслышно, чтобы не разбудить Казанцева, придвинул к себе лампу и стал читать книгу Эдуарда де Мениаль — «О жизни и творчестве Гюи де Мопассана».

Губы Казанцева шевелились, голова его сваливалась.

И я узнал в эту ночь от Эдуарда де Мениаль, что Мопассан родился в 1850 году от нормандского дворянина и Лауры де Пуатевен, двоюродной сестры Флобера. Двадцати пяти лет он испытал первое нападение наследственного сифилиса. Плодородие и веселье, заключенные в нем, сопротивлялись болезни. Вначале он страдал головными болями и припадками ипохондрии. Потом призрак слепоты стал перед ним. Зрение его слабело. В нем развилась мания подозрительности, нелюдимость и сутяжничество. Он боролся яростно, метался на яхте по Средиземному морю, бежал в Тунис, в Марокко, в Центральную Африку — и писал непрестанно. Достигнув славы, он перерезал себе на сороковом году жизни горло, истек кровью, но остался жив. Его заперли в сумасшедший дом. Он ползал там на четвереньках... Последняя надпись в его скорбном листе гласит:

«Monsieur de Maupassant va s'animaliser» («Господин Мопассан превратился в животное»). Он умер сорока двух лет. Мать пережила его.

Я дочитал книгу до конца и встал с постели. Туман подошел к окну и скрыл Вселенную. Сердце мое сжалось. Предвестие истины коснулось меня.

Нефть

«...Новостей много, как всегда... Шабсовичу дали премию за крекинг, ходит весь в «заграничном», начальство получило повышение. Узнав о назначении, все прозрели: парень вырос... По сему случаю встречаться с ним я перестала. «Выросши», парень почувствовал, что знает истину, которая от нас, обыкновенных смертных, скрыта, и напустил на себя такую стопроцентность и ортодоксальность (ортобокс, как говорит Харченко), что никуда не сдвинешь... Увиделись мы дня два тому назад, он спросил, почему я не поздравляю. Я ответила: кого поздравлять — его или Советскую власть?.. Он понял, вильнул, сказал: «Звоните...». Об этом немедленно пронюхала супруга. Вчера — звонок: «Клавдюша, мы теперь прикреплены к ГОРТ, если тебе нужно что из белья...». Я ответила, что надеюсь дожить до мировой революции со своей собственной книжкой...

Теперь — о себе. Да будет тебе известно — я управделами Нефтесиндиката. Намечалось давно, я отказывалась. Мои доводы — неспособность к канцелярской работе и затем желание поступить в Промакадемию... Вопрос четыре раза стоял на бюро, пришлось согласиться, теперь не раскаиваюсь... Отсюда ясная картина предприятия, кое-что удалось сделать, организовала экспедицию на нашу часть Сахалина, усилила разведку, много занимаюсь Нефтяным институтом. Зинаида при мне. Она здорова, скоро родит, перипетий было много... О беременности Зинаида сказала своему Максу Александровичу (я зову его Макс и Мориц) поздно, пошел четвертый месяц. Он изобразил восторг, запечатлел на Зинаидином лбу ледяной поцелуй и потом дал понять, что ему предстоит великое научное открытие, мысли его далеки от действительной жизни, нельзя себе вообразить что-нибудь более неприспособленное к семейной жизни, чем он, Макс Александрович Шоломович, но, конечно, он не задумается от всего отказаться и прочее, и прочее, прочее... Зинаида, будучи женщиной двадцатого столетия, заплакала, но характер выдержала... Ночью она не спала, задыхалась, вытягивала шею. Чуть свет, непричесанная, страшная, в старой юбке помчалась в Гипромез, наговорила ему, что она просит забыть вчерашнее, ребенка она уничтожит, но никогда этого людям не простит... Все это происходит в коридоре Гипромеза, в толкучке. Макс и Мориц краснеет, бледнеет, бормочет:

— Надо созвониться, встретиться...

Зинаида не дослушала, полетела ко мне и объявила:

— Завтра на работу не выйду!

Меня взорвало, сдерживаться не сочла нужным и левиты прочитала ей по-настоящему... Подумать только — девке четвертый десяток, красотой не блещет, хороший мужик на нее не высморкается, подвернулся этот Макс и Мориц (и то не на нее, а на чужую расу, на предков-аристократов полез), запопала от него штучку, держи, расти... Метисы от евреев очень хороши получаются, мы знаем — погляди, какой экземпляр у Ани,— да и когда рожать, если не теперь, когда мускулы живота еще действуют, когда можно еще плод этот выкормить?! На все один ответ: «Я не могу, чтобы у моего ребенка не было отца», то есть девятнадцатое столетие продолжается, папаша-генерал выйдет из кабинета с иконой и проклянет (или без иконы — не знаю, как там проклинали), девки стащут младенца в воспитательный или на деревню к кормилке...

— Вздор, Зинаида,— говорю я ей,— другие времена, другие песни, обойдемся без Макса и Морица...

Не успела я договорить, позвали на собрание. К тому времени остро стал вопрос о Викторе Андреевиче. Тут подоспело решение ЦК о том, чтобы в отмену прежнего варианта пятилетки довести в 1932 году добычу нефти до 40 миллионов тонн. Разработать материалы поручили плановикам, то есть Виктору Андреевичу. Он заперся у себя, потом вызывает меня и показывает письмо. Адресовано президиуму ВСНХ. Содержание: слагаю с себя ответственность за плановый отдел. Цифру в сорок миллионов тонн считаю произвольной. Больше трети предположено взять с неразведанных областей, что означает делить шкуру медведя, не только не убитого, но еще не выслеженного... Далее, с трех крекинг-установок, действующих сегодня, мы перескакиваем, согласно новому плану, к ста двадцати в последнем году пятилетки. Это при дефиците металла и при том, что сложнейшее производство крекингов у нас не освоено... Кончалось письмо так: подобно всем смертным я предпочитаю стоять за высокие темпы, но сознание долга... и прочее и прочее. Прочитала. Он спрашивает:

— Посылать или нет?

Я говорю:

— Виктор Андреевич, доводы ваши и вся установка для меня неприемлемы, но я не считаю себя вправе советовать скрывать свои взгляды...

Письмо он отослал. ВСНХ — на дыбы. Назначили собрание. От ВСНХ приехал Багриновский. На стене укрепили карту Союза с новыми месторождениями, с трубчатками, нефте- и продуктопроводами; как сказал Багриновский:

— Страна с новым кровообращением...

На собрании молодые инженеры из типа «всеядных» требовали поставить Виктора Андреевича на колени. Я выступила, говорила сорок пять минут. «Не сомневаясь в знаниях и доброй воле профессора Клоссовского и даже преклоняясь перед ним, мы отвергаем фетишизм цифр, в плену которых он находится»,— вот мысль, которую я защищала.

— Отвергнем таблицу умножения как правило государственной мудрости... На основании голых цифр можно ли было сказать, что мы выполним нефтяную пятилетку по части добычи в два с половиной года?.. На основании голых цифр можно ли было сказать, что мы с тысяча девятьсот тридцать первого года увеличим экспорт в девять раз и выйдем на второе место после Соединенных Штатов?

После меня выступил Мурадьян с критикой направления нефтепровода Каспий — Москва. Виктор Андреевич молча делал заметки. На щеках его выступил старческий румянец, румянец венозной крови... Мне было жалко, я не дослушала, ушла к себе. Зинаида все сидит в кабинете, сцепив руки.

— Будешь рожать,— спрашиваю,— или нет?

Она смотрит и не видит, голова пошатывается, говорит, и в словах нет звука.

— Нас двое, Клавдюша,— говорит она мне,— я и мое горе, точно горб приклеили... И как скоро все забывается, вот уж и не помню, как живут люди без несчастья...

Говорит она это, нос вытянулся еще больше, покраснел, мужицкие скулы (у дворян бывают такие скулы) выперли... Макс и Мориц, думаю, не больно бы воспламенился, увидев тебя такую... Я раскричалась, прогнала ее на кухню картошку чистить... Не смейся, приедешь — и тебя заставим. На проектировку Орского завода дали такие сроки, что конструкторская и чертежники сидят день и ночь, на обед Васена начистит им картошки с селедкой, изжарит яичницу — и снова трубят... Ушла она на кухню. Через минуту слышу крик. Прибегаю — Зинаида моя на полу, пульса нет, глаза закатились... Измучились мы с ней, нельзя сказать как: Виктор Андреевич, Васена и я. Вызвали доктора. Сознание вернулось к ней ночью, она потрогала мою руку,— ты знаешь Зину, необыкновенную ее нежность... Я вижу: все перегорело в ней за эти часы и все родилось вновь... Времени упускать было нельзя.

— Зинуша,— говорю я,— мы позвоним Розе Михайловне (она у нас по-прежнему по этим делам придворная), что ты раздумала, что ты не придешь... Можно мне звонить?

Она сделала знак, что можно, иди. На диване возле нее сидел Виктор Андреевич, все пульс щупал. Я отошла, слушаю — он говорит:

— Мне шестьдесят пять лет, Зинуша, тень от меня на землю все слабее ложится. Я ученый, старый человек, и вот Бог (все — Бог!) так сделал, что последние пять лет моей жизни совпадают с этой,— ну, вы знаете с чем — с пятилеткой... Теперь мне уж до самой смерти не передохнуть, не подумать о себе... И если бы по вечерам не приходила моя дочь и не хлопала меня по плечу, если бы сыновья не писали мне писем, я был бы так грустен, что и сказать нельзя... Родите, Зинуша, мы с Клавдией Павловной возьмем шефство.

Старик бормочет, я звоню Розе Михайловне, что вот, мол, душечка Роза Михайловна, Мурашова обещалась прийти завтра, так вот она раздумала... В телефон молодцеватый голос:

— Блестяще, что раздумала, совершенно чудно...

Придворная наша — все та же; розовая шелковая кофточка, английская юбка, завита, душ, гимнастика, хахали...

Перевезли Зинаиду домой, я уложила ее потеплее, заварила чаю. Спали мы вместе,— тут и поплакали, вспомнили, что не надо было, все обговорили, так, перемешав слезы, и заснули... Мой «черт» сидел тихонько, работал, переводил с немецкого техническую книгу. Ты бы, Даша, «черта» не узнала — он присмирел, съежился, притих. Меня это мучает... Целый день гнет спину в Госплане, вечером — переводы.

— Зинаида родит,— я ему говорю.— Как назвать мальчика? (О девочке никто не помышляет).— Решили — Иваном,— Юрии и Леониды надоели... Будет он парень, наверное, сволочеватый, с острыми зубами, зубов — на шестьдесят человек. Горючего мы ему наготовили, будет катать барышень куда-нибудь в Ялту, в Батум,— не то, что нас — на Воробьевы горы... До свидания, Даша. «Черт» напишет отдельно. Как твои дела?

Клавдия.

...Строчу у себя на службе, над головой грохот, с потолка валится штукатурка. Дом наш, оказывается, еще крепок, к прежним четырем этажам мы пристраиваем еще четыре. Москва вся разрыта, в окопах, завалена трубами, кирпичами, трамвайные линии перепутаны, ворочают хоботом привезенные из-за границы машины, трамбуют, грохочут, пахнет смолой, дым идет, как над пожарищем... Вчера на Варварской площади видела одного парня... Рожа широкая, красная бритая голова блестит, косоворотка без пояса, на босу ногу сандалии. Прыгали мы с ним с кочки на кочку, с горы на гору, вылезали, снова проваливались...

— Вот она, когда сражения пошла,— он мне говорит.— Теперь, барышня, в Москве самый фронт, самая война...

Рожа добрая, улыбается, как ребенок. Так его и вижу перед собой...»

Улица Данте

От пяти до семи гостиница наша «Hôtel Danton»* поднималась в воздух от стонов любви. В номерах орудовали мастера. Приехав во Францию с убеждением, что народ ее обессилел, я немало удивился этим трудам. У нас женщину не доводят до такого накала, далеко нет. Мой сосед Жан Бьеналь сказал мне однажды:

— Mon vieux, за тысячу лет нашей истории мы сделали женщину, обед и книгу... В этом никто нам не откажет...

В деле познания Франции Жан Бьеналь, торговец подержанными автомобилями, сделал для меня больше, чем книги, которые я прочитал, и города, которые я видел. Он спросил при первом знакомстве о моем ресторане, о моем кафе, о публичном доме, где я бываю. Ответ ужаснул его.

— On va refaire votre vie**.

...И мы ее переделали. Обедать мы стали в харчевне скотопромышленников и торговцев вином — против Halles aux vins***.

Деревенские девки в шлепанцах подавали нам омаров в красном соусе, жаркое из зайца, начиненного чесноком и трюфелями, и вино, которого нельзя было достать в другом месте. Заказывал Бьеналь, платил я, но платил столько, сколько платят французы. Это не было дешево, но это была настоящая цена. И эту же цену я платил в публичном доме, содержимом несколькими сенаторами возле Gare St. Lazare****. Бьеналю стоило большего

---

*   Отель Дантон (фр.).
**   Нужно переделать вашу жизнь... (фр.).
***   Винный рынок (фр.).
**** Вокзал Сент-Лазар (фр.).

труда представить меня обитательницам этого дома, чем если бы я захотел присутствовать на заседании палаты, когда свергают министерство.

Вечер мы кончали у Porte Mailot в кафе, где собираются устроители матчей бокса и автомобильные гонщики. Учитель мой принадлежал к той половине нации, которая торгует автомобилями; другая их обменивает. Он был агентом Рено и торговал больше всего с румынскими дельцами, самыми грязными из дельцов. В свободное время Бьеналь обучал меня искусству купить подержанный автомобиль. Для этого, по его словам, нужно было отправиться на Ривьеру к концу сезона, когда разъезжаются англичане и бросают в гаражах машины, послужившие два или три месяца. Сам Бьеналь разъезжал на облупившемся «рено», которым он управлял, как самоед управляет собаками. По воскресеньям мы отправлялись на прыгающем этом возке за сто двадцать километров в Руан есть утку, которую там жарят в собственной ее крови. Нас сопровождала Жермен, продавщица перчаток в магазине на Rue Royale*. Их дни с Бьеналем были среда и воскресенье. Она приходила в пять часов. Через мгновенье в их комнате раздавались ворчание, стук падающих тел, возглас испуга, и потом начиналась нежная агония женщины:

— Oh, Jean**...

Я высчитывал про себя: ну, вот вошла Жермен, она закрыла за собой дверь, они поцеловали друг друга, девушка сняла с себя шляпу, перчатки и положила их на стол, и больше, по моему расчету, времени у них не оставалось. Его не оставалось на то, чтобы раздеться. Не произнесши ни одного слова, они прыгали в своих простынях, как зайцы. Постонав, они помирали со смеху и лепетали о своих делах. Я знал об этом все, что может знать сосед, живущий за дощатой перегородкой. У Жермен были несогласия с мосье Анриш, заведующим магазином. Родители ее жили в Туре, она ездила к ним в гости. В одну из суббот она купила себе

* Королевская улица *(фр.)*.
** О, Жан... *(фр.)*

меховую горжетку, в другую субботу слушала «Богему» в Гранд-Опера. Мосье Анриш заставлял своих продавщиц носить гладкие костюмы tailleur*. Мосье Анриш энглезировал Жермен, она стала в ряды деловых женщин, плоскогрудых, подвижных, завитых, подкрашенных пылающей коричневой краской, но полная щиколотка ее ноги, низкий и быстрый смех, взгляд внимательных и блестящих глаз и этот стон агонии — oh, Jean! — все оставлено было для Бьеналя.

В дыму и золоте парижского вечера двигалось перед нами сильное и тонкое тело Жермен; смеясь, она откидывала голову и прижимала к груди розовые ловкие пальцы. Сердце мое согревалось в эти часы. Нет одиночества безвыходнее, чем одиночество в Париже.

Для всех пришедших издалека этот город есть род изгнания, и мне приходило на ум, что Жермен нужна нам больше, чем Бьеналю. С этой мыслью я уехал в Марсель.

Прожив месяц в Марселе, я вернулся в Париж. Я ждал среды, чтобы услышать голос Жермен.

Среда прошла, никто не нарушил молчания за стеной. Бьеналь переменил свой день. Голос женщины раздался в четверг, в пять часов, как всегда. Бьеналь дал своей гостье время на то, чтобы снять шляпу и перчатки. Жермен переменила день, но она переменила и голос. Это не было больше прерывистое, умоляющее oh, Jean... и потом молчание, грозное молчание чужого счастья. Оно заменилось на этот раз домашней хриплой возней, гортанными выкриками. Новая Жермен скрипела зубами, с размаху валилась на диван и в промежутках рассуждала густым протяжным голосом. Она ничего не сказала о мосье Анриш, а прорычав до семи часов, собралась уходить. Я приоткрыл дверь, чтобы встретить ее, и увидел идущую по коридору мулатку с поднятым гребешком лошадиных волос, с выставленной вперед большой, отвислой грудью. Мулатка, шаркая ногами в разносившихся туфлях без каблуков, прошла по коридору. Я постучал к Бьеналю. Он валялся

* Английский дамский костюм (*фр.*).

на кровати без пиджака, измятый, посеревший, в застиранных носках.

— Mon vieux, вы дали отставку Жермен?..

— Cette femme est folle*,— ответил он и стал ежиться,— то, что на свете бывает зима и лето, начало и конец, то, что после зимы наступает лето и наоборот,— все это не касается мадемуазель Жермен, все это песни не для нее... Она навьючивает вас ношей и требует, чтобы вы ее несли... куда? Никто этого не знает, кроме мадемуазель Жермен...

Бьеналь сел на кровати, штаны обмялись вокруг жидких его ног, бледная кожа головы просвечивала сквозь слипшиеся волосы, треугольник усов вздрагивал. Макон по четыре франка за литр поправил моего друга. За десертом он пожал плечами и сказал, отвечая своим мыслям:

— ...Кроме вечной любви, на свете есть еще румыны, векселя, банкроты, автомобили с лопнувшими рамами. Oh, j'en ai plein le dos**...

Он повеселел в кафе «Де Пари» за рюмкой коньяку. Мы сидели на террасе под белым тентом. Широкие полосы были положены на нем. Перемешавшись с электрическими звездами, по тротуару текла толпа. Против нас остановился автомобиль, вытянутый, как мина. Из него вышел англичанин и женщина в собольей накидке. Она проплыла мимо нас в нагретом облаке духов и меха, нечеловечески длинная, с маленькой фарфоровой светящейся головой. Бьеналь подался вперед, увидев ее, выставил ногу в трепаной штанине и подмигнул, как подмигивают девицам с Rue de la Gaîte***. Женщина улыбнулась углом карминного рта, наклонила едва заметно обтянутую розовую голову и, колебля и волоча змеиное тело, исчезла. За ней, потрескивая, прошел негнущийся англичанин.

— Ah, canaille!**** — сказал им вслед Бьеналь.— Два года назад с нее довольно было аперитива...

* Эта женщина сумасшедшая (*фр.*).
** О, у меня достаточно хлопот... (*фр.*)
*** Улица Веселья (*фр.*).
**** А, каналья! (*фр.*).

Мы расстались с ним поздно. В субботу я назначил себе пойти к Жермен, позвать ее в театр, поехать с ней в Шартр, если она захочет, но мне пришлось увидеть их — Бьеналя и бывшую его подругу — раньше этого срока. На следующий день вечером полицейские заняли входы в отель «Дантон», синие их плащи распахнулись в нашем вестибюле. Меня пропустили, удостоверившись, что я принадлежу к числу жильцов мадам Трюффо, нашей хозяйки. Я нашел жандармов у порога моей комнаты. Дверь из номера Бьеналя была растворена. Он лежал на полу в луже крови, с помутившимися и полузакрытыми глазами. Печать уличной смерти застывала на нем. Он был зарезан, мой друг Бьеналь, и хорошо зарезан. Жермен в костюме tailleur и шапочке, сдавленной по бокам, сидела у стола. Здороваясь со мной, она склонила голову, и с нею вместе склонилось перо на шапочке...

Все это случилось в шесть часов вечера, в час любви; в каждой комнате была женщина. Прежде чем уйти — полуодетые, в чулках до бедер, как пажи,— они торопливо накладывали на себя румяна и черной краской обводили рты. Двери были раскрыты, мужчины в незашнурованных башмаках выстроились в коридоре. В номере у морщинистого итальянца, велосипедиста, плакала на подушке босая девочка. Я спустился вниз, чтобы предупредить мадам Трюффо. Мать этой девочки продавала газеты на улице Сен-Мишель. В конторке собрались уже старухи с нашей улицы, с улицы Данте: зеленщицы и консьержки, торговки каштанами и жареным картофелем, груды зобастого, перекошенного мяса, усатые, тяжело дышавшие, в бельмах и багровых пятнах.

— Voila qui n'est pas gai,— сказал я, входя,— quel malheur!*

— C'est l'amour, monsieur... Elle l'aimait...**

Под кружевцем вываливались лиловые груди мадам Трюффо, слоновые ноги расставились посреди комнаты, глаза ее сверкали.

* Вот кому невесело. Какой ужас! (фр.).
** Это любовь, сударь... Она любила его... (фр.).

— L'amore,— как это сказала за ней синьора Рокка, содержательница ресторана на улице Данте.— Dio cartiga quelli, chi non conoseono l'amore...*

Старухи сбились вместе и бормотали все разом. Оспенный пламень зажег их щеки, глаза вышли из орбит.

— L'amour,— наступая на меня, повторила мадам Трюффо,— c'est une grosse affaire, l'amour...**

На улице заиграл рожок. Умелые руки поволокли убитого вниз, к больничной карете. Он стал номером, мой друг Бьеналь, и потерял имя в прибое Парижа. Синьора Рокка подошла к окну и увидела труп. Она была беременна, живот грозно выходил из нее, на оттопыренных боках лежал шелк, солнце прошло по желтому, запухшему ее лицу, по желтым мягким волосам.

— Dio,— произнесла синьора Рокка,— tu non perdoni quelli, chi non ama...***

На истертую сеть Латинского квартала падала тьма, в уступах его разбегалась низкорослая толпа, горячее чесночное дыхание шло из дворов. Сумерки накрыли дом мадам Трюффо, готический фасад его с двумя окнами, остатки башенок и завитков, окаменевший плющ.

Здесь жил Дантон полтора столетия тому назад. Из своего окна он видел замок Консьержери, мосты, легко переброшенные через Сену, строй слепых домишек, прижатых к реке, то же дыхание восходило к нему. Толкаемые ветром, скрипели ржавые стропила и вывески заезжих дворов.

Ди Грассо

Мне было четырнадцать лет. Я принадлежал к неустрашимому корпусу театральных барышников. Мой хозяин был жулик с всегда прищуренным глазом и шелковыми громадными усами. Звали его Коля Шварц. Я угодил к нему в тот несчастный год, когда в Одессе прогорела итальянская опера. Послушавшись рецензен-

* Любовь. Бог наказывает тех, кто не знает любви... (ит.).
** Любовь... это великое дело, любовь... (фр.).
*** Господи, ты не прощаешь тем, кто не любит... (ит.).

тов из газеты, импресарио не выписал на гастроли Ансельми и Тито Руффо и решил ограничиться хорошим ансамблем. Он был наказан за это, он прогорел, а с ним и мы. Для поправки дел нам пообещали Шаляпина, но Шаляпин запросил три тысячи за выход. Вместо него приехал сицилианский трагик ди Грассо с труппой. Их привезли в гостиницу на телегах, набитых детьми, кошками, клетками, в которых прыгали итальянские птицы. Осмотрев этот табор, Коля Шварц сказал:

— Дети, это не товар...

Трагик после приезда отправился с кошелкой на базар. Вечером — с другой кошелкой — он явился в театр. На первый спектакль собралось едва ли пятьдесят человек. Мы уступали билеты за полцены, охотников не находилось.

Играли в тот вечер сицилианскую народную драму, историю обыкновенную, как смена дня и ночи. Дочь богатого крестьянина обручилась с пастухом. Она была верна ему до тех пор, пока из города не приехал барчук в бархатном жилете. Разговаривая с приезжим, девушка невпопад хихикала и невпопад замолкала. Слушая их, пастух ворочал головой, как потревоженная птица. Весь первый акт он прижимался к стенам, куда-то уходил в развевающихся штанах и, возвращаясь, озирался.

— Мертвое дело,— сказал в антракте Коля Шварц,— это товар для Кременчуга...

Антракт был сделан для того, чтобы дать девушке время созреть для измены. Мы не узнали ее во втором действии — она была нетерпима, рассеянна и, торопясь, отдала пастуху обручальное кольцо. Тогда он подвел ее к нищей и раскрашенной статуе святой девы и на сицилианском своем наречии сказал:

— Синьора,— сказал он низким своим голосом и отвернулся,— Святая дева хочет, чтобы вы выслушали меня... Джованни, приехавшему из города, Святая дева даст столько женщин, сколько он захочет; мне же никто не нужен, кроме вас, синьора... Дева Мария, непорочная наша покровительница, скажет вам то же самое, если вы спросите ее, синьора...

Девушка стояла спиной к раскрашенной деревянной статуе. Слушая пастуха, она нетерпеливо топала ногой. На этой земле — о, горе нам! — нет женщины, которая не была бы безумна в те мгновенья, когда решается ее судьба... Она остается одна в эти мгновения, одна, без Девы Марии, и ни о чем не спрашивает у нее...

В третьем действии приехавший из города Джованни встретился со своей судьбой. Он брился у деревенского цирюльника, разбросав на авансцене сильные мужские ноги; под солнцем Сицилии сияли складки его жилета. Сцена представляла из себя ярмарку в деревне. В дальнем углу стоял пастух. Он стоял молча, среди беспечной толпы. Голова его была опущена, потом он поднял ее, и под тяжестью загоревшегося, внимательного его взгляда Джованни задвигался, стал ерзать в кресле и, оттолкнув цирюльника, вскочил. Срывающимся голосом он потребовал от полицейского, чтобы тот удалил с площади сумрачных подозрительных людей. Пастух — играл его ди Грассо — стоял задумавшись, потом он улыбнулся, поднялся в воздух, перелетел сцену городского театра, опустился на плечи Джованни и, перекусив ему горло, ворча и косясь, стал высасывать из раны кровь. Джованни рухнул, и занавес,— грозно, бесшумно сдвигаясь,— скрыл от нас убитого и убийцу. Ничего больше не ожидая, мы бросились в Театральный переулок к кассе, которая должна была открыться на следующий день. Впереди всех несся Коля Шварц. На рассвете «Одесские новости» сообщили тем немногим, кто был в театре, что они видели самого удивительного актера столетия.

Ди Грассо в этот свой приезд сыграл у нас «Короля Лира», «Отелло», «Гражданскую смерть», тургеневского «Нахлебника», каждым словом и движением своим утверждая, что в исступлении благородной страсти больше справедливости и надежды, чем в безрадостных правилах мира.

На эти спектакли билеты шли в пять раз выше своей стоимости. Охотясь за барышниками, покупатели находили их в трактире — горланящих, багровых, извергающих безвредное кощунство.

Струя пыльного розового зноя была впущена в Театральный переулок. Лавочники в войлочных шлепанцах вынесли на улицу зеленые бутыли вина и бочонки с маслинами. В чанах, перед лавками, кипели в пенистой воде макароны, и пар от них таял в далеких небесах. Старухи в мужских штиблетах продавали ракушки и сувениры и с громким криком догоняли колеблющихся покупателей. Богатые евреи с раздвоенными, расчесанными бородами подъезжали в экипажах к Северной гостинице и тихонько стучались в комнаты черноволосых толстух с усиками — актрис из труппы ди Грассо. Все были счастливы в Театральном переулке, кроме одного человека, и этот человек был я. Ко мне в эти дни приближалась гибель. С минуты на минуту отец мог хватиться часов, взятых у него без позволения и заложенных у Коли Шварца. Успев привыкнуть к золотым часам и будучи человеком, пившим по утрам вместо чая бессарабское вино, Коля, получив обратно свои деньги, не мог, однако, решиться вернуть мне часы. Таков был его характер. От него ничем не отличался характер моего отца. Стиснутый этими людьми, я смотрел, как проносятся мимо меня обручи чужого счастья. Мне не оставалось ничего другого, как бежать в Константинополь. Все уже было сговорено со вторым механиком парохода «Duke of Kent»[*], но, перед тем как выйти в море, я решил проститься с ди Грассо. Он в последний раз играл пастуха, которого отделяет от земли непонятная сила. В театр пришли итальянская колония во главе с лысым и стройным консулом, поеживающиеся греки, бородатые экстерны, фанатически уставившиеся в никому не видимую точку, и длиннорукий Уточкин. И даже Коля Шварц привел с собой жену в фиолетовой шали с бахромой, женщину, годную в гренадеры и длинную, как степь, с мятым, сонливым личиком на краю. Оно было омочено слезами, когда опустился занавес.

— Босяк,— выходя из театра, сказала она Коле,— теперь ты видишь, что такое любовь...

Тяжело ступая, мадам Шварц шла по Ланжероновской улице; из рыбьих глаз ее текли слезы, на толстых плечах содрогалась шаль с бахромой. Шаркая мужски-

[*] «Граф Кентский» (*англ.*).

ми ступнями, тряся головой, она оглушительно, на всю улицу, высчитывала женщин, которые хорошо живут со своими мужьями.

— Циленька,— называют эти мужья своих жен,— золотко, деточка...

Присмиревший Коля шел рядом с женой и тихонько раздувал шелковые усы. По привычке я шел за ними и всхлипывал. Затихнув на мгновенье, мадам Шварц услышала мой плач и обернулась.

— Босяк,— вытаращив рыбьи глаза, сказала она мужу,— пусть я не доживу до хорошего часа, если ты не отдашь мальчику часы...

Коля застыл, раскрыл рот, потом опомнился и, больно ущипнув меня, боком сунул часы.

— Что я имею от него,— безутешно причитал, удаляясь, грубый плачущий голос мадам Шварц,— сегодня животные штуки, завтра животные штуки... Я тебя спрашиваю, босяк, сколько может ждать женщина?..

Они дошли до угла и повернули на Пушкинскую. Сжимая часы, я остался один и вдруг, с такой ясностью, какой никогда не испытывал до тех пор, увидел уходившие ввысь колонны Думы, освещенную листву на бульваре, бронзовую голову Пушкина с неярким отблеском луны на ней, увидел в первый раз окружавшее меня таким, каким оно было на самом деле,— затихшим и невыразимо прекрасным.

Сулак

В двадцать втором году в Винницком районе была разгромлена банда Гулая. Начальником штаба был у него Адриян Сулак, сельский учитель. Ему удалось уйти за рубеж в Галицию, вскоре газеты сообщили о его смерти. Через шесть лет после этого сообщения мы узнали, что Сулак жив и скрывается на Украине. Чернышову и мне поручили поиски. С мандатами зоотехников в кармане мы отправились в Хощеватое, на родину Сулака. Председателем сельрады оказался там демобилизованный красноармеец, парень добрый и простоватый.

— Вы тут кувшина молока не расстараетесь,— сказал он нам,— в том Хощеватом людей живьем едят...

Расспрашивая о ночлеге, Чернышов навел разговор на хату Сулака.

— Можно,— сказал председатель,— у цей вдовы и хатына есть...

Он повел нас на край села, в дом, крытый железом. В горнице, перед грудой холста, сидела карлица в белой кофте навыпуск. Два мальчика в приютских куртках, склонив стриженые головы, читали книгу. В люльке спал младенец с раздутой, белесой головой. На всем лежала холодная монастырская чистота.

— Харитина Терентьевна,— неуверенным голосом сказал председатель,— хочу хороших людей к тебе постановить...

Женщина показала нам хатыну и вернулась к своему холсту.

— Ця вдова не откажет,— сказал председатель, когда мы вышли,— у ней обстановка такая...

Оглядываясь по сторонам, он рассказал, что Сулак служил когда-то у желто-блакитных, а от них перешел к папе римскому.

— Муж у папы римского,— сказал Чернышов,— а жена в год по ребенку приводит...

— Живое дело,— ответил председатель, увидел на дороге подкову и поднял ее,— вы на эту вдову не глядите, что она недомерок, у ней молока на пятерых хватит. У ней молоком другие женщины заимствуются...

Дома председатель зажарил яичницу с салом и поставил водки. Опьянев, он полез на печь. Оттуда мы услышали шепот, детский плач.

— Ганночко, божусь тебе,— бормотал наш хозяин,— божусь тебе, завтра до вчительки пойду...

— Разговорились,— крикнул Чернышов, лежавший рядом со мной,— людям спать не даешь...

Всклокоченный председатель выглянул из-за печи; ворот его рубахи был расстегнут, босые ноги свисали книзу.

— Вчителька в школе трусов на развод давала,— сказал он виновато,— трусиху дала, а самого нет... Трусиха побыла, побыла, а тут весна, живое дело, она и подалась в лес. Ганночко,— закричал вдруг председатель, оборачиваясь к девочке,— завтра до вчительки пойду, пару тебе принесу, клетку сделаем...

Отец с дочерью долго еще переговаривались за печкой, он все вскрикивал «Ганночко», потом заснул. Рядом со мной на сене ворочался Чернышов.

— Пошли,— сказал он.

Мы встали. На чистом, без облачка, небе сияла луна. Весенний лед затянул лужи. На огороде Сулака, заросшем бурьяном, торчали голые стебли кукурузы, валялось обломанное железо. К огороду примыкала конюшня, внутри ее слышался шорох, в расщелинах досок мелькал свет. Подкравшись к воротам, Чернышов налег на них, запор поддался. Мы вошли и увидели раскрытую яму посреди конюшни, на дне ее сидел человек. Карлица в белой кофте стояла над краем ямы с миской борща в руках.

— Здравствуй, Адриян,— сказал Чернышов,— ужинать собрался?..

Упустив миску, карлица бросилась ко мне и укусила за руку. Зубы ее свело, она тряслась и стонала. Из ямы выстрелили.

— Адриян,— сказал Чернышов и отскочил,— нам тебя живого надо...

Сулак внизу возился с затвором, затвор щелкнул.

— С тобой как с человеком разговаривают,— сказал Чернышов и выстрелил.

Сулак прислонился к желтой оструганной стене, построгал ее, кровь вылилась у него изо рта и ушей, и он упал.

Чернышов остался на страже. Я побежал за председателем. В ту же ночь мы увезли убитого. Мальчики шли рядом с Чернышовым по мокрой, тускло блиставшей дороге. Ноги мертвеца в польских башмаках, подкованных гвоздями, высовывались из телеги. В головах у мужа неподвижно сидела карлица. В затмевающемся свете луны лицо ее с перекосившимися костями казалось металлическим. На маленьких ее коленях спал ребенок.

— Молочная,— сказал вдруг Чернышов, шагавший по дороге,— я тебе покажу молоко...

Суд

Мадам Бляншар, шестидесяти одного года от роду, встретилась в кафе на Boulevard des Italiens* с бывшим подполковником Иваном Недачиным. Они полюбили друг друга. В их любви было больше чувственности, чем рассудка. Через три месяца подполковник бежал с акциями и драгоценностями, которые мадам Бляншар поручила ему оценить у ювелира на Rue de la Paix**.

— Accés de folie rassagère***,— определил врач припадок, случившийся с мадам Бляншар.

Вернувшись к жизни, старуха повинилась невестке. Невестка заявила в полицию. Недачина арестовали на Монпарнасе в погребке, где пели московские цыгане. В тюрьме Недачин пожелтел и обрюзг. Судили его в четырнадцатой камере уголовного суда. Первым прошло автомобильное дело, затем предстал перед судом шестнадцатилетний Раймонд Лепик, застреливший из ревности любовницу. Мальчика сменил подполковник. Жандармы вытолкнули его на свет, как выталкивали когда-то Урса на арену цирка. В зале суда французы в небрежно сшитых пиджаках громко кричали друг на друга, покорно раскрашенные женщины обмахивали веерами заплаканные лица. Впереди них — на возвышении, под мраморным гербом республики — сидел краснощекий мужчина с галльскими усами, в тоге и в шапочке.

— Eh bien, Nedatchine****,— сказал он, увидев обвиняемого,— eh bien, mon ami*****.— И картавая, быстрая речь опрокинулась на вздрогнувшего подполковника.

— Происходя из рода дворян Nedatchine,— звучно говорил председатель,— вы записаны, мой друг, в геральдические книги Тамбовской провинции... Офицер царской армии, вы эмигрировали вместе с Врангелем и сделались полицейским в Загребе... Разногласия по вопросу о границах государственной и частной соб-

---

* Итальянский бульвар (*фр.*).
** Улица Мира (*фр.*).
*** Припадок временного безумия (*фр.*).
**** Итак, Недачин (*фр.*).
***** Итак, друг мой (*фр.*).

ственности,— звучно продолжал председатель, то высовывая из-под мантии носок лакированного башмака, то снова втягивая его,— разногласия эти, мой друг, заставили вас расстаться с гостеприимным королевством югославов и обратить взор на Париж... В Париже...— Тут председатель пробежал глазами лежавшую перед ним бумагу.— В Париже, мой друг, экзамен на шофера такси оказался крепостью, которой вы не смогли овладеть... Тогда вы отдали запас неизрасходованных сил отсутствующей в заседании мадам Бляншар...

Чужая речь сыпалась на Недачина как летний дождь. Беспомощный, громадный, с повисшими руками — он возвышался над толпой, как грустное животное другого мира.

— Voyons*,— сказал председатель неожиданно,— я вижу со своего места невестку почтенной мадам Бляншар.

Наклонив голову, к свидетельскому столу пробежала жирная женщина без шеи, похожая на рыбу, всунутую в сюртук. Задыхаясь, подымая к небу короткие ручки, она стала перечислять названия акций, похищенных у мадам Бляншар.

— Благодарю вас, мадам,— перебил ее председатель и кивнул сидевшему налево от суда сухощавому человеку с породистым и впалым лицом.

Слегка приподнявшись, прокурор процедил несколько слов и сел, сцепив руки в круглых манжетах. Его сменил адвокат, натурализовавшийся киевский еврей. Он обиженно, словно ссорясь с кем-то, закричал о Голгофе русского офицерства. Невнятно произносимые французские слова крошились, сыпались у него во рту и к концу речи стали похожи на еврейские. Несколько мгновений председатель молча, без выражения смотрел на адвоката и вдруг качнулся вправо — к иссохшему старику в тоге и в шапочке, потом он качнулся в другую сторону к такому же старику, сидевшему слева.

— Десять лет, мой друг,— кротко сказал председатель, кивнув Недачину головой, и схватил на лету брошенное ему секретарем новое дело.

* Ну вот (*фр.*).

Вытянувшись во фронт, Недачин стоял неподвижно. Бесцветные глазки его мигали, на маленьком лбу выступил пот.

— T'a encaissè dix ans*— сказал жандарм за его спиной,— c'est fini, mon vieux**.— И, тихонько работая кулаками, жандарм стал подталкивать осужденного к выходу.

Мой первый гонорар

Жить весной в Тифлисе, иметь двадцать лет от роду и не быть любимым — это беда. Такая беда приключилась со мной. Я служил корректором в типографии Кавказского военного округа. Под окнами моей мансарды клокотала Кура. Солнце, восходившее за горами, зажигало по утрам мутные ее узлы. Мансарду я снимал у молодоженов-грузин. Хозяин мой торговал на восточном базаре мясом. За стеной, осатанев от любви, мясник и его жена ворочались как большие рыбы, запертые в банку. Хвосты обеспамятевших этих рыб бились о перегородку. Они трясли наш чердак, почернелый под отвесным солнцем, срывали его со столбов и несли в бесконечность. Зубы их, сведенные упрямой злобой страсти, не могли разжаться. По утрам новобрачная Милиет спускалась за лавашом. Она так была слаба, что держалась за перила, чтобы не упасть. Ища тонкой ногой ступеньку, Милиет улыбалась неясно и слепо, как выздоравливающая. Прижав ладони к маленькой груди, она кланялась всем, кто ей встречался на пути,— зазеленевшему от старости айсору, разносчику керосина и мегерам, продававшим мотки бараньей шерсти, мегерам, изрезанным жгучими морщинами. По ночам толкотня и лепет моих соседей сменялись молчанием, пронзительным, как свист ядра.

Иметь двадцать лет от роду, жить в Тифлисе и слушать по ночам бури чужого молчания — это беда. Спасаясь от нее, я кидался опрометью вон из дому, вниз к Куре, там настигали меня банные пары тифлисской

---

* Тебе дали десять лет (*фр.*).
** Все кончено, старина (*фр.*).

весны. Они накидывались с размаху и обессиливали. С пересохшим горлом я кружил по горбатым мостовым. Туман весенней духоты загонял меня снова на чердак, в лес почернелых пней, озаренных луной. Мне ничего не оставалось, кроме как искать любви. Конечно, я нашел ее. На беду или на счастье, женщина, выбранная мною, оказалась проституткой. Ее звали Вера. Каждый вечер я крался за нею по Головинскому проспекту, не решаясь заговорить. Денег для нее у меня не было, да и слов — неутомимых этих пошлых и роющих слов любви — тоже не было. Смолоду все силы моего существа были отданы на сочинение повестей, пьес, тысячи историй. Они лежали у меня на сердце, как жаба на камне. Одержимый бесовской гордостью, я не хотел писать их до времени. Мне казалось пустым занятием — сочинять хуже, чем это делал Лев Толстой. Мои истории предназначались для того, чтобы пережить забвение. Бесстрашная мысль, изнурительная страсть стоят труда, потраченного на них, только тогда, когда они облачены в прекрасные одежды. Как сшить эти одежды?..

Человеку, взятому на аркан мыслью, присмиревшему под змеиным ее взглядом, трудно изойти пеной незначащих и роющих слов любви. Человек этот стыдится плакать от горя. У него недостает ума, чтобы смеяться от счастья. Мечтатель — я не овладел бессмысленным искусством счастья. Мне пришлось поэтому отдать Вере десять рублей из скудных моих заработков.

Решившись, я стал однажды вечером на страже у дверей духана «Симпатия». Мимо меня небрежным парадом двигались князья в синих черкесках и мягких сапогах. Ковыряя в зубах серебряными зубочистками, они рассматривали женщин, крашенных кармином, грузинок с большими ступнями и узкими бедрами. В сумерках просвечивала бирюза. Распустившиеся акации завывали вдоль улиц низким, осыпающимся голосом. Толпа чиновников в белых кителях колыхалась по проспекту; ей навстречу летели с Казбека бальзамические струи.

Вера пришла позже, когда стемнело. Рослая, белолицая — она плыла впереди обезьяньей толпы, как плывет

Богородица на носу рыбачьего баркаса. Она поравнялась с дверьми духана «Симпатия». Я качнулся, двинулся.

— В какие Палестины?

Широкая розовая спина двигалась передо мною. Вера обернулась.

— Вы что там лепечете?..

Она нахмурилась, глаза ее смеялись.

— Куда Бог несет?..

Во рту моем слова раскалывались, как высохшие поленья. Переменив ногу, Вера пошла со мною рядом.

— Десятка — вам не обидно будет?..

Я согласился так быстро, что это возбудило ее подозрения.

— Да есть ли они у тебя, десять рублей?..

Мы вошли в подворотню, я подал ей мой кошелек. Она насчитала в нем двадцать один рубль, серые глаза ее щурились, губы шевелились. Золотые монеты она положила к золотым, серебряные к серебряным.

— Десятку мне,— отдавая кошелек, сказала Вера,— пять рублей прогуляем, на остальные живи. У тебя когда получка?..

Я ответил, что получка через четыре дня. Мы вышли из подворотни. Вера взяла меня под руку и прижалась плечом. Мы пошли вверх по остывающей улице. Тротуар был засыпан ковром увядших овощей.

— В Боржом бы от этакой жары...

Бант охватывал Верины волосы. В нем лились и гнулись молнии от фонарей.

— Ну и дуй в Боржом...

Это я сказал — «дуй». Для чего-то оно было мною произнесено — это слово.

— Пети-мети нет,— ответила Вера, зевнула и забыла обо мне. Она забыла обо мне потому, что день ее был сделан и заработок со мной был легок. Она поняла, что я не подведу ее под полицию и не заберу ночью денег вместе с серьгами.

Мы дошли до подножия горы святого Давида. Там, в харчевне, я заказал люля-кебаб. Не дожидаясь пищи, Вера пересела к группе старых персов, обсуждавших свои дела. Опершись на стоящие палки, кивая оливковыми головами, они убеждали кабатчика в том, что для него пришла пора расширить торговлю. Вера вмешалась в их разговор. Она стала на сторону стариков. Она стояла за то, чтобы перевести харчевню на Михайловский проспект. Кабатчик, ослепший от рыхлости и осторожности, сопел. Я один ел мой люля-кебаб. Обнаженные Верины руки текли из шелка рукавов, она пристукивала по столу кулаком, серьги ее летали между длинных выцветших спин, оранжевых бород и крашеных ногтей. Люля-кебаб остыл, когда она вернулась к столику. Лицо ее горело от волнения.

— Вот не сдвинешь его с места, ишака этого... На Михайловском с восточной кухней, знаешь, какие дела можно поднять...

Мимо столика, один за другим, проходили знакомые Веры — князья в черкесках, немолодые офицеры, лавочники в чесучовых пиджаках и пузатые старики с загорелыми лицами и зелеными угрями на щеках. Только в двенадцатом часу ночи попали мы в гостиницу, но и там у Веры нашлись нескончаемые дела. Какая-то старушка снаряжалась в путь к сыну в Армавир. Оставив меня, Вера побежала к отъезжающей и стала тискать коленями ее чемодан, увязывать ремнями подушки, заворачивать пирожки в масляную бумагу. Плечистая старушка в газовой шляпенке, с рыжей сумкой на боку, ходила по номерам прощаться. Она шаркала по коридору резиновыми ботиками, всхлипывала и улыбалась всеми морщинами. Час — не меньше — ушел на проводы. Я ждал Веру в прелом номере, заставленном трехногими креслами, глиняной печью, сырыми углами в разводах.

Меня мучили и таскали по городу так долго, что самая любовь моя показалась мне врагом, прилипчивым врагом...

В коридоре шаркала и разражалась внезапным хохотом чужая жизнь. В пузырьке, наполненном молочной жидкостью, умирали мухи. Каждая умирала по-своему. Агония одной была длительна, предсмертные содрогания порывисты; другая умирала, трепеща чуть заметно.

Рядом с пузырьком на потертой скатерти валялась книга, роман из боярской жизни Головина. Я раскрыл ее наугад. Буквы построились в ряд и смешались. Предо мною, в квадрате окна, уходил каменистый подъем, кривая турецкая уличка. В комнату вошла Вера.

— Проводили Федосью Маврикиевну,— сказала она.— Поверишь, она нам всем как родная была... Старушка одна едет, ни попутчика, никого...

Вера села на кровать, расставив колени. Глаза ее блуждали в чистых областях забот и дружбы. Потом она увидела меня, в двубортной куртке. Женщина сцепила руки и потянулась.

— Заждался небось... Ничего, сейчас сделаемся...

Но что собиралась Вера делать — я так и не понял. Приготовления ее были похожи на приготовления доктора к операции. Она зажгла керосинку и поставила на нее кастрюлю с водой. Она положила чистое полотенце на спинку кровати и повесила кружку от клизмы над головой, кружку с белой кишкой, болтающейся по стене. Когда вода согрелась, Вера перелила ее в клизму, бросила в кружку красный кристалл и стала через голову стягивать с себя платье. Большая женщина с опавшими плечами и мятым животом стояла передо мной. Расплывшиеся соски слепо уставились в стороны.

— Пока вода доспеет,— сказала моя возлюбленная,— подь-ка сюда, попрыгунчик...

Я не двинулся с места. Во мне оцепенело отчаяние. Зачем променял я одиночество на это логово, полное нищей тоски, на умирающих мух и трехногую мебель...

О боги моей юности!.. Как не похожа была будничная эта стряпня на любовь моих хозяев за стеной, на протяжный, закатывающийся их визг...

Вера подложила ладони под груди и покачала их.

— Что сидишь невесел, голову повесил?.. Поди сюда...

Я не двинулся с места. Вера подняла рубаху к животу и снова села на кровать.

— Или денег пожалел?

— Моих денег не жалко...

Я сказал это рвущимся голосом.

— Почему так — не жалко?.. Или ты вор?..

— Я не вор.

— Нинкуешь у воров?..

— Я мальчик.

— Я вижу, что не корова,— пробормотала Вера. Глаза ее слипались. Она легла и, притянув меня к себе, стала шарить по моему телу.

— Мальчик,— закричал я,— ты понимаешь, мальчик у армян...

О боги моей юности!.. Из двадцати прожитых лет — пять ушло на придумывание повестей, тысячи повестей, сосавших мозг. Они лежали у меня на сердце, как жаба на камне. Сдвинутая силой одиночества, одна из них упала на землю. Видно, на роду мне было написано, чтобы тифлисская проститутка сделалась первой моей читательницей. Я похолодел от внезапности моей выдумки и рассказал ей историю о мальчике у армян. Если бы я меньше и ленивей думал о своем ремесле,— я заплел бы пошлую историю о выгнанном из дому сыне богатого чиновника, об отце-деспоте и матери-мученице. Я не сделал этой ошибки. Хорошо придуманной истории незачем походить на действительную жизнь; жизнь изо всех сил старается походить на хорошо придуманную историю. Поэтому и еще потому, что так нужно было моей слушательнице,— я родился в местечке Алешки, Херсонской губернии. Отец работал чертежником в конторе речного пароходства. Он дни и ночи бился над чертежами, чтобы дать нам, детям, образование, но мы пошли в мать, лакомку и хохотунью. Десяти лет я стал воровать у отца деньги, подросши, убежал в Баку, к родственникам матери. Они познакомили меня с армянином Степаном Ивановичем. Я сошелся с ним, и мы прожили вместе четыре года...

— Да лет-то тебе сколько было тогда?..

— Пятнадцать...

Вера ждала злодейств от армянина, развратившего меня. Тогда я сказал:

— Мы прожили четыре года. Степан Иванович оказался самым доверчивым и щедрым человеком из всех людей, каких я знал, самым совестливым и благородным. Всем приятелям он верил на слово. Мне бы за эти четыре года изучить ремесло — я не ударил пальцем о палец... У меня другое было на уме — бильярд... Приятели разорили Степана Ивановича. Он выдал им бронзовые векселя, друзья представили их ко взысканию...

Бронзовые векселя... Сам не знаю, как взбрели они мне на ум. Но я сделал правильно, упомянув о них. Вера поверила всему, услышав о бронзовых векселях. Она закуталась в шаль, шаль заколебалась на ее плечах.

...Степан Иванович разорился. Его выгнали из квартиры, мебель продали с торгов. Он поступил приказчиком на выезд. Я не стал жить с ним, с нищим, и перешел к богатому старику, церковному старосте...

Церковный староста — это было украдено у какого-то писателя, выдумка ленивого сердца, не захотевшего потрудиться над рождением живого человека.

Церковный староста — сказал я, и глаза Веры мигнули, ушли из-под моей власти. Тогда, чтобы поправиться, я вдвинул астму в желтую грудь старика, припадки астмы, сиплый свист удушья в желтой груди. Старик вскакивал по ночам с постели и дышал со стоном в бакинскую керосиновую ночь. Он скоро умер. Астма удавила его. Родственники прогнали меня. И вот — я в Тифлисе, с двадцатью рублями в кармане, с теми самыми, которые Вера пересчитала в подворотне на Головинском. Номерной гостиницы, в которой я остановился, обещал мне богатых гостей, но пока он приводит только духанщиков с вываливающимися животами... Эти люди любят свою страну, свои песни, свое вино и топчут чужие души и чужих женщин, как деревенский вор топчет огород соседа...

И я стал молоть про духанщиков вздор, слышанный мною когда-то... Жалость к себе разрывала мне сердце. Гибель казалась неотвратимой. Дрожь горя и вдохновения корчила меня. Струи леденящего пота потекли по лицу, как змеи, пробирающиеся по траве, нагретой солнцем. Я замолчал, заплакал и отвернулся. История была кончена.

Керосинка давно потухла. Вода закипела и остыла. Резиновая кишка свисала со стены. Женщина неслышно пошла к окну. Передо мной двигалась ее спина, ослепительная и печальная. В окне, в уступах гор, загорался свет.

— Чего делают,— прошептала Вера не оборачиваясь,— Боже, чего делают...

Она протянула голые руки и развела створки окна. На улице посвистывали остывающие камни. Запах воды и пыли шел по мостовой... Голова Веры пошатывалась.

— Значит — бляха... Наша сестра — стерва...

Я понурился.

— Ваша сестра — стерва...

Вера обернулась ко мне. Рубаха косым клочком лежала на ее теле.

— Чего делают,— повторила женщина громче.— Боже, чего делают... Ну, а баб ты знаешь?..

Я приложил обледеневшие губы к ее руке.

— Нет... Откуда мне их знать, кто меня допустит?

Голова моя тряслась у ее груди, свободно вставшей надо мной. Оттянутые соски толкались о мои щеки. Раскрыв влажные веки, они толкались, как телята. Вера сверху смотрела на меня.

— Сестричка,— прошептала она, опускаясь на пол рядом со мной,— сестричка моя, бляха...

Теперь скажите, мне хочется спросить об этом, скажите, видели ли вы когда-нибудь, как рубят деревенские плотники избу для своего же собрата плотника, как споро, сильно и счастливо летят стружки прочь от обтесываемого бревна?.. В ту ночь тридцатилетняя женщина обучила меня своей науке. Я узнал в ту ночь тайны, которых вы не узнаете, испытал любовь, которой вы не испытаете, услышал слова женщины, обращенные к женщине. Я забыл их. Нам не дано помнить это.

Мы заснули на рассвете. Нас разбудил жар наших тел, жар, камнем лежавший в кровати. Проснувшись, мы засмеялись друг другу. Я не пошел в этот день в типографию. Мы пили чай на майдане, на базаре старого города. Мирный турок налил нам из завернутого в полотенце самовара чай, багровый, как кирпич, дымящийся, как только что пролитая кровь. В стенках стакана пылало дымное пожарище солнца. Тягучий крик ослов смешивался с ударами котельщиков. Под шатрами на выцветших коврах были выставлены в ряд медные кувшины. Собаки рылись мордами в воловьих кишках. Караван пыли летел на Тифлис — город роз и бараньего сала. Пыль заносила малиновый костер солнца. Турок подливал нам чаю и на счетах отсчитывал баранки.

Мир был прекрасен для того, чтобы сделать нам приятное. Когда испарина бисером обложила меня, я поставил стакан донышком вверх. Расплачиваясь с турком я придвинул к Вере две золотых пятирублевки. Полная ее нога лежала на моей ноге. Она отодвинула деньги и сняла ногу.

— Расплеваться хочешь, сестричка?..

Нет, я не хотел расплеваться. Мы уговорились встретиться вечером, и я положил обратно в кошелек два золотых — мой первый гонорар.

Прошло много лет с тех пор. За это время много раз получал я деньги от редакторов, от ученых людей, от евреев, торгующих книгами. За победы, которые были поражениями, за поражения, ставшие победами, за жизнь и за смерть они платили ничтожную плату, много ниже той, которую я получил в юности от первой моей читательницы. Но злобы я не испытываю. Я не испытываю ее потому, что знаю, что не умру, прежде чем не вырву из рук любви еще один — и это будет мой последний — золотой.

Фроим Грач

В девятнадцатом году люди Бени Крика напали на арьергард добровольческих войск, вырезали офицеров и отбили часть обоза. В награду они потребовали у Одесского Совета три дня «мирного восстания», но разрешения не получили и вывезли поэтому мануфактуру из всех лавок, расположенных на Александровском проспекте. Деятельность их перенеслась потом на Общество взаимного кредита. Пропуская вперед клиентов, они входили в банк и обращались к артельщикам с просьбой положить в автомобиль, ждавший на улице, тюки с деньгами и ценностями. Прошел месяц, прежде чем их стали расстреливать. Тогда нашлись люди, сказавшие, что к делам поимки и арестов имеет отношение Арон Пескин, владелец мастерской. В чем состояла работа этой мастерской — установлено не было. На квартире Пескина стоял станок — длинная ма-

шина с покоробленным свинцовым валом; на полу валялись опилки и картон для переплетов.

Однажды в весеннее утро приятель Пескина Миша Яблочко постучался к нему в мастерскую.

— Арон,— сказал гость Пескину,— на улице дивная погода. В моем лице ты имеешь типа, который способен захватить с собой полбутылки с любительской закуской и поехать кататься по воздуху в Аркадию... Ты можешь смеяться над таким субъектом, но я любитель сбросить иногда все эти мысли с головы...

Пескин оделся и поехал с Мишей Яблочко на штейгере в Аркадию. Они катались до вечера; в сумерках Миша Яблочко вошел в комнату, где мадам Пескина мыла в корыте четырнадцатилетнюю свою дочь.

— Приветствую,— сказал Миша, снимая шляпу,— мы бесподобно провели время. Воздух — это что-то небывалое, но только надо наесться горохом, прежде чем говорить с вашим мужем... Он имеет надоедливый характер.

— Вы нашли кому рассказывать,— произнесла мадам Пескина, хватая дочь за волосы и мотая ее во все стороны.— Где он, этот авантюрист?

— Он отдыхает в палисаднике.

Миша снова приподнял шляпу, простился и уехал на штейгере. Мадам Пескина, не дождавшись мужа, пошла за ним в палисадник. Он сидел в шляпе панама, облокотившись о садовый стол, и скалил зубы.

— Авантюрист,— сказала ему мадам Пескина,— ты еще смеешься... У меня делается припадок от твоей дочери, она не хочет мыть голову... Пойди, имей беседу с твоей дочерью...

Пескин молчал и все скалил зубы.

— Бонабак,— начала мадам Пескина, заглянула мужу под шляпу панама и закричала.

Соседи сбежались на ее крик.

— Он не живой,— сказала им мадам Пескина.— Он мертвый.

Это была ошибка. Пескину в двух местах прострелили грудь и проломили череп, но он жил еще. Его отвезли в еврейскую больницу. Не кто другой, как доктор Зильберберг, сделал раненому операцию, но Пескину не посчастливилось — он умер под ножом. В ту же ночь

Чека арестовала человека по прозвищу Грузин и его друга Колю Лапидуса. Один из них был кучером Миши Яблочко, другой ждал экипаж в Аркадии, на берегу моря у поворота, ведущего в степь. Их расстреляли после допроса, длившегося недолго. Один Миша Яблочко ушел из засады. След его потерялся, и несколько дней прошло, прежде чем на двор к Фроиму Грачу пришла старуха, торговавшая семечками. Она несла на руке корзину со своим товаром. Одна бровь ее мохнатым угольным кустом была поднята кверху, другая, едва намеченная, загибалась над веком. Фроим Грач сидел, расставив ноги, у конюшни и играл со своим внуком Аркадием. Мальчик этот три года назад выпал из могучей утробы дочери его Баськи. Дед протянул Аркадию палец, тот охватил его, повис и стал качаться на нем, как на перекладине.

— Ты — чепуха...— сказал внуку Фроим, глядя на него единственным глазом.

К ним подошла старуха с мохнатой бровью и в мужских штиблетах, перевязанных бечевкой.

— Фроим,— произнесла старуха,— я говорю тебе, что у этих людей нет человечества. У них нет слова. Они давят нас в погребах, как собак в яме. Они не дают нам говорить перед смертью... Их надо грызть зубами, этих людей, и вытаскивать из них сердце... Ты молчишь, Фроим,— прибавил Миша Яблочко,— ребята ждут, что ты перестанешь молчать...

Миша встал, переложил корзину из одной руки в другую и ушел, подняв черную бровь. Три девочки с заплетенными косицами встретились с ним на Алексеевской площади у церкви. Они прогуливались, взявшись за талии.

— Барышни,— сказал им Миша Яблочко,— я не угощу вас чаем с семитатью...

Он насыпал им в карман платьиц семечек из стакана и исчез, обогнув церковь.

Фроим Грач остался один на своем дворе. Он сидел неподвижно, устремив в пространство свой единственный глаз. Мулы, отбитые у колониальных войск, хрустели сеном на конюшне, разъевшиеся матки паслись с жеребятами на усадьбе. В тени под каштаном кучера играли в карты и прихлебывали вино из черепков. Жаркие порывы ветра налетали на меловые стены, солнце в голубом своем оцепенении лилось над двором. Фроим встал и вышел на улицу. Он пересек Прохоровскую, чадившую в небо нищим тающим дымом своих кухонь, и площадь Толкучего рынка, где люди, завернутые в занавеси и гардины, продавали их друг другу. Он дошел до Екатерининской улицы, свернул у памятника императрице и вошел в здание Чека.

— Я Фроим,— сказал он коменданту,— мне надо до хозяина.

Председателем Чека в то время был Владислав Симен, приехавший из Москвы. Узнав о приходе Фроима, он вызвал следователя Борового, чтобы расспросить его о посетителе.

— Это грандиозный парень,— ответил Боровой,— тут вся Одесса пройдет перед вами...

И комендант ввел в кабинет старика в парусиновом балахоне, громадного, как здание, рыжего, с прикрытым глазом и изуродованной щекой.

— Хозяин,— сказал вошедший,— кого ты бьешь?.. Ты бьешь орлов. С кем ты останешься, хозяин, со смитьем?..

Симен сделал движение и приоткрыл ящик стола.

— Я пусто,— сказал тогда Фроим,— в руках у меня ничего нет, и в чеботах у меня ничего нет, и за воротами на улице я никого не оставил... Отпусти моих ребят, хозяин, скажи твою цену...

Старика усадили в кресло, ему принесли коньяку. Боровой вышел из комнаты и собрал у себя следователей и комиссаров, приехавших из Москвы.

— Я покажу вам одного парня,— сказал он,— это эпопея, второго нет...

И Боровой рассказал о том, что одноглазый Фроим, а не Беня Крик, был истинным главой сорока тысяч одесских воров. Игра его была скрыта, но все совершалось по планам старика — разгром фабрик и казначейства в Одессе, нападения на добровольцев и на союзные войска. Боровой ждал выхода старика, чтоб поговорить с ним. Фроим не появлялся. Соскучившийся следователь отправился на поиски. Он обошел все здание и под конец заглянул на черный двор. Фроим

Грач лежал там распростертый под брезентом у стены, увитой плющом. Два красноармейца курили самодельные папиросы над его трупом.

— Чисто медведь,— сказал старший, увидев Борового,— это сила непомерная... Такого старика не убить, ему б износу не было... В нем десять зарядов сидит, а он все лезет...

Красноармеец раскраснелся, глаза его блестели, картуз сбился набок.

— Мелешь больше пуду,— прервал его другой конвоир,— помер и помер, все одинакие...

— Ан не все,— вскричал старший,— один просится, кричит, другой слова не скажет... Как это так можно, чтобы все одинакие...

— У меня они все одинакие,— упрямо повторил красноармеец помоложе,— все на одно лицо, я их не разбираю...

Боровой наклонился и отвернул брезент. Гримаса движения осталась на лице старика.

Следователь вернулся в свою комнату. Это был циркульный зал, обитый атласом. Там шло собрание о новых правилах делопроизводства. Симен делал доклад о непорядках, которые он застал, о неграмотных приговорах, о бессмысленном ведении протоколов следствия. Он настаивал на том, чтоб следователи, разбившись на группы, начали занятия с юрисконсультами и вели бы дела по формам и образцам, утвержденным Главным управлением в Москве.

Боровой слушал, сидя в своем углу. Он сидел один, далеко от остальных. Симен подошел к нему после собрания и взял за руку.

— Ты сердишься на меня, я знаю,— сказал он,— но только мы власть, Саша, мы — государственная власть, это надо помнить...

— Я не сержусь,— ответил Боровой и отвернулся,— вы не одессит, вы не можете этого знать, тут целая история с этим стариком...

Они сели рядом, председатель, которому исполнилось двадцать три года, со своим подчиненным. Симен держал руку Борового в своей руке и пожимал ее.

— Ответь мне как чекист,— сказал он после молчания,— ответь мне как революционер — зачем нужен этот человек в будущем обществе?

— Не знаю,— Боровой не двигался и смотрел прямо перед собой,— наверное, не нужен...

Он сделал усилие и прогнал от себя воспоминания. Потом оживившись, он снова начал рассказывать чекистам, приехавшим из Москвы, о жизни Фроима Грача, об изворотливости его, неуловимости, о презрении к ближнему, все эти удивительные истории, отошедшие в прошлое...

Закат

Однажды Левка, младший из Криков, увидел Любкину дочь Табл. Табл по-русски значит голубка. Он увидел ее и ушел на трое суток из дому. Пыль чужих мостовых и герань в чужих окнах доставляли ему отраду. Через трое суток Левка вернулся домой и застал отца своего в палисаднике. Отец его вечерял. Мадам Горобчик сидела рядом с мужем и озиралась, как убийца.

— Уходи, грубый сын,— сказал папаша Крик, завидев Левку.

— Папаша,— ответил Левка,— возьмите камертон и настройте ваши уши.

— В чем суть?

— Есть одна девушка,— сказал сын.— Она имеет блондинный волос. Ее зовут Табл. Табл по-русски значит голубка. Я положил глаз на эту девушку.

— Ты положил глаз на помойницу,— сказал папаша Крик,— а мать ее бандерша.

Услышав отцовские слова, Левка засучил рукава и поднял на отца богохульственную руку. Но мадам Горобчик вскочила со своего места и встала между ними.

— Мендель,— завизжала она,— набей Левке вывеску! Он скушал у меня одиннадцать котлет...

— Ты скушал у матери одиннадцать котлет! — закричал Мендель и подступил к сыну, но тот вывернулся и побежал со двора, и Бенчик, его старший брат, увязался за ним следом. Они до ночи кружили по улицам, они задыхались, как дрожжи, на которых всходит мщение, и под конец Левка сказал брату своему Бене, которому через несколько месяцев суждено было стать Бенеи Королем.

— Бенчик,— сказал он,— возьмем это на себя, и люди придут целовать нам ноги. Убьем папашу, которого Молдава не называет уже Мендель Крик. Молдава называет его Мендель Погром. Убьем папашу, потому что можем ли мы ждать дальше?

— Еще не время,— ответил Бенчик,— но время идет. Слушай его шаги и дай ему дорогу. Посторонись, Левка.

И Левка посторонился, чтобы дать времени дорогу. Оно тронулось в путь — время, древний кассир,— и повстречалось в пути с Двойрой, сестрой Короля, с Манассе, кучером, и с русской девушкой Марусей Евтушенко.

Еще десять лет тому назад я знал людей, которые хотели иметь Двойру, дочь Менделя Погрома, но теперь у Двойры болтается зоб под подбородком и глаза ее вываливаются из орбит. Никто не хочет иметь Двойру. И вот отыскался недавно пожилой вдовец с взрослыми дочерьми. Ему понадобилась полуторная площадка и пара коней. Узнав об этом, Двойра выстирала свое зеленое платье и развесила его во дворе. Она собралась идти к вдовцу, чтобы узнать, насколько он пожилой, какие кони ему нужны и может ли она его получить. Но папаша Крик не хотел вдовцов. Он взял зеленое платье, спрятал его в свой биндюг и уехал на работу. Двойра развела утюг, чтобы выгладить платье, но она не нашла его. Тогда Двойра упала на землю и получила припадок. Братья подтащили ее к водопроводному крану и облили водой. Узнаете ли вы, люди, руку отца их, прозванного Погромом?

Теперь о Манассе, старом кучере, ездящем на Фрейлине и Соломоне Мудром. На погибель свою он узнал, что кони старого Буциса, и Фроима Грача, и Хаима Дронга подкованы резиной. Глядя на них, Манассе пошел к Пятирубелю и подбил резиной Соломона Мудрого. Манассе любил Соломона Мудрого, но папаша Крик сказал ему:

— Я не Хаим Дронг и не Николай Второй, чтобы кони мои работали на резине.

И он взял Манассе за воротник, поднял его к себе на биндюг и поехал со двора. На протянутой его руке Манассе висел, как на виселице. Закат варился в небе, густой закат, как варенье, колокола стонали на Алексеевской церкви, солнце садилось за Ближними Мельницами, и Левка, хозяйский сын, шел за биндюгом, как собака за хозяином.

Несметная толпа бежала за Криками, как будто они были карета «скорой помощи», и Манассе неутомимо висел на железной руке.

— Папаша,— сказал тогда отцу Левка,— в вашей протянутой руке вы сжимаете мне сердце. Бросьте его, и пусть оно катится в пыли.

Но Мендель Крик даже не обернулся. Лошади несли вскачь, колеса гремели, и у людей был готовый цирк. Биндюг выехал на Дальницкую к кузнице Ивана Пятирубеля. Мендель потер кучера Манассе об стенку и бросил его в кузню на груду железа. Тогда Левка побежал за ведром воды и вылил его на старого кучера Манассе. Узнаете ли вы теперь, люди, руку Менделя, отца Криков, прозванного Погромом?

— Время идет,— сказал однажды Бенчик, и брат его Левка посторонился, чтобы дать времени дорогу. И так стоял Левка в сторонке, пока не занеслась Маруся Евтушенко.

— Маруся занеслась,— стали шушукаться люди, и папаша Крик смеялся, слушая их.

— Маруся занеслась,— говорил он и смеялся, как дитя,— горе всему Израилю, кто эта Маруся?

В эту минуту Бенчик вышел из конюшни и положил папаше руку на плечо.

— Я любитель женщин,— сказал Бенчик строго и передал папаше двадцать пять рублей, потому что он хотел, чтобы вычистка была сделана доктором и в лечебнице, а не у Маруси на дому.

— Я отдам ей эти деньги,— ответил папаша,— и она сделает себе вычистку, иначе пусть не дожить мне до радости.

И на следующее утро, в обычный час, он выехал на Налетчике и Любезной Супруге, а в обед на двор к Крикам явилась Маруся Евтушенко.

— Бенчик,— сказала она,— я любила тебя, будь ты проклят.

И швырнула ему в лицо десять рублей. Две бумажки по пяти — это никогда не было больше десяти.

— Убьем папашу,— сказал тогда Бенчик брату своему Льву, и они сели на лавочку у ворот, и рядом с ними сел Семен, сын дворника Анисима, человек семи лет. И вот, кто бы сказал, что такое семилетнее ничто уже умеет любить и что оно умеет ненавидеть. Кто знал, что оно любит Менделя Погрома, а оно любило.

Братья сидели на лавочке и высчитывали, сколько лет может быть папаше и какой хвост тянется за шестьюдесятью его годами, и Семен, сын дворника Анисима, сидел с ними рядом.

В тот час солнце не дошло еще до Ближних Мельниц. Оно лилось в тучи, как кровь из распоротого кабана, и на улицах громыхали площадки старого Буциса, возвращавшиеся с работы. Скотницы доили уже коров в третий раз, и работницы мадам Парабелюм таскали ей на крыльцо ведра вечернего молока. И мадам Парабелюм стояла на крыльце, хлопала в ладоши.

— Бабы,— кричала она,— свои бабы и чужие бабы. Берта Ивановна, мороженщики и кефирщики! Подходите за вечерним молоком.

Берта Ивановна, учительница немецкого языка, которая получала за урок две кварты молока, первая получила свою порцию. За ней подошла Двойра Крик, для того чтобы посмотреть, сколько воды налила мадам Парабелюм в свое молоко и сколько соды она всыпала в него.

Но Бенчик отозвал сестру в сторону.

— Сегодня вечером,— сказал он,— когда ты увидишь, что старик убил нас, подойди к нему и провали ему голову друшляком. И пусть настанет конец фирме «Мендель Крик и Сыновья».

— Аминь, в добрый час,— ответила Двойра и вышла за ворота. И она увидела, что Семена, сына Анисима, нет больше во дворе и что вся Молдаванка идет к Крикам в гости.

Молдаванка шла толпами, как будто во дворе у Криков были перекидки. Жители шли, как идут на Ярмарочную площадь во второй день Пасхи. Кузнечный мастер Иван Пятирубель прихватил беременную невестку и внучат. Старый Буцис привел племянницу, приехавшую на лиман из Каменец-Подольска. Табл пришла с русским человеком. Она опиралась на его руку и играла лентой от косы. Позже всех прискакала Любка на чалом жеребце. И только Фроим Грач пришел совсем один, рыжий, как ржавчина, одноглазый и в парусиновой бурке.

Люди расселись в палисаднике и вынули угощение. Мастеровые разулись, послали детей за пивом и положили головы на животы своих жен. И тогда Левка сказал Бенчику, своему брату:

— Мендель Погром нам отец,— сказал он,— мадам Горобчик нам мать, а люди — псы, Бенчик. Мы работаем для псов.

— Надо подумать,— ответил Бенчик, но не успел он произнести этих слов, как гром грянул на Головковской. Солнце взлетело кверху и завертелось, как красная чаша на острие копья. Биндюг старика мчался к воротам. Любезная Супруга была в мыле. Налетчик рвал упряжку. Старик взвил кнут над взбесившимися конями. Растопыренные ноги его были громадны, малиновый пот кипел на его лице, и он пел песни пьяным голосом. И тут-то Семен, сын Анисима, скользнул, как змея, мимо чьих-то ног, выскочил на улицу и закричал изо всех сил:

— Заворачивайте биндюг, дяденька Крик, бо сыны ваши хочут лупцовать вас...

Но было поздно. Папаша Крик на взмыленных конях влетел во двор. Он поднял кнут, он открыл рот и... умолк. Люди, рассевшиеся в палисаднике, пучили на него глаза. Бенчик стоял на левом фланге у голубятни. Левка стоял на правом фланге у дворницкой.

— Люди и хозяева!— сказал Мендель Крик чуть слышно и опустил кнут.— Вот смотрите на мою кровь, которая заносит на меня руку.

И, соскочив с биндюга, старик кинулся к Бене и размозжил ему кулаком переносье. Тут подоспел Левка и сделал что мог. Он перетасовал лицо своему отцу, как новую колоду. Но старик был сшит из чертовой кожи, и петли этой кожи были заметаны чугуном. Старик вывернул Левке руки и кинул на землю рядом с братом. Он сел Левке на грудь, и женщины закрыли глаза, чтобы не видеть выломанных зубов старика и лица, залитого кровью. И в это мгновение жители неописуемой Молдавы услышали быстрые шаги Двойры и ее голос.

— За Левку,— сказала она,— за Бенчика, за меня, Двойру, и за всех людей,— и провалила папаше голову друшляком. Люди вскочили на ноги и побежали к ним, размахивая руками. Они оттащили старика к водопроводу, как когда-то Двойру, и открыли кран. Кровь текла по желобу, как вода, и вода текла, как кровь. Мадам Горобчик протискалась боком сквозь толпу и приблизилась, подпрыгивая как воробей.

— Не молчи, Мендель,— сказала она шепотом,— кричи что-нибудь, Мендель...

Но, услышав тишину во дворе и увидев, что старик приехал с работы и кони не распряжены и никто не льет воды на разогревшиеся колеса, она кинулась прочь и побежала по двору, как собака о трех ногах. И тогда почетные хозяева подошли ближе. Папаша Крик лежал бородою кверху.

— Каюк,— сказал Фроим Грач и отвернулся.

— Крышка,— сказал Хаим Дронг, но кузнечный мастер Иван Пятирубель помахал указательным пальцем перед самым его носом.

— Трое на одного,— сказал Пятирубель,— позор для всей Молдавы, но еще не вечер. Не видел я еще того хлопца, который кончит старого Крика...

— Уже вечер,— прервал его Арье-Лейб, неведомо откуда взявшийся,— уже вечер, Иван Пятирубель. Не говори «нет», русский человек, когда жизнь шумит тебе «да».

И, усевшись возле папаши, Арье-Лейб вытер ему платком губы, поцеловал его в лоб и рассказал ему о царе Давиде, о царе над евреями, имевшем много жен, много земель и сокровищ и умевшем плакать вовремя.

— Не скули, Арье-Лейб,— закричал ему Хаим Дронг и стал толкать Арье-Лейба в спину,— не читай нам панихид, ты не у себя на кладбище!

И, оборотившись к папаше Крику, Хаим Дронг сказал:

— Вставай, старый ломовик, прополощи глотку, скажи нам что-нибудь грубое, как ты это умеешь, старый грубиян, и приготовь пару площадок наутро, бо мне надо возить отходы...

И весь народ стал ждать, что скажет Мендель насчет площадок. Но он молчал долго, потом открыл глаза и стал разевать рот, залепленный грязью и волосами, и кровь проступала у него между губами.

— У меня нет площадок,— сказал папаша Крик,— меня сыны убили. Пусть сыны хозяйнуют.

И вот не надо завидовать тем, кто хозяйнует над горьким наследием Менделя Крика. Не надо им завидовать, потому что все кормушки в конюшне давно сгнили, половину колес надо было перешиновать. Вывеска над воротами развалилась, на ней нельзя было прочесть ни одного слова, и у всех кучеров истлело последнее белье. Полгорода было должно Менделю Крику, но кони, выбирая овес из кормушки, вместе с овсом слизывали цифры, написанные мелом на стене. Целый день к ошеломленным наследникам ходили какие-то мужики и требовали денег за сечку и ячмень. Целый день ходили женщины и выкупали из заклада золотые кольца и никелированные самовары. Покой ушел из дома Криков, но Беня, которому через несколько месяцев суждено было сделаться Беней Королем, не сдался и заказал новую вывеску «Извозопромышленное заведение Мендель Крик и сыновья». Это должно было быть написано золотыми буквами по голубому полю и перевито подковами, отделанными под бронзу. Он купил еще штуку полосатого тика на исподники для кучеров и неслыханный лес для ремонта площадок. Он подрядил Пятирубеля на целую неделю и завел квитанции для каждого заказчика. И к вечеру следующего дня, знайте это, люди, он уморился больше, чем если бы сделал пятнадцать туров из Арбузной гавани на Одессу-Товарную. И к вечеру, знайте это, люди, он не нашел дома ни крошки хлеба и ни одной перемытой тарелки. Теперь обнимите умом заядлое варварство мадам Горобчик. Невыметенное сметье лежало в комнатах, небывалый телячий холодец выбросили собакам. И мадам Горобчик торчала у мужниной лежанки, как облитая помоями ворона на осенней ветке.

— Возьми их под заметку,— сказал тогда Бенчик младшему брату,— держи их под микроскопом, эту пару новобрачных, потому, сдается мне, Левка, они копают на нас.

Так сказал Левке брат его Бенчик, видевший всех насквозь своими глазами Бени Короля, но он, Левка-подпасок, не поверил и лег спать. Папаша его тоже храпел уже на своих досках, и мадам Горобчик ворочалась с боку на бок. Она плевала на стены и харкала на пол. Вредный характер ее мешал ей спать. Под конец заснула и она. Звезды рассыпались перед окном, как солдаты, когда они оправляются, зеленые звезды по синему полю. Граммофон наискосок, у Петьки Овсяницы, заиграл еврейские песни, потом и граммофон умолк. Ночь занималась себе своим делом, и воздух, богатый воздух лился в окно к Левке, младшему из Криков. Он любил воздух, Левка. Он лежал, и дышал, и дремал, и игрался с воздухом. Богатое настроение испытывал он, и это было до тех пор, пока на отцовской лежанке не послышался шорох и скрип. Парень прикрыл тогда глаза и выкатил на позицию уши. Папаша Крик поднял голову, как нюхающая мышь, и сполз с лежанки. Старик вытянул из-под подушки торбочку с монетой и перекинул через плечо сапоги. Левка дал ему уйти, потому что куда он мог уйти, старый пес? Потом парень вылез вслед за отцом и увидел, что Бенчик ползет с другой стороны двора и держится у стенки. Старик подкрался неслышно к биндюгам, он всунул голову в конюшню и засвистал лошадям, и лошади сбежались, чтобы потереться мордами об Менделеву голову. Ночь была во дворе, засыпанная звездами, синим воздухом и тишиной.

— Т-с-с,— приложил Левка палец к губам, и Бенчик, который лез с другой стороны двора, тоже приложил палец к губам. Папаша свистел коням, как маленьким детям, потом он побежал между площадками и брызнул в подворотню.

— Анисим,— сказал он тихим голосом и стукнул в окошко дворницкой.— Анисим, сердце мое, отопри мне ворота.

Анисим вылез из дворницкой, всклокоченный, как сено.

— Старый хозяин,— сказал он,— прошу вас великодушно, не срамитесь передо мною, простым человеком. Идите отдыхать, хозяин...

— Ты отопрешь мне ворота,— прошептал папаша еще тише,— я знаю это, Анисим, сердце мое...

— Вернись в помещение, Анисим,— сказал тогда Бенчик, вышел к дворницкой и положил руку своему папаше на плечо. И Анисим увидел прямо перед собой лицо Менделя Погрома, белое, как бумага, и он отвернулся, чтобы не видеть такого лица у своего хозяина.

— Не бей меня, Бенчик,— сказал старый Крик, отступая,— где конец мучениям твоего отца...

— О, низкий отец,— ответил Бенчик,— как могли вы сказать то, что вы сказали?

— Я мог!— закричал Мендель и ударил себя кулаком по голове.— Я мог, Бенчик!— закричал он изо всех сил и закачался, как припадочный.— Вот вокруг меня этот двор, в котором я отбыл половину человеческой жизни. Он видел меня, этот двор, отцом моих детей, мужем моей жены и хозяином над моими конями. Он видел мою славу и двадцать моих жеребцов и двенадцать площадок, окованных железом. Он видел ноги мои, непоколебимые, как столбы, и руки мои, злые руки мои. А теперь, дорогие сыны, отоприте мне ворота, и пусть будет сегодня так, как я хочу, пусть уйду я из этого двора, который видел слишком много...

— Папаша,— ответил Беня, не поднимая глаз,— вернитесь к вашей супруге.

Но к ней незачем было возвращаться, к мадам Горобчик. Она сама примчалась в подворотню и покатилась по земле, болтая в воздухе старыми, желтыми своими ногами.

— Ай,— кричала она, катаясь по земле,— Мендель Погром и сыны мои, байстрюки мои... Что вы сделали со мной, байстрюки мои, куда дели вы мои волосы, мое тело, где они, мои зубы, где моя молодость...

Старуха визжала, срывала рубаху со своих плеч и, встав на ноги, закрутилась на одном месте, как собака, которая хочет себя укусить. Она исцарапала сыновьям лица, она целовала сыновьям лица и обрывала им щеки.

— Старый вор,— ревела мадам Горобчик и скакала вокруг мужа, и крутила ему усы и дергала их,— старый вор, мой старый Мендель...

Все соседи были разбужены ее ревом, и весь двор сбежался в подворотню, и голопузые дети засвистели в дудки. Молдаванка стекалась на скандал. И Беня Крик, на глазах у людей поседевший от позора, едва загнал своих новобрачных в квартиру. Он разогнал людей палкой, он оттеснил их к воротам, но Левка, младший брат, взял его за воротник и стал трясти как грушу.

— Бенчик,— сказал он,— мы мучаем старика... Слеза меня точит, Бенчик...

— Слеза тебя точит,— ответил Венчик, и, собрав во рту слюну, он плюнул Левке ею в лицо.— О, низкий брат,— прошептал он,— подлый брат, развяжи мне руки, а не путайся у меня под ногами.

И Левка развязал ему руки. Парень проспал на конюшне до рассвета и потом исчез из дому. Пыль чужих мостовых и герань в чужих окнах доставляли ему отраду. Юноша измерил дороги скорби, пропадал двое суток и, вернувшись на третьи, увидел голубую вывеску, пылавшую над домом Криков. Голубая вывеска толкнула его в сердце, бархатные скатерти сбили с ног Левкины глаза, бархатные скатерти были разостланы на столах, и множество гостей хохотало в палисаднике. Двойра в белой наколке ходила между гостями, накрахмаленные бабы блестели в траве, как эмалированные чайники, и вихлявые мастеровые, уже успевшие скинуть с себя пиджаки, схватив Левку, втолкнули его в комнаты. Там сидел уже с исполосованным лицом Мендель Крик, старший из Криков. Ушер Боярский, владелец фирмы «Шедевр», горбатый закройщик Ефим и Беня Крик вертелись вокруг изуродованного папаши.

— Ефим,— говорил Ушер Боярский своему закройщику,— будьте такой ласковый спуститься к нам поближе и прикиньте на мосье Крика цветной костюмчик prima, как для своего, и осмельтесь на маленькую справку, на какой именно материал они рассчитывают — на английский морской двубортный, на английский сухопутный однобортный, на лодзинский демисезон или на московский плотный...

— Какую робу желаете вы себе справить?— спросил тогда Бенчик папашу Крика.— Сознавайтесь перед мосье Боярским.

— Какое ты имеешь сердце на твоего отца,— ответил папаша Крик и вынул слезу из глаза,— такую справь ему робу.

— Коль скоро папаша не флотский,— прервал отца Беня,— то ему наиболее подходящее будет сухопутное. Подберите ему сначала соответственную пару на каждый день.

Мосье Боярский подался вперед и пригнул ухо.

— Выразите вашу мысль,— сказал он.

— Моя мысль такая,— ответил Беня...

Колывушка

Во двор Ивана Колывушки вступило четверо — уполномоченный Рика Ивашко, Евдоким Назаренко, голова сельрады, Житняк, председатель колхоза, только что образовавшегося, и Адриян Моринец. Адриян двигался так, как если бы башня тронулась с места и пошла. Прижимая к бедру переламывающийся холстинный портфель, Ивашко пробежал мимо сараев и вскочил в хату. На потемневших прялках, у окна, сучили нитку жена Ивана и две его дочери. Повязанные косынками, с высокими тальмами и чистыми маленькими босыми ногами — они походили на монашек. Между полотенцами и дешевыми зеркалами висели фотографии прапорщиков, учительниц и горожан на даче. Иван вошел в хату вслед за гостями и снял шапку.

— Сколько податку платит?— вертясь, спросил Ивашко.

Голова Евдоким, сунув руки в карманы, наблюдал за тем, как летит колесо прялки.

Ивашко фыркнул, узнав, что Колывушка платит двести шестнадцать рублей.

— Бильш не сдужил?

— Видно, что не сдужил...

Житняк растянул сухие губы, голова Евдоким все смотрел на прялку. Колывушка, стоявший у порога, мигнул жене, та вынула из-за образов квитанцию и подала уполномоченному Рика.

— Семфонд?..— Ивашко спрашивал отрывисто, от нетерпения он ерзал ногой, вдавливая ее в половицы.

Евдоким поднял глаза и обвел ими хату.

— В этом господарстве,— сказал Евдоким,— все сдано, товарищ представник... В этом господарстве не может того быть, чтобы не сдано...

Беленые стены низким теплым куполом сходились над гостями. Цветы в ламповых стеклах, плоские шкафы, натертые лавки — все отражало мучительную чистоту. Ивашко снялся со своего места и побежал с вихляющим портфелем к выходу.

— Товарищ представник,— Колывушка ступил вслед за ним,— распоряжение будет мне или как?..

— Довидку получишь,— болтая руками, прокричал Ивашко и побежал дальше.

За ним двигался Адриян Моринец, нечеловечески громадный. Веселый виконавец Тымыш мелькнул у ворот,— вслед за Ивашкой. Тымыш мерил длинными ногами грязь деревенской улицы.

— У чому справа, Тымыш?..

Иван поманил его и схватил за рукав. Виконавец, веселая жердь, перегнулся и открыл пасть, набитую малиновым языком и обсаженную жемчугами.

— Дом твой под реманент забирают...

— А меня?..

— Тебя на высылку...

И журавлиными своими ногами Тымыш бросился догонять начальство.

Во дворе у Ивана стояла запряженная лошадь. Красные вожжи были брошены на мешки с пшеницей. У погнувшейся липы посреди двора стоял пень, в нем торчал топор. Иван потрогал рукой шапку, сдвинул ее и сел. Кобыла подтащила к нему розвальни, высунула язык и сложила его трубочкой. Лошадь была жереба, живот ее оттягивался круто. Играя, она ухватила хозяина за ватное плечо и потрепала его. Иван смотрел себе под ноги. Истоптанный снег рябил вокруг пня. Сутулясь, Колывушка вытянул топор, подержал его в воздухе, на весу, и ударил лошадь по лбу. Одно ухо ее отскочило, другое прыгнуло и прижалось; кобыла застонала и понесла. Розвальни перевернулись, пшеница витыми полосами разостлалась по снегу. Лошадь прыгала передними ногами и запрокидывала морду. У сарая она запуталась в зубьях бороны. Из-под кровавой, льющейся завесы вышли ее глаза. Жалуясь, она запела. Жеребенок повернулся в ней, жила вспухла на ее брюхе.

— Помиримось,— протягивая ей руку, сказал Иван,— помиримось, дочка...

Ладонь в его руке была раскрыта. Ухо лошади повисло, глаза ее косили, кровавые кольца сияли вокруг них, шея образовала с мордой прямую линию. Верхняя губа ее запрокинулась в отчаянии. Она натянула шлею и двинулась, таща прыгавшую борону. Иван отвел за спину руку с топором. Удар пришелся между глаз, в рухнувшем животном еще раз повернулся жеребенок. Описав круг по двору, Иван подошел к сараю и выкатил на волю веялку. Он размахивался широко и медленно, разбивая машину, и поворачивал топор в тонком плетении колес и барабана. Жена в высокой тальме появилась на крыльце.

— Маты,— услышал Иван далекий голос,— маты, он все погубляет...

Дверь открылась; из дому, опираясь на палку, вышла старуха в холстинных штанах. Желтые волосы облегали дыры ее щек, рубаха висела как саван на плоском ее теле. Старуха ступила в снег мохнатыми чулками.

— Кат,— отнимая топор, сказала она сыну,— ты отца вспомнил?.. Ты братов, каторжников, вспомнил?..

Во двор набрались соседи. Мужики стояли полукругом и смотрели в сторону. Чужая баба рванулась и завизжала.

— Примись, стерво,— сказал ей муж.

Иван стоял, упершись в стену. Дыхание его, гремя, разносилось по двору. Казалось, он производит трудную работу, вбирая в себя воздух и выталкивая его.

Дядька Колывушки, Терентий, бегая вокруг ворот, пытался запереть их.

— Я человек,— сказал вдруг Иван окружившим его,— я есть человек, селянин... Неужто вы человека не бачили?..

Терентий, толкаясь и приседая, прогнал посторонних. Ворота завизжали и съехались. Раскрылись они к вечеру. Из них выплыли сани, туго, с перекатом, уложенные добром. Женщины сидели на тюках, как окоченевшие птицы. На веревке, привязанная за рога, шла корова. Воз проехал краем села и утонул в снежной, плоской пустыне. Ветер мял снизу и стонал в этой пустыне, рассыпая голубые валы. Жестяное небо стояло за ними. Алмазная сеть, блестя, оплетала небо.

Колывушка, глядя прямо перед собой, прошел по улице к сельраде. Там шло заседание нового колхоза «Видродження». За столом распластался горбатый Житняк.

— Перемена нашей жизни, в чем она есть, ця перемена?

Руки горбуна прижимались к туловищу и снова уносились.

— Селяне, мы переходим к молочно-огородному направлению, тут громаднейшее значение... Батьки и деды наши топтали чеботами клад, в настоящее время мы его вырываем. Разве это не позор, разве ж то не ганьба, что, существуя в яких-нибудь шестидесяти верстах от центрального нашего миста, мы не поладили господарства на научных данных? Очи наши были затворены, селяне, утикать мы утикали сами от себя... Что такое обозначает шестьдесят верст, кому это известно?.. В нашей державе это обозначает час времени, но и цей малый час есть человеческое наше имущество, есть драгоценность...

Дверь сельрады раскрылась. Колывушка в литом полушубке и высокой шапке прошел к стене. Пальцы Ивашки запрыгали и врылись в бумаги.

— Посбавленных права голоса,— сказал он, глядя вниз на бумаги,— прохаю залишить наши сборы...

За окном, за грязными стеклами, разливался закат, изумрудные его потоки. В сумерках деревенской избы в сыром дыму махорки слабо блестели искры. Иван снял шапку, корона черных его волос развалилась.

Он подошел к столу, за которым сидел президиум,— батрачка Ивга Мовчан, голова Евдоким и безмолвный Адриян Моринец.

— Мир,— сказал Колывушка, протянул руку и положил на стол связку ключей,— я увольняюсь от вас, мир...

Железо, прозвенев, легло на почернелые доски. Из тьмы вышло искаженное лицо Адрияна.

— Куда ты пойдешь, Иване?..

— Люди не приймают, может, земля примет...

Иван вышел на цыпочках, ныряя головой.

— Номер,— взвизгнул Ивашко, как только дверь закрылась за ним,— самая провокация... Он за обрезом пошел, он никуда, кроме как за обрезом, не пойдет...

Ивашко застучал кулаком по столу. К устам его рвались слова о панике и о том, чтобы соблюдать спокойствие. Лицо Адрияна снова втянулось в темный угол.

— Не,— сказал он из тьмы,— мабуть не за обрезом, представник.

— Маю пропозицию...— вскричал Ивашко.

Предложение состояло в том, чтобы нарядить стражу у Колывушкиной хаты. В стражники выбрали Тымыша, виконавца. Гримасничая, он вынес на крыльцо венский стул, развалился на нем, поставил у ног своих дробовик и дубинку. С высоты крыльца, с высоты деревенского своего трона Тымыш перекликался с девками, свистал, выл и постукивал дробовиком. Ночь была лилова, тяжела, как горный цветной камень. Жилы застывших ручьев пролегали в ней; звезда опустилась в колодцы черных облаков.

Наутро Тымыш донес, что происшествий не было. Иван ночевал у деда Абрама, у старика, заросшего диким мясом. С вечера Абрам протащился к колодцу.

— Ты зачем, диду Абрам?..

— Самовар буду ставить,— сказал дед.

Они спали поздно. Над хатами закурился дым; их дверь все была затворена.

— Смылся,— сказал Ивашко на собрании колхоза,— заплачем, чи шо?.. Как вы мыслите, селяне?..

Житняк, раскинув по столу трепещущие острые локти, записывал в книгу приметы обобществленных лошадей. Горб его отбрасывал движущуюся тень.

— Чем нам теперь глотку запхнешь,— разглагольствовал Житняк между делом,— нам теперь все на свете нужно... Дождевиков искусственных надо, распашников надо пружинных, трактора, насосы... Это есть ненасытность, селяне... Вся наша держава есть ненасытная...

Лошади, которых записывал Житняк, все были гнедые и пегие, по именам их звали «Мальчик» и «Жданка». Житняк заставлял владельцев расписываться против каждой фамилии.

Его прервал шум, глухой и дальний топот. Прибой накатывался и плескал в Великую Старицу. По разломившейся улице повалила толпа. Безногие катились впереди нее. Невидимая хоругвь реяла над толпой. Добежав до сельрады, люди сменили ноги и построились. Круг обнажился среди них, круг вздыбленного снега, пустое место, как оставляют для попа во время крестного хода. В кругу стоял Колывушка в рубахе навыпуск под жилеткой, с белой головой. Ночь посеребрила цыганскую его корону, черного волоса не осталось в ней. Хлопья снега, слабые птицы, уносимые ветром, пронеслись под потеплевшим небом. Старик со сломанными ногами, подавшись вперед, с жадностью смотрел на белые волосы Колывушки.

— Скажи, Иване,— поднимая руки, произнес старик,— скажи народу, что ты маешь на душе...

— Куда вы гоните меня, мир,— прошептал Колывушка, озираясь,— куда я пойду... Я рожденный среди вас, мир...

Ворчанье проползло в рядах. Разбрасывая людей, Моринец выбрался вперед.

— Нехай робит,— вопль не мог вырваться из могучего его тела, низкий голос дрожал,— нехай робит... чью долю он заест?..

— Мою,— сказал Житняк и засмеялся. Шаркая ногами, он подошел к Колывушке и подмигнул ему.

— Цию ночку я с бабой переспал,— сказал горбун,— как вставать — баба оладий напекла, мы, как кабаны, нашамались с нею, аж газ пущали...

Горбун умолк, смех его оборвался, кровь ушла из его лица.

— Ты к стенке нас ставить пришел,— сказал он тише,— ты тиранить нас пришел белой своей головой, мучить нас — только мы не станем мучиться, Ваня... Нам это — скука в настоящее время — мучиться.

Горбун придвигался на тонких вывороченных ногах. Что-то свистело в нем, как в птице.

— Тебя убить надо,— прошетал он, догадавшись,— я за пистолью пойду, унистожу тебя...

Лицо его просветлело, радуясь, он тронул руку Колывушки и кинулся в дом за дробовиком Тымыша. Колывушка, покачавшись на месте, двинулся. Серебряный свиток его головы уходил в клубящемся пролете хат. Ноги его путались, потом шаг стал тверже. Он повернул по дороге на Ксеньевку.

С тех пор никто не видел его в Великой Старице.

Конармия

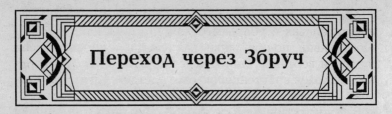

Переход через Збруч

Начдив шесть донес о том, что Новоград-Волынский взят сегодня на рассвете. Штаб выступил из Крапивно, и наш обоз шумливым арьергардом растянулся по шоссе, идущему от Бреста до Варшавы и построенному на мужичьих костях Николаем Первым.

Поля пурпурного мака цветут вокруг нас, полуденный ветер играет в желтеющей ржи, девственная гречиха встает на горизонте, как стена дальнего монастыря. Тихая Волынь изгибается, Волынь уходит от нас в жемчужный туман березовых рощ, она вползает в цветистые пригорки и ослабевшими руками путается в зарослях хмеля. Оранжевое солнце катится по небу, как отрубленная голова, нежный свет загорается в ущельях туч, штандарты заката веют над нашими головами. Запах вчерашней крови и убитых лошадей каплет в вечернюю прохладу. Почерневший Збруч шумит и закручивает пенистые узлы своих порогов. Мосты разрушены, и мы переезжаем реку вброд. Величавая луна лежит на волнах. Лошади по спину уходят в воду, звучные потоки сочатся между сотнями лошадиных ног. Кто-то тонет и звонко порочит Богородицу. Река усеяна черными квадратами телег, она полна гула, свиста и песен, гремящих поверх лунных змей и сияющих ям.

Поздней ночью приезжаем мы в Новоград. Я нахожу беременную женщину на отведенной мне квартире и двух рыжих евреев с тонкими шеями; третий спит, укрывшись с головой и приткнувшись к стене. Я нахожу развороченные шкафы в отведенной мне комнате, обрывки женских шуб на полу, человеческий кал и черепки сокровенной посуды, употребляющейся у евреев раз в году — на Пасху.

— Уберите,— говорю я женщине.— Как вы грязно живете, хозяева...

Два еврея снимаются с места. Они прыгают на войлочных подошвах и убирают обломки с полу, они прыгают в безмолвии, по-обезьяньи, как японцы в цирке, их шеи пухнут и вертятся. Они кладут на пол распоротую перину, и я ложусь к стенке, рядом с третьим, заснувшим евреем. Пугливая нищета смыкается над моим ложем.

Всё убито тишиной, и только луна, обхватив синими руками свою круглую, блещущую, беспечную голову, бродяжит под окном.

Я разминаю затекшие ноги, я лежу на распоротой перине и засыпаю. Начдив шесть снится мне. Он гонится на тяжелом жеребце за комбригом и всаживает ему две пули в глаза. Пули пробивают голову комбрига, и оба глаза его падают наземь. «Зачем ты поворотил бригаду?» — кричит раненому Савицкий, начдив шесть,— и тут я просыпаюсь, потому что беременная женщина шарит пальцами по моему лицу.

— Пане,— говорит она мне,— вы кричите со сна и вы бросаетесь. Я постелю вам в другом углу, потому что вы толкаете моего папашу...

Она поднимает с полу худые свои ноги и круглый живот и снимает одеяло с заснувшего человека. Мертвый старик лежит там, закинувшись навзничь. Глотка его вырвана, лицо разрублено пополам, синяя кровь лежит в его бороде, как кусок свинца.

— Пане,— говорит еврейка и встряхивает перину,— поляки резали его, и он молился им: убейте меня на черном дворе, чтобы моя дочь не видела, как я умру. Но они сделали так, как им было нужно,— он кончался в этой комнате и думал обо мне... И теперь я хочу знать,— сказала вдруг женщина с ужасной силой,— я хочу знать, где еще на всей земле вы найдете такого отца, как мой отец...

Костел в Новограде

Я отправился вчера с докладом к военкому, остановившемуся в доме бежавшего ксендза. На кухне встретила меня пани Элиза, экономка иезуита. Она дала мне янтарного чаю с бисквитами. Бисквиты ее пахли, как распятие. Лукавый сок был заключен в них и благовонная ярость Ватикана.

Рядом с домом в костеле ревели колокола, заведенные обезумевшим звонарем. Был вечер, полный июльских звезд. Пани Элиза, тряся внимательными сединами, подсыпала мне печенья, я насладился пищей иезуитов.

Старая полька называла меня «паном», у порога стояли навытяжку серые старики с окостеневшими ушами, и где-то в змеином сумраке извивалась сутана монаха. Патер бежал, но он оставил помощника — пана Ромуальда.

Гнусавый скопец с телом исполина, Ромуальд величал нас «товарищами». Желтым пальцем водил он по карте, указывая круги польского разгрома. Охваченный хриплым восторгом, пересчитывал он раны своей родины. Пусть кроткое забвение поглотит память о Ромуальде, предавшем нас без сожаления и расстрелянном мимоходом. Но в тот вечер его узкая сутана шевелилась у всех портьер, яростно мела все дороги и усмехалась всем, кто хотел пить водку. В тот вечер тень монаха кралась за мной неотступно. Он стал бы епископом — пан Ромуальд, если бы он не был шпионом.

Я пил с ним ром, дыхание невиданного уклада мерцало под развалинами дома ксендза, и вкрадчивые его соблазны обессилили меня. О, распятия, крохотные, как талисманы куртизанки, пергамент папских булл и атлас женских писем, истлевших в синем шелку жилетов!..

Я вижу тебя отсюда, неверный монах в лиловой рясе, припухлость твоих рук, твою душу, нежную и безжалостную, как душа кошки, я вижу раны твоего Бога, сочащиеся семенем, благоуханным ядом, опьяняющим девственниц.

Мы пили ром, дожидаясь военкома, но он все не возвращался из штаба. Ромуальд упал в углу и заснул. Он спит и трепещет, а за окном в саду под черной страстью неба переливается аллея. Жаждущие розы колышутся во тьме. Зеленые молнии пылают в куполах. Раздетый труп валяется под откосом. И лунный блеск струится по мертвым ногам, торчащим врозь.

Вот Польша, вот надменная скорбь Речи Посполитой! Насильственный пришелец, я раскидываю вши-

Обложка первого издания цикла рассказов «Конармия»

вый тюфяк в храме, оставленном священнослужителем, подкладываю под голову фолианты, в которых напечатана осанна ясновельможному и пресветлому Начальнику Панства, Иозефу Пилсудскому.

Нищие орды катятся на твои древние города, о Польша, песнь об единении всех холопов гремит над ними, и горе тебе, Речь Посполитая, горе тебе, князь Радзивилл, и тебе, князь Сапега, вставшие на час!..

Все нет моего военкома. Я ищу его в штабе, в саду, в костеле. Ворота костела раскрыты, я вхожу, мне навстречу два серебряных черепа разгораются на крышке сломанного гроба. В испуге я бросаюсь вниз, в подземелье. Дубовая лестница ведет оттуда к алтарю. И я вижу множество огней, бегущих в высоте, у самого купола. Я вижу военкома, начальника особого отдела и казаков со свечами в руках. Они отзываются на слабый мой крик и выводят меня из подвала.

Черепа, оказавшиеся резьбой церковного катафалка, не пугают меня больше, и все вместе мы продолжаем обыск, потому что это был обыск, начатый после того, как в квартире ксендза нашли груды военного обмундирования.

Сверкая расшитыми конскими мордами наших обшлагов, перешептываясь и гремя шпорами, мы кружимся по гулкому зданию с оплывающим воском в руках. Богоматери, унизанные драгоценными камнями, следят наш путь розовыми, как у мышей, зрачками, пламя бьется в наших пальцах, и квадратные тени корчатся на статуях святого Петра, святого Франциска, святого Винцента, на их румяных щечках и курчавых бородах, раскрашенных кармином.

Мы кружимся и ищем. Под нашими пальцами прыгают костяные кнопки, раздвигаются разрезанные пополам иконы, открывая подземелья в зацветающие плесенью пещеры. Храм этот древен и полон тайн. Он скрывает в своих глянцевитых стенах потайные ходы, ниши и створки, распахивающиеся бесшумно.

О глупый ксендз, развесивший на гвоздях Спасителя лифчики своих прихожанок. За царскими вратами мы нашли чемодан с золотыми монетами, сафьяновый мешок с кредитками и футляры парижских ювелиров с изумрудными перстнями.

А потом мы считали деньги в комнате военкома. Столбы золота, ковры из денег, порывистый ветер, дующий на пламя свечей, воронье безумье в глазах пани Элизы, громовой хохот Ромуальда и нескончаемый рев колоколов, заведенных паном Робацким, обезумевшим звонарем.

— Прочь,— сказал я себе,— прочь от этих подмигивающих Мадонн, обманутых солдатами...

Письмо

Вот письмо на родину, продиктованное мне мальчиком нашей экспедиции Курдюковым. Оно не заслуживает забвения. Я переписал его, не приукрашивая, и передаю дословно, в согласии с истиной.

«Любезная мама Евдокия Федоровна. В первых строках сего письма спешу вас уведомить, что, благодаря Господа, я есть жив и здоров, чего желаю от вас слыхать то же самое. А также нижающе вам кланяюсь, от бела лица до сырой земли...» (Следует перечисление родственников, крестных, кумовьев. Опустим это. Перейдем ко второму абзацу.)

«Любезная мама Евдокия Федоровна Курдюкова. Спешу вам написать, что я нахожусь в красной Конной армии товарища Буденного, а также тут находится ваш кум Никон Васильич, который есть в настоящее время красный герой. Они взяли меня к себе, в экспедицию Политотдела, где мы развозим на позиции литературу и газеты — Московские Известия ЦИК, Московская Правда и родную беспощадную газету Красный кавалерист, которую всякий боец на передовой позиции желает прочитать, и опосля этого он с геройским духом рубает подлую шляхту, и я живу при Никон Васильиче очень великолепно.

Любезная мама Евдокия Федоровна. Пришлите чего можете от вашей силы-возможности. Просю вас заколоть рябого кабанчика и сделать мне посылку в Полит-

отдел товарища Буденного, получить Василию Курдюкову. Каждые сутки я ложусь отдыхать не евши и безо всякой одежды, так что дюже холодно. Напишите мне письмо за моего Степу, живой он или нет, просю вас, досматривайте до него и напишите мне за него — засекается он еще или перестал, а также насчет чесотки в передних ногах, подковали его или нет? Просю вас, любезная мама Евдокия Федоровна, обмывайте ему беспременно передние ноги с мылом, которое я оставил за образами, а если папаша мыло истребили, так купите в Краснодаре, и Бог вас не оставит. Могу вам описать также, что здеся страна совсем бедная, мужики со своими конями хоронятся от наших красных орлов по лесам, пшеницы, видать, мало и она ужасно мелкая, мы с нее смеемся. Хозяева сеют рожь и то же самое овес. На палках здесь растет хмель, так что выходит очень аккуратно; из него гонют самогон.

Во вторых строках сего письма спешу вам описать за папашу, что они порубали брата Федора Тимофеича Курдюкова тому назад с год времени. Наша красная бригада товарища Павличенки наступала на город Ростов, когда в наших рядах произошла измена. А папаша были в тое время у Деникина за командира роты. Которые люди их видали — то говорили, что они носили на себе медали, как при старом режиме. И по случаю той измены всех нас побрали в плен, и брат Федор Тимофеич попались папаше на глаза. И папаша начали Федю резать, говоря — шкура, красная собака, сукин сын и разно, и резали до темноты, пока брат Федор Тимофеич не кончился. Я написал тогда до вас письмо, как ваш Федя лежит без креста. Но папаша пымали меня с письмом и говорили: вы — материны дети, вы — ейный корень, потаскухин, я вашу матку брюхатил и буду брюхатить, моя жизнь погибшая, изведу я за правду свое семя, и еще разно. Я принимал от них страдания, как спаситель Иисус Христос. Только вскорости я от папаши убег и прибился до своей части товарища Павличенки. И наша бригада получила приказание идти в город Воронеж пополняться, и мы получили там пополнение, а также коней, сумки, наганы и все, что до нас принадлежало. За Воронеж могу вам описать, любезная мама Евдокия Федоровна, что это городок очень великолепный, будет поболе Краснодара, люди в ем очень красивые, речка способная до купанья. Давали нам хлеб по два фунта в день, мяса полфунта и сахару подходяще, так что, вставши, пили сладкий чай, то же самое вечеряли и про голод забыли, а в обед я ходил к брату Семен Тимофеичу за блинами или гусятиной и опосля этого лягал отдыхать. В тое время Семен Тимофеича за его отчаянность весь полк желал иметь за командира, и от товарища Буденного вышло такое приказание, и он получил двух коней, справную одежу, телегу для барахла отдельно и орден Красного Знамени, а я при ем считался братом. Таперича какой сосед вас начнет забижать — то Семен Тимофеич может его вполне зарезать. Потом мы начали гнать генерала Деникина, порезали их тыщи и загнали в Черное море, но только папаши нигде не было видать, и Семен Тимофеич их разыскивали по всех позициях, потому что они очень скучали за братом Федей. Но только, любезная мама, как вы знаете за папашу и за его упорный характер, так он что сделал — нахально покрасил себе бороду с рыжей на вороную и находился в городе Майкопе, в вольной одеже, так что никто из жителей не знали, что он есть самый что ни на есть стражник при старом режиме. Но только правда — она себе окажет, кум ваш Никон Васильич случаем увидал его в хате у жителя и написал до Семен Тимофеича письмо. Мы посидали на коней и пробегли двести верст — я, брат Сенька и желающие ребята из станицы.

И что же мы увидали в городе Майкопе? Мы увидали, что тыл никак не сочувствует фронту и в ем повсюду измена и полно жидов, как при старом режиме. И Семен Тимофеич в городе Майкопе с жидами здорово спорился, которые не выпущали от себя папашу и засадили его в тюрьму под замок, говоря — пришел приказ не рубать пленных, мы сами его будем судить, не серчайте, он свое получит. Но только Семен Тимофеич свое взял и доказал, что он есть командир полка и имеет от товарища Буденного все ордена Красного Знамени, и грозился всех порубать, которые спорятся за папашину личность и не выдают ее, а также грозились ребята со станицы. Но только Семен Тимофеич папашу получили, и они стали папашу плетить и выстроили во дворе всех бойцов, как принадлежит к военному порядку. И тогда Сенька плеснул папаше Тимофей Родионычу воды на бороду, и с бороды потекла краска. И Сенька спросил Тимофей Родионыча:

— Хорошо вам, папаша, в моих руках?

— Нет, — сказал папаша, — худо мне.

Тогда Сенька спросил:

— А Феде, когда вы его резали, хорошо было в ваших руках?

— Нет, — сказал папаша, — худо было Феде.

Тогда Сенька спросил:

— А думали вы, папаша, что и вам худо будет?

— Нет, — сказал папаша, — не думал я, что мне худо будет.

Тогда Сенька поворотился к народу и сказал:

— А я так думаю, что если попадусь я к вашим, то не будет мне пощады. А теперь, папаша, мы будем вас кончать...

И Тимофей Родионыч зачал нахально ругать Сеньку по матушке и в Богородицу и бить Сеньку по морде, и Семен Тимофеич услали меня со двора, так что я не могу, любезная мама Евдокия Федоровна, описать вам за то, как кончали папашу, потому я был усланный со двора.

Опосля этого мы получили стоянку в городе в Новороссийском. За этот город можно рассказать, что за ним никакой суши больше нет, а одна вода, Черное море, и мы там оставались до самого мая, когда выступили на польский фронт и треплем шляхту почем зря...

Остаюсь ваш любезный сын Василий Тимофеич Курдюков. Мамка, доглядайте до Степки, и Бог вас не оставит».

Вот письмо Курдюкова, ни в одном слове не измененное. Когда я кончил, он взял исписанный листок и спрятал его за пазуху, на голое тело.

— Курдюков, — спросил я мальчика, — злой у тебя был отец?

— Отец у меня был кобель, — ответил он угрюмо.

— А мать лучше?

— Мать подходящая. Если желаешь — вот наша фамилия...

Он протянул мне сломанную фотографию. На ней был изображен Тимофей Курдюков, плечистый стражник в форменном картузе и с расчесанной бородой, недвижный, скуластый, со сверкающим взглядом бесцветных и бессмысленных глаз. Рядом с ним в бамбуковом креслице сидела крохотная крестьянка в выпущенной кофте, с чахлыми светлыми и застенчивыми чертами лица. А у стены, у этого жалкого провинциального фотографического фона, с цветами и голубями, высились два парня — чудовищно огромные, тупые, широколицые, лупоглазые, застывшие, как на ученье, два брата Курдюковых — Федор и Семен.

Начальник конзапаса

На деревне стон стоит. Конница травит хлеб и меняет лошадей. Взамен приставших кляч кавалеристы забирают рабочую скотину. Бранить тут некого. Без лошади нет армии.

Но крестьянам не легче от этого сознания. Крестьяне неотступно толпятся у здания штаба.

Они тащат на веревках упирающихся, скользящих от слабости одров. Лишенные кормильцев, мужики, чувствуя в себе прилив горькой храбрости и зная, что храбрости ненадолго хватит, спешат безо всякой надежды надерзить начальству, Богу и своей жалкой доле.

Начальник штаба Ж. в полной форме стоит на крыльце. Прикрыв воспаленные веки, он с видимым вниманием слушает мужичьи жалобы. Но внимание его не более как прием. Как всякий вышколенный и переутомившийся работник, он умеет в пустые минуты существования полностью прекратить мозговую работу. В эти немногие минуты блаженного бессмыслия начальник нашего штаба встряхивает изношенную машину.

Так и на этот раз с мужиками.

Под успокоительный аккомпанемент их бессвязного и отчаянного гула Ж. следит со стороны за той мягкой толкотней в мозгу, которая предвещает чистоту и энергию мысли. Дождавшись нужного перебоя, он ухватывает последнюю мужичью слезу, начальственно огрызается и уходит к себе в штаб работать.

На этот раз и огрызнуться не пришлось. На огненном англо-арабе подскакал к крыльцу Дьяков, бывший цирковой атлет, а ныне начальник конского запаса — краснорожий, седоусый, в черном плаще и с серебряными лампасами вдоль красных шаровар.

— Честным стервам игуменье благословенье!— прокричал он, осаживая коня на карьере, и в то же мгновенье к нему под стремя подвалилась облезлая лошаденка, одна из обмененных казаками.

— Вон, товарищ начальник,— завопил мужик, хлопая себя по штанам,— вон чего ваш брат дает нашему брату... Видал, чего дают? Хозяйствуй на ей...

— А за этого коня,— раздельно и веско начал тогда Дьяков,— за этого коня, почтенный друг, ты в полном своем праве получить в конском запасе пятнадцать тысяч рублей, а ежели этот конь был бы повеселее, то в ефтим случае ты получил бы, желанный друг, в конском запасе двадцать тысяч рублей. Но, однако, что конь упал,— это не хвакт. Ежели конь упал и подымается, то это — конь; ежели он, обратно сказать, не подымается, тогда это не конь. Но, между прочим, эта справная кобылка у меня подымется...

— О господи, мамуня же ты моя всемилостивая!— взмахнул руками мужик.— Где ей, сироте, подняться... Она, сирота, подохнет...

— Обижаешь коня, кум,— с глубоким убеждением ответил Дьяков,— прямо-таки богохульствуешь, кум,— и он ловко снял с седла свое статное тело атлета. Расправляя прекрасные ноги, схваченные в коленях ремешком, пышный и ловкий, как на сцене, он двинулся к издыхающему животному. Оно уныло уставилось на Дьякова своим крутым глубоким глазом, слизнуло с его малиновой ладони невидимое какое-то повеление, и тотчас же обессиленная лошадь почувствовала умелую силу, истекавшую от этого седого, цветущего и молодцеватого Ромео. Поводя мордой и скользя подламывающимися ногами, ощущая нетерпеливое и властное щекотание хлыста под брюхом, кляча медленно, внимательно становилась на ноги. И вот все мы увидели, как тонкая кисть в развевающемся рукаве потрепала грязную гриву и хлыст со стоном прильнул к кровоточащим бокам. Дрожа всем телом, кляча стояла на своих на четырех и не сводила с Дьякова собачьих, боязливых, влюбляющихся глаз.

— Значит, что конь,— сказал Дьяков мужику и добавил мягко:— А ты жалился, желанный друг...

Бросив ординарцу поводья, начальник конзапаса взял с маху четыре ступеньки и, взметнув оперным плащом, исчез в здании штаба.

Пан Аполек

Прелестная и мудрая жизнь пана Аполека ударила мне в голову, как старое вино. В Новограде-Волынском, в наспех смятом городе, среди скрюченных развалин, судьба бросила мне под ноги укрытое от мира Евангелие. Окруженный простодушным сиянием нимбов, я дал тогда обет следовать примеру пана Аполека. И сладость мечтательной злобы, горькое презрение к псам и свиньям человечества, огонь молчаливого и упоительного мщения — я принес их в жертву новому обету.

В квартире бежавшего новоградского ксендза висела высоко на стене икона. На ней была надпись: «Смерть Крестителя». Не колеблясь, признал я в Иоанне изображение человека, мною виденного когда-то.

Я помню: между прямых и светлых стен стояла паутинная тишина летнего утра. У подножия картины был положен солнцем прямой луч. В нем роилась блещущая пыль. Прямо на меня из синей глубины ниши спускалась длинная фигура Иоанна. Черный плащ торжественно висел на этом неумолимом теле, отвратительно худом. Капли крови блистали в круглых застежках плаща. Голова Иоанна была косо срезана с ободранной шеи. Она лежала на глиняном блюде, крепко взятом большими желтыми пальцами воина. Лицо мертвеца показалось мне знакомым. Предвестие тайны коснулось меня. На глиняном блюде лежала мертвая голова, списанная с пана Ромуальда, помощника бежавшего ксендза. Из оскаленного рта его, цветисто сияя чешуей, свисало крохотное туловище змеи. Ее головка, нежно-розовая, полная оживления, могущественно оттеняла глубокий фон плаща.

Я подивился искусству живописца, мрачной его выдумке. Тем удивительнее показалась мне на следующий день краснощекая Богоматерь, висевшая над супружеской кроватью пани Элизы, экономки старого ксендза. На обоих полотнах лежала печать одной кисти. Мясистое лицо Богоматери — это был портрет пани Элизы. И тут я приблизился к разгадке новоградских икон. Разгадка вела на кухню к пани Элизе, где душистыми вечерами собирались тени старой холопской Польши, с юродивым художником во главе. Но был ли юродивым пан Аполек, населивший ангелами пригородные села и произведший в святые хромого выкреста Янека?

Он пришел сюда со слепым Готфридом тридцать лет тому назад в невидный летний день. Приятели — Аполек и Готфрид — подошли к корчме Шмереля, что стоит на Ровненском шоссе, в двух верстах от городской черты. В правой руке у Аполека был ящик с красками, левой он вел слепого гармониста. Певучий шаг их немецких башмаков, окованных гвоздями, звучал спокойствием и надеждой. С тонкой шеи Аполека свисал канареечный шарф, три шоколадных перышка покачивались на тирольской шляпе слепого.

В корчме на подоконнике пришельцы разложили краски и гармонику. Художник размотал свой шарф, нескончаемый, как лента ярмарочного фокусника. Потом он вышел во двор, разделся донага и облил студеною водой свое розовое, узкое, хилое тело. Жена Шмереля принесла гостям изюмной водки и миску зразы. Насытившись, Готфрид положил гармонию на острые свои колени. Он вздохнул, откинул голову и пошевелил худыми пальцами. Звуки гейдельбергских песен огласили стены еврейского шинка. Аполек подпевал слепцу дребезжащим голосом. Все это выглядело так, как будто из костела святой Индегильды принесли к Шмерелю орган и на органе рядышком уселись музы в пестрых ватных шарфах и подкованных немецких башмаках.

Гости пели до заката, потом они уложили в холщовые мешки гармонику и краски, и пан Аполек с низким поклоном передал Брайне, жене корчмаря, лист бумаги.

— Милостивая пани Брайна,— сказал он,— примите от бродячего художника, крещенного христианским именем Аполлинария, этот ваш портрет — как знак холопской нашей признательности, как свидетельство роскошного вашего гостеприимства. Если Бог Иисус продлит мои дни и укрепит мое искусство, я вернусь, чтобы переписать красками этот портрет. К волосам вашим подойдут жемчуга, а на груди мы припишем изумрудное ожерелье...

На небольшом листе бумаги красным карандашом, карандашом красным и мягким, как глина, было изображено смеющееся лицо пани Брайны, обведенное медными кудрями.

— Мои деньги!— вскричал Шмерель, увидев портрет жены. Он схватил палку и пустился за постояльцами в погоню. Но по дороге Шмерель вспомнил розовое тело Аполека, залитое водой, и солнце на своем дворике, и тихий звон гармоники. Корчмарь смутился духом и, отложив палку, вернулся домой.

На следующее утро Аполек представил новоградскому ксендзу диплом об окончании мюнхенской академии и разложил перед ним двенадцать картин на темы Священного писания. Картины эти были написаны маслом на тонких пластинках кипарисового дерева. Патер увидал на своем столе горящий пурпур мантий, блеск смарагдовых полей и цветистые покрывала, накинутые на равнины Палестины.

Святые пана Аполека, весь этот набор ликующих и простоватых старцев, седобородых, краснолицых, был втиснут в потоки шелка и могучих вечеров.

В тот же день пан Аполек получил заказ на роспись нового костела. И за бенедиктином патер сказал художнику:

— Санта Мария,— сказал он,— желанный пан Аполлинарий, из каких чудесных областей снизошла к нам ваша столь радостная благодать?..

Аполек работал с усердием, и уже через месяц новый храм был полон блеяния стад, пыльного золота закатов и палевых коровьих сосцов. Буйволы с истертой кожей влеклись в упряжке, собаки с розовыми мордами бежали впереди отары, и в колыбелях, подвешенных к прямым стволам пальм, качались тучные младенцы. Коричневые рубища францисканцев окружали колыбель. Толпа волхвов была изрезана сверкающими лысинами и морщинами, кровавыми, как раны. В толпе волхвов мерцало лисьей усмешкой старушечье личико Льва XIII, и сам новоградский ксендз, перебирая одной рукой китайские резные четки, благословлял другой, свободной, новорожденного Иисуса.

Пять месяцев ползал Аполек, заключенный в свое деревянное сиденье, вдоль стен, вдоль купола и на хорах.

— У вас пристрастие к знакомым лицам, желанный пан Аполек,— сказал однажды ксендз, узнав себя в одном из волхвов и пана Ромуальда — в отрубленной голове Иоанна. Он улыбнулся, старый патер, и послал бокал коньяку художнику, работавшему под куполом.

Потом Аполек закончил тайную вечерю и побиение камнями Марии из Магдалы. В одно из воскресений он открыл расписанные стены. Именитые граждане, приглашенные ксендзом, узнали в апостоле Павле Янека, хромого выкреста, и в Марии Магдалине — еврейскую девушку Эльку, дочь неведомых родителей и мать многих подзаборных детей. Именитые граждане приказали закрыть кощунственные изображения. Ксендз обрушил угрозы на богохульника. Но Аполек не закрыл расписанных стен.

Так началась неслыханная война между могущественным телом католической церкви, с одной стороны, и беспечным богомазом — с другой. Она длилась три десятилетия. Случай едва не возвел кроткого гуляку в основатели новой ереси. И тогда это был бы самый замысловатый и смехотворный боец из всех, каких знала уклончивая и мятежная история римской церкви, боец, в блаженном хмелю обходивший землю с двумя белыми мышами за пазухой и с набором тончайших кисточек в кармане.

— Пятнадцать злотых за Богоматерь, двадцать пять злотых за святое семейство и пятьдесят злотых за Тайную вечерю с изображением всех родственников заказчика. Враг заказчика может быть изображен в образе Иуды Искариота, и за это добавляется лишних десять злотых,— так объявил Аполек окрестным крестьянам, после того как его выгнали из строившегося храма.

В заказах он не знал недостатка. И когда через год, вызванная исступленными посланиями новоградского ксендза, прибыла комиссия от епископа в Житомире, она нашла в самых захудалых и зловонных хатах эти чудовищные семейные портреты, святотатственные, наивные и живописные. Иосифы с расчесанной надвое сивой головой, напомаженные Иисусы, многорожавшие деревенские Марии с поставленными врозь коленями — эти иконы висели в красных углах, окруженные венцами из бумажных цветов.

— Он произвел вас при жизни в святые! — воскликнул викарий дубенский и новоконстантиновский, отвечая толпе, защищавшей Аполека.— Он окружил вас неизреченными принадлежностями святыни, вас, трижды впадавших в грех ослушания, тайных винокуров, безжалостных заимодавцев, делателей фальшивых весов и продавцов невинности собственных дочерей!

— Ваше священство,— сказал тогда викарию колченогий Витольд, скупщик краденого и кладбищенский сторож,— в чем видит правду всемилостивейший пан Бог, кто скажет об этом темному народу? И не больше ли истины в картинах пана Аполека, угодившего нашей гордости, чем в ваших словах, полных хулы и барского гнева?

Возгласы толпы обратили викария в бегство. Состояние умов в пригородах угрожало безопасности служителей церкви. Художник, приглашенный на место Аполека, не решался замазать Эльку и хромого Янека. Их можно видеть и сейчас в боковом приделе новоградского костела: Янека — апостола Павла, боязливого хромца с черной клочковатой бородой, деревенского отщепенца, и ее, блудницу из Магдалы, хилую и безумную, с танцующим телом и впалыми щеками.

Борьба с ксендзом длилась три десятилетия. Потом казацкий разлив изгнал старого монаха из его каменного и пахучего гнезда, и Аполек — о, превратности судьбы! — водворился в кухне пани Элизы. И вот я, мгновенный гость, пью по вечерам вино его беседы.

Беседы — о чем? О романтических временах шляхетства, о ярости бабьего фанатизма, о художнике Луке дель Раббио и о семье плотника из Вифлеема.

— Имею сказать пану писарю... — таинственно сообщает мне Аполек перед ужином.

— Да, — отвечаю я, — да, Аполек, я слушаю вас...

Но костельный служка, пан Робацкий, суровый и серый, костлявый и ушастый, сидит слишком близко от нас. Он развешивает перед нами поблекшие полотна молчания и неприязни.

— Имею сказать пану, — шепчет Аполек и уводит меня в сторону, — что Иисус, сын Марии, был женат на Деборе, иерусалимской девице незнатного рода...

— О, тен человек! — кричит в отчаянии пан Робацкий. — Тен человек не умрет на своей постели... Того человека забиют людове...

— После ужина, — упавшим голосом шелестит Аполек, — после ужина, если пану писарю будет угодно...

Мне угодно. Зажженный началом Аполековой истории, я расхаживаю по кухне и жду заветного часа. А за окном стоит ночь, как черная колонна. За окном окоченел живой и темный сад. Млечным и блещущим потоком льется под луной дорога к костелу. Земля выложена сумрачным сиянием, ожерелья светящихся плодов повисли на кустах. Запах лилий чист и крепок, как спирт. Этот свежий яд впивается в жирное бурливое дыхание плиты и мертвит смолистую духоту ели, разбросанной по кухне.

Аполек в розовом банте и истертых розовых штанах копошится в своем углу, как доброе и грациозное животное. Стол его измазан клеем и красками. Старик работает мелкими и частыми движениями, тишайшая мелодическая дробь доносится из его угла. Старый Готфрид выбивает ее своими трепещущими пальцами. Слепец сидит недвижимо в желтом и масляном блеске лампы.

Склонив лысый лоб, он слушает нескончаемую музыку своей слепоты и бормотание Аполека, вечного друга.

— ...И то, что говорят пану попы, и евангелист Марк, и евангелист Матфей,— то не есть правда... Но правду можно открыть пану писарю, которому за пятьдесят марок я готов сделать портрет под видом блаженного Франциска на фоне зелени и неба. То был совсем простой святой, пан Франциск. И если у пана писаря есть в России невеста... Женщины любят блаженного Франциска, хотя не все женщины, пан...

Так началась в углу, пахнувшем елью, история о браке Иисуса и Деборы. Эта девушка имела жениха, по словам Аполека. Ее жених был молодой израильтянин, торговавший слоновыми бивнями. Но брачная ночь Деборы кончилась недоумением и слезами. Женщиной овладел страх, когда она увидела мужа, приблизившегося к ее ложу. Икота раздула ее глотку. Она изрыгнула все съеденное ею за свадебной трапезой. Позор пал на Дебору, на отца ее, на мать и на весь род ее. Жених оставил ее, глумясь, и созвал всех гостей. Тогда Иисус, видя томление женщины, жаждавшей мужа и боявшейся его, возложил на себя одежду новобрачного и, полный сострадания, соединился с Деборой, лежавшей в блевотине. Потом она вышла к гостям, шумно торжествуя, как женщина, которая гордится своим падением. И только Иисус стоял в стороне. Смертельная испарина выступила на его теле, пчела скорби укусила его в сердце. Никем не замеченный, он вышел из пиршественного зала и удалился в пустынную страну, на восток от Иудеи, где ждал его Иоанн. И родился у Деборы первенец...

— Где же он? — вскричал я.

— Его скрыли попы,— произнес Аполек с важностью и приблизил легкий и зябкий палец к своему носу пьяницы.

— Пан художник,— вскричал вдруг Робацкий, поднимаясь из тьмы, и серые уши его задвигались,— цо вы мувите? То же есть немыслимо...

— Так, так,— съежился Аполек и схватил Готфрида,— так, так, пане...

Он потащил слепца к выходу, но на пороге помедлил и поманил меня пальцем.

— Блаженный Франциск,— прошептал он, мигая глазами,— с птицей на рукаве, с голубем или щеглом, как пану писарю будет угодно...

И он исчез со слепым и вечным своим другом.

— О, дурацтво!— произнес тогда Робацкий, костельный служка.— Тен чловек не умрет на своей постели...

Пан Робацкий широко раскрыл рот и зевнул, как кошка. Я распрощался и ушел ночевать к себе домой, к моим обворованным евреям.

По городу слонялась бездомная луна. И я шел с ней вместе, отогревая в себе неисполнимые мечты и нестройные песни.

Солнце Италии

Я снова сидел вчера в людской у пани Элизы под нагретым венцом из зеленых ветвей ели. Я сидел у теплой, живой, ворчливой печи и потом возвращался к себе глубокой ночью. Внизу, у обрыва, бесшумный Збруч катил стеклянную темную волну.

Обгорелый город — переломленные колонны и врытые в землю крючки злых старушечьих мизинцев — казался мне поднятым на воздух, удобным и небывалым, как сновиденье. Голый блеск луны лился на него с неиссякаемой силой. Сырая плесень развалин цвела, как мрамор оперной скамьи. И я ждал потревоженной душой выхода Ромео из-за туч, атласного Ромео, поющего о любви, в то время как за кулисами понурый электротехник держит палец на выключателе луны.

Голубые дороги текли мимо меня, как струи молока, брызнувшие из многих грудей. Возвращаясь домой, я страшился встречи с Сидоровым, моим соседом, опускавшим на меня по ночам волосатую лапу своей тоски. По счастью, в эту ночь, растерзанную молоком луны, Сидоров не проронил ни слова. Обложившись книгами, он писал. На столе дымилась горбатая свеча — зловещий костер мечтателей. Я сидел в стороне, дремал, сны прыгали вокруг меня, как котята. И только поздней но-

чью меня разбудил ординарец, вызвавший Сидорова в штаб. Они ушли вместе. Я подбежал тогда к столу, на котором писал Сидоров, и перелистал книги. Это был самоучитель итальянского языка, изображение римского форума и план города Рима. План был весь размечен крестами и точками. Я наклонился над исписанным листом и с замирающим сердцем, ломая пальцы, прочитал чужое письмо. Сидоров, тоскующий убийца, изорвал в клочья розовую вату моего воображения и потащил меня в коридоры здравомыслящего своего безумия. Письмо начиналось со второй страницы, я не осмелился искать начала:

«...*пробито легкое и маленько рехнулся или, как говорит Сергей, с ума слетел. Не сходить же с него в самом деле, с дурака этого, с ума. Впрочем, хвост набок и шутки в сторону... Обратимся к повестке дня, друг мой Виктория...*

Я проделал трехмесячный махновский поход — утомительное жульничество, и ничего более... И только Волин все еще там. Волин рядится в апостольские ризы и карабкается в Ленины от анархизма. Ужасно. А батько слушает его, поглаживает пыльную проволоку своих кудрей и пропускает сквозь гнилые зубы мужицкую свою усмешку. И я теперь не знаю, есть ли во всем этом не сорное зерно анархии и утрем ли мы вам ваши благополучные носы, самодельные цекисты из самодельного цеха, made in Харьков, в самодельной столице. Ваши рубахи-парни не любят теперь вспоминать грехи анархической их юности и смеются над ними с высоты государственной мудрости — черт с ними...

А потом я попал в Москву. Как попал я в Москву? Ребята кого-то обижали в смысле реквизиционном и ином. Я, слюнтяй, вступился. Меня расчесали — и за дело. Рана была пустяковая, но в Москве, ах, Виктория, в Москве я онемел от несчастий. Каждый день госпитальные сиделки приносили мне крупицу каши. Взнузданные благоговением, они тащили ее на большом подносе, и я возненавидел эту ударную кашу, внеплановое снабжение и плановую Москву. В Совете встретился потом с горсточкой анархистов. Они пижоны или полупомешанные старички. Сунулся в Кремль с планом настоящей рабо-

ты. *Меня погладили по головке и обещали сделать замом, если исправлюсь. Я не исправился. Что было дальше? Дальше был фронт, Конармия и солдатня, пахнущая сырой кровью и человеческим прахом.*

Спасите меня, Виктория. Государственная мудрость сводит меня с ума, скука пьянит. Вы не поможете — и я издохну безо всякого плана. Кто же захочет, чтобы работник подох столь неорганизованно, не вы ведь, Виктория, невеста, которая никогда не будет женой. Вот и сентиментальность, ну ее к распроэтакой матери...

Теперь будем говорить дело. В армии мне скучно. Ездить верхом из-за раны я не могу — значит, не могу и драться. Употребите ваше влияние, Виктория,— пусть отправят меня в Италию. Язык я изучаю и через два месяца буду на нем говорить. В Италии земля тлеет. Многое там готово. Недостает пары выстрелов. Один из них я произведу. Там нужно отправить короля к праотцам. Это очень важно. Король у них славный дядя, он играет в популярность и снимается с ручными социалистами для воспроизведения в журналах семейного чтения.

В Цека, в Наркоминделе вы не говорите о выстреле, о королях. Вас погладят по головке и промямлят: «Романтик». Скажите просто — он болен, зол, пьян от тоски, он хочет солнца Италии и бананов. Заслужил ведь или, может, не заслужил? Лечиться — и баста. А если нет — пусть отправят в одесское Чека... Оно очень толковое и...

Как глупо, как незаслуженно и глупо пишу я, друг мой Виктория...

Италия вошла в сердце как наваждение. Мысль об этой стране, никогда не виданной, сладка мне, как имя женщины, как ваше имя, Виктория...»

Я прочитал письмо и стал укладываться на моем продавленном нечистом ложе, но сон не шел. За стеной искренне плакала беременная еврейка, ей отвечало стонущее бормотание долговязого мужа. Они вспоминали об ограбленных вещах и злобствовали друг на друга за незадачливость. Потом, перед рассветом, вернулся Сидоров. На столе задыхалась догоревшая свеча. Сидоров вынул из сапога другой огарок и с необыкновенной задумчивостью придавил им оплывший фитилек. Наша комната была темна, мрачна, все дышало в ней ночной сырой вонью, и только окно, заполненное лунным огнем, сияло как избавление.

Он пришел и спрятал письмо, мой томительный сосед. Сутулясь, сел он за стол и раскрыл альбом города Рима. Пышная книга с золотым обрезом стояла перед его оливковым невыразительным лицом. Над круглой его спиной блестели зубчатые развалины Капитолия и арена цирка, освещенная закатом. Снимок королевской семьи был заложен тут же, между большими глянцевитыми листами. На клочке бумаги, вырванном из календаря, был изображен приветливый тщедушный король Виктор-Эммануил со своей черноволосой женой, с наследным принцем Умберто и целым выводком принцесс.

...И вот ночь, полная далеких и тягостных звонов, квадрат света в сырой тьме — и в нем мертвенное лицо Сидорова, безжизненная маска, нависшая над желтым пламенем свечи.

Гедали

В субботние кануны меня томит густая печаль воспоминаний. Когда-то в эти вечера мой дед поглаживал желтой бородой томы Ибн-Эзра. Старуха в кружевной наколке ворожила узловатыми пальцами над субботней свечой и сладко рыдала. Детское сердце раскачивалось в эти вечера, как кораблик на заколдованных волнах...

Я кружу по Житомиру и ищу робкой звезды. У древней синагоги, у ее желтых и равнодушных стен старые евреи продают мел, синьку, фитили,— евреи с бородами пророков, со страстными лохмотьями на впалой груди...

Вот предо мною базар и смерть базара. Убита жирная душа изобилия. Немые замки висят на лотках, и гранит мостовой чист, как лысина мертвеца. Она мигает и гаснет — робкая звезда...

Удача пришла ко мне позже, удача пришла перед самым заходом солнца. Лавка Гедали спряталась в наглухо закрытых торговых рядах. Диккенс, где была в тот вечер твоя тень? Ты увидел бы в этой лавке древностей золоченые туфли и корабельные канаты, старинный компас и чучело орла, охотничий винчестер с выгравированной датой «1810» и сломанную кастрюлю.

Старый Гедали расхаживает вокруг своих сокровищ в розовой пустоте вечера — маленький хозяин в дымчатых очках и в зеленом сюртуке до полу. Он потирает белые ручки, он щиплет сивую бороденку и, склонив голову, слушает невидимые голоса, слетевшиеся к нему.

Эта лавка — как коробочка любознательного и важного мальчика, из которого выйдет профессор ботаники. В этой лавке есть и пуговицы, и мертвая бабочка. Маленького хозяина ее зовут Гедали. Все ушли с базара, Гедали остался. Он вьется в лабиринте из глобусов, черепов и мертвых цветов, помахивает пестрой метелкой из петушиных перьев и сдувает пыль с умерших цветов.

Мы сидим на бочонках из-под пива. Гедали свертывает и разматывает узкую бороду. Его цилиндр покачивается над нами, как черная башенка. Теплый воздух течет мимо нас. Небо меняет цвета. Нежная кровь льется из опрокинутой бутылки там, вверху, и меня обволакивает легкий запах тления.

— Революция — скажем ей «да», но разве субботе мы скажем «нет»? — так начинает Гедали и обвивает меня шелковыми ремнями своих дымчатых глаз.— «Да», кричу я революции, «да» — кричу я ей, но она прячется от Гедали и высылает вперед только стрельбу...

— В закрывшиеся глаза не входит солнце,— отвечаю я старику,— но мы распорем закрывшиеся глаза...

— Поляк закрыл мне глаза,— шепчет старик чуть слышно.— Поляк — злая собака. Он берет еврея и вырывает ему бороду,— ах, пес! И вот его бьют, злую собаку. Это замечательно, это революция! И потом тот, который бил поляка, говорит мне: «Отдай на учет твой граммофон, Гедали...» — «Я люблю музыку, пани»,— отвечаю я революции. «Ты не знаешь, что ты любишь, Гедали, я стрелять в тебя буду, тогда ты это узнаешь, и я не могу не стрелять, потому что я — революция...»

— Она не может не стрелять, Гедали,— говорю я старику,— потому что она — революция...

— Но поляк стрелял, мой ласковый пан, потому что он — контрреволюция. Вы стреляете потому, что вы — революция. А революция — это же удовольствие. И удовольствие не любит в доме сирот. Хорошие дела делает хороший человек. Революция — это хорошее дело хороших людей. Но хорошие люди не убивают. Значит, революцию делают злые люди. Но поляки тоже злые люди. Кто же скажет Гедали, где революция и где контрреволюция? Я учил когда-то Талмуд, я люблю комментарии Раше и книги Маймонида. И еще другие понимающие люди есть в Житомире. И вот мы все, ученые люди, мы падаем на лицо и кричим на голос: горе нам, где сладкая революция?..

Старик умолк. И мы увидели первую звезду, пробивавшуюся вдоль Млечного Пути.

— Заходит суббота,— с важностью произнес Гедали,— евреям надо в синагогу... Пане товарищ,— сказал он, вставая, и цилиндр, как черная башенка, закачался на его голове,— привезите в Житомир немножко хороших людей. Ай, в нашем городе недостача, ай, недостача! Привезите добрых людей, и мы отдадим им все граммофоны. Мы не невежды. Интернационал... мы знаем, что такое Интернационал. И я хочу Интернационала добрых людей, я хочу, чтобы каждую душу взяли на учет и дали бы ей паек по первой категории. Вот, душа, кушай, пожалуйста, имей от жизни свое удовольствие. Интернационал, пане товарищ, это вы не знаете, с чем его кушают...

— Его кушают с порохом,— ответил я старику,— и приправляют лучшей кровью...

И вот она взошла на свое кресло из синей тьмы, юная суббота.

— Гедали,— говорю я,— сегодня пятница, и уже настал вечер. Где можно достать еврейский коржик, еврейский стакан чаю и немножко этого отставного Бога в стакане чаю?..

— Нету,— отвечает мне Гедали, навешивая замок на свою коробочку,— нету. Есть рядом харчевня, и хорошие люди торговали в ней, но там уже не кушают, там плачут...

Он застегнул свой зеленый сюртук на три костяные пуговицы. Он обмахал себя петушиными перьями, поплескал водицы на мягкие ладони и удалился — крохотный, одинокий, мечтательный, в черном цилиндре и с большим молитвенником под мышкой.

Наступает суббота. Гедали — основатель несбыточного Интернационала — ушел в синагогу молиться.

Мой первый гусь

Савицкий, начдив шесть, встал, завидев меня, и я удивился красоте гигантского его тела. Он встал и пурпуром своих рейтуз, малиновой шапочкой, сбитой набок, орденами, вколоченными в грудь, разрезал избу пополам, как штандарт разрезает небо. От него пахло духами и приторной прохладой мыла. Длинные ноги его были похожи на девушек, закованных до плеч в блестящие ботфорты.

Он улыбнулся мне, ударил хлыстом по столу и потянул к себе приказ, только что отдиктованный начальником штаба. Это был приказ Ивану Чеснокову выступить с вверенным ему полком в направлении Чугунов — Добрыводка и, войдя в соприкосновение с неприятелем, такового уничтожить...

«...Каковое уничтожение,— стал писать начдив и измазал весь лист,— возлагаю на ответственность того же Чеснокова вплоть до высшей меры, которого и шлепну на месте, в чем вы, товарищ Чесноков, работая со мною на фронте не первый месяц, не можете сомневаться...»

Начдив шесть подписал приказ с завитушкой, бросил его ординарцам и повернул ко мне серые глаза, в которых танцевало веселье.

Я подал ему бумагу о прикомандировании меня к штабу дивизии.

— Провести приказом!— сказал начдив.— Провести приказом и зачислить на всякое удовольствие, кроме переднего. Ты грамотный?

— Грамотный,— ответил я, завидуя железу и цветам этой юности,— кандидат прав Петербургского университета...

— Ты из киндербальзамов,— закричал он, смеясь,— и очки на носу. Какой паршивенький!.. Шлют вас не спросясь, а тут режут за очки. Поживешь с нами, што ль?

— Поживу,— ответил я и пошел с квартирьером на село искать ночлега.

Квартирьер нес на плечах мой сундучок, деревенская улица лежала перед нами, круглая и желтая, как тыква, умирающее солнце испускало на небе свой розовый дух.

Мы подошли к хате с расписными венцами, квартирьер остановился и сказал вдруг с виноватой улыбкой:

— Канитель тут у нас с очками, и унять нельзя. Человек высшего отличия — из него здесь душа вон. А испорть вы даму, самую чистенькую даму, тогда вам от бойцов ласка...

Он помялся с моим сундучком на плечах, подошел ко мне совсем близко, потом отскочил в отчаянии и побежал в первый двор. Казаки сидели там на сене и брили друг друга.

— Вот, бойцы,— сказал квартирьер и поставил на землю мой сундучок.— Согласно приказания товарища Савицкого обязаны вы принять этого человека к себе в помещение, и без глупостев, потому этот человек пострадавший по ученой части...

Квартирьер побагровел и ушел, не оборачиваясь. Я приложил руку к козырьку и отдал честь казакам. Молодой парень с льняным висячим волосом и прекрасным рязанским лицом подошел к моему сундучку и выбросил его за ворота. Потом он повернулся ко мне задом и с особенной сноровкой стал издавать постыдные звуки.

— Орудия номер два нуля,— крикнул ему казак постарше и засмеялся,— крой беглым...

Парень истощил нехитрое свое умение и отошел. Тогда, ползая по земле, я стал собирать рукописи и дырявые мои обноски, вывалившиеся из сундучка. Я собрал их и отнес на другой конец двора. У хаты, на кирпичиках, стоял котел, в нем варилась свинина, она дымилась, как дымится издалека родной дом в деревне, и путала во мне голод с одиночеством без примера. Я покрыл сеном разбитый мой сундучок, сделал из него изголовье и лег на землю, чтобы прочесть в «Правде» речь Ленина на Втором конгрессе Коминтерна. Солнце падало на меня из-за зубчатых пригорков, казаки ходили по моим ногам, парень потешался надо мной без устали, излюбленные строчки шли ко мне тернистою дорогой и не могли дойти. Тогда я отложил газету и пошел к хозяйке, сучившей пряжу на крыльце.

— Хозяйка,— сказал я,— мне жрать надо...

Старуха подняла на меня разлившиеся белки полуослепших глаз и опустила их снова.

— Товарищ,— сказала она, помолчав,— от этих дел я желаю повеситься.

— Господа Бога душу мать,— пробормотал я тогда с досадой и толкнул старуху кулаком в грудь,— толковать тут мне с вами...

И, отвернувшись, я увидел чужую саблю, валявшуюся неподалеку. Строгий гусь шатался по двору и безмятежно чистил перья. Я догнал его и пригнул к земле, гусиная голова треснула под моим сапогом, треснула и потекла. Белая шея была разостлана в навозе, и крылья заходили над убитой птицей.

— Господа Бога душу мать! — сказал я, копаясь в гусе саблей.— Изжарь мне его, хозяйка.

Старуха, блестя слепотой и очками, подняла птицу, завернула ее в передник и потащила к кухне.

— Товарищ,— сказала она, помолчав,— я желаю повеситься,— и закрыла за собой дверь.

А на дворе казаки сидели уже вокруг своего котелка. Они сидели недвижимо, прямые, как жрецы, и не смотрели на гуся.

— Парень нам подходящий,— сказал обо мне один из них, мигнул и зачерпнул ложкой щи.

Казаки стали ужинать со сдержанным изяществом мужиков, уважающих друг друга, а я вытер саблю песком, вышел за ворота и вернулся снова, томясь. Луна висела над двором, как дешевая серьга.

— Братишка,— сказал мне вдруг Суровков, старший из казаков,— садись с нами снедать, покеле твой гусь доспеет...

Он вынул из сапога запасную ложку и подал ее мне. Мы похлебали самодельных щей и съели свинину.

— В газете-то что пишут? — спросил парень с льняным волосом и опростал мне место.

— В газете Ленин пишет,— сказал я, вытаскивая «Правду»,— Ленин пишет, что во всем у нас недостача...

И громко, как торжествующий глухой, я прочитал казакам ленинскую речь.

Вечер завернул меня в живительную влагу сумеречных своих простынь, вечер приложил материнские ладони к пылающему моему лбу.

Я читал, и ликовал, и подстерегал, ликуя, таинственную кривую ленинской прямой.

— Правда всякую ноздрю щекочет,— сказал Суровков, когда я кончил,— да как ее из кучи вытащить, а он бьет сразу, как курица по зерну.

Это сказал о Ленине Суровков, взводный штабного эскадрона, и потом мы пошли спать на сеновал. Мы спали шестеро там, согреваясь друг от друга, с перепутанными ногами, под дырявой крышей, пропускавшей звезды.

Я видел сны и женщин во сне, и только сердце мое, обагренное убийством, скрипело и текло.

Рабби

— ...Все смертно. Вечная жизнь суждена только матери. И когда матери нет в живых, она оставляет по себе воспоминание, которое никто еще не решился осквернить. Память о матери питает в нас сострадание, как океан, безмерный океан, питает реки, рассекающие Вселенную...

Слова эти принадлежали Гедали. Он произнес их с важностью. Угасающий вечер окружал его розовым дымом своей печали. Старик сказал:

— В страстном здании хасидизма вышиблены окна и двери, но оно бессмертно, как душа матери... С вытекшими глазницами хасидизм все еще стоит на перекрестке ветров истории.

Так сказал Гедали, и, помолившись в синагоге, он повел меня к рабби Моталэ, к последнему рабби из Чернобыльской династии.

Мы поднялись с Гедали вверх по главной улице. Белые костелы блеснули вдали, как гречишные поля. Орудийное колесо простонало за углом. Две беременные хохлушки вышли из ворот, зазвенели монистами и сели на скамью. Робкая звезда зажглась в оранжевых боях заката, и покой, субботний покой, сел на кривые крыши житомирского гетто.

— Здесь,— прошептал Гедали и указал мне на длинный дом с разбитым фронтоном.

Мы вошли в комнату — каменную и пустую, как морг. Рабби Моталэ сидел у стола, окруженный бесноватыми и лжецами. На нем была соболья шапка и белый халат, стянутый веревкой. Рабби сидел с закрытыми глазами и рылся худыми пальцами в желтом пухе своей бороды.

— Откуда приехал еврей?— спросил он и приподнял веки.

— Из Одессы,— ответил я.

— Благочестивый город,— сказал рабби,— звезда нашего изгнания, невольный колодезь наших бедствий!.. Чем занимается еврей?

— Я перекладываю в стихи похождения Герша из Острополя.

— Великий труд,— прошептал рабби и сомкнул веки.— Шакал стонет, когда он голоден, у каждого глупца хватает глупости для уныния, и только мудрец раздирает смехом завесу бытия... Чему учился еврей?

— Библии.

— Чего ищет еврей?

— Веселья.

— Реб Мордхэ,— сказал цадик и затряс бородой,— пусть молодой человек займет место за столом, пусть он ест в этот субботний вечер вместе с остальными евреями, пусть он радуется тому, что он жив, а не мертв, пусть он хлопает в ладоши, когда его соседи танцуют, пусть он пьет вино, если ему дадут вина...

И ко мне подскочил реб Мордхэ, давнишний шут с вывороченными веками, горбатый старикашка, ростом не выше десятилетнего мальчика.

— Ах, мой дорогой и такой молодой человек!— сказал оборванный реб Мордхэ и подмигнул мне.— Ах, сколько богатых дураков знал я в Одессе, сколько нищих мудрецов знал я в Одессе! Садитесь же за стол, молодой человек, и пейте вино, которого вам не дадут...

Мы уселись все рядом — бесноватые, лжецы и ротозеи. В углу стонали над молитвенниками плечистые евреи, похожие на рыбаков и на апостолов. Гедали в зеленом сюртуке дремал у стены, как пестрая птичка. И вдруг я увидел юношу за спиной Гедали, юношу с лицом Спинозы, с могущественным лбом Спинозы, с чахлым лицом монахини. Он курил и вздрагивал, как беглец, приведенный в тюрьму после погони. Оборванный Мордхэ подкрался к нему сзади, вырвал папиросу изо рта и отбежал ко мне.

— Это — сын равви, Илья,— прохрипел Мордхэ и придвинул ко мне кровоточащее мясо развороченных век,— проклятый сын, последний сын, непокорный сын...

И Мордхэ погрозил юноше кулачком и плюнул ему в лицо.

— Благословен Господь,— раздался тогда голос рабби Моталэ Брацлавского, и он переломил хлеб своими монашескими пальцами,— благословен Бог Израиля, избравший нас между всеми народами земли...

Рабби благословил пищу, и мы сели за трапезу. За окном ржали кони и вскрикивали казаки. Пустыня войны зевала за окном. Сын рабби курил одну папиросу за другой среди молчания и молитвы. Когда кончился ужин, я поднялся первый.

— Мой дорогой и такой молодой человек,— забормотал Мордхэ за моей спиной и дернул меня за пояс,— если бы на свете не было никого, кроме злых богачей и нищих бродяг, как жили бы тогда святые люди?

Я дал старику денег и вышел на улицу. Мы расстались с Гедали, я ушел к себе на вокзал. Там, на вокзале, в агитпоезде Первой Конной армии, меня ждало сияние сотен огней, волшебный блеск радиостанции, упорный бег машин в типографии и недописанная статья в газету «Красный кавалерист».

Путь в Броды

Я скорблю о пчелах. Они истерзаны враждующими армиями. На Волыни нет больше пчел.

Мы осквернили ульи. Мы морили их серой и взрывали порохом. Чадившее тряпье издавало зловонье в священных республиках пчел. Умирая, они летали медленно и жужжали чуть слышно. Лишенные хлеба, мы саблями добывали мед. На Волыни нет больше пчел.

Летопись будничных злодеяний теснит меня неутомимо, как порок сердца. Вчера был день первого побоища под Бродами. Заблудившись на голубой земле, мы не подозревали об этом — ни я, ни Афонька Бида, мой друг. Лошади получили с утра зерно. Рожь была высока, солнце было прекрасно, и душа, не заслужившая этих сияющих и улетающих небес, жаждала неторопливых болей.

— За пчелу и ее душевность рассказывают бабы по станицах,— начал взводный, мой друг,— рассказывают всяко. Обидели люди Христа или не было такой обиды — об этом все прочие дознаются по происшествии времени. Но вот, рассказывают бабы по станицах, скучает Христос на кресте. И подлетает к Христу всякая мошка, чтобы его тиранить! И он глядит на нее глазами и падает духом. Но только неисчислимой мошке не видно евоных глаз. И то же самое летает вокруг Христа пчела. «Бей его,— кричит мошка пчеле,— бей его на наш ответ!..» — «Не умею,— говорит пчела, поднимая крылья над Христом,— не умею, он плотницкого классу...». Пчелу понимать надо,— заключает Афонька, мой взводный.— Нехай пчела перетерпит. И для нее небось ковыряемся...

И, махнув руками, Афонька затянул песню. Это была песня о соловом жеребчике. Восемь казаков — Афонькин взвод — стали ему подпевать.

Соловый жеребчик, по имени Джигит, принадлежал подъесаулу, упившемуся водкой в день Усекновения главы.— Так пел Афонька, вытягивая голос, как струну, и засыпая.— Джигит был верный конь, а подъесаул по праздникам не знал предела своим желаниям. Было пять штофов в день Усекновения главы. После четвертого подъесаул сел на коня и стал править в небо. Подъем был долог, но Джигит был верный конь. Они приехали на небо, и подъесаул хватился пятого штофа. Но он был оставлен на земле — последний штоф. Тогда подъесаул заплакал о тщете своих усилий. Он плакал, и Джигит прядал ушами, глядя на хозяина...

Так пел Афонька, звеня и засыпая. Песня плыла, как дым. И мы двигались навстречу закату. Его кипящие реки стекали по расшитым полотенцам крестьянских полей. Тишина розовела. Земля лежала, как кошачья спина, поросшая мерцающим мехом хлебов. На пригорке сутулилась мазаная деревушка Клекотов. За перевалом нас ждало видение мертвенных и зубчатых Брод. Но у Клекотова нам в лицо звучно лопнул выстрел. Из-за хаты выглянули два польских солдата. Их кони были привязаны к столбам. На пригорок деловито въезжала легкая батарея неприятеля. Пули нитями протянулись по дороге.

— Ходу!— сказал Афонька.

И мы бежали.

О Броды! Мумии твоих раздавленных страстей дышали на меня непреоборимым ядом. Я ощущал уже смертельный холод глазниц, налитых стынувшей слезой. И вот — трясущийся галоп уносит меня от выщербленного камня твоих синагог...

Учение о тачанке

Мне прислали из штаба кучера, или, как принято у нас говорить, повозочного. Фамилия его Грищук. Ему тридцать девять лет.

Пробыл он пять лет в германском плену, несколько месяцев тому назад бежал, прошел Литву, северо-запад России, достиг Волыни и в Белове был пойман самой безмозглой в мире мобилизационной комиссией и водворен на военную службу. До Кременецкого уезда, откуда Грищук родом, ему осталось пятьдесят верст. В Кременецком уезде у него жена и дети. Он не был дома пять лет и два месяца. Мобилизационная комиссия сделала его моим повозочным, и я перестал быть парией среди казаков.

Я — обладатель тачанки и кучера в ней. Тачанка! Это слово сделалось основой треугольника, на котором зиждется наш обычай: рубить — тачанка — кровь...

Поповская, заседательская ординарнейшая бричка по капризу гражданской распри вошла в случай, сделалась грозным и подвижным боевым средством, создала новую стратегию и новую тактику, исказила привычное лицо войны, родила героев и гениев от тачанки. Таков Махно, сделавший тачанку осью своей таинственной и лукавой стратегии, упразднивший пехоту, артиллерию и даже конницу и взамен этих неуклюжих громад привинтивший к бричкам триста пулеметов. Таков Махно, многообразный, как природа. Возы с сеном, построившись в боевом порядке, овладевают городами. Свадебный кортеж, подъезжая к волостному исполкому, открывает сосредоточенный огонь, и чахлый попик, развеяв над собою черное знамя анархии, требует от властей выдачи буржуев, выдачи пролетариев, вина и музыки.

Армия из тачанок обладает неслыханной маневренной способностью.

Буденный показал это не хуже Махно. Рубить эту армию трудно, выловить — немыслимо. Пулемет, закопанный под скирдой, тачанка, отведенная в крестьянскую клуню,— они перестают быть боевыми единицами. Эти схоронившиеся точки, предполагаемые, но не ощутимые слагаемые, дают в сумме строение недавнего украинского села — свирепого, мятежного и корыстолюбивого. Такую армию, с растыканной по углам амуницией, Махно в один час приводит в боевое состояние; еще меньше времени требуется, чтобы демобилизовать ее.

У нас, в регулярной коннице Буденного, тачанка не властвует столь исключительно. Однако все наши пулеметные команды разъезжают только на бричках. Казачья выдумка различает два вида тачанок: колонистскую и заседательскую. Да это и не выдумка, а разделение, истинно существующее.

На заседательских бричках, на этих расхлябанных, без любви и изобретательности сделанных возках, тряслось по кубанским пшеничным степям убогое красноносое чиновничество, невыспавшаяся кучка людей, спешивших на вскрытия и на следствия, а колонистские тачанки пришли к нам из самарских и уральских приволжских урочищ, из тучных немецких колоний. На дубовых просторных спинках колонистской тачанки рассыпана домовитая живопись — пухлые гирлянды розовых немецких цветов. Крепкие днища окованы железом. Ход поставлен на незабываемые рессоры. Жар многих поколений чувствую я в этих рессорах, бьющихся теперь по развороченному волынскому шляху.

Я испытываю восторг первого обладания. Каждый день после обеда мы запрягаем. Грищук выводит из конюшни лошадей. Они поправляются день ото дня. Я нахожу уже с гордой радостью тусклый блеск на их начищенных боках. Мы растираем коням припухшие ноги, стрижем гривы, накидываем на спины казацкую упряжь — запутанную, ссохшуюся сеть из тонких ремней — и выезжаем со двора рысью. Грищук боком сидит на козлах; мое сиденье устлано цветистым рядном и сеном, пахнущим духами и безмятежностью. Высокие колеса скрипят в зернистом белом песке. Квадраты цветущего мака раскрашивают землю, разрушенные костелы светятся на пригорках. Высоко над дорогой в разбитой ядром нише стоит коричневая статуя святой Урсулы с обнаженными круглыми руками. И узкие древние буквы вяжут неровную цепь на почерневшем золоте фронтона... «Во славу Иисуса и Его божественной матери...»

Безжизненные еврейские местечки лепятся у подножия панских фольварков. На кирпичных заборах мерцает вещий павлин, бесстрастное видение в голубых просторах. Прикрытая раскидистыми хибарками, присела к нищей земле синагога, безглазая, щербатая, круглая, как хасидская шляпа. Узкоплечие евреи грустно торчат на перекрестках. И в памяти зажигается образ южных евреев, жовиальных, пузатых, пузырящихся, как дешевое вино. Несравнима с ними горькая надменность этих длинных и костлявых спин, этих

желтых и трагических бород. В страстных чертах, вырезанных мучительно, нет жира и теплого биения крови. Движения галицийского и волынского еврея несдержанны, порывисты, оскорбительны для вкуса, но сила их скорби полна сумрачного величия, и тайное презрение к пану безгранично. Глядя на них, я понял жгучую историю этой окраины, повествование о талмудистах, державших на откупе кабаки, о раввинах, занимавшихся ростовщичеством, о девушках, которых насиловали польские жолнеры и из-за которых стрелялись польские магнаты.

Смерть Долгушова

Завесы боя продвигались к городу. В полдень пролетел мимо нас Корочаев в черной бурке — опальный начдив четыре, сражающийся в одиночку и ищущий смерти. Он крикнул мне на бегу:

— Коммуникации наши прорваны, Радзивиллов и Броды в огне!..

И ускакал — развевающийся, весь черный, с угольными зрачками.

На равнине, гладкой, как доска, перестраивались бригады. Солнце катилось в багровой пыли. Раненые закусывали в канавах. Сестры милосердия лежали на траве и вполголоса пели. Афонькины разведчики рыскали по полю, выискивая мертвецов и обмундирование. Афонька проехал в двух шагах от меня и сказал, не поворачивая головы:

— Набили нам ряшку. Дважды два. Есть думка за начдива, смещают. Сомневаются бойцы...

Поляки подошли к лесу верстах в трех от нас и поставили пулеметы где-то близко. Пули скулят и взвизгивают. Жалоба их нарастает невыносимо. Пули подстреливают землю и роются в ней, дрожа от нетерпения. Вытягайченко, командир полка, храпевший на солнцепеке, закричал во сне и проснулся. Он сел на коня и поехал к головному эскадрону. Лицо его было мятое, в красных полосах от неудобного сна, а карманы полны слив.

— Сукиного сына,— сказал он сердито и выплюнул изо рта косточку,— вот гадкая канитель. Тимошка, выкидай флаг!

— Пойдем, што ль?— спросил Тимошка, вынимая древко из стремян, и размотал знамя, на котором была нарисована звезда и написано про Третий Интернационал.

— Там видать будет,— сказал Вытягайченко и вдруг закричал дико:— Девки, сидай на коников! Скликай людей, эскадронные!..

Трубачи проиграли тревогу. Эскадроны построились в колонну. Из канавы вылез раненый и, прикрываясь ладонью, сказал Вытягайченке:

— Тарас Григорьевич, я есть делегат. Видать, вроде того, что останемся мы...

— Отобьетесь...— пробормотал Вытягайченко и поднял коня на дыбы.

— Есть такая надея у нас, Тарас Григорьевич, что не отобьемся,— сказал раненый ему вслед.

— Не канючь,— обернулся Вытягайченко,— небось не оставлю,— и скомандовал повод.

И тотчас же зазвенел плачущий бабий голос Афоньки Биды, моего друга:

— Не переводи ты с места на рыся, Тарас Григорьевич, до его пять верст бежать. Как будешь рубать, когда у нас лошади заморенные... Хапать нечего — поспеешь к Богородице груши околачивать...

— Шагом! — скомандовал Вытягайченко, не поднимая глаз.

Полк ушел.

— Если думка за начдива правильная,— прошептал Афонька, задерживаясь,— если смещают, тогда мыли холку и выбивай подпорки. Точка.

Слезы потекли у него из глаз. Я уставился на Афоньку в изумлении. Он закрутился волчком, схватился за шапку, захрипел, гикнул и умчался.

Грищук со своей глупой тачанкой да я — мы остались одни и до вечера мотались между огневых стен. Штаб дивизии исчез. Чужие части не принимали нас. Полки вошли в Броды и были выбиты контратакой. Мы подъехали к городскому кладбищу. Из-за могил выскочил польский разъезд и, вскинув винтовки, стал бить по нас. Грищук повернул. Тачанка его вопила всеми четырьмя своими колесами.

— Грищук!— крикнул я сквозь свист и ветер.

— Баловство,— ответил он печально.

— Пропадаем,— воскликнул я, охваченный гибельным восторгом,— пропадаем, отец!

— Зачем бабы трудаются?— ответил он еще печальнее.— Зачем сватання, венчання, зачем кумы на свадьбах гуляют...

В небе засиял розовый хвост и погас. Млечный Путь проступил между звездами.

— Смеха мне,— сказал Грищук горестно и показал кнутом на человека, сидевшего при дороге,— смеха мне, зачем бабы трудаются...

Человек, сидевший при дороге, был Долгушов, телефонист. Разбросав ноги, он смотрел на нас в упор.

— Я вот что,— сказал Долгушов, когда мы подъехали,— кончусь... Понятно?

— Понятно,— ответил Грищук, останавливая лошадей.

— Патрон на меня надо стратить,— сказал Долгушов.

Он сидел, прислонившись к дереву. Сапоги его торчали врозь. Не спуская с меня глаз, он бережно отвернул рубаху. Живот у него был вырван, кишки ползли на колени и удары сердца были видны.

— Наскочит шляхта — насмешку сделает. Вот документ, матери отпишешь, как и что...

— Нет,— ответил я и дал коню шпоры.

Долгушов разложил по земле синие ладони и осмотрел их недоверчиво...

— Бежишь?— пробормотал он, сползая.— Беги, гад...

Испарина ползла по моему телу. Пулеметы отстукивали все быстрее, с истерическим упрямством. Обведенный нимбом заката, к нам скакал Афонька Бида.

— По малости чешем,— закричал он весело.— Что у вас тут за ярмарка?

Я показал ему на Долгушова и отъехал.

Они говорили коротко, я не слышал слов.

Долгушов протянул взводному свою книжку. Афонька спрятал ее в сапог и выстрелил Долгушову в рот.

— Афоня,— сказал я с жалкой улыбкой и подъехал к казаку,— а я вот не смог.

— Уйди,— ответил он, бледнея,— убью! Жалеете вы, очкастые, нашего брата, как кошка мышку...

И взвел курок.

Я поехал шагом, не оборачиваясь, чувствуя спиной холод и смерть.

— Вона,— закричал сзади Грищук,— не дури!— и схватил Афоньку за руку.

— Холуйская кровь! — крикнул Афонька.— Он от моей руки не уйдет...

Грищук нагнал меня у поворота. Афоньки не было. Он уехал в другую сторону.

— Вот видишь, Грищук,— сказал я,— сегодня я потерял Афоньку, первого моего друга...

Грищук вынул из сиденья сморщенное яблоко.

— Кушай,— сказал он мне,— кушай, пожалуйста...

Комбриг два

Буденный в красных штанах с серебряным лампасом стоял у дерева. Только что убили комбрига два. На его место командарм назначил Колесникова.

Час тому назад Колесников был командиром полка. Неделю тому назад Колесников был командиром эскадрона.

Нового бригадного вызвали к Буденному. Командарм ждал его, стоя у дерева. Колесников приехал с Алмазовым, своим комиссаром.

— Жмет нас гад,— сказал командарм с ослепительной своей усмешкой.— Победим или подохнем. Иначе — никак. Понял?

— Понял,— ответил Колесников, выпучив глаза.

— А побежишь — расстреляю,— сказал командарм, улыбнулся и отвел глаза в сторону начальника особого отдела.

— Слушаю,— сказал начальник особого отдела.

— Катись, Колесо!— бодро крикнул какой-то казак со стороны.

Буденный стремительно повернулся на каблуках и отдал честь новому комбригу. Тот растопырил у козырька пять красных юношеских пальцев, вспотел и ушел по распаханной меже. Лошади ждали его в ста саженях. Он шел, опустив голову, и с томительной медленностью перебирал кривыми, длинными ногами. Пылание заката разлилось над ним, малиновое и неправдоподобное, как надвигающаяся смерть.

И вдруг на распростершейся земле, на развороченной и желтой наготе полей мы увидали ее одну — узкую спину Колесникова с болтающимися руками и упавшей головой в сером картузе.

Ординарец подвел ему коня.

Он вскочил в седло и поскакал к своей бригаде, не оборачиваясь. Эскадроны ждали его у большой дороги, у Бродского шляха.

Стонущее «ура», разорванное ветром, доносилось до нас.

Наведя бинокль, я увидел комбрига, вертевшегося на лошади в столбах густой пыли.

— Колесников повел бригаду,— сказал наблюдатель, сидевший над нашими головами на дереве.

— Есть,— ответил Буденный, закурил папиросу и закрыл глаза.

«Ура» смолкло. Канонада задохлась. Ненужная шрапнель лопнула над лесом. И мы услышали великое безмолвие рубки.

— Душевный малый,— сказал командарм, вставая.— Ищет чести. Надо полагать — вытянет.

И, потребовав лошадей, Буденный уехал к месту боя. Штаб двинулся за ним.

Колесникова мне довелось увидеть в тот же вечер, через час после того, как поляки были уничтожены. Он ехал впереди своей бригады один, на буланом жеребце и дремал. Правая рука его висела на перевязи. В десяти шагах от него конный казак вез развернутое знамя. Головной эскадрон лениво запевал похабные куплеты. Бригада тянулась пыльная и бесконечная, как крестьянские возы на ярмарку. В хвосте пыхтели усталые оркестры.

В тот вечер в посадке Колесникова я увидел властительное равнодушие татарского хана и распознал выучку прославленного Книги, своевольного Павличенки, пленительного Савицкого.

Сашка Христос

Сашка — это было его имя, а Христом прозвали его за кротость. Он был общественный пастух в станице и не работал тяжелой работы с четырнадцати лет, с той поры, когда заболел дурной болезнью.

Это все так было. Тараканыч, Сашкин отчим, ушел на зиму в город Грозный и пристал там к артели. Артель сбилась успешная, из рязанских мужиков. Тараканыч делал для них плотницкую работу, и достатку у него прибывало. Он не управлялся с делами и выписал к себе мальчика подручным: зимой станица и без Сашки проживет. Сашка проработал при отчиме неделю. Потом настала суббота, они пошабашили и сели чай пить. На дворе стоял октябрь, но воздух был легкий. Они открыли окно и согрели второй самовар. Под окнами шлялась побирушка. Она стукнула в раму и сказала:

— Здравствуйте, иногородние крестьяне. Обратите внимание на мое положение.

— Какое там положение? — сказал Тараканыч. — Заходи, калечка.

Побирушка завозилась за стеной и потом вскочила в комнату. Она прошла к столу и поклонилась в пояс. Тараканыч схватил ее за косынку, кинул косынку долой и почесал в волосах. У побирушки волосы были серые, седые, в клочьях и в пыли.

— Фу ты, какой мужик занозистый и стройный, — сказала она, — чистый цирк с тобой... Пожалуйста, не побрезгуйте мной, старушкой, — прошептала она с поспешностью и вскарабкалась на лавку.

Тараканыч лег с ней. Побирушка закидывала голову набок и смеялась.

— Дождик на старуху, — смеялась она, — двести пудов с десятины дам...

И, сказавши это, она увидела Сашку, который пил чай у стола и не поднимал глаз на Божий мир.

— Твой хлопец? — спросила она Тараканыча.

— Вроде моего,— ответил Тараканыч,— женин.

— Вот деточка, глазенапы выкатил,— сказала баба.— Ну, иди сюда.

Сашка подошел к ней — и захватил дурную болезнь. Но об дурной болезни в тот час никто не думал. Тараканыч дал побирушке костей с обеда и серебряный пятачок, очень блесткий.

— Начисть его, молитвенница, песком,— сказал Тараканыч,— он еще более вида получит. В темную ночь ссудишь его Господу Богу, пятачок заместо луны светить будет...

Калечка обвязалась косынкой, забрала кости и ушла. А через две недели все сделалось для мужиков явно. Они много страдали от дурной болезни, перемогались всю зиму и лечились травами. А весной уехали в станицу на свою крестьянскую работу.

Станица отстояла от железной дороги на девять верст. Тараканыч и Сашка шли полями. Земля лежала в апрельской сырости. В черных ямах блистали изумруды. Зеленая поросль прошивала землю хитрой строчкой. И от земли пахло кисло, как от солдатки на рассвете. Первые стада стекали с курганов, жеребята играли в голубых просторах горизонта.

Тараканыч и Сашка шли тропками, чуть заметными.

— Отпусти меня, Тараканыч, к обществу в пастухи,— сказал Сашка.

— Что так?

— Не могу я терпеть, что у пастухов такая жизнь великолепная.

— Я не согласен,— сказал Тараканыч.

— Отпусти меня, ради Бога, Тараканыч,— повторил Сашка,— все святители из пастухов вышли.

— Сашка-святитель,— захохотал отчим,— у Богородицы сифилис захватил.

Они прошли перегиб у Красного моста, миновали рощицу, выгон и увидели крест на станичной церкви.

Бабы ковырялись еще на огородах, а казаки, рассевшись в сирени, пили водку и пели. До Тараканычевой избы было с полверсты ходу.

— Давай Бог, чтобы благополучно,— сказал он и перекрестился.

Они подошли к хате и заглянули в окошко. Никого в хате не было. Сашкина мать доила корову на конюшне. Мужики подкрались неслышно. Тараканыч засмеялся и закричал у бабы за спиной:

— Мотя, ваше высокоблагородие, собирай гостям ужинать...

Баба обернулась, затрепетала, побежала из конюшни и закружилась по двору. Потом она вернулась к своему месту, кинулась к Тараканычу на грудь и забилась.

— Вот какая ты дурная и незаманчивая,— сказал Тараканыч и отстранил ее ласково.— Кажи детей...

— Ушли дети со двора,— сказала баба, вся белая, снова побежала по двору и упала на землю.— Ах, Алешенька,— закричала она дико,— ушли наши детки ногами вперед...

Тараканыч махнул рукой и пошел к соседям. Соседи рассказали, что мальчика и девочку Бог прибрал на прошлой неделе в тифу. Мотя писала ему, но он, верно, не успел получить письма. Тараканыч вернулся в хату. Баба его растапливала печь.

— Отделалась ты, Мотя, вчистую,— сказал Тараканыч,— терзать тебя надо.

Он сел к столу и затосковал,— и тосковал до самого сна, ел мясо и пил водку и не пошел по хозяйству. Он храпел у стола, и просыпался, и снова храпел. Мотя постелила себе и мужу на кровати, а Сашке в стороне. Она задула лампу и легла с мужем. Сашка ворочался на сене в своем углу, глаза его были раскрыты, он не спал и видел как бы во сне хату, звезду в окне, и край стола, и хомуты под материной кроватью. Насильственное видение побеждало его, он поддавался мечтам и радовался своему сну наяву. Ему чудилось, что с неба свешиваются два серебряных шнура, крученных в толстую нитку, к ним приделана колыска, колыска из розового дерева, с разводами. Она качается высоко над землей и далеко от неба, и серебряные шнуры движутся и блестят. Сашка лежит в колыске, и воздух его обвевает. Воздух, громкий, как музыка, идет с полей, радуга цветет на незрелых хлебах.

Сашка радовался своему сну наяву и закрывал глаза, чтобы не видеть хомутов под материной кроватью. Потом он услышал сопение на Мотиной лежанке и подумал о том, что Тараканыч мнет мать.

— Тараканыч,— сказал он громко,— до тебя дело есть.

— Какие дела ночью?— сердито отозвался Тараканыч.— Спи, стервяга...

— Я крест приму, что дело есть,— ответил Сашка,— выдь во двор.

И во дворе, под немеркнущей звездой, Сашка сказал отчиму:

— Не обижай мать, Тараканыч, ты порченый.

— А ты мой характер знаешь?— спросил Тараканыч.

— Я твой характер знаю, но только ты видал мать, при каком она теле? У нее и ноги чистые, и грудь чистая. Не обижай ее, Тараканыч. Мы порченые.

— Мил человек,— ответил отчим,— уйди от крови и от моего характера. На вот двугривенный, проспи ночь, вытрезвись...

— Мне двугривенный без пользы,— пробормотал Сашка,— отпусти меня к обществу в пастухи...

— С этим я не согласен,— сказал Тараканыч.

— Отпусти меня в пастухи,— пробормотал Сашка,— а то я матери откроюсь, какие мы. За что ей страдать при таком теле...

Тараканыч отвернулся, пошел в сарай и принес топор.

— Святитель,— сказал он шепотом,— вот и вся недолга... я порубаю тебя, Сашка...

— Ты не станешь меня рубить за бабу,— сказал мальчик чуть слышно и наклонился к отчиму,— ты меня жалеешь, отпусти меня в пастухи...

— Шут с тобой,— сказал Тараканыч и кинул топор,— иди в пастухи.

И он вернулся в хату и переспал со своей женой.

В то же утро Сашка пошел к казакам наниматься и с той поры стал жить у общества в пастухах. Он прославился на весь округ простодушием, получил от станичников прозвище «Сашка Христос» и прожил в пастухах бессменно до призыва. Старые мужики, какие поплоше, приходили к нему на выгон чесать языки, бабы прибегали к Сашке опоминаться от безумных мужичьих повадок и не сердились на Сашку за его любовь и за его болезнь. С призывом своим Сашка угодил в первый год войны. Он пробыл на войне четыре года и вернулся в станицу, когда там своевольничали белые. Сашку подбили идти в станицу Платовскую, где собирался отряд против белых. Выслужившийся вахмистр — Семен Михайлович Буденный — заправлял делами в этом отряде, и при нем были три брата: Емельян, Лукьян и Денис. Сашка пошел в Платовскую, и там решилась его судьба. Он был в полку Буденного, в бригаде его, в дивизии и в Первой Конной армии. Он ходил выручать героический Царицын, соединился с Десятой армией Ворошилова, бился под Воронежем, под Касторной и у Генеральского моста на Донце. В польскую кампанию Сашка вступил обозным, потому что был поранен и считался инвалидом.

Вот как все это было. С недавних пор стал я водить знакомство с Сашкой Христом и переложил свой сундучок на его телегу. Нередко встречали мы утреннюю зорю и сопутствовали закатам. И когда своевольное хотение боя соединяло нас, мы садились по вечерам у блещущей завалинки, или кипятили в лесах чай в закопченном котелке, или спали рядом на скошенных полях, привязав к ноге голодного коня.

Жизнеописание Павличенки, Матвея Родионыча

Земляки, товарищи, родные мои братья! Так осознайте же во имя человечества жизнеописание красного генерала Матвея Павличенки. Он был пастух, тот генерал, пастух в усадьбе Лидино, у барина Никитинского, и пас барину свиней, пока не вышла ему от жизни нашивка на погоны, и тогда с нашивкой этой стал Матюшка пасти рогатую скотину. И кто его знает,— уродись он в Австралии, Матвей наш, свет Родионыч, то возможная вещь, друзья, он и до слонов возвысился бы, слонов стал бы пасти Матюшка, кабы не это мое горе, что неоткуда взяться слонам в Ставропольской нашей губернии. Крупнее буйвола, откровенно вам выскажу, нет у нас животной в Ставропольской раскидистой нашей стороне. А от буйвола бедняк утехи себе не добудет, русскому человеку над буйволами издеваться скучно, нам, сиротам, лошадку на вечный суд подай, лошадку, чтобы душа у нее на меже с боками бы повылазила...

И вот пасу я рогатую мою скотину, коровами со всех сторон обставился, молоком меня навылет прохватило, воняю я, как разрезанное вымя, бычки вокруг меня для порядку ходят, мышастые бычки серого цвета. Воля кругом меня полегла на поля, трава во всем мире хрустит, небеса надо мной разворачиваются, как многорядная гармонь, а небеса, ребята, бывают в Ставропольской губернии очень синие. И пасу я этаким манером, с ветрами от нечего делать на дудках переигрываюсь, покеда один старец не говорит мне:

— Явись,— говорит,— Матвей, к Насте.

— Зачем,— говорю.— Или вы, старец, надо мной надсмехаетесь?..

— Явись,— говорит,— она желает.

И вот являюсь.

— Настя!— говорю я и всей моей кровью чернею.— Настя,— говорю,— или вы надо мной надсмехаетесь?

Но она не дает мне себя слыхать, а пускается от меня бегом и бежит из последних сил, и мы бежим с нею вместе, пока не стали на выгоне, мертвые, красные и без дыхания.

— Матвей,— говорит мне тут Настя,— третье воскресенье от этого, когда весенняя путина была и рыбалки к берегу шли,— вы то же самое с ними шли и голову опустили. Зачем же вы голову опускали, Матвей, или вам какая думка сердце жмет? Отвечайте мне...

И я отвечаю ей.

— Настя,— отвечаю,— мне отвечать вам нечего, голова моя не ружье, на ней мушки нету и прицельной камеры нету, а сердце мое вам известно, Настя, оно от всего пустое, оно небось молоком прохвачено, это ужасное дело, как я молоком воняю...

И Настя, вижу, заходится от этих моих слов.

— Я крест приму,— заходится она, смеется напропалую, смеется во весь голос, на всю степь, как будто на барабане играет,— я крест приму, вы с барышнями перемаргиваетесь...

И, поговоривши короткое время глупости, мы с ней вскорости женились. И стали мы жить с Настей как умели, а уметь мы умели. Всю ночь нам жарко было, зимой нам жарко было, всю долгую ночь мы голые ходили и шкуру друг с дружки обрывали. Хорошо жили, как черти, и все до той поры, пока не заявляется ко мне старец во второй раз.

— Матвей,— говорит он,— барин давеча твою жену за все места трогал, он ее достигнет, барин...

А я:

— Нет,— говорю,— нет, и простите меня, старец, или я пришью вас на этом месте.

И старец, безусловно, пустился от меня ходом, а я обошел в тот день моими ногами двадцать верст земли, большой кусок земли обошел я в тот день моими ногами и вечером вырос в усадьбе Лидино у веселого барина моего Никитинского. Он сидел в горнице, старый старик, и разбирал три седла: английское, драгунское и казацкое,— а я рос у его двери, как лопух, цельный час рос, и все без последствий. Но потом он кинул на меня глаза.

— Чего ты желаешь?— говорит.

— Желаю расчета.

— Умысел на меня имеешь?

— Умысла не имею, но желаю.

Тут он свернул глаза на сторону, свернул с большака в переулочек, настелил на пол малиновых потничков, они малиновей царских флагов были, потнички его, встал над ними старикашка и запетушился.

— Вольному воля,— говорит он мне и петушится,— я мамашей ваших, православные христиане, всех тараканил, расчет можешь получить, только не должен ли ты мне, дружок мой Матюша, какой-нибудь пустяковины?

— Хи-хи,— отвечаю,— вот затейники вы, в сам-деле, убей меня Бог, вот затейники! Мне небось с вас зажитое следует...

— Зажитое,— скрыгочет тут мой барин, и кидает меня на колюшки, и сучит ногами, и лепит мне в ухо отца, и сына, и святого духа,— зажитое тебе, а ярмо забыл, в прошлом годе ты мне ярмо от быков сломал,— где оно, мое ярмо?

— Ярмо я тебе отдам,— отвечаю я моему барину, и возвожу к нему простые мои глаза, и стою перед ним на колюшках ниже всякой земной низины,— отдам тебе ярмо, но ты не тесни меня с долгами, старый человек, а подожди на мне малость...

И что же, ребята вы ставропольские, земляки мои, товарищи, родные мои братья, пять годов барин на мне долги ждал, пять пропащих годов пропадал я, покуда ко мне, к пропащему, не прибыл в гости восемнадцатый годок. На веселых жеребцах прибыл он, на кабардинских своих лошадках. Большой обоз вел он за собой и всякие песни. И эх, люба ж ты моя, восемнадцатый годок! И неужели не погулять нам с тобой еще разок, кровиночка ты моя, восемнадцатый годок... Расточили мы твои песни, выпили твое вино, постановили твою правду, одни писаря нам от тебя остались. И эх, люба моя! Не писаря летели в те дни по Кубани и выпущали на воздух генеральскую душу с одного шагу дистанции, Матвей Родионыч лежал тогда на крови под Прикумском, и оставалось от Матвея Родионыча до усадьбы Лидино пять верст последнего перехода. Я и поехал туда один, без отряда, и, взойдя в горницу, взошел в нее смирно. Земельная власть сидела там, в горнице, Никитинский чаем ее обносил и ласкался до людей, но, увидев меня, сошел со своего лица, а я кубанку перед ним снял.

— Здравствуйте,— сказал я людям,— здравствуйте, пожалуйста. Принимайте, барин, гостя или как там у нас будет?

— Будет у нас тихо, благородно,— отвечает мне тут один человек, по выговору, замечаю, землемер,— будет у нас тихо, благородно, но ты, товарищ Павличенко, скакал, видать, издалека, грязь пересекает твой образ. Мы, земельная власть, ужасаемся такого образа, почему это такое?

— Потому это,— отвечаю,— земельная вы и холоднокровная власть, потому оно, что в образе моем щека одна пять годков горит, в окопе горит, при бабе горит, на последнем суде гореть будет. На последнем суде,— говорю и смотрю на Никитинского вроде как весело, а у него уже и глаз нету, только шары посреди лица стоят, как будто вкатили ему шары под лоб на позицию, и он хрустальными этими шарами мне примаргивает тоже вроде как весело, но очень ужасно.

— Матюша,— говорит он мне,— мы ведь знавались когда-то, и вот супруга моя, Надежда Васильевна, по причине происходящих времен рассудку лишившись, она ведь к тебе хороша была, Надежда Васильевна, ты ее, Матюша, больше всех уважал, неужели ты не пожелаешь ее увидеть, когда она свету лишилась?

— Можно,— говорю, и мы входим с ним в другую комнату, и там он руки стал у меня трогать, правую руку, потом левую.

— Матюша,— говорит,— ты судьба моя или нет?

— Нет,— говорю,— и брось эти слова. Бог от нас, холуев, ушился; судьба наша индейка, жисть наша копейка, брось эти слова и послушай, коли хочешь, письмо Ленина...

— Мне письмо, Никитинскому?

— Тебе,— и вынимаю я книгу приказов, раскрываю на чистом листе и читаю, хотя сам неграмотный до глубины души. «Именем народа,— читаю,— и для основания будущей светлой жизни приказываю Павличенко, Матвею Родионычу, лишать разных людей жизни согласно его усмотрению...» Вот,— говорю,— это оно и есть, ленинское к тебе письмо...

А он мне: нет!

— Нет,— говорит,— Матюша, хоть жизнь наша на чертову сторону схилилась и кровь в российской равноапостольной державе дешева стала, но тебе сколько крови полагается — ты ее все равно достанешь и мои смертные взоры забудешь, и не лучше ли будет, если я тебе половицу покажу?

— Кажи,— говорю,— может, оно лучше будет.

И опять мы с ним по комнате пошли, в винный погреб спустились, там он кирпич один отвалил и нашел шкатулку за этим кирпичиком. В ней были перстни, в шкатулке, ожерелья, ордена и жемчужная святыня. Он кинул ее мне и обомлел.

— Твое,— говорит,— владей никитинской святыней и шагай прочь, Матвей, в прикумское твое логово...

И тут я взял его за тело, за глотку, за волосы.

— С щекой-то что мне делать,— говорю,— с щекой как мне быть, люди-братья?

И тогда он сам с себя посмеялся слишком громко и вырываться не стал.

— Шакалья совесть,— говорит и не вырывается.

— Я с тобой как с Российской империи офицером говорю, а вы, хамы, волчицу сосали... Стреляй в меня, сукин сын...

Но я стрелять в него не стал, стрельбы я ему не должен был никак, а только потащил наверх в залу. Там, в зале, Надежда Васильевна, совершенно сумасшедшие, сидели, они с шашкой наголо по зале прохаживались и в зеркало гляделись. А когда я Никитинского в залу притащил, Надежда Васильевна побежали в кресло садиться, на них бархатная корона перьями убрана была, они в кресла бойко сели и шашкой мне на караул сделали. И тогда я потоптал барина моего Никитинского. Я час его топтал или более часу, и за это время я жизнь сполна узнал. Стрельбой,— я так выскажу,— от человека только отделаться можно: стрельба — это ему помилование, а себе гнусная легкость, стрельбой до души не дойдешь, где она у человека есть и как она показывается. Но я, бывает, себя не жалею, я, бывает, врага час топчу или более часу, мне желательно жизнь узнать, какая она у нас есть...

Кладбище в Козине

Кладбище в еврейском местечке. Ассирия и таинственное тление Востока на поросших бурьяном волынских полях.

Обточенные серые камни с трехсотлетними письменами. Грубое тиснение горельефов, высеченных на граните. Изображение рыбы и овцы над мертвой человеческой головой. Изображения раввинов в меховых шапках. Раввины подпоясаны ремнем на узких чреслах. Под безглазыми лицами волнистая каменная линия завитых бород. В стороне, под дубом, размозженным молнией, стоит склеп рабби Азриила, убитого

казаками Богдана Хмельницкого. Четыре поколения лежат в этой усыпальнице, нищей, как жилище водоноса, и скрижали, зазеленевшие скрижали, поют о них молитвой бедуина:

«Азриил, сын Анания, уста Еговы.

Илия, сын Азриила, мозг, вступивший в единоборство с забвением.

Вольф, сын Илии, принц, похищенный у Торы на девятнадцатой весне.

Иуда, сын Вольфа, раввин краковский и пражский.

О смерть, о корыстолюбец, о жадный вор, отчего ты не пожалел нас хотя бы однажды?».

Прищепа

Пробираюсь в Лешнюв, где расположился штаб дивизии. Попутчик мой по-прежнему Прищепа — молодой кубанец; неутомительный хам, вычищенный коммунист, будущий барахольщик, беспечный сифилитик, неторопливый враль. На нем малиновая черкеска из тонкого сукна и пуховый башлык, закинутый за спину. По дороге он рассказывал о себе...

Год тому назад Прищепа бежал от белых. В отместку они взяли заложниками его родителей и убили их в контрразведке. Имущество расхитили соседи. Когда белых прогнали с Кубани, Прищепа вернулся в родную станицу.

Было утро, рассвет, мужичий сон вздыхал в прокисшей духоте. Прищепа подрядил казенную телегу и пошел по станице собирать свои граммофоны, жбаны для кваса и расшитые матерью полотенца. Он вышел на улицу в черной бурке, с кривым кинжалом за поясом; телега плелась сзади. Прищепа ходил от одного соседа к другому, кровавая печать его подошв тянулась за ним следом. В тех хатах, где казак находил вещи матери или чубук отца, он оставлял подколотых старух, собак, повешенных над колодцем, иконы, загаженные пометом. Станичники, раскуривая трубки, угрюмо следили его путь. Молодые казаки рассыпались в степи и вели счет. Счет разбухал, и станица молчала. Кончив, Прищепа вернулся в опустошенный отчий дом. Он расставил отбитую мебель в порядке, который был ему памятен с детства, и послал за водкой. Запершись в хате, он пил двое суток, пел, плакал и рубил шашкой столы.

На третью ночь станица увидела дым над избой Прищепы. Опаленный и рваный, виляя ногами, он вывел из стойла корову, вложил ей в рот револьвер и выстрелил. Земля курилась под ним, голубое кольцо пламени вылетело из трубы и растаяло, в конюшне зарыдал оставленный бычок. Пожар сиял, как воскресенье. Прищепа отвязал коня, прыгнул в седло, бросил в огонь прядь своих волос и сгинул.

История одной лошади

Савицкий, наш начдив, забрал когда-то у Хлебникова, командира первого эскадрона, белого жеребца. Это была лошадь пышного экстерьера, но с сырыми формами, которые мне всегда казались тяжеловатыми. Хлебников получил взамен вороную кобыленку неплохих кровей, с гладкой рысью. Но он держал кобыленку в черном теле, жаждал мести, ждал своего часу и дождался его.

После июльских неудачных боев, когда Савицкого сместили и заслали в резерв чинов командного запаса, Хлебников написал в штаб армии прошение о возвращении ему лошади. Начальник штаба наложил на прошении резолюцию: «Возворотить изложенного жеребца в первобытное состояние»,— и Хлебников, ликуя, сделал сто верст для того, чтобы найти Савицкого, жившего тогда в Радзивиллове, в изувеченном городишке, похожем на оборванную салопницу. Он жил один, смещенный начдив, лизуны из штабов не узнавали его больше. Лизуны из штабов удили жареных куриц в улыбках командарма, и, холопствуя, они отвернулись от прославленного начдива.

Облитый духами и похожий на Петра Великого, он жил в опале с казачкой Павлой, отбитой им у еврея-интенданта, и с двадцатью кровными лошадьми, которых мы считали его собственностью. Солнце на его дворе напрягалось и томилось слепотой своих лучей, жеребята на его дворе бурно сосали маток, конюхи с взмокшими спинами просеивали овес на выцветших веялках. Израненный истиной и ведомый местью, Хлебников шел напрямик к забаррикадированному двору.

— Личность моя вам знакомая?— спросил он у Савицкого, лежавшего на сене.

— Видал я тебя как будто,— ответил Савицкий и зевнул.

— Тогда получайте резолюцию начштаба,— сказал Хлебников твердо,— и прошу вас, товарищ из резерва, смотреть на меня официальным глазом...

— Можно,— примирительно пробормотал Савицкий, взял бумагу и стал читать её необыкновенно долго. Потом он позвал вдруг казачку, чесавшую себе волосы в холодку, под навесом.

— Павла,— сказал он,— с утра, слава тебе Господи, чешемся... Направила бы самоварчик...

Казачка отложила гребень и, взяв в руки волосы, перебросила их за спину.

— Целый день сегодня, Константин Васильевич, цепляемся,— сказала она с ленивой и повелительной усмешкой,— то того вам, то другого...

И она пошла к начдиву, неся грудь на высоких башмаках, грудь, шевелившуюся, как животное в мешке.

— Целый день цепляемся,— повторила женщина, сияя, и застегнула начдиву рубаху на груди.

— То этого мне, а то того,— засмеялся начдив, вставая, обнял Павлины отдавшиеся плечи и обернул вдруг к Хлебникову помертвевшее лицо.

— Я еще живой, Хлебников,— сказал он, обнимаясь с казачкой,— еще ноги мои ходят, еще кони мои скачут, еще руки мои тебя достанут и пушка моя греется около моего тела...

Он вынул револьвер, лежавший у него на голом животе, и подступил к командиру первого эскадрона.

Тот повернулся на каблуках, шпоры его застонали, он вышел со двора, как ординарец, получивший эстафету, и снова сделал сто верст для того, чтобы найти начальника штаба, но тот прогнал от себя Хлебникова.

— Твое дело, командир, решенное,— сказал начальник штаба.— Жеребец тебе мною возворочен, а докуки мне без тебя хватает...

Он не стал слушать Хлебникова и возвратил наконец первому эскадрону сбежавшего командира. Хлебников целую неделю был в отлучке. За это время нас перегнали на стоянку в дубенские леса. Мы разбили там палатки и жили хорошо. Хлебников вернулся, я помню, в воскресенье утром, двенадцатого числа. Он потребовал у меня бумаги больше дести и чернил. Казаки обстругали ему пень, он положил на пень револьвер и бумаги и писал до вечера, перемарывая множество листов.

— Чистый Карл Маркс,— сказал ему вечером военком эскадрона.— Чего ты пишешь, хрен с тобой?

— Описываю разные мысли согласно присяге,— ответил Хлебников и подал военкому заявление о выходе из Коммунистической партии большевиков.

«Коммунистическая партия,— было сказано в этом заявлении,— *основана, полагаю, для радости и твердой правды без предела и должна также осматриваться на малых. Теперь коснусь до белого жеребца, которого я отбил у неимоверных по своей контре крестьян, имевший захудалый вид, и многие товарищи беззастенчиво надсмехались над этим видом, но я имел силы выдержать тот резкий смех и, сжав зубы за общее дело, выходил жеребца до желаемой перемены, потому я есть, товарищи, до серых коней охотник и положил на них силы, в малом количестве оставшиеся мне от империалистической и гражданской войны, и таковые жеребцы чувствуют мою руку, и я также могу чувствовать его бессловесную нужду и что ему требуется, но несправедливая вороная кобылица мне без надобности, я не могу ее чувствовать и не могу ее переносить, что все товарищи могут подтвердить, как бы не дошло до беды. И вот партия не может мне возворотить, согласно резолюции, мое кровное, то я не имею выхода, как писать это заявление со слезами, которые не подобают бойцу, но текут бесперечь и секут сердце, засекая сердце в кровь...»*

Вот это и еще много другого было написано в заявлении Хлебникова. Он писал его целый день, и оно было очень длинно. Мы с военкомом бились над ним с час и разобрали до конца.

— Вот и дурак,— сказал военком, разрывая бумагу,— приходи после ужина, будешь иметь беседу со мной.

— Не надо мне твоей беседы,— ответил Хлебников, вздрагивая,— проиграл ты меня, военком.

Он стоял, сложив руки по швам, дрожал, не сходя с места, и озирался по сторонам, как будто примериваясь, по какой дороге бежать. Военком подошел к нему вплотную, но недоглядел. Хлебников рванулся и побежал изо всех сил.

— Проиграл! — закричал он дико, влез на пень и стал обрывать на себе куртку и царапать грудь.

— Бей, Савицкий,— закричал он, падая на землю,— бей враз!

Мы потащили его в палатку, казаки нам помогли. Мы вскипятили ему чай и набили папирос. Он курил и все дрожал. И только к вечеру успокоился наш командир. Он не заговаривал больше о сумасбродном своем заявлении, но через неделю поехал в Ровно, освидетельствовался во врачебной комиссии и был демобилизован как инвалид, имеющий шесть поранений.

Так лишились мы Хлебникова. Я был этим опечален, потому что Хлебников был тихий человек, похожий на меня характером. У него одного в эскадроне был самовар. В дни затишья мы пили с ним горячий чай. Нас потрясали одинаковые страсти. Мы оба смотрели на мир, как на луг в мае, как на луг, по которому ходят женщины и кони.

Конкин

Крошили мы шляхту по-за Белой Церковью. Крошили вдосталь, аж деревья гнулись. Я с утра отметину получил, но выкамаривал ничего себе, подходяще. Денек, помню, к вечеру пригибался. От комбрига я отбился, пролетариату всего казачишек пяток за мной увязалось. Кругом в обнимку рубаются, как поп с попадьей, юшка из меня помаленьку капает, конь мой передом мочится... Одним словом — два слова.

Вынеслись мы со Спирькой Забутым подальше от леска, глядим — подходящая арифметика... Сажнях в трехстах, ну не более, не то штаб пылит, не то обоз. Штаб — хорошо, обоз — того лучше. Барахло у ребятишек пообрывалось, рубашонки такие, что половой зрелости не достигают.

— Забутый,— говорю я Спирьке,— мать твою и так, и этак, и всяко, предоставляю тебе слово как записавшемуся оратору,— ведь это штаб ихний уходит...

— Свободная вещь, что штаб,— говорит Спирька,— но только — нас двое, а их восемь...

— Дуй ветер, Спирька,— говорю,— все равно я им ризы испачкаю... Помрем за кислый огурец и мировую революцию...

И пустились. Было их восемь сабель. Двоих сняли мы винтами на корню. Третьего, вижу, Спирька ведет в штаб Духонина для проверки документов. А я в туза целюсь. Малиновый, ребята, туз, при цепке и золотых часах. Прижал я его к хуторку. Хуторок там был весь в яблоне и вишне. Конь под моим тузом как купцова дочка, но пристал. Бросает тогда пан генерал поводья, примеряется ко мне маузером и делает мне в ноге дырку.

«Ладно, думаю, будешь моя, раскинешь ноги...»

Нажал я колеса и вкладываю в коника два заряда. Жалко было жеребца. Большевичок был жеребец, чистый большевичок. Сам рыжий, как монета, хвост пулей, нога струной. Думал — живую Ленину свезу, ан не вышло. Ликвидировал я эту лошадку. Рухнула она, как невеста, и туз мой с седла снялся. Подорвал он в сторону, потом еще разок обернулся и еще один сквозняк мне в фигуре сделал. Имею я, значит, при себе три отличия в делах против неприятеля.

«Иисусе, думаю, он, чего доброго, убьет меня нечаянным порядком...»

Подскакал я к нему, а он уже шашку выхватил, и по щекам его слезы текут, белые слезы, человечье молоко.

— Даешь орден Красного Знамени!— кричу.— Сдавайся, ясновельможный, покуда я жив!..

— Не моге, пан,— отвечает старик,— ты зарежешь меня...

А тут Спиридон передо мной, как лист перед травой. Личность его в мыле, глаза от морды на нитках висят.

— Вася,— кричит он мне,— страсть сказать, сколько я людей кончил! А ведь это генерал у тебя, на нем шитье, мне желательно его кончить.

— Иди к турку,— говорю я Забутому и серчаю,— мне шитье его крови стоит.

И кобылой моей загоняю я генерала в клуню, сено там было или так. Тишина там была, темнота, прохлада.

— Пан,— говорю,— утихомирь свою старость, сдайся мне за-ради Бога, и мы отдохнем с тобой, пан...

А он дышит у стенки грудью и трет лоб красным пальцем.

— Не моге,— говорит,— ты зарежешь меня, только Буденному отдам я мою саблю...

Буденного ему подавай. Эх, горе ты мое! И вижу — пропадает старый.

— Пан,— кричу я, и плачу, и зубами скрегочу,— слово пролетария, я сам высший начальник. Ты шитья на мне не ищи, а титул есть. Титул, вон он — музыкальный эксцентрик и салонный чревовещатель из города Нижнего... Нижний город на Волге-реке...

И бес меня взмыл. Генеральские глаза передо мной, как фонари, мигнули. Красное море передо мной открылось. Обида солью вошла мне в рану, потому, вижу, не верит мне дед. Замкнул я тогда рот, ребята, поджал брюхо, взял воздух и понес по старинке, по-нашенскому, по-бойцовски, по-нижегородски и доказал шляхте мое чревовещание.

Побелел тут старик, взялся за сердце и сел на землю.

— Веришь теперь Ваське-эксцентрику, Третьей непобедимой кавбригады комиссару?..

— Комиссар?— кричит он.

— Комиссар,— говорю я.

— Коммунист?— кричит он.

— Коммунист,— говорю я.

— В смертельный мой час,— кричит он,— в последнее мое воздыхание скажи мне, друг мой казак,— коммунист ты или врешь?

— Коммунист,— говорю.

Садится тут мой дед на землю, целует какую-то ладанку, ломает надвое саблю и зажигает две плошки в своих глазах, два фонаря над темной степью.

— Прости,— говорит,— не могу сдаться коммунисту,— и здоровается со мной за руку.— Прости,— говорит,— и руби меня по-солдатски...

Эту историю со всегдашним своим шутовством рассказал нам однажды на привале Конкин, политический комиссар N...ской кавбригады и троекратный кавалер ордена Красного Знамени.

— И до чего же ты, Васька, с паном договорился?

— Договоришься ли с ним?.. Гоноровый выдался. Покланялся я ему еще, а он упирается. Бумаги мы тогда у него взяли, какие были, маузер взяли, седелка его, чудака, и посейчас подо мной. А потом, вижу, каплет из меня все сильней, ужасный сон на меня нападает, сапоги мои полны крови, не до него...

— Облегчили, значит, старика?

— Был грех.

Берестечко

Мы делали переход из Хотина в Берестечко. Бойцы дремали в высоких седлах. Песня журчала, как пересыхающий ручей. Чудовищные трупы валялись на тысячелетних курганах. Мужики в белых рубахах ломали шапки перед нами. Бурка начдива Павличенки веяла над штабом, как мрачный флаг. Пуховый башлык его был перекинут через бурку, кривая сабля лежала сбоку.

Мы проехали казачьи курганы и вышку Богдана Хмельницкого. Из-за могильного камня выполз дед с бандурой и детским голосом спел про былую казачью славу. Мы прослушали песню молча, потом развернули штандарты и под звуки гремящего марша ворвались в Берестечко. Жители заложили ставни железными палками, и тишина, полновластная тишина взошла на местечковый свой трон.

Квартира мне попалась у рыжей вдовы, пропахшей вдовьим горем. Я умылся с дороги и вышел на улицу. На столбах висели объявления о том, что военкомдив

Виноградов прочтет вечером доклад о Втором конгрессе Коминтерна. Прямо перед моими окнами несколько казаков расстреливали за шпионаж старого еврея с серебряной бородой. Старик взвизгивал и вырывался. Тогда Кудря из пулеметной команды взял его голову и спрятал ее у себя под мышкой. Еврей затих и расставил ноги. Кудря правой рукой вытащил кинжал и осторожно зарезал старика, не забрызгавшись. Потом он стукнул в закрытую раму.

— Если кто интересуется,— сказал он,— нехай приберет. Это свободно...

И казаки завернули за угол. Я пошел за ними следом и стал бродить по Берестечку. Больше всего здесь евреев, а на окраинах расселились русские мещане — кожевники. Они живут чисто, в белых домиках за зелеными ставнями.

Вместо водки мещане пьют пиво или мед, разводят табак в палисадничках и курят его из длинных гнутых чубуков, как галицийские крестьяне. Соседство трех племен, деятельных и деловитых, разбудило в них упрямое трудолюбие, свойственное иногда русскому человеку, когда он еще не обовшивел, не отчаялся и не упился.

Быт выветрился в Берестечке, а он был прочен здесь. Отростки, которым перевалило за три столетия, все еще зеленели на Волыни теплой гнилью старины. Евреи связывали здесь нитями наживы русского мужика с польским паном, чешского колониста с лодзинской фабрикой. Это были контрабандисты, лучшие на границе, и почти всегда воители за веру. Хасидизм держал в удушливом плену это суетливое население из корчмарей, разносчиков и маклеров. Мальчики в капотиках все еще топтали вековую дорогу к хасидскому хедеру, и старухи по-прежнему возили невесток к цадику с яростной мольбой о плодородии.

Евреи живут здесь в просторных домах, вымазанных белой или водянисто-голубой краской. Традиционное убожество этой архитектуры насчитывает столетия. За домом тянется сарай в два, иногда в три этажа. В нем никогда не бывает солнца. Сараи эти, неописуемо мрачные, заменяют наши дворы. Потайные ходы ведут в подвалы и конюшни. Во время войны в этих катакомбах спасаются от пуль и грабежей. Здесь скопляются за много дней человечьи отбросы и навоз скотины. Уныние и ужас заполняют катакомбы едкой вонью и протухшей кислотой испражнений.

Берестечко нерушимо воняет и до сих пор, от всех людей несет запахом гнилой селедки. Местечко смердит в ожидании новой эры, и вместо людей по нему ходят слинявшие схемы пограничных несчастий. Они надоели мне к концу дня, я ушел за городскую черту, поднялся в гору и проник в опустошенный замок графов Рациборских, недавних владетелей Берестечка.

Спокойствие заката сделало траву у замка голубой. Над прудом взошла луна, зеленая, как ящерица. Из окна мне видно поместье графов Рациборских — луга и плантации из хмеля, скрытые муаровыми лентами сумерек.

В замке жила раньше помешанная девяностолетняя графиня с сыном. Она досаждала сыну за то, что он не дал наследников угасающему роду, и — мужики рассказывали мне — графиня била сына кучерским кнутом.

Внизу на площадке собрался митинг. Пришли крестьяне, евреи и кожевники из предместья. Над ними разгорелся восторженный голос Виноградова и звон его шпор. Он говорил о Втором конгрессе Коминтерна, а я бродил вдоль стен, где нимфы с выколотыми глазами водят старинный хоровод. Потом в углу, на затоптанном полу, я нашел обрывок пожелтевшего письма. На нем вылинявшими чернилами было написано:

«*Berestetchko, 1820, Paul, mon bien aimé, on dit que l'empereur Napoléon est mort, est-ce vrai? Moi, je me sens bien, les couches ont été faciles, notre petit héros achève sept semaines...*»[*]

Внизу не умолкает голос военкомдива. Он страстно убеждает озадаченных мещан и обворованных евреев:

— Вы — власть. Все, что здесь,— ваше. Нет панов. Приступаю к выборам ревкома...

[*] «Берестечко, 1820. Поль, мой любимый, говорят, что император Наполеон умер, правда ли это? Я чувствую себя хорошо, роды были легкие, нашему маленькому герою исполняется семь недель...» (*фр.*).

Соль

«Дорогой товарищ редактор. Хочу описать вам за несознательных женщин, которые нам вредные. Надеюсь на вас, что вы, объезжая гражданские фронты, которые брали под заметку, не миновали закоренелую станцию Фастов, находящуюся за тридевять земель, в некотором государстве, на неведомом пространстве, я там, конешно, был, самогон-пиво пил, усы обмочило, в рот не заскочило. Про эту вышеизложенную станцию есть много кой-чего писать, но, как говорится в нашем простом быту,— Господнего дерьма не перетаскать. Поэтому опишу вам только за то, что мои глаза собственноручно видели.

Была тихая, славная ночка семь ден тому назад, когда наш заслуженный поезд Конармии остановился там, груженный бойцами. Все мы горели способствовать общему делу и имели направление на Бердичев. Но только замечаем, что поезд наш никак не отваливает, Гаврилка наш не крутит, и бойцы стали сомневаться, переговаривать между собой — в чем тут остановка? И действительно, остановка для общего дела вышла громадная по случаю того, что мешочники, эти злые враги, среди которых находилась также несметная сила женского полу, нахальным образом поступали с железнодорожной властью. Безбоязненно ухватились они за поручни, эти злые враги, на рысях пробегали по железным крышам, коловоротили, мутили, и в каждых руках фигурировала небызызвестная соль, доходя до пяти пудов в мешке. Но недолго длилось торжество капитала мешочников. Инициатива бойцов, повылазивших из вагона, дала возможность поруганной власти железнодорожников вздохнуть грудью. Один только женский пол со своими торбами остался в окрестностях. Имея сожаление, бойцы которых женщин посадили по теплушкам, а которых не посадили. Так же и в нашем вагоне второго взвода оказались налицо две девицы, а пробивши первый звонок, подходит к нам представительная женщина с дитем, говоря:

— Пустите меня, любезные казачки, всю войну я страдаю по вокзалам с грудным дитем на руках и теперь хочу иметь свидание с мужем, но по причине железной дороги ехать никак невозможно, неужели я у вас, казачки, не заслужила?

— Между прочим, женщина,— говорю я ей,— какое будет согласие у взвода, такая получится ваша судьба.— И, обратившись к взводу, я им доказываю, что представительная женщина просится ехать к мужу на место назначения и дите действительно при ней находится и какое будет ваше согласие — пускать ее или нет?

— Пускай ее,— кричат ребята,— опосле нас она и мужа не захочет...

— Нет,— говорю я ребятам довольно вежливо,— кланяюсь вам, взвод, но только удивляет меня слышать от вас такую жеребятину. Вспомните, взвод, вашу жизнь и как вы сами были дитями при ваших матерях, и получается вроде того, что не годится так говорить...

И казаки, проговоривши между собой, какой он, стало быть, Балмашев, убедительный, начали пускать женщину в вагон, и она с благодарностью лезет. И кажный, раскипятившись моей правдой, подсаживает ее, говоря наперебой:

— Садитесь, женщина, в куток, ласкайте ваше дите, как водится с матерями, никто вас в кутке не тронет, и приедете вы, нетронутая, к вашему мужу, как это вам желательно, и надеемся на вашу совесть, что вы вырастите нам смену, потому что старое старится, а молодняка, видать, мало. Горя мы видели, женщина, и на действительной и на сверхсрочной, голодом нас давнуло, холодом обожгло. А вы сидите здесь, женщина, без сомнения...

И, пробивши третий звонок, поезд двинулся. И славная ночка раскинулась шатром. И в том шатре были звезды-каганцы. И бойцы вспомнили кубанскую ночь и зеленую кубанскую звезду. И думка полетела как птица. А колеса тарахтят, тарахтят...

По прошествии времени, когда ночь сменилась со своего поста и красные барабанщики заиграли зорю на своих красных барабанах, тогда подступилися ко мне казаки, видя, что я сижу без сна и скучаю до последнего.

— Балмашев,— говорят мне казаки,— отчего ты ужасно скучный и сидишь без сна?

— Низко кланяюсь вам, бойцы, и прошу маленького прощения, но только дозвольте мне переговорить с этой гражданкой пару слов...

И, задрожав всем корпусом, я поднимаюсь со своей лежанки, от которой сон бежал, как волк от своры злодейских псов, и подхожу до нее, и беру у ней с рук дите, и рву с него пеленки и тряпье, и вижу по-за пеленками добрый пудовик соли.

— Вот антиресное дите, товарищи, которое титек не просит, на подол не мочится и людей со сна не беспокоит...

— Простите, любезные казачки,— встревает женщина в наш разговор очень хладнокровно,— не я обманула, лихо мое обмануло...

— Балмашев простит твоему лиху,— отвечаю я женщине,— Балмашеву оно немногого стоит, Балмашев за что купил, за то и продаст. Но оборотитесь к казакам, женщина, которые тебя возвысили как трудящуюся мать в республике. Оборотитесь на этих двух девиц, которые плачут в настоящее время как пострадавшие от нас этой ночью. Оборотитесь на жен наших на пшеничной Кубани, которые исходят женской силой без мужей, и мужья, то же самое одинокие, по злой неволе насильничают проходящих в их жизни девушек... А тебя не трогали, хотя тебя, неподобную, только и трогать. Оборотись на Расею, задавленную болью...

А она мне:

— Я соли своей решилась, я правды не боюсь. Вы за Расею не думаете, вы жидов, Ленина и Троцкого, спасаете...

— За жидов сейчас разговора нет, вредная гражданка. Жиды сюда не касаются. Между прочим, за Ленина не скажу, но Троцкий есть отчаянный сын тамбовского губернатора и вступился, хотя и другого звания, за трудящийся класс. Как присужденные каторжане вытягают они нас — Ленин и Троцкий — на вольную дорогу жизни, а вы, гнусная гражданка, есть более контрреволюционерка, чем тот белый генерал, который с вострой шашкой грозится нам на своем тысячном коне... Его видать, того генерала, со всех дорог, и трудящийся имеет свою думку-мечту его порезать, а вас, нечестная гражданка, с вашими антиресными детками, которые хлеба не просют и до ветра не бегают,— вас не видать, как блоху, и вы точите, точите, точите...

И я действительно признаю, что выбросил эту гражданку на ходу под откос, но она, как очень грубая, поси-дела, махнула юбками и пошла своей подлой дорожкой. И, увидев эту невредимую женщину, и несказанную Расею вокруг нее, и крестьянские поля без колоса, и поруганных девиц, и товарищей, которые много ездют на фронт, но мало возвращаются, я захотел спрыгнуть с вагона и себе кончить или ее кончить. Но казаки имели ко мне сожаление и сказали:

— Ударь ее из винта.

И, сняв со стенки верного винта, я смыл этот позор с лица трудовой земли и республики.

И мы, бойцы второго взвода, клянемся перед вами, дорогой товарищ редактор, и перед вами, дорогие товарищи из редакции, беспощадно поступать со всеми изменниками, которые тащат нас в яму и хотят повернуть речку обратно и выстелить Расею трупами и мертвой травой.

За всех бойцов второго взвода — Никита Балмашев, солдат революции».

Вечер

О устав РКП! Сквозь кислое тесто русских повестей ты проложил стремительные рельсы. Три холостых сердца со страстями рязанских Иисусов ты обратил в сотрудников «Красного кавалериста», ты обратил их для того, чтобы каждый день могли они сочинять залихватскую газету, полную мужества и грубого веселья.

Галин с бельмом, чахоточный Слинкин, Сычев с объеденными кишками — они бредут в бесплодной пыли тыла и продирают бунт и огонь своих листовок сквозь строй молодцеватых казаков на покое, резервных жуликов, числящихся польскими переводчиками, и девиц, присланных к нам в поезд политотдела на поправку из Москвы.

Только к ночи бывает готова газета — динамитный шнур, подкладываемый под армию. На небе гаснет косоглазый фонарь провинциального солнца, огни типографии, разлетаясь, пылают неудержимо, как страсть машины. И тогда, к полуночи, из вагона выходит Галин, для того чтобы содрогнуться от укусов неразделенной любви к поездной нашей прачке Ирине.

— В прошлый раз,— говорит Галин, узкий в плечах, бледный и слепой,— в прошлый раз мы рассмотрели, Ирина, расстрел Николая Кровавого, казненного екатеринбургским пролетариатом. Теперь перейдем к другим тиранам, умершим собачьей смертью. Петра Третьего задушил Орлов, любовник его жены. Павла растерзали придворные и собственный сын. Николай Палкин отравился, его сын пал первого марта, его внук умер от пьянства... Об этом вам надо знать, Ирина...

И, подняв на прачку голый глаз, полный обожания, Галин неутомимо ворошит склепы погибших императоров. Сутулый, он облит луной, торчащей там, наверху, как дерзкая заноза, типографские станки стучат от него где-то близко, и чистым светом сияет радиостанция. Притираясь к плечу повара Василия, Ирина слушает глухое и нелепое бормотание любви, над ней в черных водорослях неба тащатся звезды, прачка дремлет, крестит запухший рот и смотрит на Галина во все глаза...

Рядом с Ириной зевает мордатый Василий, пренебрегающий человечеством, как и все повара. Повара — они имеют много дела с мясом мертвых животных и с жадностью живых, поэтому в политике повара ищут вещей, их не касающихся. Так и Василий. Подтягивая штаны к соскам, он спрашивает Галина о цивильном листе разных королей, о приданом для царской дочери и потом говорит, зевая:

— Ночное время, Ариша,— говорит он.— И завтра у людей день. Айда блох давить...

И они закрыли дверь кухни, оставив Галина наедине с луной, торчавшей там, вверху, как дерзкая заноза... Против луны, на откосе, у заснувшего пруда, сидел я, в очках, с чирьями на шее и забинтованными ногами. Смутными поэтическими мозгами переваривал я борьбу классов, когда ко мне подошел Галин в блистающих бельмах.

— Галин,— сказал я, пораженный жалостью и одиночеством,— я болен, мне, видно, конец пришел, и я устал жить в нашей Конармии...

— Вы слюнтяй,— ответил Галин, и часы на тощей его кисти показали час ночи.— Вы слюнтяй, и нам суждено терпеть вас, слюнтяев... Мы чистим для вас ядро от скорлупы. Пройдет немного времени, вы увидите очищенное это ядро, выймете тогда палец из носу и воспоете новую жизнь необыкновенной прозой, а пока сидите тихо, слюнтяй, и не скулите нам под руку...

Он придвинулся ко мне ближе, поправил бинты, распустившиеся на чесоточных моих язвах, и опустил голову на цыплячью грудь. Ночь утешала нас в наших печалях, легкий ветер обвевал нас, как юбка матери, и травы внизу блестели свежестью и влагой.

Машины, гремевшие в поездной типографии, заскрипели и умолкли, рассвет провел черту у края земли, дверь в кухне свистнула и приоткрылась. Четыре ноги с толстыми пятками высунулись в прохладу, и мы увидели любящие икры Ирины и большой палец Василия с кривым и черным ногтем.

— Василек,— прошептала баба тесным, замирающим голосом,— уйдите с моей лежанки, баламут...

Но Василий только дернул пяткой и придвинулся ближе.

— Конармия,— сказал мне тогда Галин.— Конармия есть социальный фокус, производимый ЦК нашей партии. Кривая революции бросила в первый ряд казачью вольницу, пропитанную многими предрассудками, но ЦК, маневрируя, продерет их железною щеткой...

И Галин заговорил о политическом воспитании Первой Конной. Он говорил долго, глухо, с полной ясностью. Веко его билось над бельмом.

Афонька Бида

Мы дрались под Лешнювом. Стена неприятельской кавалерии появлялась всюду. Пружина окрепшей польской стратегии вытягивалась со зловещим свистом. Нас теснили. Впервые за всю кампанию мы испытали на своей спине дьявольскую остроту фланговых ударов и прорывов тыла — укусы того самого оружия, которое так счастливо служило нам.

Фронт под Лешнювом держала пехота. Вдоль криво накопанных ямок склонялось белесое, босое волынское мужичье. Пехоту эту взяли вчера от сохи для того, чтобы образовать при Конармии пехотный резерв. Крестьяне пошли с охотою. Они дрались с величайшей старательностью. Их сопящая мужицкая свирепость изумила даже буденновцев. Ненависть их к польскому помещику была построена из невидного, но добротного материала.

Во второй период войны, когда гиканье перестало действовать на воображение неприятеля и конные атаки на окопавшегося противника сделались невозможными, — эта самодельная пехота принесла бы Конармии величайшую пользу. Но нищета наша превозмогла. Мужикам дали по одному ружью на троих и патроны, которые не подходили к винтовкам. Затею пришлось оставить, и подлинное это народное ополчение распустили по домам.

Теперь обратимся к лешнювским боям. Пешка окопалась в трех верстах от местечка. Впереди их фронта расхаживал сутулый юноша в очках. Сбоку у него волочилась сабля. Он передвигался вприпрыжку, с недовольным видом, как будто ему жали сапоги. Этот мужицкий атаман, выбранный ими и любимый, был еврей, подслеповатый еврейский юноша с чахлым и сосредоточенным лицом талмудиста. В бою он выказывал осмотрительное мужество и хладнокровие, которое походило на рассеянность мечтателя.

Шел третий час июльского просторного дня. В воздухе сияла радужная паутина зноя. За холмами сверкнула праздничная полоса мундиров и гривы лошадей, заплетенные лентами. Юноша дал знак приготовиться. Мужики, шлепая лаптями, побежали по местам и взяли на изготовку. Но тревога оказалась ложной. На лешнювское шоссе выходили цветистые эскадроны Маслака.*

---

* *Масляков* — командир первой бригады четвертой дивизии, неисправимый партизан, изменивший вскоре Советской власти. *(Здесь и далее примеч. автора.)*.

Их отощавшие, но бодрые кони шли крупным шагом. На золоченых древках, отягощенных бархатными кистями, в огненных столбах пыли колебались пышные знамена. Всадники ехали с величественной и дерзкой холодностью. Лохматая пешка вылезла из своих ям и, разинув рты, следила за упругим изяществом этого небыстрого потока.

Впереди полка на степной раскоряченной лошаденке ехал комбриг Маслак, налитый пьяной кровью и гнилью жирных своих соков. Живот его, как большой кот, лежал на луке, окованной серебром. Завидев пешку, Маслак весело побагровел и поманил к себе взводного Афоньку Биду. Взводный носил у нас прозвище «Махно» за сходство свое с батьком. Они пошептались с минуту — командир и Афонька. Потом взводный обернулся к первому эскадрону, наклонился и скомандовал негромко: «Повод!». Казаки повзводно перешли на рысь. Они горячили лошадей и мчались на окопы, из которых глазела обрадованная зрелищем пешка.

— К бою готовьсь!— пропел заунывный и как бы отдаленный Афонькин голос.

Маслак, хрипя, кашляя и наслаждаясь, отъехал в сторону, казаки бросились в атаку. Бедная пешка побежала, но поздно. Казацкие плети прошлись уже по их драным свиткам. Всадники кружились по полю и с необыкновенным искусством вертели в руках нагайки.

— Зачем балуетесь?— крикнул я Афоньке.

— Для смеху,— ответил он мне, ерзая в седле и доставая из кустов схоронившегося парня.

— Для смеху!— прокричал он, ковыряясь в обеспамятевшем парне.

Потеха кончилась, когда Маслак, размякший и величавый, махнул своей пухлой рукой.

— Пешка, не зевай!— прокричал Афонька и надменно выпрямил тщедушное тело.— Пошла блох ловить, пешка...

Казаки, пересмеиваясь, съезжались в ряды. Пешки след простыл. Окопы были пусты. И только сутулый еврей стоял на прежнем месте и сквозь очки всматривался в казаков внимательно и высокомерно.

Со стороны Лешнюва не утихала перестрелка. Поляки охватывали нас. В бинокль были видны отдельные фигуры конных разведчиков. Они выскакивали из местечка и проваливались, как ваньки-встаньки. Маслак построил эскадрон и рассыпал его по обе стороны шоссе. Над Лешнювом встало блещущее небо, невыразимо пустое, как всегда в часы опасности. Еврей, закинув голову, горестно и сильно свистел в металлическую дудку. И пешка, высеченная пешка, возвращалась на свои места.

Пули густо летели в нашу сторону. Штаб бригады попал в полосу пулеметного обстрела. Мы бросились в лес и стали продираться сквозь кустарник, что по правую сторону шоссе. Расстрелянные ветви кряхтели над нами. Когда мы выбрались из кустов, казаков уже не было на прежнем месте. По приказанию начдива они отходили к Бродам. Только мужики огрызались из своих окопов редкими ружейными выстрелами, да отставший Афонька догонял свой взвод.

Он ехал по самой обочине дороги, оглядывая и обнюхивая воздух. Стрельба на мгновение ослабла. Казак вздумал воспользоваться передышкой и двинулся карьером. В это мгновенье пуля пробила шею его лошади. Афонька проехал еще шагов сто, и здесь, в наших рядах, конь круто согнул передние ноги и повалился на землю.

Афонька не спеша вынул из стремени подмятую ногу. Он сел на корточки и поковырял в ране медным пальцем. Потом Бида выпрямился и обвел блистающий горизонт томительным взглядом.

— Прощай, Степан,— сказал он деревянным голосом, отступив от издыхающего животного, и поклонился ему в пояс,— как ворочуся без тебя в тихую станицу?.. Куда подеваю с-под тебя расшитое седелко? Прощай, Степан,— повторил он сильнее, задохся, пискнул, как пойманная мышь, и завыл. Клокочущий вой достиг нашего слуха, и мы увидели Афоньку, бьющего поклоны, как кликуша в церкви.— Ну не покорюсь же судьбе-шкуре,— закричал он, отнимая руки от помертвевшего лица,— ну беспощадно же буду рубать несказанную шляхту! До сердечного вздоха дойду, до вздоха ейного и Богоматериной крови... При станичниках, дорогих братьях, обещаюся тебе, Степан...

Афонька лег лицом в рану и затих. Устремив на хозяина сияющий, глубокий фиолетовый глаз, конь слушал рвущееся Афонькино хрипение. Он в нежном забытьи поводил по земле упавшей мордой, и струи крови, как две рубиновые шлеи, стекали по его груди, выложенной белыми мускулами.

Афонька лежал не шевелясь. Мелко перебирая толстыми ногами, к лошади подошел Маслак, вставил револьвер ей в ухо и выстрелил. Афонька вскочил и повернул к Маслаку рябое лицо.

— Сбирай сбрую, Афанасий,— сказал Маслак ласково,— иди до части...

И мы с пригорка увидели, как Афонька, согбенный под тяжестью седла, с лицом сырым и красным, как рассеченное мясо, брел к своему эскадрону, беспредельно одинокий в пыльной, пылающей пустыне полей.

Поздним вечером я встретил его в обозе. Он спал на возу, хранившем его добро — сабли, френчи и золотые проколотые монеты. Запекшаяся голова взводного с перекошенным мертвым ртом валялась как распятая на сгибе седла. Рядом была положена сбруя убитой лошади, затейливая и вычурная одежда казацкого скакуна — нагрудники с черными кистями, гибкие ремни нахвостников, унизанные цветными камнями, и уздечка с серебряным тиснением.

Тьма надвигалась на нас все гуще. Обоз тягуче кружился по бродскому шляху; простенькие звезды катились по млечным путям неба, и дальние деревни горели в прохладной глубине ночи. Помощник эскадронного Орлов и длинноусый Биценко сидели тут же, на Афонькином возу, и обсуждали Афонькино горе.

— С дому коня ведет,— сказал длинноусый Биценко,— такого коня — где его найдешь?

— Конь — он друг,— ответил Орлов.

— Конь — он отец,— вздохнул Биценко,— бесчисленно раз жизнь спасает. Пропасть Биде без коня...

А наутро Афонька исчез. Начались и кончились бои под Бродами. Поражение сменилось временной победой, мы пережили смену начдива, а Афоньки все не было.

И только грозный ропот на деревнях, злой и хищный след Афонькиного разбоя указывал нам трудный его путь.

— Добывает коня,— говорили о взводном в эскадроне, и в необозримые вечера наших скитаний я немало наслушался историй о глухой этой, свирепой добыче.

Бойцы из других частей натыкались на Афоньку в десятках верст от нашего расположения. Он сидел в засаде на отставших польских кавалеристов или рыскал по лесам, отыскивая схороненные крестьянские табуны. Он поджигал деревни и расстреливал польских старост за укрывательство. До нашего слуха доносились отголоски этого яростного единоборства, отголоски воровского нападения одинокого волка на громаду.

Прошла еще неделя. Горькая злоба дня выжгла из нашего обихода рассказы о мрачном Афонькином удальстве, и «Махно» стали забывать. Потом пронесся слух, что где-то в лесах его закололи галицийские крестьяне. И в день вступления нашего в Берестечко Емельян Будяк из первого эскадрона пошел уже к начдиву выпрашивать Афонькино седло с желтым потником. Емельян хотел выехать на парад с новым седлом, но не пришлось ему.

Мы вступили в Берестечко 6 августа. Впереди нашей дивизии двигался азиатский бешмет и красный казакин нового начдива. Левка, бешеный холуй, вел за начдивом заводскую кобылицу. Боевой марш, полный протяжной угрозы, летел вдоль вычурных и нищих улиц. Ветхие тупики, расписной лес дряхлых и судорожных перекладин пролегал по местечку. Сердцевина его, выеденная временами, дышала на нас грустным тленом. Контрабандисты и ханжи укрылись в своих просторных сумрачных избах. Один только пан Людомирский, звонарь в зеленом сюртуке, встретил нас у костела.

Мы перешли реку и углубились в мещанскую слободу. Мы приближались к дому ксендза, когда из-за поворота на рослом жеребце выехал Афонька.

— Почтение,— произнес он лающим голосом и, расталкивая бойцов, занял в рядах свое место.

Маслак уставился в бесцветную даль и прохрипел не оборачиваясь:

— Откуда коня взял?

— Собственный,— ответил Афонька, свернул папиросу и коротким движением языка заслюнил ее.

Казаки подъезжали к нему один за другим и здоровались. Вместо левого глаза на его обуглившемся лице отвратительно зияла чудовищная розовая опухоль.

А на другое утро Бида гулял. Он разбил в костеле раку святого Валента и пытался играть на органе. На нем была выкроенная из голубого ковра куртка с вышитой на спине лилией, и потный чуб его был расчесан поверх вытекшего глаза.

После обеда он заседлал коня и стрелял из винтовки в выбитые окна замка графов Рациборских. Казаки полукругом стояли вокруг него... Они задирали жеребцу хвост, щупали ноги и считали зубы.

— Фигуральный конь,— сказал Орлов, помощник эскадронного.

— Лошадь справная,— подтвердил длинноусый Биценко.

У святого Валента

Дивизия наша заняла Берестечко вчера вечером. Штаб остановился в доме ксендза Тузинкевича. Переодевшись бабой, Тузинкевич бежал из Берестечка перед вступлением наших войск. О нем я знаю, что он сорок пять лет возился с Богом в Берестечке и был хорошим ксендзом. Когда жители хотят, чтобы мы это поняли, они говорят: его любили евреи. При Тузинкевиче обновили древний костел. Ремонт кончили в день трехсотлетия храма. Из Житомира приехал тогда епископ. Прелаты в шелковых рясах служили перед костелом молебен. Пузатые и благостные, они стояли, как колокола в росистой траве. Из окрестных сел текли покорные реки. Мужичье преклоняло колени, целовало руки, и на небесах в тот же день пламенели невиданные облака. Небесные флаги веяли в честь старого костела. Сам епископ поцеловал Тузинкевича в лоб и назвал его отцом Берестечка, pater Berestecka.

Эту историю я узнал утром в штабе, где разбирал донесение обходной колонны нашей, ведшей разведку на Львов в районе Радзихова. Я читал бумаги, храп вестовых за моей спиной говорил о нескончаемой нашей бездомности. Писаря, отсыревшие от бессонницы, писали приказы по дивизии, ели огурцы и чихали. Только к полудню я освободился, подошел к окну и увидел храм Берестечка — могущественный и белый. Он светился в нежарком солнце, как фаянсовая башня. Молнии полудня блистали в его глянцевитых боках. Выпуклая их линия начиналась у древней зелени куполов и легко сбегала книзу. Розовые жилы тлели в белом камне фронтона, а на вершине были колонны, тонкие, как свечи.

Потом пение органа поразило мой слух, и тотчас же в дверях штаба появилась старуха с распущенными желтыми волосами. Она двигалась, как собака с перебитой лапой, кружась и припадая к земле. Зрачки ее были налиты белой влагой слепоты и брызгали слезами. Звуки органа, то тягостные, то поспешные, подплывали к нам. Полет их был труден, след звенел жалобно и долго. Старуха вытерла слезы желтыми своими волосами, села на землю и стала целовать сапоги мои у колена. Орган умолк и потом захохотал на басовых нотах. Я схватил старуху за руку и оглянулся. Писаря стучали на машинках, вестовые храпели все заливистей, шпоры их резали войлок под бархатной обивкой диванов. Старуха целовала мои сапоги с нежностью, обняв их, как младенца. Я потащил ее к выходу и запер за собой дверь. Костел встал перед нами, ослепительный, как декорация. Боковые ворота его были раскрыты, и на могилах польских офицеров валялись конские черепа.

Мы вбежали во двор, прошли сумрачный коридор и попали в квадратную комнату, пристроенную к алтарю. Там хозяйничала Сашка, сестра 31-го полка. Она копалась в шелках, брошенных кем-то на пол. Мертвенный аромат парчи, рассыпавшихся цветов, душистого тления лился в ее трепещущие ноздри, щекоча и отравляя. Потом в комнату вошли казаки. Они захохотали, схватили Сашку за руку и кинули с размаху на гору материй и книг. Тело Сашки, цветущее и вонючее, как мясо только что зарезанной коровы, заголилось, поднявшиеся юбки открыли ее ноги эскадронной дамы, чугунные, стройные ноги, и Курдюков, придурковатый малый, усевшись на Сашке верхом и трясясь, как в седле, притворился объятым страстью. Она сбросила его и кинулась к дверям. И только тогда, пройдя алтарь, мы проникли в костел.

Он был полон света, этот костел, полон танцующих лучей, воздушных столбов, какого-то прохладного веселья. Как забыть мне картину, висевшую у правого придела и написанную Аполеком? На этой картине двенадцать розовых патеров качали в люльке, перевитой лентами, пухлого младенца Иисуса. Пальцы ног его оттопырены, тело отлакировано утренним жарким потом. Дитя барахтается на жирной спинке, собранной в складки, двенадцать апостолов в кардинальских тиарах склонились над колыбелью. Их лица выбриты до синевы, пламенные плащи оттопыриваются на животах. Глаза апостолов сверкают мудростью, решимостью, весельем, в углах их ртов бродит тонкая усмешка, на двойные подбородки посажены огненные бородавки, малиновые бородавки, как редиска в мае.

В этом храме Берестечка была своя, была обольстительная точка зрения на смертные страдания сынов человеческих. В этом храме святые шли на казнь с картинностью итальянских певцов и черные волосы палачей лоснились, как борода Олоферна. Тут же, над царскими вратами, я увидел кощунственное изображение Иоанна, принадлежащее еретической и упоительной кисти Аполека. На изображении этом Креститель был красив той двусмысленной недоговоренной красотой, ради которой наложницы королей теряют свою наполовину потерянную честь и расцветающую жизнь.

Вначале я не заметил следов разрушения в храме, или они показались мне невелики. Была сломана только рака святого Валента. Куски истлевшей ваты валялись под ней и смехотворные кости святого, похожие больше всего на кости курицы. Да Афонька Бида играл еще на органе. Он был пьян, Афонька, дик и изрублен. Только вчера вернулся он к нам с отбитым у мужиков конем. Афонька упрямо пытался подобрать на органе марш, и кто-то уговаривал его сонным голосом: «Брось,

Афоня, идем снедать». Но казак не бросал: их было множество — Афонькиных песен. Каждый звук был песня, и все звуки были оторваны друг от друга. Песня — ее густой напев — длилась мгновение и переходила в другую... Я слушал, озирался, следы разрушения казались мне невелики. Но не так думал пан Людомирский, звонарь церкви святого Валента и муж слепой старухи.

Людомирский выполз неизвестно откуда. Он вошел в костел ровным шагом, с опущенной головой. Старик не решился накинуть покрывала на выброшенные мощи, потому что человеку простого звания не дозволено касаться святыни. Звонарь упал на голубые плиты пола, поднял голову, и синий нос его стал над ним, как флаг над мертвецом. Синий нос трепетал над ним, и в это мгновение у алтаря заколебалась бархатная завеса и, трепеща, отползла в сторону. В глубине открывшейся ниши, на фоне неба, изборожденного тучами, бежала бородатая фигурка в оранжевом кунтуше — босая, с разодранным и кровоточащим ртом. Хриплый вой разорвал тогда наш слух. Человека в оранжевом кунтуше преследовала ненависть и настигала погоня. Он выгнул руку, чтобы отвести занесенный удар, из руки пурпурным током вылилась кровь. Казачонок, стоявший со мной рядом, закричал и, опустив голову, бросился бежать, хотя бежать было не от чего, потому что фигура в нише была всего только Иисус Христос — самое необыкновенное изображение Бога из всех виденных мною в жизни.

Спаситель пана Людомирского был курчавый еврей с клочковатой бородкой и низким, сморщенным лбом. Впалые щеки его были накрашены кармином, над закрывшимися от боли глазами выгнулись тонкие рыжие брови.

Рот его был разодран, как губа лошади, польский кунтуш его был охвачен драгоценным поясом, и под кафтаном корчились фарфоровые ножки, накрашенные, босые, изрезанные серебристыми гвоздями.

Пан Людомирский в зеленом сюртуке стоял под статуей. Он простер над нами иссохшую руку и проклял нас. Казаки выпучили глаза и развесили соломенные чубы. Громовым голосом звонарь церкви святого Валента предал нас анафеме на чистейшей латыни. Потом он отвернулся, упал на колени и обнял ноги Спасителя.

Придя к себе в штаб, я написал рапорт начальнику дивизии об оскорблении религиозного чувства местного населения. Костел было приказано закрыть, а виновных, подвергнув дисциплинарному взысканию, предать суду военного трибунала.

Эскадронный Трунов

В полдень мы привезли в Сокаль простреленное тело Трунова, эскадронного нашего командира. Он был убит утром в бою с неприятельскими аэропланами. Все попадания у Трунова были в лицо, щеки его были усеяны ранами, язык вырван. Мы обмыли, как умели, лицо мертвеца, для того чтобы вид его был менее ужасен, мы положили кавказское седло у изголовья гроба и вырыли Трунову могилу на торжественном месте — в общественном саду, посреди города, у самого забора. Туда явился наш эскадрон на конях, штаб полка и военком дивизии. И в два часа, по соборным часам, дряхлая наша пушчонка дала первый выстрел. Она салютовала мертвому командиру во все старые свои три дюйма, она сделала полный салют, и мы поднесли гроб к открытой яме. Крышка гроба была открыта, полуденное чистое солнце освещало длинный труп, и рот его, набитый разломанными зубами, и вычищенные сапоги, сложенные в пятках, как на ученье.

— Бойцы! — сказал тогда, глядя на покойника, Пугачев, командир полка, и стал у края ямы.— Бойцы! — сказал он, дрожа и вытягиваясь по швам.— Хороним Пашу Трунова, всемирного героя, отдаем Паше последнюю честь...

И, подняв к небу глаза, раскаленные бессонницей, Пугачев прокричал речь о мертвых бойцах из Первой Конной, о гордой этой фаланге, бьющей молотом истории по наковальне будущих веков. Пугачев громко прокричал свою речь, он сжимал рукоять кривой чеченской шашки и рыл землю ободранными сапогами в серебряных шпорах. Оркестр после его речи сыграл

«Интернационал», и казаки простились с Пашкой Труновым. Весь эскадрон вскочил на коней и дал залп в воздух, трехдюймовка наша прошамкала во второй раз, и мы послали трех казаков за венком. Они помчались, стреляя на карьере, выпадая из седел и джигитуя, и привезли красных цветов целые пригоршни. Пугачев рассыпал эти цветы у могилы, и мы стали подходить к Трунову с последним целованием. Я тронул губами прояснившийся лоб, обложенный седлом, и ушел в город, в готический Сокаль, лежавший в синей пыли и галицийском унынии.

Большая площадь простиралась налево от сада, площадь, застроенная древними синагогами. Евреи в рваных лапсердаках бранились на этой площади и таскали друг друга. Одни из них — ортодоксы — превозносили учение Адасии, раввина из Белза; за это на ортодоксов наступали хасиды умеренного толка, ученики гуссятинского раввина Иуды. Евреи спорили о Каббале и поминали в своих спорах имя Ильи, виленского гаона, гонителя хасидов...

Забыв войну и залпы, хасиды поносили самое имя Ильи, виленского первосвященника, и я, томясь печалью по Трунову, я тоже толкался среди них и для облегчения моего горланил вместе с ними, пока не увидел перед собой галичанина, мертвенного и длинного, как Дон-Кихот.

Галичанин этот был одет в белую холщовую рубаху до пят. Он был одет как бы для погребения или для причастия и вел на веревке взлохмаченную коровенку. На гигантское его туловище была посажена подвижная, крохотная, пробитая головка змеи; она была прикрыта широкополой шляпой из деревенской соломы и пошатывалась. Жалкая коровенка шла за галичанином на поводу; он вел ее с важностью и виселицей длинных своих костей пересекал горячий блеск небес.

Торжественным шагом миновал он площадь и вошел в кривой переулок, обкуренный тошнотворными густыми дымами. В обугленных домишках, в нищих кухнях возились еврейки, похожие на старых негритянок, еврейки с непомерными грудями. Галичанин прошел мимо них и остановился в конце переулка у фронтона разбитого здания.

Там, у фронтона, у белой покоробленной колонны сидел цыган-кузнец и ковал лошадей. Цыган бил молотом по копытам, потряхивая жирными волосами, свистел и улыбался. Несколько казаков с лошадьми стояли вокруг него. Мой галичанин подошел к кузнецу, безмолвно отдал ему с дюжину печеных картофелин и, ни на кого не глядя, повернул назад. Я зашагал было за ним, но тут меня остановил казак, державший наготове некованую лошадь. Фамилия этому казаку была Селиверстов. Он ушел от Махно когда-то и служил в 33-м кавполку.

— Лютов,— сказал он, поздоровавшись со мной за руку,— ты всех людей задираешь, в тебе черт сидит, Лютов,— зачем ты Трунова покалечил сегодняшнее утро?

И с глупых чужих слов Селиверстов закричал мне сущую нелепицу о том, будто я в нынешнее утро побил Трунова, моего эскадронного. Селиверстов укорял меня всячески за это, он укорял меня при всех казаках, но в истории его не было ничего верного. Мы побранились, правда, в это утро с Труновым, потому что Трунов заводил всегда с пленными нескончаемую канитель, мы побранились с ним, но он умер, Пашка, ему нет больше судей в мире, и я ему последний судья из всех. У нас вот почему вышла ссора.

Сегодняшних пленных мы взяли на рассвете у станции Заводы. Их было десять человек. Они были в нижнем белье, когда мы их брали. Куча одежды валялась возле поляков, это была их уловка для того, чтобы мы не отличили по обмундированию офицеров от рядовых. Они сами бросали свою одежду, но на этот раз Трунов решил добыть истину.

— Офицера, выходи!— скомандовал он, подходя к пленным, и вытащил револьвер.

Трунов был уже ранен в голову в это утро, голова его была обмотана тряпкой, кровь стекала с нее, как дождь со скирды.

— Офицера, сознавайся!— повторил он и стал толкать поляков рукояткой револьвера.

Тогда из толпы выступил худой и старый человек, с большими голыми костями на спине, с желтыми скулами и висячими усами.

— ...Край той войне,— сказал старик с непонятным восторгом,— вси офицер утик, край той войне...

И поляк протянул эскадронному синие руки.

— Пять пальцев,— сказал он, рыдая и вертя вялой громадной рукой,— цими пятью пальцами я выховал мою семейству...

Старик задохся, закачался, истек восторженными слезами и упал перед Труновым на колени, но Трунов отвел его саблей.

— Офицера ваши гады,— сказал эскадронный,— офицера ваши побросали здесь одежду... На кого придется — тому крышка, я пробу сделаю...

И тут же эскадронный выбрал из кучи тряпья фуражку с кантом и надвинул ее на старого.

— Впору,— пробормотал Трунов, придвигаясь и пришептывая,— впору...— И всунул пленному саблю в глотку.

Старик упал, повел ногами, из горла его вылился пенистый коралловый ручей. Тогда к нему подобрался, блестя серьгой и круглой деревенской шеей, Андрюшка Восьмилетов. Андрюшка расстегнул у поляка пуговицы, встряхнул его легонько и стал стаскивать с умирающего штаны. Он перебросил их к себе на седло, взял еще два мундира из кучи, потом отъехал от нас и заиграл плетью. Солнце в это мгновение вышло из туч. Оно стремительно окружило Андрюшкину лошадь, веселый ее бег, беспечные качанья ее куцего хвоста. Андрюшка ехал по тропинке к лесу, в лесу стоял наш обоз, кучера из обоза бесновались, свистели и делали Восьмилетову знаки, как немому.

Казак доехал уже до середины пути, но тут Трунов, упавший вдруг на колени, прохрипел ему вслед:

— Андрей,— сказал эскадронный, глядя в землю,— Андрей,— повторил он, не поднимая глаз от земли,— республика наша Советская живая еще, рано дележку ей делать, скидай барахло, Андрей.

Но Восьмилетов не обернулся даже. Он ехал казацкой удивительной своей рысью, лошаденка его бойко выкидывала из-под себя хвост, точно отмахивалась от нас.

— Измена!— пробормотал тогда Трунов и удивился.— Измена!— сказал он, торопливо вскинул карабин на плечо, выстрелил и промахнулся второпях. Но Андрей остановился на этот раз. Он повернул к нам коня, запрыгал в седле по-бабьи, лицо его стало красно и сердито, он задрыгал ногами.

— Слышь, земляк,— закричал он, подъезжая, и тут же успокоился от звука глубокого и сильного своего голоса,— как бы я не стукнул тебя, земляк, к такой-то свет матери... Тебе десяток шляхты прибрать — ты вона каку панику делаешь, мы по сотне прибирали — тебя не звали... Рабочий ты если — так сполняй свое дело...

И, выбросив из седла штаны и два мундира, Андрюшка засопел носом и, отворачиваясь от эскадронного, взялся помогать мне составлять список на оставшихся пленных. Он терся возле меня, сопел необыкновенно шумно. Пленные выли и бежали от Андрюшки, он гнался за ними и брал в охапку, как охотник берет в охапку камыши, для того чтобы рассмотреть стаю, тянущую к речке на заре.

Возясь с пленными, я истощил все проклятия и кое-как записал восемь человек, номера их частей, род оружия и перешел к девятому. Девятый этот был юноша, похожий на немецкого гимнаста из хорошего цирка, юноша с белой немецкой грудью и с бачками, в триковой фуфайке и в егеревских кальсонах. Он повернул ко мне два соска на высокой груди, откинул вспотевшие белые волосы и назвал свою часть. Тогда Андрюшка схватил его за кальсоны и спросил строго:

— Откуда сподники достал?

— Матка вязала,— ответил пленный и покачнулся.

— Фабричная у тебя матка,— сказал Андрюшка, все приглядываясь, и подушечками пальцев потрогал у поляка холеные ногти,— фабричная у тебя матка, наш брат таких не нашивал...

Он еще раз пощупал егеревские кальсоны и взял за руку девятого, для того чтобы отвести к остальным пленным, уже записанным. Но в это мгновение я увидел Трунова, вылезающего из-за бугра. Кровь стекала с головы эскадронного, как дождь со скирды, грязная тряпка его размоталась и повисла, он полз на животе

и держал карабин в руках. Это был японский карабин, отлакированный и с сильным боем. С двадцати шагов Пашка разнес юноше череп, и мозги поляка посыпались мне на руки. Тогда Трунов выбросил гильзы из ружья и подошел ко мне.

— Вымарай одного,— сказал он, указывая на список.

— Не стану вымарывать,— ответил я, содрогаясь.— Троцкий, видно, не для тебя приказы пишет, Павел...

— Вымарай одного!— повторил Трунов и ткнул в бумажку черным пальцем.

— Не стану вымарывать!— закричал я изо всех сил.— Было десять, стало восемь, в штабе не посмотрят на тебя, Пашка...

— В штабе через несчастную нашу жизнь посмотрят,— ответил Трунов и стал подвигаться ко мне, весь разодранный, охрипший и в дыму, но потом остановился, поднял к небесам окровавленную голову и сказал с горьким упреком:— Гуди, гуди,— сказал он,— звон еще и другой гудит...

И эскадронный показал нам четыре точки в небе, четыре бомбовоза, заплывавшие за сияющие лебединые облака. Это были машины из воздушной эскадрильи майора Фаунт-Ле-Ро, просторные бронированные машины.

— По коням!— закричали взводные, увидев их, и на рысях отвели эскадрон к лесу, но Трунов не поехал со своим эскадроном. Он остался у станционного здания, прижался к стене и затих. Андрюшка Восьмилетов и два пулеметчика, два босых парня в малиновых рейтузах, стояли возле него и тревожились.— Нарезай винты, ребята,— сказал им Трунов, и кровь стала уходить из его лица,— вот донесение Пугачеву от меня...

И гигантскими мужицкими буквами Трунов написал на косо выдранном листке бумаги:

«*Имея погибнуть сего числа,*— написал он,— *нахожу долгом приставить двух номеров к возможному сбитию неприятеля и в то же время отдаю командование Семену Голову, взводному...*».

Он запечатал письмо, сел на землю и, понатужившись, стянул с себя сапоги.

— Пользовайся,— сказал он, отдавая пулеметчикам донесение и сапоги,— пользовайся, сапоги новые...

— Счастливо вам, командир,— пробормотали ему в ответ пулеметчики, переступили с ноги на ногу и мешкали уходить.

— И вам счастливо,— сказал Трунов,— как-нибудь, ребята...— и пошел к пулемету, стоявшему на холмике у станционной будки. Там ждал его Андрюшка Восьмилетов, барахольщик.

— Как-нибудь,— сказал ему Трунов и взялся наводить пулемет.— Ты со мной, што ль, побудешь, Андрей?..

— Господа Иисуса,— испуганно ответил Андрюшка, всхлипнул, побелел и засмеялся,— Господа Иисуса хоругву мать!..

И стал наводить на аэроплан второй пулемет.

Машины залетали над станцией все круче, они хлопотливо трещали в вышине, снижались, описывали дуги, и солнце розовым лучом ложилось на блеск их крыльев.

В это время мы, четвертый эскадрон, сидели в лесу. Там, в лесу, мы дождались неравного боя между Пашкой Труновым и майором американской службы Реджинальдом Фаунт-Ле-Ро. Майор и три его бомбометчика выказали уменье в этом бою. Они снизились на триста метров и расстреляли из пулеметов сначала Андрюшку, потом Трунова. Все ленты, выпущенные нашими, не причинили американцам вреда; аэропланы улетели в сторону, не заметив эскадрона, спрятанного в лесу. И поэтому, выждав с полчаса, мы смогли поехать за трупами. Тело Андрюшки Восьмилетова забрали два его родича, служившие в нашем эскадроне, а Трунова, покойного нашего командира, мы отвезли в готический Сокаль и похоронили его там на торжественном месте — в общественном саду, в цветнике, посредине города.

Иваны

Дьякон Аггев бежал с фронта дважды. Его отдали за это в Московский клейменый полк. Главком Каменев, Сергей Сергеевич, смотрел этот полк в Можайске перед отправкой на позиции.

— Не надо их мне,— сказал главком,— обратно их в Москву, отхожие чистить...

В Москве кое-как сбили из клейменых маршевую роту. В числе других попал дьякон. Он прибыл на польский фронт и сказался там глухим. Лекпом Барсуцкий из перевязочного отряда, провозившись с ним неделю, не сломил его упорства.

— Шут с ним, с глухарем,— сказал Барсуцкий санитару Сойченке,— подыщи в обозе телегу, отправим дьякона в Ровно на испытание...

Сойченко ушел в обоз и добыл три телеги: на первой из них сидел кучером Акинфиев.

— Иван,— сказал ему Сойченко,— отвезешь глухаря в Ровно.

— Отвезти можно,— ответил Акинфиев.

— И расписку мне доставишь в получении...

— Ясно,— сказал Акинфиев,— а какая в ней причина, в глухоте его?..

— Своя рогожа чужой рожи дороже,— сказал Сойченко, санитар.— Тут вся причина. Фармазонщик он, а не глухарь...

— Отвезти можно,— повторил Акинфиев и поехал следом за другими подводами.

Всего собралось у перевязочного пункта три телеги. На первую посадили сестру, откомандированную в тыл, вторую отвели для казака, больного воспалением почек, на третью сел Иван Аггеев, дьякон.

Исполнив все дела, Сойченко позвал лекпома.

— Поехал наш фармазонщик,— сказал он,— погрузил на ревтрибунальских под расписку. Сейчас трогают...

Барсуцкий выглянул в окошко, увидел телеги и кинулся из дому, весь красный и без шапки.

— Ох, да ты его зарежешь!— закричал он Акинфиеву.— Пересадить надо дьякона.

— Куда его пересадишь,— ответили казаки, стоявшие поблизости, и засмеялись.— Ваня наш везде достанет...

Акинфиев с кнутом в руках стоял тут же, возле своих лошадей. Он снял шапку и сказал вежливо:

— Здравствуйте, товарищ лекпом.

— Здравствуй, друг,— ответил Барсуцкий,— ты ведь зверь, пересадить надо дьякона...

— Поинтересуюсь узнать,— визгливо сказал тогда казак, и верхняя губа его вздрогнула, поползла и затрепетала над ослепительными зубами,— поинтересуюсь узнать, подходяще ли оно нам или неподходяще, что когда враг тиранит нас невыразимо, когда враг бьет нас под самый вздох, когда он виснет грузом на ногах и вяжет змеями наши руки, подходяще ли оно нам законопачивать уши в смертельный этот час?

— Стоит Ваня за комиссариков,— прокричал Коротков, кучер с первой телеги,— ох, стоит...

— Чего там «стоит»! — пробормотал Барсуцкий и отвернулся.— Все мы стоим. Только дела надо делать форменно...

— А ведь он слышит, глухарь-то наш,— перебил вдруг Акинфиев, повертел кнут в толстых пальцах, засмеялся и подмигнул дьякону. Тот сидел на возу, опустив громадные плечи, и двигал головой.

— Ну, трогай с Богом! — закричал лекарь с отчаянием.— Ты мне за все ответчик, Иван...

— Ответить я согласен,— задумчиво произнес Акинфиев и наклонил голову.— Сидай удобней,— сказал он дьякону, не оборачиваясь,— еще удобней седай,— повторил казак и собрал в руке вожжи.

Телеги выстроились в ряд и одна за другой помчались по шоссе. Впереди ехал Коротков, Акинфиев был третьим, он свистел песню и помахивал вожжой. Так отъехали они верст пятнадцать и к вечеру были опрокинуты внезапным разливом неприятеля.

В этот день, двадцать второго июля, поляки быстрым маневром исковеркали тыл нашей армии, ворвались с налета в местечко Козин и пленили многих бойцов из состава одиннадцатой дивизии. Эскадроны шестой дивизии были брошены в район Козина для противодействия противнику. Молниеносное маневрирование частей искромсало движение обозов, ревтрибунальские телеги двое суток блуждали по кипящим выступам боя, и только на третью ночь они выбились на дорогу, по которой уходили тыловые штабы. На этой дороге в полночь я и встретил их.

Окоченевший от отчаяния, я встретил их после боя под Хотином. В бою под Хотином убили моего коня. Потеряв его, я пересел на санитарную линейку и до вечера подбирал раненых. Потом здоровых сбросили с линейки, и я остался один у развалившейся халупы. Ночь летела ко мне на резвых лошадях. Вопль обозов оглашал Вселенную. На земле, опоясанной визгом, потухали дороги. Звезды выползли из прохладного брюха ночи, и брошенные села воспламенялись над горизонтом. Взвалив на себя седло, я пошел по развороченной меже и у поворота остановился по своей нужде. Облегчившись, я застегнулся и почувствовал брызги на моей руке. Я зажег фонарик, обернулся и увидел на земле труп поляка, залитый моей мочой. Записная книжка и обрывки воззваний Пилсудского валялись рядом с трупом. В тетрадке поляка были записаны карманные расходы, порядок спектаклей в краковском драматическом театре и день рождения женщины по имени Мария-Луиза. Воззванием Пилсудского, маршала и главнокомандующего, я стер вонючую жидкость с черепа неведомого моего брата и ушел, сгибаясь под тяжестью седла.

В это время где-то близко простонали колеса.

— Стой!— закричал я.— Кто идет?

Ночь летела ко мне на резвых лошадях, пожары извивались на горизонте.

— Ревтрибунальские,— ответил голос, задавленный тьмой.

Я побежал вперед и наткнулся на телегу.

— Коня у меня убили,— сказал я громко,— Лавриком коня звали...

Никто не ответил мне. Я взобрался на телегу, подложил седло под голову, заснул и проспал до рассвета, согреваемый прелым сеном и телом Ивана Акинфиева, случайного моего соседа. Утром казак проснулся позже меня.

— Развиднялось, слава Богу,— сказал он, вытащил из-под сундучка револьвер и выстрелил над ухом дьякона. Тот сидел прямо перед ним и правил лошадьми. Над громадой лысеющего его черепа летал легкий серый волос. Акинфиев выстрелил еще раз над другим ухом и спрятал револьвер в кобуру.

— С добрым утром, Ваня!— сказал он дьякону, кряхтя и обуваясь.— Снедать будем, что ли?

— Парень,— закричал я,— чего ты делаешь?

— Чего делаю, все мало,— ответил Акинфиев, доставая пищу,— он симулирует надо мной третьи сутки...

Тогда с первой телеги отозвался Коротков, знакомый мне по 31-му полку, рассказал всю историю дьякона сначала. Акинфиев слушал его внимательно, отогнув ухо, потом вытащил из-под седла жареную воловью ногу. Она была прикрыта рядном и обвалялась в соломе.

Дьякон перелез к нам с козел, подрезал ножичком зеленое мясо и раздал всем по куску. Кончив завтрак, Акинфиев завязал воловью ногу в мешок и сунул его в сено.

— Ваня,— сказал он Аггеву,— айда беса выгонять. Стоянка все равно, коней напувают...

Он вынул из кармана пузырек с лекарством, шприц Тарновского и передал их дьякону. Они слезли с телеги и отошли в поле шагов на двадцать.

— Сестра,— закричал Коротков на первой телеге,— переставь очи на дальнюю дистанцию, ослепнешь от Акинфиевых достатков.

— Положила я на вас с прибором,— пробормотала женщина и отвернулась.

Акинфиев завернул тогда рубаху. Дьякон стал перед ним на колени и сделал спринцевание. Потом он вытер спринцовку тряпкой и посмотрел на свет. Акинфиев подтянул штаны; улучив минуту, он зашел дьякону за спину и снова выстрелил у него над самым ухом.

— Наше вам, Ваня,— сказал он, застегиваясь.

Дьякон отложил пузырек на траву и встал с колен. Легкий волос его взлетел кверху.

— Меня высший суд судить будет,— сказал он глухо,— ты надо мною, Иван, не поставлен...

— Таперя кажный кажного судит,— перебил кучер со второй телеги, похожий на бойкого горбуна.— И на смерть присуждает, очень просто...

— Или того лучше,— произнес Аггев и выпрямился,— убей меня, Иван...

— Не балуй, дьякон,— подошел к нему Коротков, знакомый мне по прежним временам.— Ты понимай, с каким человеком едешь. Другой пришил бы тебя, как утку, и не крякнул, а он правду из тебя удит и учит тебя, расстригу...

— Или того лучше,— упрямо повторил дьякон и выступил вперед,— убей меня, Иван.

— Ты сам себя убьешь, стерва,— ответил Акинфиев, бледнея и шепелявя,— ты сам яму себе выроешь, сам себя в нее закопаешь...

Он взмахнул руками, разорвал на себе ворот и повалился на землю в припадке.

— Эх, кровиночка ты моя! — закричал он дико и стал засыпать себе песком лицо.— Эх, кровиночка ты моя горькая, власть ты моя совецкая...

— Вань,— подошел к нему Коротков и с нежностью положил ему руку на плечо,— не бейся, милый друг, не скучай. Ехать надо, Вань...

Коротков набрал в рот воды и прыснул ею на Акинфиева, потом он перенес его на подводу. Дьякон снова сел на козлы, и мы поехали.

До местечка Вербы оставалось нам не более двух верст. В местечке сгрудились в то утро неисчислимые обозы. Тут была одиннадцатая дивизия, и четырнадцатая, и четвертая. Евреи в жилетах, с поднятыми плечами, стояли у своих порогов, как ободранные птицы. Казаки ходили по дворам, собирали полотенца и ели неспелые сливы. Акинфиев, как только приехали, забрался в сено и заснул, а я взял одеяло с его телеги и пошел искать места в тени. Но поле по обе стороны дороги было усеяно испражнениями. Бородатый мужик в медных очках и в тирольской шляпке, читавший в сторонке газету, перехватил мой взгляд и сказал:

— Человеки зовемся, а гадим хуже шакалов. Земли стыдно...

И, отвернувшись, он снова стал читать газету через большие очки.

Я взял тогда к леску влево и увидел дьякона, подходившего ко мне все ближе.

— Куды котишься, земляк?— кричал ему Коротков с первой телеги.

— Оправиться,— пробормотал дьякон, схватил мою руку и поцеловал ее.— Вы славный господин,— прошептал он, гримасничая, дрожа и хватая воздух.— Прошу вас свободною минутой отписать в город Касимов, пущай моя супруга плачет обо мне...

— Вы глухи, отец дьякон,— закричал я в упор,— или нет?

— Виноват,— сказал он,— виноват,— и наставил ухо.

— Вы глухи, Агтев, или нет?

— Так точно, глух,— сказал он поспешно.— Третьего дня я имел слух в совершенстве, но товарищ Акинфиев стрельбою покалечил мой слух. Они в Ровно обязаны были меня предоставить, товарищ Акинфиев, но полагаю, что они вряд ли меня доставят...

И, упав на колени, дьякон пополз между телегами головой вперед, весь опутанный поповским всклокоченным волосом. Потом он поднялся с колен, вывернулся между вожжами и подошел к Короткову. Тот отсыпал ему табаку, они скрутили папиросы и закурили друг у друга.

— Так-то вернее,— сказал Коротков и опростал возле себя место.

Дьякон сел с ним рядом, и они замолчали.

Потом проснулся Акинфиев. Он вывалил воловью ногу из мешка, подрезал ножиком зеленое мясо и раздал всем по куску. Увидев загнившую эту ногу, я почувствовал слабость и отчаяние и отдал обратно свое мясо.

— Прощайте, ребята,— сказал я,— счастливо вам...

— Прощай,— ответил Коротков.

Я взял седло с телеги и ушел и, уходя, слышал нескончаемое бормотание Ивана Акинфиева.

— Вань,— говорил он дьякону,— большую ты, Вань, промашку дал. Тебе бы имени моего ужаснуться, а ты в мою телегу сел. Ну, если мог ты еще прыгать, поколе меня не встренул, так теперь надругаюсь я над тобой, Вань, как пить дам надругаюсь...

Продолжение истории одной лошади

Четыре месяца тому назад Савицкий, бывший наш начдив, забрал у Хлебникова, командира первого эскадрона, белого жеребца. Хлебников ушел тогда из армии, а сегодня Савицкий получил от него письмо.

ХЛЕБНИКОВ — САВИЦКОМУ

«И никакой злобы на Буденную армию больше иметь не могу, страдания мои посередь той армии понимаю и содержу их в сердце чище святыни. А вам, товарищ Савицкий, как всемирному герою, трудящаяся масса Витебщины, где нахожусь председателем уревкома, шлет пролетарский клич — «Даешь мировую революцию!» — и желает, чтобы тот белый жеребец ходил под вами долгие годы по мягким тропкам для пользы всеми любимой свободы и братских республик, в которых особенный глаз должны мы иметь за властью на местах и за волостными единицами в административном отношении...»

САВИЦКИЙ — ХЛЕБНИКОВУ

«Неизменный товарищ Хлебников! Которое письмо ты написал для меня, то оно очень похвально для общего дела, тем более сказать, после твоей дурости, когда ты застелил глаза собственной шкурой и выступил из Коммунистической нашей партии большевиков. Коммунистическая наша партия есть, товарищ Хлебников, железная шеренга бойцов, отдающих кровь в первом ряду, и когда из железа вытекает кровь, то это вам, товарищ, не шутки, а победа или смерть. То же самое относительно общего дела, которого не дожидаю увидеть расцвет, так как бои тяжелые и командный состав сменяю в две недели раз. Тридцатые сутки бьюсь арьергардом, заграждая непобедимую Первую Конную и находясь под действительным ружейным, артиллерийским и аэропланным огнем неприятеля. Убит Тардый, убит Лухманников, убит Лыкошенко, убит Гулевой, убит Трунов, и белого жеребца нет подо мной, так что согласно перемене военного счастья не дожидай увидеть любимого начдива Савицкого, товарищ Хлебников, а увидимся, прямо сказать, в царствии небесном, но, как по слухам, у старика на небесах не царствие, а бордель по всей форме, а трипперов и на земле хватает, то, может, и не увидимся. С тем прощай, товарищ Хлебников».

Вдова

На санитарной линейке умирает Шевелев, полковой командир. Женщина сидит у его ног. Ночь, пронзенная отблесками канонады, выгнулась над умирающим. Левка, кучер начдива, подогревает в котелке пищу. Левкин чуб висит над костром, стреноженные кони хрустят в кустах. Левка размешивает веткой в котелке и говорит Шевелеву, вытянувшемуся на санитарной линейке:

— Работал я, товарищок, в Тюмреке в городе, работал парфорсную езду, а также атлет легкого веса. Городок, конечно, для женщины утомительный, завидели меня дамочки, стены рушат... Лев Гаврилыч, не откажите принять закуску по карте, не пожалеете безвозвратно потерянного времени... Подались мы с одной в трактир. Требуем телятины две порции, требуем полштофа, сидим с ней совершенно тихо, выпиваем... Гляжу — суется ко мне некоторый господин, одет ничего, чисто, но в личности его я замечаю большое воображение, и сам он под мухой...

«Извиняюсь,— говорит,— какая у вас, между прочим, национальность?»

«По какой причине,— спрашиваю,— вы меня, господин, за национальность трогаете, когда я тем более нахожусь в дамском обществе?»

...А он:

«Какой вы,— говорит,— есть атлет... Во французской борьбе из таких бессрочную подкладку делают. Докажите мне свою нацию...»

...Ну, однако, еще не рубаю.

«Зачем вы,— не знаю вашего имени-отчества,— такое недоразумение вызываете, что здесь обязательно должен кто-нибудь в настоящее время погибнуть, иначе говоря, лечь до последнего издыхания?» До последнего лечь...— повторяет Левка с восторгом и протягивает руки к небу, окружая себя ночью как нимбом. Неутомимый ветер, чистый ветер ночи, поет, наливается звоном и колышет души. Звезды пылают во тьме, как обручальные кольца, они падают на Левку, путаются в волосах и гаснут в лохматой его голове.

— Лев,— шепчет ему вдруг Шевелев синими губами,— иди сюда. Золото, какое есть,— Сашке,— говорит раненый,— кольца, сбрую — все ей. Жили, как умели... вознагражу. Одежду, сподники, орден за беззаветное геройство — матери на Терек. Отошли с письмом и напиши в письме: «Кланялся командир, и не плачь. Хата — тебе, старуха, живи. Кто тронет, скачи к Буденному: я — Шевелева матка...». Коня Абрамку жертвую полку, коня жертвую на помин моей души...

— Понял про коня,— бормочет Левка и взмахивает руками.— Саш,— кричит он женщине,— слыхала, чего говорит?.. При ём сознавайся — отдашь старухе ейное аль не отдашь?..

— Мать вашу в пять,— отвечает Сашка и отходит в кусты, прямая, как слепец.

— Отдашь сиротскую долю?— догоняет ее Левка и хватает за горло.— При ём говори...

— Отдам. Пусти!

И тогда, вынудив признание, Левка снял котелок с огня и стал лить варево умирающему в окостеневший рот. Щи стекали с Шевелева, ложка гремела в его сверкающих мертвых зубах, и пули все тоскливее, все сильнее пели в густых просторах ночи.

— Винтовками бьет, гад,— сказал Левка.

— Вот холуйское знатьё,— ответил Шевелев.— Пулеметами вскрывает нас на правом фланге...

И, закрыв глаза, торжественно, как мертвец на столе, Шевелев стал слушать бой большими восковыми своими ушами. Рядом с ним Левка жевал мясо, хрустя и задыхаясь. Кончив мясо, Левка облизал губы и потащил Сашку в ложбинку.

— Саш,— сказал он, дрожа, отрыгиваясь и вертя руками,— Саш, как перед Богом, все одно в грехах как в репьях... Раз жить, раз подыхать. Поддайся, Саш, отслужу хучь бы кровью... Век его прошел, Саш, а дней у Бога не убыло...

...Они сели на высокую траву. Медлительная луна выползла из-за туч и остановилась на обнаженном Сашкином колене.

— Греетесь,— пробормотал Шевелев,— а он, гляди, четырнадцатую дивизию погнал...

Левка хрустел и задыхался в кустах. Мглистая луна шлялась по небу, как побирушка. Далекая пальба плыла в воздухе. Ковыль шелестел на потревоженной земле, и в траву падали августовские звезды.

Потом Сашка вернулась на прежнее место. Она стала менять раненому бинты и подняла фонарик над загнивающей раной.

— К завтрему уйдешь,— сказала Сашка, обтирая Шевелева, вспотевшего прохладным потом.— К завтрему уйдешь, она в кишках у тебя, смерть...

И в это мгновение многоголосый плотный удар повалился на землю. Четыре свежие бригады, введенные в бой объединенным командованием неприятеля, выпустили по Буску первый снаряд и, разрывая наши коммуникации, зажгли водораздел Буга. Послушные пожары встали на горизонте, тяжелые птицы канонады вылетели из огня. Буск горел, и Левка полетел по лесу в качающемся экипаже начдива шесть. Он натянул малиновые вожжи и бился о пни лакированными колесами. Шевелевская линейка неслась за ним, внимательная Сашка правила лошадьми, прыгавшими из упряжки.

Так приехали они к опушке, где стоял перевязочный пункт. Левка выпряг лошадей и пошел к заведующему просить попону. Он пошел по лесу, заставленному телегами. Тела санитарок торчали под телегами, несмелая заря билась над солдатскими овчинами. Сапоги спящих были брошены врозь, зрачки заведены к небу, черные ямы ртов перекошены.

Попона нашлась у заведующего; Левка вернулся к Шевелеву, поцеловал его в лоб и покрыл с головой. Тогда к линейке приблизилась Сашка. Она вывязала себе платок под подбородком и отряхнула платье от соломы.

— Павлик,— сказала она.— Иисус Христос мой,— легла на мертвеца боком, прикрыв его своим непомерным телом.

— Убивается,— сказал тогда Левка,— ничего не скажешь, хорошо жили. Теперь ей снова под всем эскадроном хлопотать. Несладко...

И он проехал дальше, в Буск, где расположился штаб шестой кавдивизии.

Там, в десяти верстах от города, шел бой с савинковскими казаками. Предатели сражались под командой есаула Яковлева, передавшегося полякам. Они сражались мужественно. Начдив вторые сутки был с войсками, и Левка, не найдя его в штабе, вернулся к себе в хату, почистил лошадей, облил водой колеса экипажа и лег спать в клуне. Сарай был набит свежим сеном, зажигательным, как духи. Левка выспался и сел обедать. Хозяйка сварила ему картошки, залила ее простоквашей. Левка сидел уже у стола, когда на улице раздался траурный вопль труб и топот многих копыт. Эскадрон с трубачами и штандартами проходил по извилистой галицийской улице. Тело Шевелева, положенное на лафет, было перекрыто знаменами. Сашка ехала за гробом на шевелевском жеребце, казацкая песня сочилась из задних рядов.

Эскадрон прошел по главной улице и повернул к реке. Тогда Левка, босой, без шапки, пустился бегом за уходящим отрядом и схватил за поводья лошадь командира эскадрона.

Ни начдив, остановившийся у перекрестка и отдававший честь мертвому командиру, ни штаб его не слышали, что сказал Левка эскадронному.

— Сподники...— донес к нам ветер обрывки слов,— мать на Тереке...— услышали мы Левкины бессвязные крики.

Эскадронный, не дослушав до конца, высвободил свои поводья и показал рукой на Сашку. Женщина помотала головой и проехала дальше. Тогда Левка вскочил к ней на седло, схватил за волосы, отогнул голову и разбил ей кулаком лицо. Сашка вытерла подолом кровь и поехала дальше. Левка слез с седла, откинул чуб и завязал на бедрах красный шарф. И завывающие трубачи повели эскадрон дальше, к сияющей линии Буга.

Левка скоро вернулся к нам и закричал, блестя глазами:

— Распатронил ее вчистую... Отошлю, говорит, матери, когда нужно. Евоную память, говорит, сама помню. А помнишь, так не забывай, гадючья кость... А забудешь — мы еще разок напомним. Второй раз забудешь — второй раз напомним.

Замостье

Начдив и штаб его лежали на скошенном поле в трех верстах от Замостья. Войскам предстояла ночная атака города. Приказ по армии требовал, чтобы мы ночевали в Замостье, и начдив ждал донесений о победе.

Шел дождь. Над залитой землей летели ветер и тьма. Звезды были потушены раздувшимися чернилами туч. Изнеможенные лошади вздыхали и переминались во мраке. Им нечего было дать. Я привязал повод коня к моей ноге, завернулся в плащ и лег в яму, полную воды. Размокшая земля открыла мне успокоительные объятия могилы. Лошадь натянула повод и потащила меня за ногу. Она нашла пучок травы и стала щипать его. Тогда я заснул и увидел во сне клуню, засыпанную сеном. Над клуней гудело пыльное золото молотьбы. Снопы пшеницы летали по небу, июльский день переходил в вечер, чащи заката запрокидывались над селом.

Я был простерт на безмолвном ложе, и ласка сена под затылком сводила меня с ума. Потом двери сарая разошлись со свистом. Женщина, одетая для бала, приблизилась ко мне. Она вынула грудь из черных кружев корсажа и понесла ее мне с осторожностью, как кормилица пищу. Она приложила свою грудь к моей. Томительная теплота потрясла основы моей души, и капли пота, живого, движущегося пота, закипели между нашими сосками.

«Марго,— хотел я крикнуть,— земля тащит меня на веревке своих бедствий, как упирающегося пса, но все же я увидел вас, Марго...»

Я хотел это крикнуть, но челюсти мои, сведенные внезапным холодом, не разжимались. Тогда женщина отстранилась от меня и упала на колени.

— Иисусе,— сказала она,— прими душу усопшего раба твоего...

Она укрепила два истертых пятака на моих веках и забила благовонным сеном отверстие рта. Вопль тщетно метался по кругу закованных моих челюстей, потухающие зрачки медленно повернулись под медяками, я не мог разомкнуть моих рук и... проснулся.

Мужик со свалявшейся бородой лежал передо мной. Он держал в руках ружье. Спина лошади черной перекладиной резала небо. Повод тугой петлей сжимал мою ногу, торчавшую кверху.

— Заснул, земляк,— сказал мужик и улыбнулся ночными, бессонными глазами,— лошадь тебя с полверсты протащила...

Я распутал ремень и встал. По лицу, разодранному бурьяном, лилась кровь.

Тут же, в двух шагах от нас, лежала передовая цепь. Мне видны были трубы Замостья, вороватые огни в теснинах его гетто и каланча с разбитым фонарем. Сырой рассвет стекал на нас, как волны хлороформа. Зеленые ракеты взвивались над польским лагерем. Они трепетали в воздухе, осыпались, как розы под луной, и угасали.

И в тишине я услышал отдаленное дуновение стона. Дым потаенного убийства бродил вокруг нас.

— Бьют кого-то,— сказал я.— Кого это бьют?..

— Поляк тревожится,— ответил мне мужик,— поляк жидов режет...

Мужик переложил ружье из правой руки в левую. Борода его свернулась совсем набок, он посмотрел на меня с любовью и сказал:

— Длинные эти ночи в цепу, конца этим ночам нет. И вот приходит человеку охота поговорить с другим человеком, а где его возьмешь, другого человека-то?..

Мужик заставил меня прикурить от его огонька.

— Жид всякому виноват,— сказал он,— и нашему и вашему. Их после войны самое малое количество останется. Сколько в свете жидов считается?

— Десяток миллионов,— ответил я и стал взнуздывать коня.

— Их двести тысяч останется!— вскричал мужик и тронул меня за руку, боясь, что я уйду. Но я взобрался на седло и поскакал к тому месту, где был штаб.

Начдив готовился уже уезжать. Ординарцы стояли перед ним навытяжку и спали стоя. Спешенные эскадроны ползли по мокрым буграм.

— Прижалась наша гайка,— прошептал начдив и уехал. Мы последовали за ним по дороге в Ситанец.

Снова пошел дождь. Мертвые мыши поплыли по дорогам. Осень окружила засадой наши сердца, и деревья, голые мертвецы, поставленные на обе ноги, закачались на перекрестках.

Мы приехали в Ситанец утром. Я был с Волковым, квартирьером штаба. Он нашел для нас свободную хату у края деревни.

— Вина,— сказал я хозяйке,— вина, мяса и хлеба! Старуха сидела на полу и кормила из рук спрятанную под кровать телку.

— Ниц нема,— ответила она равнодушно.— И того времени не упомню, когда было...

Я сел за стол, снял с себя револьвер и заснул. Через четверть часа я открыл глаза и увидел Волкова, согнувшегося над подоконником. Он писал письмо к невесте.

«Многоуважаемая Валя,— писал он,— помните ли вы меня?»

Я прочитал первую строчку, потом вынул спички из кармана и поджег кучу соломы на полу. Освобожденное пламя заблестело и кинулось ко мне. Старуха легла на огонь грудью и затушила его.

— Что ты делаешь, пан?— сказала старуха и отступила в ужасе.

Волков обернулся, устремил на хозяйку пустые глаза и снова принялся за письмо.

— Я спалю тебя, старая,— пробормотал я, засыпая,— тебя спалю и твою краденую телку.

— Чекай!— закричала хозяйка высоким голосом. Она побежала в сени и вернулась с кувшином молока и хлебом.

Мы не успели съесть и половины, как во дворе застучали выстрелы. Их было множество. Они стучали долго и надоели нам. Мы кончили молоко, и Волков ушел во двор для того, чтобы узнать, в чем дело.

— Я заседлал твоего коня,— сказал он мне в окошко,— моего прострочили, лучше не надо. Поляки ставят пулеметы в ста шагах.

И вот на двоих у нас осталась одна лошадь. Она едва вынесла нас из Ситанца. Я сел в седло, Волков пристроился сзади.

Обозы бежали, ревели и тонули в грязи. Утро сочилось из нас, как хлороформ сочится на госпитальный стол.

— Ты женат, Лютов?— сказал вдруг Волков, сидевший сзади.

— Меня бросила жена,— ответил я, задремал на несколько мгновений, и мне приснилось, что я сплю на кровати.

Молчание.

Лошадь наша шатается.

— Кобыла пристанет через две версты,— говорит Волков, сидящий сзади.

Молчание.

— Мы проиграли кампанию,— бормочет Волков и всхрапывает.

— Да,— говорю я.

Измена

«Товарищ следователь Бурденко. На вопрос ваш отвечаю, что партийность имею номер двадцать четыре два нуля, выданную Никите Балмашеву Краснодарским комитетом партии. Жизнеописание мое до 1914 года объясняю как домашнее, где занимался при родителях хлебопашеством и перешел от хлебопашества в ряды империалистов защищать гражданина Пуанкаре и палача германской революции Эберта-Носке, которые, надо думать, спали и во сне видели, как бы дать подмогу урожденной моей станице Иван Святой Кубанской области. И так вилась веревочка до тех пор, пока товарищ Ленин, совместно с товарищем Троцким, не отворотили озверелый мой штык и не указали ему предназначенную кишку и новый сальник поудобнее. С того времени я ношу номер двадцать четыре два нуля на конце зрячего моего штыка, и довольно оно стыдно, и слишком мне смешно слыхать теперь от вас, товарищ следователь Бурденко, неподобную эту липу про неизвестный N...ский госпиталь. В госпиталь этот я не стрелял и не нападал, чего и не могло быть. Будучи ранены, мы все трое, а именно: боец Головицын, боец Кустов и я, имели жар в костях и не нападали, а только плакали, стоя в больничных халатах на площади посреди вольного населения по национальности евреев. А коснувшись повреждения трех стекол, которые мы повредили из офицерского нагана, то скажу от всей души, что стекла не соответствовали своему назначению, как будучи в кладовке, которой они без надобности. И доктор Явейн, видя горькую эту нашу стрельбу, только надсмехался разными улыбками, стоя в окошке своего госпиталя, что также могут подтвердить вышеизложенные вольные евреи местечка Козин. На доктора Явейна даю еще, товарищ следователь, тот материал, что он надсмехался, когда мы, трое раненых, а именно: боец Головицын, боец Кустов и я — первоначально поступали на излечение, и с первых слов он заявил нам слишком грубо: вы, бойцы, искупайтесь каждый в ванной, ваше оружие и вашу одежду скидайте этой же минутой, я опасаюсь от них заразы, они пойдут у меня обязательно в цейхгауз... И тогда, видя перед собой зверя, а не человека, боец Кустов выступил вперед своею перебитой ногой и выразился, что какая в ней может быть зараза, в кубанской вострой шашке, кроме как для врагов нашей революции, и также поинтересовался узнать об цейхгаузе, действительно ли там при вещах находится партийный боец или же, напротив, один из беспартийной массы. И тут доктор Явейн, видно, заметил, что мы можем хорошо понимать измену. Он оборотился спиной и без другого слова отослал нас в палату и опять с разными улыбками, куда мы и пошли, ковыляя разбитыми ногами, махая калечеными руками и держась друг за друга, так как мы трое есть земляки из станицы Иван Святой, а именно: товарищ Головицын, товарищ Кустов и я, мы есть земляки с одной судьбой, и у кого разорвана нога, тот держит товарища за руку, а у кого недостает руки, тот опирается на товарищево плечо. Согласно отданного приказания пошли мы в палату, где ожидали увидеть культработу и преданность делу, но интересно узнать, что же мы увидели, взойдя в палату? Мы увидели красноармейцев, исключительно пехоту, сидящих на устланных постелях, играющих в шашки и при них сестер высокого росту, гладких, стоящих у окошек и разводящих симпатию. Увидев это, мы остановились как громом пораженные.

— Отвоевались, ребята?— восклицаю я раненым.

— Отвоевались,— отвечают раненые и двигают шашками, поделанными из хлеба.

— Рано,— говорю я раненым,— рано ты отвоевалась, пехота, когда враг на мягких лапах ходит в пятнадцати верстах от местечка и когда в газете «Красный кавалерист» можно читать про наше международное положение, что это одна ужасть, и на горизонте полно туч.— Но слова мои отскочили от геройской пехоты, как овечий помет от полкового барабана, и заместо всего разговор получился у нас, что милосердные сестры подвели нас к лежанкам и снова начали тереть волынку про сдачу оружия, как будто мы уже были побеждены. Они растревожили этим Кустова нельзя сказать как, и тот стал обрывать свою рану, помещавшуюся у него на левом плече, над кровавым сердцем бойца и пролетария. Видя эту натугу, сиделки поутихли, но только поутихли они на самое малое время, а потом опять завели свое издевательство беспартийной массы и стали подсылать охотников повытаскивать из-под нас, сонных, одежду или заставляли для культработы играть театральную роль в женском платье, что не подобает.

Немилосердные сиделки... Не однажды примерялись они к нам ради одежи сонным порошком, так что отдыхать мы стали в очередь, имея один глаз раскрывши, и в отхожее даже по малой нужде ходили в полной форме, с наганами. И отстрадавши так неделю с одним днем, мы стали заговариваться, получили видения и, наконец, проснувшись в обвиняемое утро, 4 августа, заметили в себе ту перемену, что лежим в халатах под номерами, как каторжники, без оружия и без одежи, вытканной матерями нашими, слабосильными старушками с Кубани... И солнышко, видим, великолепно светит, а окопная пехота, среди которой страдало три красных конника, фулиганит над нами и с ней немилосердные сиделки, которые, всыпавши нам накануне сонного порошку, трясут теперь молодыми грудьями и несут нам на блюдах какаву, а молока в этом какаве хоть залейся! От развеселой этой карусели пехота стучит костылями громко до ужасти и щиплет нам бока, как купленным девкам, дескать, отвоевалась и она, Первая Конная Буденная армия. Но нет, раскудрявые товарищи, которые наели очень чудные пуза, что ночью играют, как на пулеметах, не отвоевалась она, а только отпросившись вроде как по надобности, сошли мы трое во двор и со двора пустились мы в жару, в синих язвах к гражданину Бойдерману, к предуревкома, без которого, товарищ следователь Бурденко, этого недоразумения со стрельбой, возможная вещь, и не существовало бы, то есть без того предуревкома, от которого совершенно мы потерялись. И хотя мы не можем дать твердого материала на гражданина Бойдермана, но только, зайдя к предуревкома, мы обратили внимание на гражданина пожилых лет, в тулупе, по национальности еврея, который сидит за столом, стол его набит бумагами, что это некрасота смотреть... Гражданин Бойдерман кидает глазами то туда, то сюда, и видно, что он ничего не может понимать в этих бумагах, ему горе с этими бумагами, тем более сказать, что неизвестные, но заслуженные бойцы грозно подступают к гражданину Бойдерману за продовольствием, вперебивку с ними местные работники указывают на контру в окрестных селах, и тут же являются рядовые работники центра, которые желают венчаться в уревкоме в самой скорости и без волокиты... Так же и мы возвышенным голосом изложили случай с изменой в госпитале, но гражданин Бойдерман только пучил на нас глаза и опять кидал их то туда, то сюда и ласкал нам плечи, что уже не есть власть и недостойно власти, резолюции никак не давал, а только заявлял: товарищи бойцы, если вы жалеете Советскую власть, то оставьте это помещение, на что мы не могли согласиться, то есть оставить помещение, а потребовали поголовное удостоверение личности, не получив какового, потеряли сознание. И, находясь без сознания, мы вышли на площадь перед госпиталем, где обезоружили милицию в составе одного человека кавалерии и нарушили со слезами три незавидных стекла в вышеописанной кладовке. Доктор Явейн при этом недопустимом факте делал фигуры и смешки, и это в такой момент, когда товарищ Кустов должен был через четыре дня скончаться от своей болезни!

В короткой красной своей жизни товарищ Кустов без края тревожился об измене, которая вот она — мигает нам из окошка, вот она — насмешничает над грубым пролетариатом, но пролетариат, товарищи, сам знает, что он грубый, нам больно от этого, душа горит и рвет огнем тюрьму тела... Измена, говорю я вам, товарищ следователь Бурденко, смеется нам из окошка, измена ходит, разувшись, в нашем дому, измена закинула за спину штиблеты, чтобы не скрипели половицы в обворовываемом дому...»

Чесники

Шестая дивизия скопилась в лесу, что у деревни Чесники, и ждала сигнала к атаке. Но Павличенко, начдив шесть, поджидал вторую бригаду и не давал сигнала. Тогда к начдиву подъехал Ворошилов. Он толкнул его мордой лошади в грудь и сказал:

— Волыним, начдив шесть, волыним.

— Вторая бригада,— ответил Павличенко глухо,— согласно вашего приказания идет на рысях к месту происшествия.

— Волыним, начдив шесть, волыним,— сказал Ворошилов и рванул на себе ремни.

Павличенко отступил от него на шаг.

— Во имя совести,— закричал он и стал ломать сырые пальцы,— во имя совести, не торопить меня, товарищ Ворошилов...

— Не торопить,— прошептал Клим Ворошилов, член Реввоенсовета, и закрыл глаза. Он сидел на лошади, глаза его были прикрыты, он молчал и шевелил губами. Казак в лаптях и в котелке смотрел на него с недоумением. Скачущие эскадроны шумели в лесу, как шумит ветер, и ломали ветви. Ворошилов расчесывал маузером гриву своей лошади.

— Командарм,— закричал он, оборачиваясь к Буденному,— скажите войскам напутственное слово. Вот он стоит на холмике, поляк, стоит как картинка и смеется над тобой!..

Поляки, в самом деле, были видны в бинокль. Штаб армии вскочил на коней, и казаки стали стекаться к нему со всех сторон.

Иван Акинфиев, бывший повозочный Ревтрибунала, проехал мимо и толкнул меня стременем.

— Ты в строю, Иван? — сказал я ему. — Ведь у тебя ребер нету...

— Положил я на эти ребра... — ответил Акинфиев, сидевший на лошади бочком. — Дай послухать, что человек рассказывает.

Он проехал вперед и притиснулся к Буденному в упор. Тот вздрогнул и тихо сказал:

— Ребята, — сказал Буденный, — у нас плохая положения, веселей надо, ребята...

— Даешь Варшаву! — закричал казак в лаптях и в котелке, выкатил глаза и рассек саблей воздух.

— Даешь Варшаву! — закричал Ворошилов, поднял коня на дыбы и влетел в середину эскадронов.

— Бойцы и командиры! — сказал он со страстью. — В Москве, в древней столице, борется небывалая власть. Рабоче-крестьянское правительство, первое в мире, приказывает вам, бойцы и командиры, атаковать неприятеля и привезти победу.

— Сабли к бою... — отдаленно запел Павличенко за спиной командарма, и вывороченные малиновые его губы с пеной заблестели в рядах. Красный казакин начдива был оборван, мясистое омерзительное его лицо искажено. Клинком неоценимой сабли он отдал честь Ворошилову.

— Согласно долгу революционной присяги, — сказал начдив шесть, хрипя и озираясь, — докладую Реввоенсовету Первой Конной: вторая непобедимая кавбригада на рысях подходит к месту происшествия.

— Делай, — ответил Ворошилов и махнул рукой. Он тронул повод, Буденный поехал с ним рядом. Они ехали на длинных рыжих кобылах, рядом, в одинаковых кителях и в сияющих штанах, расшитых серебром. Бойцы, подвывая, двигались за ними, и бледная сталь мерцала в сукровице осеннего солнца. Но я не услышал единодушия в казацком вое, и, дожидаясь атаки, я ушел в лес, в глубь его, к стоянке питпункта.

Там лежал в бреду раненый красноармеец, и Степка Дуплищев, вздорный казачонок, чистил скребницей Урагана, кровного жеребца, принадлежавшего начдиву и происходившего от Люлюши, ростовской рекордистки. Раненый скороговоркой вспоминал о Шуе, о нетели и каких-то оческах льна, а Дуплищев, заглушая его жалкое бормотанье, пел песню о денщике и толстой генеральше, пел все громче, взмахивал скребницей и гладил коня. Но его прервала Сашка, опухшая Сашка, дама всех эскадронов. Она подъехала к мальчику и прыгнула на землю.

— Сделаемся, што ль?— сказала Сашка.

— Отваливай,— ответил Дуплищев, повернулся к ней спиной и стал заплетать ленточки в гриву Урагану.

— Своему слову ты хозяин, Степка,— сказала тогда Сашка,— или ты вакса?

— Отваливай,— ответил Степка,— своему слову я хозяин.

Он вплел все ленточки в гриву и вдруг закричал мне с отчаянием:

— Вот, Кирилл Васильич, обратите маленькое внимание, какое надругание она надо мной делает. Это цельный месяц я от нее вытерпляю несказанно што. Куды ни повернусь — она тут, куды ни кинусь — она загородка путя моего: спусти ей жеребца да спусти ей жеребца. Ну, когда начдив каждодневно мне наказывает: «К тебе, говорит, Степка, при таком жеребце много проситься будут, но не моги ты пускать его по четвертому году...».

— Вас небось по пятнадцатому году пускаешь,— пробормотала Сашка и отвернулась.— По пятнадцатому небось, и ничего, молчишь, только пузыри пускаешь...

Она отошла к своей кобыле, укрепила подпруги и изготовилась ехать.

Шпоры на ее туфлях гремели, ажурные чулки были забрызганы грязью и убраны сеном, чудовищная грудь ее закидывалась за спину.

— Целковый-то я привезла,— сказала Сашка в сторону и поставила туфлю со шпорой в стремя.— Привезла, да вот отвозить надо.

Женщина вынула два новеньких полтинника, поиграла ими на ладони и спрятала опять за пазуху.

— Сделаемся, што ль?— сказал тогда Дуплищев, не спуская глаз с серебра, и повел жеребца.

Сашка выбрала покатое место на полянке и поставила кобылу.

— Ты один, видно, на земле с жеребцом ходишь,— сказала она Степке и стала направлять Урагана,— да только кобыленка у меня позиционная, два года не покрыта,— дай, думаю, хороших кровей добуду...

Сашка справилась с жеребцом и потом отвела в сторонку свою лошадь.

— Вот мы и с начинкой, девочка,— прошептала она, поцеловав свою кобылу в лошадиные пегие мокрые губы с нависшими палочками слюны, потерлась о лошадиную морду и стала вслушиваться в шум, топавший по лесу.

— Вторая бригада бежит,— сказала Сашка строго и обернулась ко мне.— Ехать надо, Лютыч...

— Бежит не бежит,— закричал Дуплищев, и у него перехватило в горле,— ставь, дьякон, деньги на кон...

— С деньгами я вся тут,— пробормотала Сашка и вскочила на кобылу.

Я бросился за ней, и мы двинулись галопом. Вопль Дуплищева раздался за нами и легкий стук выстрела.

— Обратите маленькое внимание!— кричал казачонок и изо всех сил бежал по лесу.

Ветер прыгал между ветвями, как обезумевший заяц, вторая бригада летела сквозь галицийские дубы, безмятежная пыль канонады восходила над землей, как над мирной хатой. И по знаку начдива мы пошли в атаку, незабываемую атаку при Чесниках.

После боя

История распри моей с Акинфиевым такова.

Тридцать первого числа случилась атака при Чесниках. Эскадроны скопились в лесу возле деревни и в шестом часу вечера кинулись на неприятеля. Он ждал нас на возвышенности, до которой было три версты ходу.

Мы проскакали три версты на лошадях, беспредельно утомленных, и, вскочив на холм, увидели мертвенную стену из черных мундиров и бледных лиц. Это были казаки, изменившие нам в начале польских боев и сведенные в бригаду есаулом Яковлевым. Построив всадников в каре, есаул ждал нас с шашкой наголо. Во рту его блестел золотой зуб, черная борода лежала на груди, как икона на мертвеце. Пулеметы противника палили с двадцати шагов, раненые упали в наших рядах. Мы растоптали их и ударились об неприятеля, но каре его не дрогнуло, тогда мы бежали.

Так была одержана савинковцами недолговременная победа над шестой дивизией. Она была одержана потому, что атакуемый не отвратил лица перед лавой налетающих эскадронов. Есаул стоял на этот раз, и мы бежали, не обагрив сабель жалкой кровью изменников.

Пять тысяч человек, вся дивизия наша неслась по склонам, никем не преследуемая. Неприятель остался на холме. Он не поверил неправдоподобной своей победе и не решался на погоню. Поэтому мы остались живы и скатились без ущерба в долину, где встретил нас Виноградов, начподив шесть. Виноградов метался на взбесившемся скакуне и возвращал в бой бегущих казаков.

— Лютов,— крикнул он, завидев меня,— завороти мне бойцов, душа из тебя вон!..

Виноградов колотил рукояткой маузера качавшегося жеребца, взвизгивал и сзывал людей. Я освободился от него и подъехал к киргизу Гулимову, скакавшему неподалеку.

— Наверх, Гулимов,— сказал я,— завороти коня...

— Кобылячий хвост завороти,— ответил Гулимов и оглянулся. Он оглянулся воровато, выстрелил и опалил мне волосы над ухом.

— Твоя завороти,— прошептал Гулимов, взял меня за плечи и стал вытаскивать саблю другой рукой. Сабля туго сидела в ножнах, киргиз дрожал и озирался. Он обнимал мое плечо и наклонял голову все ближе.

— Твоя вперед,— повторял он чуть слышно,— моя за тобой следом...— легонько стукнул меня в грудь клинком подавшейся сабли.

Мне сделалось тошно от близости смерти и от тесноты ее, я отвел ладонью лицо киргиза, горячее, как камень под солнцем, и расцарапал его так глубоко, как только мог. Теплая кровь зашевелилась под моими ногтями, защекотала их, я отъехал от Гулимова, задыхаясь, как после долгого пути. Истерзанный друг мой, лошадь, шла шагом. Я ехал, не видя пути, я ехал, не оборачиваясь, пока не встретил Воробьева, командира первого эскадрона. Воробьев искал своих квартирьеров и не находил их. Мы добрались с ним до деревни Чесники и сели там на лавочку вместе с Акинфиевым, бывшим повозочным Ревтрибунала. Мимо нас прошла Сашка, сестра 31-го кавполка, и два командира подсели на лавочку. Командиры эти задремывали и молчали, один из них, контуженный, неудержимо качал головой и подмигивал выкатившимся глазом. Сашка пошла сказать об нем в госпиталь и потом вернулась к нам, таща лошадь на поводу. Кобыла ее упиралась и скользила ногами по мокрой глине.

— Куда паруса надула?— сказал сестре Воробьев.— Посиди с нами, Саш...

— Не сяду я с вами,— ответила Сашка и ударила кобылу в живот,— не сяду...

— Что так?— закричал Воробьев, смеясь.— Али ты, Саш, передумала с мужчинами чай пить?..

— С тобой передумала,— обернулась баба к командиру и бросила повод далеко от себя.— Передумала я, Воробьев, с тобой чай пить, потому видала я вас сегодня, герои, и твою некрасоту видала, командир...

— А когда видала,— пробормотал Воробьев,— так и стрелять было в пору...

— Стрелять?!— с отчаянием сказала Сашка и сорвала с рукава госпитальную повязку.— Этим, что ли, стрелять мне?

И тут придвинулся к нам Акинфиев, бывший повозочный Ревтрибунала, с которым не сведены были у меня давние счеты.

. — Стрелять тебе нечем, Сашок,— сказал он успокоительно,— тебя ефтим никто не виноватит, но только виноватить я желаю тех, кто в драке путается, а патронов в наган не залаживает... Ты в атаку шел,— закричал мне вдруг Акинфиев, и судорога облетела его лицо,— ты шел и патронов не залаживал... где тому причина?..

— Отвяжись, Иван,— сказал я Акинфиеву, но он не отставал и подступал все ближе, весь кособокий, припадочный и без ребер.

— Поляк тебя да, а ты его нет...— бормотал казак, вертясь и ворочая разбитым бедром.— Где тому причина?..

— Поляк меня да,— ответил я дерзко,— а я поляка нет...

— Значит, ты молокан?— прошептал Акинфиев, отступая.

— Значит, молокан,— сказал я громче прежнего.— Чего тебе надо?

— Мне того надо, что ты при сознании,— закричал Иван с диким торжеством,— ты при сознании, а у меня про молокан есть закон писан: их в расход пускать можно, они Бога почитают...

Собирая толпу, казак кричал про молокан не переставая. Я стал уходить от него, но он догнал меня и, догнав, ударил по спине кулаком.

— Ты патронов не залаживал,— с замиранием прошептал Акинфиев над самым моим ухом и завозился, пытаясь большими пальцами разодрать мне рот,— ты Бога почитаешь, изменник...

Он дергал и рвал мой рот, я отталкивал припадочного и бил его по лицу. Акинфиев боком повалился на землю и, падая, расшибся в кровь.

Тогда к нему подошла Сашка с болтающимися грудями. Женщина облила Ивана водой и вынула у него изо рта длинный зуб, качавшийся в черном рту, как береза на голом большаке.

— У петухов одна забота,— сказала Сашка,— друг дружке в морду стучаться, а мне от делов от этих от сегодняшних глаза прикрыть хочется...

Она сказала это с горестью и увела к себе разбитого Акинфиева, а я поплелся в деревню Чесники, поскользнувшуюся на неутомимом галицийском дожде.

Деревня плыла и распухала, багровая глина текла из ее скучных ран. Первая звезда блеснула надо мной и упала в тучи. Дождь стегнул ветлы и обессилел. Вечер взлетел к небу, как стая птиц, и тьма надела на меня мокрый свой венец. Я изнемог и, согбенный под могильной короной, пошел вперед, вымаливая у судьбы простейшее из умений — уменье убить человека.

Песня

На постое в сельце Будятичах мне пала на долю злая хозяйка. Она была вдова, она была бедна; я отбил много замков у ее чуланов, но не нашел в них живности.

Мне оставалось исхитриться, и вот однажды, вернувшись рано домой, до сумерек, я увидел, как хозяйка приставляла заслонку к неостывшей печи. В хате пахло щами, и, может быть, в этих щах было мясо. Я услышал мясо в ее щах и положил револьвер на стол, но старуха отпиралась, у нее показались судороги в лице и в черных пальцах, она темнела и смотрела на меня с испугом и удивительной ненавистью. Но ничто не спасло бы ее, я донял бы ее револьвером, кабы мне не помешал в этом Сашка Коняев, или, иначе, Сашка Христос.

Он вошел в избу с гармоникой под мышкой, прекрасные его ноги болтались в растоптанных сапогах.

— Поиграем песни,— сказал он и поднял на меня глаза, заваленные синими сонными льдами.— Поиграем песни,— сказал Сашка, присаживаясь на лавочку, и проиграл вступление.

Задумчивое это вступление шло как бы издалека, казак оборвал его и заскучал синими глазами. Он отвернулся и, зная, чем угодить мне, начал кубанскую песню.

«Звезда полей,— запел он,— звезда полей над отчим домом и матери моей печальная рука...»

Я любил эту песню. Сашка знал об этом, потому что мы оба — он и я — услышали ее в первый раз в девятнадцатом году в гирлах Дона у станицы Кагальницкой.

Один охотник, промышлявший в заповедных водах, научил нас этой песне. Там, в заповедных водах, мечет икру рыба и водятся несметные стаи птиц. Рыба плодится в гирлах в непередаваемом изобилии, ее можно брать ковшами или просто руками, и если поставить в воду весло, то оно будет стоять стойма,— рыба держит весло и несет его с собой. Мы видели это сами, мы не забудем никогда заповедных вод у Кагальницкой. Все власти запрещали там охоту,— это правильное запрещение, но в девятнадцатом году в гирлах была жестокая война, и охотник Яков, промышлявший у нас на виду неправильный свой промысел, подарил для отвода глаз гармонику эскадронному нашему певцу Сашке Христу. Он научил Сашку своим песням; из них многие были душевного, старинного распева. За это мы всё простили лукавому охотнику, потому что песни его были нужны нам: никто не видел тогда конца войне, и один Сашка устилал звоном и слезой утомительные наши пути. Кровавый след шел по этому пути. Песня летела над нашим следом. Так было на Кубани и в зеленых походах, так было на Уральске и в Кавказских предгорьях, и вот до сегодняшнего дня. Песни нужны нам, никто не видит конца войне, и Сашка Христос, эскадронный певец, не дозрел еще, чтобы умереть...

Вот и в этот вечер, когда я обманулся в хозяйских щах, Сашка смирил меня полузадушенным и качающимся своим голосом.

«Звезда полей,— пел он,— звезда полей над отчим домом, и матери моей печальная рука...»

И я слушал его, растянувшись в углу на прелой подстилке. Мечта ломала мне кости, мечта трясла подо мной истлевшее сено, сквозь горячий ее ливень я едва различал старуху, подпершую рукой увядшую щеку. Уронив искусанную голову, она стояла у стены не шевелясь и не тронулась с места после того, как Сашка кончил играть. Сашка кончил и отложил гармонику в сторону, он зевнул и засмеялся, как после долгого сна, и потом, видя запустение вдовьей нашей хижины, смахнул сор с лавки и притащил ведро воды в хату.

— Вишь, сердце мое,— сказала ему хозяйка, поскреблась спиной у двери и показала на меня,— вот начальник твой пришел давеча, накричал на меня, натопал, отнял замки у моего хозяйства и оружию мне выложил... Это грех от Бога — мне оружию выкладывать, ведь я женщина...

Она снова поскреблась о дверь и стала набрасывать кожухи на сына. Сын ее храпел под иконой на большой кровати, засыпанной тряпьем. Он был немой мальчик с оплывшей, раздувшейся белой головой и с гигантскими ступнями, как у взрослого мужика. Мать вытерла ему нечистый нос и вернулась к столу.

— Хозяюшка,— сказал ей тогда Сашка и тронул ее плечо,— ежели желаете, я вам внимание окажу...

Но бабка как будто не слыхала его слов.

— Никаких щей я не видала,— сказала она, подпирая щеку,— ушли они, мои щи; мне люди одну оружию показывают, а и попадется хороший человек и посластиться бы с ним впору, да вот такая я тошная стала, что и греху не обрадуюсь...

Она тянула унылые свои жалобы и, бормоча, отодвинула к стене немого мальчика. Сашка лег с ней на тряпичную постель, а я попытался заснуть и стал придумывать себе сны, чтобы мне заснуть с хорошими мыслями.

Сын рабби

...Помнишь ли ты Житомир, Василий? Помнишь ли ты Тетерев, Василий, и ту ночь, когда суббота, юная суббота кралась вдоль заката, придавливая звезды красным каблучком?

Тонкий рог луны купал свои стрелы в черной воде Тетерева. Смешной Гедали, основатель IV Интернационала, вел нас к рабби Моталэ Брацлавскому на вечернюю молитву. Смешной Гедали раскачивал петушиные перышки своего цилиндра в красном дыму вечера. Хищные зрачки свечей мигали в комнате рабби. Склонившись над молитвенниками, глухо стонали плечистые евреи, и старый шут чернобыльских цадиков звякал медяшками в изодранном кармане...

...Помнишь ли ты эту ночь, Василий?.. За окном ржали кони и вскрикивали казаки. Пустыня войны зевала за окном, и рабби Моталэ Брацлавский, вцепившись в талес истлевшими пальцами, молился у восточной стены. Потом раздвинулась завеса шкапа, и в похоронном блеске свечей мы увидели свитки Торы, завороченные в рубашки из пурпурного бархата и голубого шелка, и повисшее над Торой безжизненное, покорное, прекрасное лицо Ильи, сына рабби, последнего принца в династии...

И вот третьего дня, Василий, полки Двенадцатой армии открыли фронт у Ковеля. В городе загремела пренебрежительная канонада победителей. Войска наши дрогнули и перемешались. Поезд политотдела стал уползать по мертвой спине полей. Тифозное мужичье катило перед собой привычный горб солдатской смерти. Оно прыгало на подножки нашего поезда и отваливалось, сбитое ударами прикладов. Оно сопело, скреблось, летело вперед и молчало. А на двенадцатой версте, когда у меня не стало картошки, я швырнул в них грудой листовок Троцкого. Но только один из них протянул за листовкой грязную, мертвую руку. И я узнал Илью, сына житомирского рабби. Я узнал его тотчас, Василий. И так томительно было видеть принца, потерявшего штаны, переломанного надвое солдатской котомкой, что мы, переступив правила, втащили его к себе в вагон. Голые колени, неумелые, как у старухи, стукались о ржавое железо ступенек; две толстогрудые машинистки в матросках волочили по полу длинное застенчивое тело умирающего. Мы положили его в углу редакции на полу. Казаки в красных шароварах поправили на нем упавшую одежду. Девицы, уперши в пол кривые ноги незатейливых самок, сухо наблюдали его половые части, эту чахлую курчавую мужественность исчахшего семита. А я, видевший его в одну из скитальческих моих ночей, я стал складывать в сундучок рассыпавшиеся вещи красноармейца Брацлавского.

Здесь все было свалено вместе — мандаты агитатора и памятки еврейского поэта. Портреты Ленина и Маймонида лежали рядом. Узловатое железо ленинского черепа и тусклый шелк портретов Маймонида. Прядь женских волос была заложена в книжку постановлений шестого съезда партии, и на полях коммунистических листовок теснились кривые строки древнееврейских стихов. Печальным и скупым дождем падали они на меня — страницы «Песни песней» и револьверные патроны. Печальный дождь заката обмыл пыль с моих волос, и я сказал юноше, умиравшему в углу на драном тюфяке:

— Четыре месяца тому назад, в пятницу вечером, старьевщик Гедали провел меня к вашему отцу, рабби Моталэ, но вы не были тогда в партии, Брацлавский.

— Я был тогда в партии,— ответил мальчик, царапая грудь и корчась в жару,— но я не мог оставить мою мать...

— А теперь, Илья?

— Мать в революции — эпизод,— прошептал он, затихая.— Пришла моя буква, буква Б, и организация услала меня на фронт...

— И вы попали в Ковель, Илья?

— Я попал в Ковель!— закричал он с отчаянием.— Кулачье открыло фронт. Я принял сводный полк, но поздно. У меня не хватило артиллерии...

Он умер, не доезжая Ровно. Он умер, последний принц, среди стихов, филактерий и портянок. Мы похоронили его на забытой станции. И я, едва вмещающий в древнем теле бури моего воображения,— я принял последний вздох моего брата.

Аргамак

Я решил перейти в строй. Начдив поморщился, услышав об этом.

— Куда ты прешься?.. Развесишь губы — тебя враз уконтрапупят...

Я настоял на своем. Этого мало. Выбор мой пал на самую боевую дивизию — шестую. Меня определили в 4-й эскадрон 23-го кавполка. Эскадроном командовал слесарь брянского завода Баулин, по годам мальчик. Для острастки он запустил себе бороду. Пепельные клоки закручивались у него на подбородке. В двадцать два свои года Баулин не знал никакой суеты. Это качество, свойственное тысячам Баулиных, вошло важным слагаемым в победу революции. Баулин был тверд, немногословен, упрям. Путь его жизни был решен. Сомнений в правильности этого пути он не знал. Лишения были ему легки. Он умел спать сидя. Спал он, сжимая одну руку другой, и просыпался так, что незаметен был переход от забытья к бодрствованию.

Ждать себе пощады под командой Баулина нельзя было. Служба моя началась редким предзнаменованием удачи — мне дали лошадь. Лошадей не было ни в конском запасе, ни у крестьян. Помог случай. Казак Тихомолов убил без спросу двух пленных офицеров. Ему поручили сопровождать их до штаба бригады, офицеры могли сообщить важные сведения. Тихомолов не довел их до места. Казака решили судить в Ревтрибунале, потом раздумали. Эскадронный Баулин наложил кару страшнее трибунала — он забрал у Тихомолова жеребца по прозвищу Аргамак, а самого заслал в обоз.

Мука, которую я вынес с Аргамаком, едва ли не превосходила меру человеческих сил. Тихомолов вел лошадь с Терека, из дому. Она была обучена на казацкую рысь, на особый казацкий карьер — сухой, бешеный, внезапный. Шаг Аргамака был длинен, растянут, упрям. Этим дьявольским шагом он выносил меня из рядов, я отбивался от эскадрона и, лишенный чувства ориентировки, блуждал потом по суткам в поисках своей части, попадал в расположение неприятеля, ночевал в оврагах, прибивался к чужим полкам и бывал гоним ими. Кавалерийское мое умение ограничивалось тем, что в германскую войну я служил в артдивизионе при пятнадцатой пехотной дивизии. Больше всего приходилось восседать на зарядном ящике, изредка мы ездили в орудийной запряжке. Мне негде было привыкнуть к жесткой, враскачку, рыси Аргамака. Тихомолов оставил в наследство коню всех дьяволов своего падения. Я трясся, как мешок, на длинной сухой спине жеребца. Я сбил ему спину. По ней пошли язвы. Металлические мухи разъедали эти язвы. Обручи запекшейся черной крови опоясали брюхо лошади. От неумелой ковки Аргамак начал засекаться, задние ноги его распухли в путовом суставе и стали слоновыми. Аргамак отощал. Глаза его налились особым огнем мучимой лошади, огнем истерии и упорства. Он не давался седлать.

— Аннулировал ты коня, четырехглазый,— сказал взводный.

При мне казаки молчали, за моей спиной они готовились, как готовятся хищники, в сонливой и вероломной неподвижности. Даже писем не просили меня писать...

Конная армия овладела Новоград-Волынским. В сутки нам приходилось делать по шестьдесят, по восемьдесят километров. Мы приближались к Ровно. Дневки были ничтожны. Из ночи в ночь мне снился тот же сон. Я рысью мчусь на Аргамаке. У дороги горят костры. Казаки варят себе пищу. Я еду мимо них, они не поднимают на меня глаз. Одни здороваются, другие не смотрят, им не до меня. Что это значит? Равнодушие их обозначает, что ничего особенного нет в моей посадке, я езжу как все, нечего на меня смотреть. Я скачу своей дорогой и счастлив. Жажда покоя и счастья не утолялась наяву, от этого снились мне сны.

Тихомолова не было видно. Он сторожил меня где-то на краях похода, в неповоротливых хвостах телег, забитых тряпьем. Взводный как-то сказал мне:

— Пашка все домогается, каков ты есть...

— А зачем я ему нужен?

— Видно, нужен...

— Он небось думает, что я его обидел?

— А неужели ж нет, не обидел...

Пашкина ненависть шла ко мне через леса и реки. Я чувствовал ее кожей и ежился. Глаза, налитые кровью, привязаны были к моему пути.

— Зачем ты меня врагом наделил?— спросил я Баулина.

Эскадронный проехал мимо и зевнул.

— Это не моя печаль,— ответил он, не оборачиваясь,— это твоя печаль...

Спина Аргамака подсыхала, потом открывалась снова. Я подкладывал под седло по три потника, но езды правильной не было, рубцы не затягивались. От сознания, что я сижу на открытой ране, меня всего зудило.

Один казак из нашего взвода, Бизюков по фамилии, был земляк Тихомолову, он знал Пашкиного отца там, на Тереке.

— Евоный отец, Пашкин,— сказал мне однажды Бизюков,— коней по охоте разводит... Боевитый ездок, дебелый... В табун приедет — ему сейчас коня выбирать...

Приводят. Он станет против коня, ноги расставит, смотрит... Чего тебе надо?.. А ему вот чего надо: махнет кулачищем, даст раз промежду глаз — коня нету. Ты зачем, Калистрат, животную решил?.. По моей, говорит, страшенной охоте мне на этом коне не ездить... Меня этот конь не заохотил... У меня, говорит, охота смертельная... Боевитый ездок, это нечего сказать.

И вот Аргамак, оставленный в живых Пашкиным отцом, выбранный им, достался мне. Как быть дальше? Я прикидывал в уме множество планов. Война избавила меня от забот.

Конная армия атаковала Ровно. Город был взят. Мы пробыли в нем двое суток. На следующую ночь поляки оттеснили нас. Они дали бой для того, чтобы провести отступающие свои части. Маневр удался. Прикрытием для поляков послужили ураган, секущий дождь, летняя тяжелая гроза, опрокинувшаяся на мир в потоках черной воды. Мы очистили город на сутки. В ночном этом бою пал серб Дундич, храбрейший из людей. В этом бою дрался и Пашка Тихомолов. Поляки налетели на его обоз. Место было равнинное, без прикрытия. Пашка построил свои телеги боевым порядком, ему одному ведомым. Так, верно, строили римляне свои колесницы. У Пашки оказался пулемет. Надо думать, он украл его и спрятал на случай. Этим пулеметом Тихомолов отбился от нападения, спас имущество и вывел весь обоз, за исключением двух подвод, у которых застрелены были лошади.

— Ты что бойцов маринуешь,— сказали Баулину в штабе бригады через несколько дней после этого боя.

— Верно, надо, если мариную...

— Смотри, нарвешься...

Амнистии Пашке объявлено не было, но мы знали, что он придет. Он пришел в калошах на босу ногу. Пальцы его были обрублены, с них свисали ленты черной марли. Ленты волочились за ним, как мантия. Пашка пришел в село Будятичи на площадь перед костелом, где у коновязи поставлены были наши кони. Баулин сидел на ступеньках костела и парил себе в лохани ноги. Пальцы ног у него подгнили. Они были розоватые, как бывает розовым железо в начале закалки. Клочья юношеских соломенных волос налипли Баулину на лоб. Солнце горело на кирпичах и черепице костела. Бизюков, стоявший рядом с эскадронным, сунул ему в рот папиросу и зажег. Тихомолов, волоча рваную свою мантию, прошел к коновязи. Калоши его шлепали. Аргамак вытянул длинную шею и заржал навстречу хозяину, заржал негромко и визгливо, как конь в пустыне. На его спине сукровица загибалась кружевом между полосами рваного мяса. Пашка стал рядом с конем. Грязные ленты лежали на земле неподвижно.

— Знатьця так,— произнес казак едва слышно.

Я выступил вперед.

— Помиримся, Паша. Я рад, что конь идет к тебе. Мне с ним не сладить... Помиримся, что ли?..

— Еще Пасхи нет, чтобы мириться,— взводный закручивал папиросу за моей спиной. Шаровары его были распущены, рубаха расстегнута на медной груди, он отдыхал на ступеньках костела.

— Похристосуйся с ним, Пашка,— пробормотал Бизюков, тихомоловский земляк, знавший Калистрата, Пашкиного отца,— ему желательно с тобой христосоваться...

Я был один среди этих людей, дружбы которых мне не удалось добиться.

Пашка как вкопанный стоял перед лошадью. Аргамак, сильно и свободно дыша, протягивал ему морду.

— Знатьця так,— повторил казак, резко ко мне повернулся и сказал в упор: — Я не стану с тобой мириться.

Шаркая калошами, он стал уходить по известковой, выжженной зноем дороге, заметая бинтами пыль деревенской площади. Аргамак пошел за ним, как собака. Повод покачивался под его мордой, длинная шея лежала низко. Баулин все тер в лохани железную красноватую гниль своих ног.

— Ты меня врагом наделил,— сказал я ему,— а чем я тут виноват?

Эскадронный поднял голову.

— Я тебя вижу,— сказал он,— я тебя всего вижу... Ты без врагов жить норовишь... Ты к этому все ладишь — без врагов...

— Похристосуйся с ним,— пробормотал Бизюков, отворачиваясь.

На лбу у Баулина отпечаталось огненное пятно. Он задергал щекой.

— Ты знаешь, что это получается? — сказал он, не управляясь со своим дыханием. — Это скука получается... Пошел от нас к трепаной матери...

Мне пришлось уйти. Я перевелся в 6-й эскадрон. Там дела пошли лучше. Как бы то ни было, Аргамак научил меня тихомоловской посадке. Прошли месяцы. Сон мой исполнился. Казаки перестали провожать глазами меня и мою лошадь.

Поцелуй

В начале августа штаб армии отправил нас для переформирования в Будятичи. Захваченное поляками в начале войны, оно вскоре было отбито нами. Бригада втянулась в местечко на рассвете; я приехал днем. Лучшие квартиры были заняты, мне достался школьный учитель. В низкой комнате, среди кадок с плодоносящими лимонными деревьями, сидел в кресле парализованный старик. На нем была тирольская шляпа с перышком; серая борода спускалась на грудь, осыпанную пеплом. Моргая глазами, он пролепетал какую-то просьбу. Умывшись, я ушел в штаб и вернулся ночью. Мишка Суровцев, ординарец, оренбургский лукавый казак, доложил мне обстановку; кроме парализованного старика, в наличности оказалась дочь его, Томилина Елизавета Алексеевна, и пятилетний сынок Миша, тезка Суровцева; дочь вдовеет после офицера, убитого в германскую войну, ведет себя исправно, но хорошему человеку, по сведениям Суровцева, может себя предоставить.

— Обладим, — сказал он, удалился на кухню и загремел там посудой; учительская дочка помогала ему. Куховаря, Суровцев рассказал о моей храбрости, о том, как я ссадил в бою двух польских офицеров и как уважает меня Советская власть. Ему отвечал сдержанный, негромкий голос Томилиной.

— Ты где отдыхаешь? — спросил ее Суровцев на прощанье. — Ты поближе к нам лягай, мы люди живые.

Он внес в комнату яичницу на гигантской сковороде и поставил ее на стол.

— Согласная,— сказал он, усаживаясь,— только не высказывает...

И в то же мгновенье сдавленный шепот, шуршанье, тяжелая осторожная беготня поднялись в доме. Мы не успели съесть нашего блюда войны, как в дом потянулись старики на костылях, старухи, с головой закутанные в шали. Кровать маленького Миши перетащили в столовую, в лимонную чащу, рядом с креслом деда. Немощные гости, приготовившиеся защитить честь Елизаветы Алексеевны, сбились в кучу, как овцы в непогоду, и, забаррикадировав дверь, всю ночь бесшумно играли в карты, шепотом называя ремизы и замирая при каждом шорохе. За этой дверью я не мог заснуть от неловкости, от смущения и едва дождался света.

— К вашему сведению,— сказал я, встретив Томилину в коридоре,— к вашему сведению, должен сообщить, что я окончил юридический факультет и принадлежу к так называемым интеллигентным людям...

Оцепенев, она стояла, опустив руки, в старомодной тальме, словно вылитой на тонкой ее фигуре. Не мигая, прямо на меня смотрели расширившиеся, сиявшие в слезах голубые глаза.

Через два дня мы стали друзьями. Страх и неведение, в котором жила семья учителя, семья добрых и слабых людей, были безграничны. Польские чиновники внушили им, что в дыму и варварстве кончилась Россия, как когда-то кончился Рим. Детская боязливая радость овладела ими, когда я рассказал о Ленине, о Москве, в которой бушует будущее, о Художественном театре. По вечерам к нам приходили двадцатидвухлетние большевистские генералы со спутанными рыжеватыми бородами. Мы курили московские папиросы, мы съедали ужин, приготовленный Елизаветой Алексеевной из армейских продуктов, и пели студенческие песни. Перегнувшись в кресле, парализованный слушал с жадностью, и тирольская шляпа тряслась в такт нашей песне. Старик жил все эти дни, отдавшись бурной, внезапной, неясной надежде, и, чтобы ничем не омрачить своего счастья, старался не замечать в нас некоторого щегольства кровожадностью и громогласной простоты, с какой мы решали к тому времени все мировые вопросы.

После победы над поляками — так постановлено было на семейном совете — Томилины переедут в Москву: старика мы вылечим у знаменитого профессора, Елизавета Алексеевна поступит учиться на курсы, а Мишку мы отдадим в ту самую школу на Патриарших прудах, где когда-то училась его мать. Будущее казалось никем не оспариваемой нашей собственностью, война — бурной подготовкой к счастью, и самое счастье — свойством нашего характера. Нерешенными были только его подробности, и в обсуждении их проходили ночи, могучие ночи, когда огарок свечи отражался в мутной бутыли самогона. Расцветшая Елизавета Алексеевна была безмолвной нашей слушательницей. Никогда не видел я существа более порывистого, свободного и боязливого. По вечерам лукавый Суровцев отвозил нас в реквизированном еще на Кубани плетеном шарабане к холму, где светился в огне заката брошенный дом князей Гонсиоровских. Худые, но длинные и породистые лошади дружно бежали на красных вожжах; беспечная серьга колыхалась в ухе Суровцева, круглые башни вырастали изо рва, заросшего желтой скатертью цветов. Обломанные стены чертили в небе кривую, набухшую рубиновой кровью линию, куст шиповника прятал ягоды, и голубая ступень, остаток лестницы, по которой поднимались когда-то польские короли, блестела в кустарнике. Сидя на ней, я притянул к себе однажды голову Елизаветы Алексеевны и поцеловал ее. Она медленно отстранилась, выпрямилась и, ухватив руками стену, прислонилась к ней. Она стояла неподвижно, вокруг ослепшей ее головы бурлил огненный пыльный луч, потом, вздрогнув и словно вслушиваясь во что-то, Томилина подняла голову; пальцы ее оттолкнулись от стены; путаясь и ускоряя шаги, она побежала вниз. Я окликнул ее, мне не ответили. Внизу, разбросавшись в плетеном шарабане, спал румяный Суровцев. Ночью, когда все уснули, я прокрался в комнату Елизаветы Алексеевны. Она читала, далеко отставив от себя книгу: упавшая на стол рука казалась неживой. Обернувшись на стук, Елизавета Алексеевна поднялась с места.

— Нет,— сказала она, вглядываясь в меня,— нет, дорогой мой,— и, обхватив мое лицо голыми, длинными руками, поцеловала меня все усиливавшимся, нескончаемым, безмолвным поцелуем.

Треск телефона в соседней комнате оттолкнул нас друг от друга. Вызывал адъютант штаба.

— Выступаем,— сказал он в телефон,— приказание явиться к командиру бригады...

Я побежал без шапки, на ходу рассовывая бумаги. Из дворов выводили лошадей, во тьме, крича, мчались всадники. У комбрига, стоя завязывавшего на себе бурку, мы узнали, что поляки прорвали фронт под Люблином и что нам поручена обходная операция. Оба полка выступали через час. Разбуженный старик беспокойно следил за мной из-под листвы лимонного дерева.

— Скажите, что вы вернетесь,— повторял он и тряс головой.

Елизавета Алексеевна, накинув полушубок поверх батистовой ночной кофты, вышла провожать нас на улицу. Во мраке бешено промчался невидимый эскадрон. У поворота в поле я оглянулся — Томилина, наклонившись, поправляла куртку на мальчике, стоявшем впереди нее, и прерывистый свет лампы, горевшей на подоконнике, тек по нежному костлявому ее затылку...

Пройдя без дневок сто километров, мы соединились с 14-й кавдивизией и, отбиваясь, стали уходить. Мы спали в седлах. На привалах, сраженные сном, мы падали на землю, и лошади, натягивая повод, тащили нас, спящих, по скошенному полю. Начиналась осень и неслышно сыплющиеся галицийские дожди. Сбившись в молчащее взъерошенное тело, мы петляли и описывали круги, ныряли в мешок, завязанный поляками, и выходили из него. Сознание времени оставило нас. Располагаясь на ночлег в Тощенской церкви, я и не подумал о том, что мы находимся в девяти верстах от Будятичей. Напомнил Суровцев, мы переглянулись.

— Главное, что кони пристали,— сказал он весело,— а то съездили бы...

— Нельзя,— ответил я,— хватятся ночью...

И мы поехали. К седлам нашим были приторочены гостинцы — голова сахару, ротонда на рыжем меху и живой двухнедельный козленок. Дорога шла качающимся промокшим лесом, стальная звезда плутала в кронах дубов. Меньше чем в час мы доехали до местечка, выгоревшего в центре, заваленного побелевшими от мучной пыли грузовиками, орудийными упряжками и ломаными дышлами. Не слезая с лошади, я стукнул в знакомое окно — белое облако пронеслось по комнате. Все в той же батистовой кофте с обвислым кружевом Томилина выбежала на крыльцо. Горячей рукой она взяла мою руку и ввела в дом. В большой комнате на сломанных лимонных деревьях сушилось мужское белье, незнакомые люди спали на койках, поставленных без промежутков, как в госпитале. Высовывая грязные ступни, с криво окостеневшими ртами, они хрипло кричали со сна и жадно и шумно дышали. Дом был занят нашей трофейной комиссией, Томилины загнаны в одну комнату.

— Когда вы нас увезете отсюда?— стискивая мою руку, спросила Елизавета Алексеевна. Старик, проснувшись, тряс головой. Маленький Миша, прижимая к себе козленка, заливался счастливым, беззвучным смехом. Над ним, надувшись, стоял Суровцев и вытряхивал из карманов казацких шаровар шпоры, пробитые монеты, свисток на желтом витом шнуре. В этом доме, занятом трофейной комиссией, скрыться было негде, и мы ушли с Томилиной в дощатую пристройку, где на зиму складывали картофель и рамки от ульев. Там, в чулане, я увидел, какой неотвратимый, губительный путь был путь поцелуя, начатого у замка князей Гонсиоровских... Незадолго до рассвета к нам постучался Суровцев.

— Когда вы увезете нас?— глядя в сторону, сказала Елизавета Алексеевна.

Промолчав, я направился в дом, чтобы проститься со стариком.

— Главное, что время нет,— загородил мне дорогу Суровцев,— сидайте, поедем...

Он вытолкал меня на улицу и подвел лошадь. Томилина подала мне похолодевшую руку. Как всегда, она прямо держала голову. Лошади, отдохнув за ночь, понесли рысью. В черном сплетении дубов поднималось огнистое солнце. Ликование утра переполняло мое существо.

В лесу открылась прогалина, я пустил лошадь и, обернувшись, крикнул Суровцеву:

— Что бы еще побыть... Рано вспугнул...

— И то не рано,— ответил он, подравниваясь и разнимая рукой мокрые, сыплющие искры ветви,— кабы не старик, я и раньше бы вспугнул... А то разговорился, старый, разнервничался, крякает и на сторону валиться стал... Я подскочил к нему, смотрю — мертвый, испекся...

Лес кончился. Мы выехали на вспаханное поле без дороги. Привстав, поглядывая по сторонам, подсвистывая, Суровцев вынюхивал правильное направление и, втянув его с воздухом, пригнулся и поскакал.

Мы приехали вовремя. В эскадроне поднимали людей. Обещая жаркий день, пригревало солнце. В это утро наша бригада прошла бывшую государственную границу Царства Польского.

Пьесы

Закат

Пьеса в 8 сценах

Действующие лица

Мендель Крик — владелец извозопромышленного заведения, 62 года.

Нехама — его жена, 60 лет.

Беня — щеголеватый молодой человек, 26 лет.

Левка ⎫ их дети   гусар в отпуску, 22 года.
Двойра ⎭   перезрелая девица, 30 лет.

Арье-Лейб — служка в синагоге извозопромышленников, 65 лет.

Никифор — старший кучер у Криков, 50 лет.

Иван Пятирубель — кузнец, друг Менделя, 50 лет.

Бен Зхарья — раввин на Молдаванке, 70 лет.

Фомин — подрядчик, 40 лет.

Евдокия Потаповна Холоденко — торгует живой и битой птицей на рынке, тучная старуха с вывороченным боком; пьяница, 50 лет.

Маруся — ее дочь, 20 лет.

Рябцов — хозяин трактира.

Митя — официант в трактире.

Мирон Попятник — флейтист в трактире Рябцова.

Мадам Попятник — его жена; сплетница с неистовыми глазами.

Урусов — подпольный ходатай по делам; картавит.

Семен — лысый мужик.

Бобринец — шумный еврей; шумит оттого, что богат.

Вайнер — гундосый богач.

Мадам Вайнер — богачиха.

Клаша Зубарева — беременная бабенка.

Мосье Боярский — владелец конфексиона готовых платьев под фирмой «Шедевр».

Сенька Топун.

Кантор Цвибак.

Действие происходит в Одессе в 1913 г.

Первая сцена

Столовая в доме Криков. Низкая обжитая мещанская комната. Бумажные цветы, комоды, граммофон, портреты раввинов и рядом с раввинами семейные фотографии Криков — окаменелых, черных, с выкатившимися глазами, с плечами широкими, как шкафы.

В столовой приготовлено к приему гостей. На столе, покрытом красной скатертью, расставлены вина, варенье, пироги.

Старуха Крик заваривает чай. Сбоку, на маленьком столике,— кипящий самовар.

В комнате старуха Нехама, Арье-Лейб, Левка в парадной гусарской форме. Желтая бескозырка косо посажена на его кирпичное лицо, длиннополая шинель брошена на плечи. За Левкой волочится кривая сабля. Беня Крик, разукрашенный, как испанец на деревенском празднике, вывязывает перед зеркалом галстук.

Арье-Лейб. Ну хорошо, Левка, отлично... Арье-Лейб, сват с Молдаванки и шамес у биндюжников, знает теперь, что такое рубка лозы... Сначала рубят лозу, потом рубят человека... Матери в нашей жизни роли не играют... Но объясни мне, Левка, почему такому гусару, как ты, нельзя опоздать из отпуска на неделю, пока твоя сестра не сделает своего счастья?

Левка (хохочет. В грубом его голосе движутся громы). На неделю!.. Вы набитый дурак, Арье-Лейб!.. Опоздать на неделю!.. Кавалерия — это вам не пехота. Кавалерия плевала на вашу пехоту... Опоздал я на один час, и вахмистр берет меня к себе в помещение, пускает мне из души юшку, и из носу пускает мне юшку, и еще под суд меня отдает. Три генерала судят каждого конника, три генерала с медалями за турецкую войну.

Арье-Лейб. Это со всеми так делают или только с евреями?

Левка. Еврей, который сел на лошадь, перестал быть евреем и стал русским. Вы какой-то болван, Арье-Лейб!.. При чем тут евреи?

Сквозь полуоткрытую дверь просовывается лицо Двойры.

Двойра. Мама, пока у вас что-нибудь найдешь, можно мозги себе сломать. Куда вы подевали мое зеленое платье?

Нехама (ни на кого не глядя, бурчит себе под нос). Посмотри в комоде.

Двойра. Я смотрела в комоде — нету.

Нехама. В шкафу.

Двойра. В шкафе нету.

Левка. Какое платье?

Двойра. Зеленое с гесткой.

Левка. Кажется, папаша подхватил.

> Полуодетая, нарумяненная, завитая Двойра входит
> в комнату. Она высока ростом, дебела.

Двойра (деревянным голосом). Ох, я умру!

Левка (матери). Вы небось признались ему, старая хулиганка, что Боярский придет сегодня смотреть Двойру?.. Она призналась. Готово дело!.. Я его еще с утра заметил. Он запряг в биндюг Соломона Мудрого и Муську, поснедал, нажрался водки, как кабан, бросил в козлы что-то зеленое и подался со двора.

Двойра. Ох, я умру! (Она разражается громовым плачем, сдирает с окна занавеску, топчет ее и бросает старухе.) Нате вам!..

Нехама. Издохни! Сегодня издохни...

> Рыча и рыдая, Двойра убегает.
> Старуха прячет занавеску в комод.

Беня (вывязывает галстук). Папаша, понимаете ли вы меня, жалеет приданое.

Левка. Зарезать такого старика ко всем свиньям!

Арье-Лейб. Ты это про отца, Левка?

Левка. Пусть не будет босяком.

Арье-Лейб. Отец старше тебя на субботу.

Левка. Пусть не будет грубияном.

Беня (закалывает в галстук жемчужную булавку). В прошлом году Семка Мунш хотел Двойру, но папаша, понимаете ли вы меня, жалеет приданое. Он сделал из Семкиной вывески кашу с подливкой и выбросил его со всех лестниц.

Левка. Зарезать такого старика ко всем свиньям!

Арье-Лейб. Про такого свата, как я, сказано у Ибн-Эзра: «Если ты вздумаешь, человек, заняться изготовлением свечей, то солнце станет посреди неба как тумба, и никогда не закатится...».

Левка *(матери).* Сто раз на дню старик убивает нас, а вы молчите ему, как столб. Тут каждую минуту жених может наскочить...

Арье-Лейб. Сказано про меня у Ибн-Эзра: «Вздумай саваны шить для мертвых, и ни один человек не умрет отныне и во веки веков, аминь!..».

Беня *(вывязал галстук, сбросил с головы малиновую повязку, поддерживавшую прическу, облачился в кургузый пиджачок, налил рюмку водки).* Здоровье присутствующих!

Левка *(грубым голосом).* Будем здоровы.

Арье-Лейб. Чтобы было хорошо.

Левка *(грубым голосом).* Пусть будет хорошо!

> В комнату вкатывается мосье Боярский,
> бодрый круглый человек. Он сыплет без умолку.

Боярский. Привет! Привет! *(Представляется.)* Боярский... Приятно, чересчур приятно!.. Привет!

Арье-Лейб. Вы обещались в четыре, Лазарь, а теперь шесть.

Боярский *(усаживается и берет из рук старухи стакан чаю).* Бог мой, мы живем в Одессе, а в нашей Одессе есть заказчики, которые вынимают из вас жизнь, как вы вынимаете косточку из финика, есть добрые приятели, которые согласны скушать вас в одежде и без соли, есть вагон неприятностей, тысяча скандалов. Когда тут подумать о здоровье, и зачем купцу здоровье? Насилу забежал в теплые морские ванны — и прямо к вам.

Арье-Лейб. Вы принимаете морские ванны, Лазарь?

Боярский. Через день, как часы.

Арье-Лейб *(старухе).* Худо-бедно положите пятьдесят копеек на ванну.

Боярский. Бог мой, молодое вино есть в нашей Одессе. Греческий базар, Фанкони...

Арье-Лейб. Вы захаживаете к Фанкони, Лазарь?

Боярский. Я захаживаю к Фанкони.

Арье-Лейб *(победоносно)*. Он захаживает к Фанкони!.. *(Старухе.)* Худо-бедно тридцать копеек надо оставить у Фанкони, я не скажу — сорок.

Боярский. Простите меня, Арье-Лейб, если я, как более молодой, перебью вас. Фанкони обходится мне ежедневно в рубль, а также в полтора рубля.

Арье-Лейб *(с упоением)*. Так вы же мот, Лазарь, вы негодяй, какого еще свет не видел!.. На тридцать рублей живет семья и еще детей учат на скрипке, еще откладывают где какую копейку...

> В комнату вплывает Двойра. На ней оранжевое платье, могучие ее икры стянуты высокими башмаками.

Это наша Вера.

Боярский *(вскакивает)*. Привет! Боярский.

Двойра *(хрипло)*. Очень приятно.

> Все садятся.

Левка. Наша Вера сегодня немножко угорела от утюга.

Боярский. Угореть от утюга может всякий, но быть хорошим человеком — это не всякий может.

Арье-Лейб. Тридцать рублей в месяц кошке под хвост... Лазарь, вы не имели права родиться!

Боярский. Тысячу раз простите меня, Арье-Лейб, но о Боярском надо вам знать, что он не интересуется капиталом,— капитал — это ничтожество — Боярский интересуется счастьем... Я спрашиваю вас, дорогие, что вытекает для меня из того, что моя фирма выдает в месяц сто — полтораста костюмов плюс к этому брючные комплекты, плюс к этому польты?

Арье-Лейб *(старухе)*. Положите на костюм пять рублей чистых, я не скажу — десять...

Боярский. Что вытекает для меня из моей фирмы, когда я интересуюсь исключительно счастьем?

Арье-Лейб. И я вам отвечу на это, Лазарь, что если мы поведем наше дело как люди, а не как шарлатаны, то вы будете обеспечены счастьем до самой вашей смерти, живите сто двадцать лет... Это я говорю вам, как шамес, а не как сват.

Беня *(разливает вино)*. Исполнение обоюдных желаний.

Левка *(грубым голосом)*. Будем здоровы!

Арье-Лейб. Чтобы было хорошо!

Левка. Пусть будет хорошо.

Боярский. Я начал про Фанкони. Выслушайте, мосье Крик, историю про еврея-нахала... Забегаю сегодня к Фанкони, кофейня набита людьми, как синагога в Судный день. Люди закусывают, плюют на пол, расстраиваются... Один расстраивается оттого, что у него плохие дела, другой расстраивается оттого, что у соседа хорошие дела. Присесть, между прочим, некуда... Поднимается тут мне навстречу мосье Шапелон, видный из себя француз... Заметьте, что это большая редкость, чтобы француз был из себя видный... поднимается мне навстречу и приглашает к своему столику. Мосье Боярский, говорит он мне по-французски, я уважаю вас как фирму, и у меня есть дивная крыша для шубы...

Левка. Крыша?

Боярский. Сукно, верх для шубы... Дивная крыша для шубы, говорит он мне по-французски, и прошу вас как фирму выпить со мною две кружки пива и скушать десять раков...

Левка. Я люблю раков.

Арье-Лейб. Скажи еще, что ты любишь жабу.

Боярский. ...и скушать десять раков...

Левка *(грубым голосом)*. Я люблю раков!

Арье-Лейб. Рак — это же жаба.

Боярский *(Левке)*. Вы простите меня, мосье Крик, если я скажу вам, что еврей не должен уважать раков. Это я говорю вам замечание из жизни. Еврей, который уважает раков, может позволить себе с женским полом больше, чем себе надо позволять, он может сказать сальность за столом, и если у него бывают дети, так на сто процентов выродки и бильярдисты. Это говорю вам замечание из жизни. Теперь выслушайте историю про еврея-нахала...

Беня. Боярский!

Боярский. Я.

Беня. Прикинь мне, Боярский, на скорую руку, во что мне обойдется зимний костюм прима?

Боярский. Двубортный, однобортный?

Беня. Однобортный.

Боярский. Фалды вы себе мыслите круглые или отрезанные?

Беня. Фалды круглые.

Боярский. Сукно ваше или мое?

Беня. Сукно твое.

Боярский. Какой товар вы себе рисуете — английский, лодзинский или московский?

Беня. Какой лучше?

Боярский. Английское сукно, мосье Крик, это хорошее сукно, лодзинское сукно — это дерюга, на которой что-то нарисовано, а московское сукно — это дерюга, на которой ничего не нарисовано.

Беня. Возьмем английское.

Боярский. Доклад ваш или мой?

Беня. Доклад твой.

Боярский. Сколько вам обойдется?

Беня. Сколько мне обойдется?

Боярский (осененный внезапной мыслью). Мосье Крик, мы сойдемся!

Арье-Лейб. Вы сойдетесь!

Боярский. Мы сойдемся... Я начал про Фанкони.

Слышен гром сапог, окованных гвоздями. Входит Мендель Крик с кнутом и Никифор, старший кучер.

Арье-Лейб (оробел). Познакомьтесь, Мендель, с мосье Боярским...

Боярский (вскакивает). Привет! Боярский.

Гремя сапогами, ни на кого не глядя, старик идет через всю комнату. Он бросает кнут, садится на кушетку, протягивает длинные толстые ноги. Нехама опускается на колени и стягивает с мужа сапоги.

Арье-Лейб (заикаясь). Мосье Боярский рассказывал нам здесь про свою фирму. Она выдает полтораста костюмов в месяц...

Мендель. Так что ты говоришь, Никифор?

Никифор (*прислонился к косяку двери и уставился в потолок*). Я то говорю, хозяин, что с нас люди смеются.

Мендель. Почему с нас люди смеются?

Никифор. Люди говорят — у вас тыща хозяев на конюшне, у вас семь пятниц на неделе... Вчера возили в гавань пшеницу, кинулся я в контору деньги получать, они мне — назад: тут, говорят, молодой хозяин был, Бенчик, он приказание дал, чтобы деньги в банк платить, на квитанцию.

Мендель. Приказание дал?

Никифор. Приказание дал.

Нехама (*стянула сапог, размотала грязную портянку, Мендель подает ей другую ногу. Старуха поднимает на мужа глаза, полные ненависти, и бормочет сквозь стиснутые зубы*). Чтоб ты света не дождался, мучитель!..

Мендель. Так что ты говоришь, Никифор?

Никифор. Я то говорю, что от Левки сегодня грубость видели.

Беня (*отставив мизинец, пьет вино*). Обоюдное исполнение желаний.

Левка. Будем здоровы.

Никифор. Повели сегодня Фрейлину ковать, наскочил в кузню Левка, открыл рот, как лоханку, приказывает кузнецу Пятирублю подковы резиной подбивать. Я тут встреваю. Что мы, полицмейстеры, говорю, или мы цари, Николаи Вторые, чтобы резиной подбивать? Хозяин не приказывал... А Левка стал красный, как буряк, и кричит: кто твой хозяин?..

Нехама стянула второй сапог. Мендель встал. Он потянул к себе скатерть. Посуда, пирог, варенье — все полетело на пол.

Мендель. Кто же твой хозяин, Никифор?

Никифор (*угрюмо*). Вы мой хозяин.

Мендель. А если я твой хозяин (*он подходит к Никифору и берет его за грудь*), а если я твой хозяин, так бей того, кто вступит ногой в мою конюшню, бей его в душу, в жилы, в глаза... (*Он трясет Никифора и отшвыривает от себя.*)

Согнувшись, шаркая босыми ногами, Мендель идет через всю комнату к выходу, за ним бредет Никифор. Старуха тащится на коленях к двери.

Нехама. Чтоб ты свету не дождался, мучитель...

Молчание.

Арье-Лейб. Если я скажу вам, Лазарь, что старик не кончил Высших женских курсов...

Боярский. ...так я поверю вам без честного слова.

Беня *(подает Боярскому руку).* Зайдешь другим разом, Боярский.

Боярский. Бог мой, в семье все случается. Бывает холодное, бывает горячее. Привет! Привет! Зайду другим разом. *(Исчезает.)*

Беня встает, закуривает папиросу, перекидывает через руку щегольской плащ.

Арье-Лейб. Про такого свата, как я, сказано у Ибн-Эзра: «Если ты вздумаешь шить саваны для мертвых...».

Левка. Зарезать такого старика ко всем свиньям!

Двойра откинулась на спинку кресла и завизжала.

Здрасте! Двойра получила истерику *(он разжимает ножом крепко стиснутые зубы сестры. Она верещит все пронзительнее).*

В комнату входит Никифор. Беня перекладывает плащ на левую руку и правой бьет Никифора по лицу.

Беня. Заложи мне гнедого в дрожки!

Никифор *(из носу у него вытекает нерешительная струйка крови).* Расчет мне дайте...

Беня *(подходит к Никифору в упор и говорит ласковым, вздрагивающим голосом).* Ты у меня умрешь сегодня, не поужинав, Никифор, дружок мой...

Вторая сцена

Ночь. Спальня Криков. Черные балки на низком потолке. Лунный луч, роящийся и голубой, входит в окно. Старик и Нехама на двуспальной кровати. Они укрыты одним одеялом. Всклокоченная грязно-седая старуха сидит на постели. Она бубнит низким голосом, бубнит нескончаемо.

Н е х а м а. У людей все как у людей... У людей берут к обеду десять фунтов мяса, делают суп, делают котлеты, делают компот. Отец приходит с работы, все садятся за стол, люди кушают и смеются... А у нас?.. Бог, милый Бог, как темно в моем доме!

М е н д е л ь. Дай жить, Нехама. Спи!

Н е х а м а. ...Бенчик, такой Бенчик, такое солнце на небе, он пошел в эту жизнь. Сегодня один пристав, завтра другой пристав... Сегодня люди имеют кусок хлеба, завтра им обложат ноги железом...

М е н д е л ь. Дай дыхать. Нехама! Спи.

Н е х а м а. ...Такой Левка. Дите придет из солдат и тоже кинется в налеты. Куда ему кинуться? Отец выродок, отец не пускает детей в дело...

М е н д е л ь. Делай ночь, Нехама. Спи!

Молчание.

Н е х а м а. Раввин сказал, раввин Бен Зхарья... Настанет новый месяц, сказал Бен Зхарья, и я не впущу Менделя в синагогу. Евреи не дадут мне...

М е н д е л ь (сбрасывает одеяло, садится рядом со старухой). Чего не дадут евреи?

Н е х а м а. Придет новолуние, сказал Бен Зхарья...

М е н д е л ь. Что мне не дадут евреи и что мне дали твои евреи?

Н е х а м а. Не пустят, не пустят в синагогу.

М е н д е л ь. Карбованец с откусанным углом мне дали твои евреи, тебя, клячу, и этот гроб с клопами.

Н е х а м а. А кацапы что тебе дали, что кацапы тебе дали?

М е н д е л ь (укладывается). О, кляча на мою голову!

Н е х а м а. Водку кацапы тебе дали, матерщины полный рот, бешеный рот, как у собаки... Ему шестьдесят два года, Бог, милый Бог, и он горячий, как печка, он здоровый, как печка.

М е н д е л ь. Выйми мне зубы, Нехама, налей жидовский суп в мои жилы, согни мне спину...

Нехама. Горячий как печка... Как мне стыдно, Бог!.. *(Она забирает свою подушку и укладывается на полу, в лунном луче. Молчание. Потом снова раздается ее бормотанье.)* В пятницу вечером люди выходят за ворота, люди цацкаются с внуками...

Мендель. Делай ночь, Нехама.

Нехама *(плачет)*. Люди цацкаются с внуками...

Входит Беня. Он в нижнем белье.

Беня. Может быть, хватит на сегодня, молодожены?

Мендель приподнимается. Он смотрит на сына во все глаза.

Или я должен пойти в гостиницу, чтобы выспаться?

Мендель *(встал с кровати. Он, как и сын, в нижнем белье)*. Ты... ты вошел?

Беня. Дать два рубля за номер, чтобы выспаться?

Мендель. Ночью, ночью ты вошел?

Беня. Она мне мать. Ты слышишь, супник!

Отец и сын стоит в нижнем белье друг против друга. Мендель все ближе, все медленнее подходит к Бене. В лунном луче трясется всклокоченная грязно-серая голова Нехамы.

Мендель. Ночью, ночью ты вошел...

Третья сцена

Трактир на Привозной площади. Ночь. Хозяин трактира Рябцов, болезненный строгий человек, читает у стойки Евангелие. Безрадостные пыльные его волосы разложены по обеим сторонам лба. На возвышении сидит кроткий флейтист Мирон (в просторечии Майор) Попятник. Флейта его выводит слабую дрожащую мелодию. За одним из столов черноусые, седоватые греки играют в кости с Сенькой Топуном, приятелем Бени Крика. Перед Сенькой разрезанный арбуз, финский нож и бутылка малаги. Два матроса спят, положив на стол литые плечи. В дальнем углу смиренно попивает зельтерскую воду подрядчик Фомин. Его в чем-то горячо убеждает пьяная Потаповна. За передним столом стоит Мендель Крик, пьяный, воспаленный, громадный, и Урусов, ходатай по делам.

Мендель *(бьет кулаком по столу)*. Темно! Ты в могиле меня держишь, Рябцов, в черной могиле!..

Я все лампы приказывал! Я хор требовал! Я со всего
трактира лампы приказывал!

М и т я. Керосин-то, вишь, нашему брату дают. Вот,
видишь, какое дело...

М е н д е л ь. Темно!

М и т я (Рябцову). Добавку освещения требует.

Р я б ц о в. Рупь.

М и т я. Получайте рупь.

Р я б ц о в. Получил рупь.

М е н д е л ь. Урусов!

У р у с о в. Есть!

М е н д е л ь. Скрозь мое сердце сколько, говоришь,
крови льется?

У р у с о в. По науке считается — скрозь человеческое
сердце льется в сутки двести пудов крови. А в Америке
такое изобрели...

М е н д е л ь. Стой! Стой!.. А если я в Америку хочу
ехать — это слободно?

У р у с о в. Свободно вполне. Сел и поехал...

П о т а п о в н а. Мендель, мама моя, мы не в Америку,
мы в Бессарабию поедем сады покупать.

М е н д е л ь. Сел, говоришь, и поехал?

У р у с о в. По науке считается, что вы четыре моря
проезжаете — Черное море, Ионическое, Эгейское,
Средиземное и два всемирных океана — Атлантиче-
ский океан и Тихий.

М е н д е л ь. А ты сказал — человек через моря лететь может?

У р у с о в. Может.

М е н д е л ь. Через горы, через высокие горы может
человек лететь?

У р у с о в (с твердостью). Может.

М е н д е л ь (сжимает ладонями лохматую голову). Конца
нет, краю нет... (Рябцову.) Поеду. В Бессарабию поеду.

Р я б ц о в. А делать чего будешь в Бессарабии?

М е н д е л ь. Чего захочу, то и буду.

Рябцов. А чего тебе хотеть?

Мендель. Слухай меня, Рябцов, я еще живой...

Рябцов. Не живой ты, если тебя Бог убил.

Мендель. Когда это меня Бог убил?

Рябцов. Годов-то тебе сколько?

Голос из трактира. Годков ему всех-всех шестьдесят два.

Рябцов. Шестьдесят два года Бог тебя и убивает.

Мендель. Рябцов, я Бога хитрей.

Рябцов. Ты русского Бога хитрей, а жидовского Бога ты не хитрей.

Митя вносит еще одну лампу. За ним гуськом выступают четыре заспанные толстые девки с засаленными грудями. В руках у каждой из них по зажженной лампе. Ослепительный свет разливается по трактиру.

Митя. Со светлым тебя, значит, Христовым воскресеньем! Девки, обставь его, бешеного, лампами.

Девки ставят лампы на стол перед Менделем.
Сияние озаряет багровое его лицо.

Голос из трактира. Из ночи день делаем, Мендель?

Мендель. Конца нет.

Потаповна (дергает Урусова за рукав). Прошу вашей дорогой любезности, выпейте со мной, господин... Вот я курями на базаре торгую, мне мужики все летошних кур всучивают, да рази я к курям к этим присужденная? У меня папочка садовник был, первый садовник. Я, какая где яблонька задичится, я ее раздичу...

Голос из трактира. Из понедельника воскресенье делаем, Мендель?

Потаповна (кофта разошлась на жирной ее груди. Водка, жара, восторг душат ее). Мендель дело свое продаст, получим, Бог даст, деньги, мы тогда с ясочкой нашей в сады уедем, на нас, послухайте, господин, на нас с липы цвет лететь будет... Мендель, золотко, я же садовница, я папочкина дочка!..

Мендель (идет к стойке). Рябцов, у меня глаза были... слухай меня, Рябцов, у меня глаза сильней телескопов были, а чего я сделал с моими глазами? У меня ноги быстрей паровозов были, мои ноги по морю ходят, а чего я сделал с моими ногами? От обжорки к сортиру, от сортира к обжорке... Я полы мордой заметал, а теперь я сады поставлю.

Р я б ц о в. Ставь. Кто тебя не пущает?

Г о л о с   и з   т р а к т и р а. Найдутся — не пустят. Наступят на хвост — не выдерет...

М е н д е л ь. Я песни приказывал! Дай военную, музыкант... Не мотай жилы... Жизнь дай! Еще дай!..

> Колеблясь, срываясь, флейта выводит пронзительную мелодию. Мендель пляшет, топает чугунными ногами.

М и т я *(Урусову шепотом)*. Фомину приходить или рано?

У р у с о в. Рано. *(Музыканту.)* Прибавь, Майор!

Г о л о с   и з   т р а к т и р а. И прибавлять нечего, хор пришел. Пятирубель хор приволок.

> Входит хор — слепцы в красных рубахах. Они натыкаются на стулья, машут перед собой камышовыми тросточками. Их ведет кузнец Пятирубель, азартный человек, друг Менделя.

П я т и р у б е л ь. Со сна чертей похватал. Не будем, говорят, песни играть. Ночь, говорят, на всем белом свете, наигрались... Да вы, говорю, перед каким человеком, говорю, стоите?!

М е н д е л ь *(бросается к запевале, рябому рослому слепцу)*. Федя, я в Бессарабию еду.

С л е п о й *(густым, глубоким басом)*. Счастливо вам, хозяин!

М е н д е л ь. Песню, Федя, последнюю мою!..

С л е п о й. «Славное море» — споем?

М е н д е л ь. Последнюю мою...

С л е п ы е *(настраивают гитары. Тягучие их басы запевают)*.

> Славное море — священный Байкал,
> Славный корабль — омулевая бочка,
> Эй, баргузин, пошевеливай вал,
> Плыть молодцу недалечко.

М е н д е л ь *(швыряет в окно пустую бутылку. Стекло разлетается с треском)*. Бей!

Пятирубель. Ох, и герой же, сукин сын!
Митя *(Рябцову).* За стекло сколько посчитаем?
Рябцов. Рупь.
Митя. Получайте рупь.
Рябцов. Получил рупь.
Слепые *(поют).*

> Долго я тяжкие цепи носил,
> Долго скитался в горах Акатуя,
> Старый товарищ бежать пособил,
> Ожил я, волю почуя...

Мендель *(ударом кулака вышибает оконную раму).* Бей.
Пятирубель. Сатана, а не старик!
Голоса из трактира:
— Форсовито гуляет!..
— Ничего не форсовито... Обнаковенно гуляет.
— Обнаковенно так не бывает. Помер у него кто-нибудь?
— Никто у него не помер... Обыкновенно гуляет.
— А причина какая, по какой причине гуляет?
Рябцов. Поди разбери причину. У одного деньги есть — он от денег гуляет, у другого денег нет — он от бедности гуляет. Человек ото всего гуляет...

Песня гремит все могущественнее. Звон гитар бьется о стены и зажигает сердца. В разбитом окне качается звезда. Заспанные девки встали у косяков, подперли груди шершавыми руками и запели. Матрос качается на расставленных больших ногах и подпевает чистым тенором.

> Шилка и Нерчинск не страшны теперь.
> Горная стража меня не поймала.
> В дебрях не тронул прожорливый зверь,
> Пуля стрелка миновала...

Потаповна *(пьяна и счастлива).* Мендель, мама моя, выпейте со мной! Выпьем за нашу ясочку!
Пятирубель. Швейцару на почте морду бил. Вот какой старик! Телеграфные столбы крал и домой на плечах приносил...

> Шел я ночью и средь бела дня,
> Вкруг городов озирался я зорко,
> Хлебом кормили крестьянки меня,
> Парни снабжали махоркой...

Мендель. Согни мне спину, Нехама, налей жидовский суп в мои жилы!.. *(Он бросается на пол, ворочается, стонет, хохочет.)*

Голоса из трактира:

— Чисто слон!

— У нас и слоны слезами плакали...

— Это врешь, слоны не плачут...

— Говорю тебе, слезами плакал...

— В зверинце я слона одного задражнил...

Митя *(Урусову).* Фомину приходить или рано?

Урусов. Рано.

> Певцы поют во всю мочь. Песня грохочет.
> Гитары захлебываются, дрожмя дрожат.

> Славное море — священный Байкал,
> Славный мой парус — кафтан дыроватый,
> Эй, баргузин, пошевеливай вал.
> Слышатся грома раскаты...

Страшными, радостными, рыдающими голосами поют слепцы последние строки. Окончив песню, они встают и уходят как по команде.

Митя. И все?

Запевала. Хватит.

Мендель *(вскочил с пола и затопал).* Военное мне дай! Жизнь, музыкант, дай!

Митя *(Урусову).* Фомину взойти или рано?

Урусов. Самое время.

> Митя подмигивает Фомину, сидящему в дальнем углу.
> Фомин рысью подбирается к столу Менделя.

Фомин. С приятным заседанием!

Урусов *(Менделю).* Теперь, дорогой, оно у нас так будет — потехе время, делу час. *(Вытаскивает исписанный лист бумаги.)* Читать, что ли?

Фомин. Если вам нежелательно, скажем, плясать, то можно читать.

Урусов. Сумму, что ли, читать?

Фомин. Согласен на такое ваше предложение.

Мендель *(во все глаза смотрит на Фомина и отодвигается).* Я песни приказывал...

Фомин. И петь будем, и гулять будем, а придется помирать — помирать будем.

Урусов *(читает очень картаво)*. «...Согласно каковым пунктам, уступаю в полную собственность Фомину Василию Елисеевичу извозопромышленное заведение мое в составе, как поименовано...»

Пятирубель. Фомин, ты понимай, паяц, каких коней забираешь! Кони эти миллион пшеницы отвезли, они полмира угля перетаскали. Ты от нас всю Одессу с этими конями забираешь...

Урусов. «...А всего за сумму двенадцать тысяч рублей, из коих треть при подписании сего, а остальные...»

Мендель *(указывая пальцем на турка, безмятежно курившего кальян в углу)*. Вон человек сидит, обсуждает меня.

Пятирубель. Верно, обсуждает... А ну, стукнитесь! *(Фомину.)* Ей-Богу, сейчас человека убьет.

Фомин. Авось не убьет.

Рябцов. Дуришь, дурак! Гость этот — турок, святой человек.

Потаповна *(потягивает вино мелкими глотками и блаженно смеется)*. Папочкина дочка!

Фомин. Вот, дорогой, тут и распишись.

Потаповна *(хлопает Фомина по груди)*. Здеся у него, у Васьки, деньги, здеся они!

Мендель. Расписаться, говоришь?.. *(Шаркая сапогами, он идет через весь трактир к турку, садится рядом с ним)*. И што я, дорогой человек, девок поимел на моем веку, и што я счастья видел, и дом поставил, и сынов выходил,— цена этому, дорогой человек, двенадцать тысяч. А потом крышка — помирай!

> Турок кланяется, прикладывает руку к сердцу, ко лбу.
> Мендель бережно целует его в губы.

Фомин *(Потаповне)*. Значит, янкеля со мной вертеть?

Потаповна. Продаст он, Василий Елисеевич, убиться мне, если не продаст!

Мендель *(возвращается, мотает головой)*. Скука какая!

Митя. Вот те и скука — платить надо.

Мендель. Уйди!

Митя. Врешь, уплатишь!

Мендель. Убью!

Митя. Ответишь.

Мендель (*кладет голову на стол и плюет. Длинная его слюна тянется, как резина*). Уйди, я спать буду...

Митя. Не платишь? Ох, старички, убивать буду!

Пятирубель. Погоди убивать. Ты сколько с него за полбутылки гребешь?

Митя (*распалился*). Я мальчик злой, я покусаю!

Мендель, не поднимая головы, выбрасывает из кармана деньги. Монеты катятся по полу. Митя ползет за ними, подбирает. Заспанная девка дует на лампы, тушит их. Темно. Мендель спит, положив голову на стол.

Фомин (*Потаповне*). Суешься поперед батьки... Стучишь языком, как собака бегает... Всю музыку испортила!

Потаповна (*выжимает слезы из грязных мятых морщин*). Василий Елисеевич, я дочку жалею.

Фомин. Жалеть умеючи надо.

Потаповна. Жиды как воши обсели.

Фомин. Жид умному не помеха.

Потаповна. Продаст он, Василий Елисеевич, покуражится и продаст.

Фомин (*грозно, медленно*). А не продаст, так Богом Иисусом Христом, Богом нашим вседержителем божусь тебе, старая, домой придем — я со спины у тебя ремни резать буду!

Четвертая сцена

Мансарда Потаповны. Старуха, разодетая в новое яркое платье, лежит на окне и переговаривается с соседкой. Из окна виден порт, блистающее море. На столе ворох покупок — отрез материи, дамские туфли, шелковый зонтик.

Голос соседки. Погордиться бы пришла, покрасоваться перед нами.

Потаповна. Да приду к вам, проведаю...

Голос соседки. А то в одном ряду на птичьей девятнадцать лет торговали, и хвать — нет ее, Потаповны.

Потаповна. Да авось я не присужденная к курям к этим. Видно, не век мне маяться...

Голос соседки. Видно, что не век.

Потаповна. У людей-то небось на Потаповну глаза разбегаются?

Голос соседки. Каково разбегаются-то! Счастья-то каждому подай. Испеки да подай...

Потаповна (*смеется, тучное ее тело сотрясается*). Девка-то, вишь, не у всякого есть.

Голос соседки. Девка-то, говорят, худая.

Потаповна. У кости, милая, мясо слаще.

Голос соседки. Сыны, слышь, против вас копают...

Потаповна. Девка сынов перетянет.

Голос соседки. И я говорю — перетянет.

Потаповна. Старик небось девку не бросает.

Голос соседки. Сады, слышь, он вам покупает...

Потаповна. А еще чего люди говорят?

Голос соседки. Да ничего не говорят, только гавкают. Кто их разберет?

Потаповна. Разберем. Я разберу... Про полотно-то чего толкуют?

Голос соседки. Толкуют, старик вам двадцать аршин справил.

Потаповна. Пятьдесят!

Голос соседки. Башмаков пару...

Потаповна. Три!

Голос соседки. Очень смертно любят старики.

Потаповна. Видно, к курям-то мы не присужденные...

Голос соседки. Видно, не присужденные. Покрасоваться бы пришла, погордиться перед нами.

Потаповна. Приду. Проведаю вас... Прощай, милая!

Голос соседки. Прощай, милая!

Потаповна слезает с окна. Переваливаясь, напевая, бродит она по комнате, открывает шкаф. Взбирается на стул, чтобы достать до верхней полки, на которой штоф наливки; пьет, закусывает трубочкой с кремом. В комнату входит Мендель, одетый по-праздничному, и Маруся.

Маруся (*очень звонко*). Птичка-то наша куда взгромоздилась! Сбегайте к Мойсейке, мама.

Потаповна (*слезая со стула*). А чего купить?

Маруся. Кавуны купите, бутылку вина, копченой скумбрии полдесятка... (*Менделю.*) Дай ей рубль.

Потаповна. Не хватит рубля.

Маруся. Арапа не заправляйте! Хватит, еще сдачи будет.

Потаповна. Не хватит мне рубля.

Маруся. Хватит! Придете через час. (*Она выталкивает мать, захлопывает дверь, запирает ее на ключ.*)

Голос Потаповны. Я за воротами посижу, надо будет — покличешь.

Маруся. Ладно. (*Она бросает на стол шляпку, распускает волосы, заплетает золотую косу. Голосом, полным силы, звона и веселья, она продолжает прерванный рассказ.*) ...Пришли на кладбище, глядим — первый час. Все похороны отошли, народу никакого, только в кустах целуются. У крестного могилка хорошенькая — чудо!.. Я кутью разложила, мадеру, что ты мне дал, две бутылки, побежала за отцом Иоанном. Отец Иоанн старенький, с голубенькими глазами, ты его знать должен...

Мендель смотрит на Марусю с обожанием. Он дрожит и мычит что-то в ответ; непонятно, что мычит.

Батюшка панихиду отслужил, я ему рюмку мадеры налила, рюмку полотенцем вытерла, он выпил, я ему вторую... (*Маруся заплела косу, распушила конец. Она садится на кровать, расшнуровывает желтые, длинные, по тогдашней моде, башмаки.*) Ксенька, та как будто не у отца на могиле, надулась, как мышь на крупу, вся накрашенная, намазанная, жениха глазами ест. А Сергей Иванович, тот мне все бутерброды мажет... Я Ксеньке в пику и говорю... Что вы, говорю, Сергей Иваныч, Ксении Матвеевне, невесте вашей, внимание не уделяете?.. Сказала, и проехало. Мадеру мы твою дочиста выпили... (*Маруся снимает башмаки и чулки, она идет босиком к окну, задергивает занавеску.*) Крестная все плакала, а потом стала розовая, как барышня, хорошенькая — чудо! Я тоже выпила — и Сергею Иванычу

(Маруся раскрывает постель): айда, Сергей Иваныч, на Ланжерон купаться! Он: айда! *(Маруся хохочет, стягивает с себя платье, оно подается туго.)* А у Ксеньки-то спина небось полна прыщей, и ноги три года не мыла... Она на меня тут язык свой спустила *(Маруся перекрыта с головой наполовину стянутым платьем):* ты, мол, фасон давишь, ты интересантка, ты то, ты се, на стариковы деньги позарилась, ну, тебя отошьют от этих денег... *(Маруся сняла платье и прыгнула в постель.)* А я ей: знаешь что, Ксенька,— это я ей — не дразни ты, Ксенька, моих собак... Сергей Иваныч слушает нас, помирает со смеху!.. *(Голой девической прекрасной рукой Маруся тащит к себе Менделя. Она снимает с него пиджак и швыряет пиджак на пол.)* Ну, иди сюда, скажи — Марусичка...

Мендель. Марусичка!

Маруся. Скажи — Марусичка, солнышко мое...

Старик хрипит, дрожит, не то плачет, не то смеется.

(Ласково.) Ах ты, рыло!

Пятая сцена

Синагога общества извозопромышленников на Молдаванке. Богослужение в пятницу вечером. Зажженные свечи. У амвона кантор Цвибак в талесе и сапогах. Прихожане, красноморые извозчики, оглушительно беседуют с Богом, слоняются по синагоге, раскачиваются, отплевываются. Ужаленные внезапной пчелой благодати, они издают громовые восклицания, подпевают кантору неистовыми, привычными голосами, стихают, долго бормочут себе под нос и потом снова ревут, как разбуженные волы. В глубине синагоги, над фолиантом Талмуда склонились два древних еврея, два костистых горбатых гиганта с желтыми бородами, свороченными набок. Арье-Лейб, шамес, величественно расхаживает между рядами. На передней скамье толстяк с оттопыренными румяными щеками зажал между коленями мальчика лет десяти. Отец тычет мальчика в молитвенник. На боковой скамье Беня Крик. Позади него сидит Сенька Топун. Они не подают вида, что знакомы друг с другом.

Кантор *(возглашает).* Лху нранно ладонай норийо ицур ишейну!

Извозчики подхватили напев. Гудение молитвы.

Арбоим шоно окут бдойр вооймар... *(Сдавленным голосом.)* Арье-Лейб, крысы!

Арье-Лейб. Ширу ладонай шир ходош. Ой, пойте Господу новую песню... *(Подходит к молящемуся еврею.)* Как стоит сено?

Еврей *(раскачивается).* Поднялось.

Арье-Лейб. На много?

Еврей. Пятьдесят две копейки.

Арье-Лейб. Доживем, будет шестьдесят.

Кантор. Лифней адонай ки во, ки во мишпойт гоорец...* Арье-Лейб, крысы!

Арье-Лейб. Довольно кричать, буян.

Кантор *(сдавленным голосом).* Я увижу еще одну крысу — я сделаю несчастье.

Арье-Лейб *(безмятежно).* Лифней адонай ки во, ки во... Ой, стою, ой, стою перед Господом... Как стоит овес?

Второй еврей *(не прерывая молитвы).* Рупь четыре, рупь четыре...

Арье-Лейб. С ума сойти!

Второй еврей *(раскачивается с ожесточением).* Будет рупь десять, будет рупь десять...

Арье-Лейб. С ума сойти! Лифней адонай ки во, ки во...

Все молятся. В наступившей тишине слышны отрывистые приглушенные слова, которыми обмениваются Беня Крик и Сенька Топун.

Беня *(склонился над молитвенником).* Ну?

Сенька *(за спиной Бени).* Есть дело.

Беня. Какое дело?

Сенька. Оптовое дело.

Беня. Что можно взять?

Сенька. Сукно.

Беня. Много сукна?

Сенька. Много.

Беня. Какой городовой?

---

* Перед лицом Господа Бога — силы моей... *(евр.).*

Сенька. Городового не будет.

Беня. Ночной сторож?

Сенька. Ночной сторож в доле.

Беня. Соседи?

Сенька. Соседи согласны спать.

Беня. Что ты хочешь с этого дела?

Сенька. Половину.

Беня. Мы не сделали дела.

Сенька. Докладываешь батькино наследство?

Беня. Докладываю батькино наследство.

Сенька. Что ты даешь?

Беня. Мы не сделали дела.

Грянул выстрел. Кантор Цвибак застрелил пробежавшую мимо амвона крысу. Молящиеся воззрились на кантора. Мальчик, стиснутый скучными коленями отца, бьется, пытается вырваться. Арье-Лейб застыл с раскрытым ртом. Талмудисты подняли равнодушные большие лица.

Толстяк с румяными щеками. Цвибак, это босяцкая выходка!

Кантор. Я договаривался молиться в синагоге, а не в кладовке с крысами. *(Он оттягивает дуло револьвера, выбрасывает гильзу.)*

Арье-Лейб. Ай, босяк, ай, хам!

Кантор *(указывает револьвером на убитую крысу).* Смотрите на эту крысу, евреи, позовите людей. Пусть люди скажут, что это не корова...

Арье-Лейб. Босяк, босяк, босяк!..

Кантор *(хладнокровно).* Конец этим крысам. *(Он заворачивается в талес и подносит к уху камертон.)*

Мальчик разжал наконец плен отцовских коленей, ринулся к гильзе, схватил ее и убежал.

1-й еврей. Гоняешься целый день за копейкой, приходишь в синагогу получить удовольствие и — на тебе!

Арье-Лейб *(визжит).* Евреи, это шарлатанство! Евреи, вы не знаете, что здесь происходит! Молочники дают этому босяку на десять рублей больше... Иди к молочникам, босяк, целуй молочников туда, куда ты их должен целовать!

С е н ь к а (хлопает кулаком по молитвеннику). Пусть будет тихо! Нашли себе толчок!

К а н т о р (торжественно). Мизмойр лдовид!*

Все молятся.

Б е н я. Ну?

С е н ь к а. Есть люди.

Б е н я. Какие люди?

С е н ь к а. Грузины.

Б е н я. Имеют оружие?

С е н ь к а. Имеют оружие.

Б е н я. Откуда они взялись?

С е н ь к а. Живут рядом с вашим покупателем.

Б е н я. С каким покупателем?

С е н ь к а. Который ваше дело покупает.

Б е н я. Какое дело?

С е н ь к а. Ваше дело — площадки, дом, весь извоз.

Б е н я (оборачивается). Сказился?

С е н ь к а. Сам говорил.

Б е н я. Кто говорил?

С е н ь к а. Мендель говорил, отец... Едет с Маруськой в Бессарабию сады покупать.

Гул молитвы. Евреи завывают очень замысловато.

Б е н я. Сказился.

С е н ь к а. Все люди знают.

Б е н я. Божись!

С е н ь к а. Пусть мне счастья не видеть!

Б е н я. Матерью божись!

С е н ь к а. Пусть я мать живую не застану!

Б е н я. Еще божись, стерва!

С е н ь к а (пренебрежительно). Дурак ты!

К а н т о р. Борух ато адонай...**

---

* Песнь Давида! (евр.).
** Благословен ты, Господь Бог... (евр.).

Шестая сцена

Двор Криков. Закат. Семь часов вечера. У конюшни, на телеге с торчащим дышлом, сидит Беня и чистит револьвер. Левка прислонился к двери конюшни. Арье-Лейб объясняет сокровенный смысл «Песни Песней» тому самому мальчику, который в пятницу вечером удрал из синагоги. Никифор без толку мечется по двору. Он, видимо, чем-то обеспокоен.

Беня. Время идет. Дай времени дорогу!

Левка. Зарезать ко всем свиньям!

Беня. Время идет. Посторонись, Левка! Дай времени дорогу!

Арье-Лейб. «Песня Песней» учит нас — ночью на ложе моем искала я того, кого люблю... Что же говорит нам Рашэ?*

Никифор *(указывает Арье-Лейбу на братьев).* Вон выставились коло конюшни, как дубы.

Арье-Лейб. Вот что говорит нам Рашэ: ночью — это значит днем и ночью. Искала я на ложе моем... Кто искал? — спрашивает Рашэ. Израиль искал, народ Израиля. Того, кого люблю... Кого же любит Израиль? — спрашивает Рашэ. Израиль любит Тору, Тору любит Израиль.

Никифор. Я спрашиваю, зачем без дела коло конюшни стоять?

Беня. Кричи больше.

Никифор *(мечется по двору).* Я свое знаю... У меня хомуты пропадают. Кого хочу, того подозревать буду.

Арье-Лейб. Старый человек учит ребенка закону, а ты мешаешь ему, Никифор...

Никифор. Зачем они коло конюшни выставились, как дубы паршивые?

Беня *(разбирает револьвер, чистит).* Замечаю я, Никифор, что ты очень растревожился.

Никифор *(кричит, но в голосе его нет силы).* Я хомутам вашим не присягал! У меня, если хотите знать, брат на деревне живет, еще при силах! Меня, если хотите знать, брат с дорогой душой возьмет...

Беня. Кричи, кричи перед смертью.

* *Рашэ* — комментатор Священного Писания и Талмуда *(евр.).*

Никифор (*Арье-Лейбу*). Старик, скажи, зачем они так делают?

Арье-Лейб (*поднимает на кучера выцветшие глаза*). Один человек учит закон, а другой кричит, как корова. Разве так оно должно быть на свете?

Никифор. Ты смотришь, старик, а чего ты видишь? (*Уходит.*)

Беня. Растревожился наш Никифор.

Арье-Лейб. Ночью искала я на ложе моем. Кого искала?— учит нас Рашэ.

Мальчик. Рашэ учит нас — искала Тору.

Слышны громкие голоса.

Беня. Время идет. Посторонись, Левка, дай времени дорогу!

Входят Мендель, Бобринец, Никифор,
Пятирубель под хмельком.

Бобринец (*оглушительным голосом*). Если не ты, Мендель, отвезешь в гавань мою пшеницу, так кто же отвезет? Если не к тебе, Мендель, я пойду, так к кому же мне идти?

Мендель. Есть на свете люди, кроме Менделя. Есть на свете извоз, кроме моего извоза.

Бобринец. Нет в Одессе извоза, кроме твоего... Или ты пошлешь меня к Буцису с его клячами на трех ногах, к Журавленке с его побитыми лоханками?..

Мендель (*не глядя на сыновей*). Люди крутятся около моей конюшни.

Никифор. Выставились, как дубы паршивые.

Бобринец. Запряжешь мне завтра десять пар, Мендель, отвезешь пшеницу, получишь деньги, пропустишь шкалик, споешь песню... Ай, Мендель!

Пятирубель. Ай, Мендель!

Мендель. Зачем люди крутятся около моей конюшни?

Никифор. Хозяин, заради Бога!..

Мендель. Ну?

Никифор. Тикай со двора, хозяин, бо сыны твои...

Мендель. Что сыны мои?

Никифор. Сыны твои хочут лупцевать тебя.

Беня (*прыгнул с телеги на землю. Нагнув голову, он говорит раздельно*). Пришлось мне слышать от чужих людей, мне и брату моему Левке, что вы продаете, папаша, дело, в котором есть золотник и нашего пота...

Соседи, работавшие во дворе, придвигаются
поближе к Крикам.

Мендель (*смотрит в землю*). Люди, хозяева...

Беня. Правильно ли мы слышали, я и брат мой Левка?

Мендель. Люди и хозяева, вот смотрите на мою кровь (*он поднимает голову, и голос его крепнет*),— на мою кровь, которая заносит на меня руку...

Беня. Правильно ли мы слышали, я и брат мой Левка?

Мендель. Ой, не возьмете!.. (*Он кидается на Левку, валит его с ног, бьет по лицу.*)

Левка. Ой, возьмем!..

Небо залито кровью заката. Старик и Левка катаются по земле, раздирают друг другу лица, откатываются за сарай.

Никифор (*прислонился к стене*). Ох, грех...

Бобринец. Левка, отца?!.

Беня (*отчаянным голосом*). Никишка, счастьем тебе клянусь, он коней, дом, жизнь — все девке под ноги бросил!

Никифор. Ох, грех...

Пятирубель. Убью, кто разнимет! Чур, не разнимать!

Хрипение и стоны доносятся из-за сарая.

Не уродился еще человек на земле против Менделя.

Арье-Лейб. Иди со двора, Иван.

Пятирубель. Я ста рублями отвечу...

Арье-Лейб. Иди со двора, Иван.

Старик и Левка вываливаются из-за сарая. Они вскакивают
на ноги, но Мендель снова сшибает сына.

Бобринец. Левка, отца?!

Мендель. Не возьмешь! (*Он топчет сына.*)

Пятирубель. Ста рублями любому отвечу...

Мендель побеждает. У Левки выбиты зубы,
вырваны клочья волос.

Мендель. Не возьмешь!

Беня. Ой, возьмем! *(Он силой опускает рукоятку револьвера на голову отца.)*

Старик рухнул. Молчание.
Все ниже опускаются пылающие леса заката.

Никифор. Теперь убили.

Пятирубель *(склонился над неподвижным Менделем).* Миш?..

Левка *(приподнимается, хватаясь за землю кулаками. Он плачет и топает ногой).* Он под низ живота меня бил, сука!

Пятирубель. Миш?..

Беня *(оборачивается к толпе зевак).* Что вы здесь забыли?

Пятирубель. А я говорю — еще не вечер. Еще тыща верст до вечера.

Арье-Лейб *(на коленях перед поверженным стариком).* Ай, русский человек, зачем шуметь, что еще не вечер, когда ты видишь, что перед нами уже нет человека?

Левка *(кривые ручьи слез и крови текут по его лицу).* Он под низ живота меня бил, сука!

Пятирубель *(отходит, пошатываясь).* Двое — на одного.

Арье-Лейб. Иди со двора, Иван.

Пятирубель. Двое — на одного... Стыд, стыд на всю Молдаву! *(Уходит, спотыкаясь.)*

Арье-Лейб вытирает мокрым платком раздробленную голову Менделя. В глубине двора неверными кругами движется Нехама — одичавшая, грязно-серая. Она становится на колени рядом с Арье-Лейбом.

Нехама. Не молчи, Мендель.

Бобринец *(густым голосом).* Довольно строить штуки, старый шутник!

Нехама. Кричи что-нибудь, Мендель!

Бобринец. Вставай, старый ломовик, прополощи глотку, пропусти шкалик...

На земле, расставив босые ноги, сидит Левка. Он не торопясь выплевывает изо рта длинные ленты крови.

Беня *(загнал зевак в тупик, прижал к стене обезумевшего от страха парня лет двадцати и взял его за грудь).* Ну-ка, назад!

Молчание. Вечер. Синяя тьма, но над тьмою небо еще багрово, раскалено, изрыто огненными ямами.

Седьмая сцена

Каретник Криков — сваленные в кучу хомуты, распряженные дрожки, сбруя. Видна часть двора.

В дверях за небольшим столом пишет Беня. На него наскакивает лысый, нескладный мужик Семен, тут же шныряет мадам Попятник. Во дворе на телеге с торчащим дышлом сидит, свесив ноги, Майор. К стенке приставлена новая вывеска. На ней золотыми буквами: «Извозопромышленное заведение Мендель Крик и сыновья». Вывеска украшена гирляндами подков и скрещенными кнутами.

Семен. Я ничего не знаю... Мне штоб деньги были...

Беня *(продолжает писать).* Грубо говоришь, Семен.

Семен. Мне штоб деньги были... Я глотку вырву!

Беня. Добрый человек, я на тебя плевать хочу!

Семен. Ты куда старика дел?

Беня. Старик больной.

Семен. Вон тута на стенке он писал, сколько за овес следует, сколько за сено — все чисто. И платил. Двадцать годов ему возил, худого не видел.

Беня *(встает).* Ты ему возил, а мне не будешь, он на стенке писал, а я не буду писать, он платил тебе, а я, может, и не заплачу, потому что...

Мадам Попятник *(с величайшим неодобрением разглядывает мужика).* Человек, когда он дурак,— это очень паскудно.

Беня. ...потому что ты можешь у меня помереть, не поужинав, добрый человек.

Семен *(струсил, но еще петушится).* Мне штоб деньги были!

Мадам Попятник. Я не философка, мосье Крик, но я вижу, что на свете живут люди, которые совсем не должны жить на свете.

Беня. Никифор!

Входит Никифор, он смотрит исподлобья, говорит нехотя.

Никифор. Я Никифор.

Беня. Рассчитаешь Семена и возьмешь у Грошева.

Никифор. Там поденные пришли, спрашивают, кто с ними уговариваться будет.

Беня. Я буду уговариваться.

Никифор. Стряпка там шурует. У ней самовар хозяин в заклад брал. У кого, спрашивает, самовар выкупать?

Беня. У меня выкупать... Семена рассчитаешь вчистую. Возьмешь у Грошева сена пятьсот пудов...

Семен *(остолбенев).* Пятьсот?! Двадцать годов возил...

Мадам Попятник. За свои деньги можно достать и сено, и овес, и вещи получше сена.

Беня. Овса — двести.

Семен. Я возить не отказываюсь.

Беня. Потеряй мой адрес, Семен.

Семен мнет шапку, вертит шеей, уходит,
оборачивается, опять уходит.

Мадам Попятник. Один паскудный мужик и так разволновал вас... Боже мой, если бы люди захотели вспомнить, кто им остался должен! Еще сегодня я говорю моему Майору: муж, миленький муж, Мендель Крик заслужил у нас эти несчастные два рубля...

Майор *(мелодическим глухим голосом).* Рубль девяносто пять.

Беня. Какие два рубля?

Мадам Попятник. Не о чем говорить, ей-Богу, не о чем говорить!.. В прошлый четверг у мосье Крика было дивное настроение, он заказал военное... Сколько раз военное, Майор?

Майор. Военное — девять раз.

Мадам Попятник. И потом танцы...

Майор. Двадцать один танец.

Мадам Попятник. Вышло рубль девяносто пять. Боже мой, заплатить музыканту — это было у мосье Крика на первом плане...

Шлепая сапогами, входит Никифор. Он смотрит в сторону.

Никифор. Потаповна пришла.
Беня. Зачем мне знать, что кто-то пришел?
Никифор. Грозится.
Беня. Зачем мне знать...

Припадая на ногу, ворочая чудовищным бедром, вламывается Потаповна. Старуха пьяна. Она валится на землю и устремляет на Беню мутные немигающие глаза.

Потаповна. Цари наши...
Беня. Что скажете, мадам Холоденко?
Потаповна. Цари наши...
Никифор. Пошла дурить!
Потаповна (*подмигивает*). Д-ж-ж, жидовские шарики жужжат... Прыгают в голове шарики — д-ж-ж-ж.
Беня. В чем суть, мадам Холоденко?
Потаповна (*бьет по земле кулаком*). Правильно, правильно! Нехай умный панует, а свинья в монопольку...
Мадам Попятник. Интеллигентная дама!
Потаповна (*разбрасывает по земле медяки*). Вот сорок копеек заработала... Встала, света не было, мужиков на Балтской дороге поджидала... (*Задирает голову к небу.*) Теперь сколько часов будет? Три будет?
Беня. В чем суть, мадам Холоденко?
Потаповна. Д-ж-ж-ж, пустил шарики...
Беня. Никифор!
Никифор. Ну?
Потаповна (*подманивает Никифора толстым слабым пьяным пальцем*). А девочка-то наша занеслась, Никиша!
Мадам Попятник (*присела и зажглась*). Интрига, ай, какая интрига!
Беня. Что вы потеряли здесь, мадам Попятник, и что вы хотите здесь найти?
Мадам Попятник (*приседает, глазки ее ворочаются, стреляют, сыплют искры*). Я иду... я иду... Дай Бог свидеться в счастье, в удовольствии, в добрый час,

в счастливую минуту!.. (*Она дергает мужа за руки, пятится, вертится, глаза стали у нее косые и светят вбок черным огнем.*)

Майор тащится за женой и шевелит пальцами.
Наконец они исчезают.

Потаповна (*размазывает слезы по мятому дряблому лицу*). Ночью я к ней подобралась, грудь тронула, я ей каждую ночь грудь трогаю, а у ней уже налилось, в руке не помещается.

Беня (*лоск с него слетел. Он говорит быстро, оглядывается*). Какой месяц?

Потаповна (*не мигая смотрит она на Беню с земли*). Четвертый.

Беня. Врешь!

Потаповна. Ну, третий.

Беня. Чего тебе от нас надо?

Потаповна. Д-ж-ж, пустил шарики...

Беня. Чего тебе надо?

Потаповна (*подвязывает платок*). Вычистка сто рублей стоит.

Беня. Двадцать пять!

Потаповна. Портовых наведу.

Беня. Портовых наведешь?.. Никифор!

Никифор. Я Никифор.

Беня. Взойди к папаше и спроси его, приказывает он давать двадцать пять...

Потаповна. Сто!

Беня. ...двадцать пять рублей на вычистку или не приказывает?

Никифор. Не взойду я.

Беня. Не взойдешь?! (*Он бросается к ситцевой занавеске, разделяющей каретник на две половины.*)

Никифор (*хватает Беню за руки*). Парень, я Бога не боюсь... Я Бога видел и не испугался... Я убью и не испугаюсь...

Занавеска трепещет и раздвигается. Выходит Мендель. За спину у него закинуты сапоги. Лицо его сине и одутловато, как лицо мертвеца.

Мендель. Отоприте.

Потаповна. Ай, страшно!

Никифор. Хозяин!

К каретнику приближаются Арье-Лейб и Левка.

Мендель. Отоприте.

Потаповна *(лезет по полу)*. Ай, страшно!

Беня. Взойдите в помещение к вашей супруге, папаша.

Мендель. Ты отопрешь мне ворота, Никифор, сердце мое...

Никифор *(падает на колени)*. Великодушно прошу вас, хозяин, не страмитесь передо мной, простым человеком!

Мендель. Почему ты не хочешь отпереть ворота, Никифор? Почему ты не хочешь выпустить меня из двора, в котором я отбыл мою жизнь? *(Голос старика усиливается, свет разгорается на дне его глаз.)* Он видел меня, этот двор, отцом моих детей, мужем моей жены, хозяином над моими конями. Он видел силу мою, и двадцать моих жеребцов, и двенадцать площадок, окованных железом. Он видел ноги мои, большие, как столбы, и руки мои, злые руки мои... А теперь отоприте мне, дорогие сыны, пусть будет сегодня так, как я хочу. Пусть я уйду из этого двора, который видел слишком много...

Беня. Взойдите в помещение к вашей супруге, папаша! *(Он приближается к отцу.)*

Мендель. Не бей меня, Бенчик.

Левка. Не бей его.

Беня. Низкие люди!.. *(Пауза.)* Как вы могли... *(Пауза.)* Как могли вы сказать то, что вы только что сказали?

Арье-Лейб. Отчего вы не видите, люди, что вам надо уйти отсюда?

Беня. Звери, о звери!.. *(Он быстро уходит. Левка за ним.)*

Арье-Лейб *(ведет Менделя к лежанке)*. Мы отдохнем, Мендель, мы заснем...

Потаповна *(поднялась с земли и заплакала)*. Убили сокола!..

Арье-Лейб *(укладывает Менделя на лежанке за занавеской)*. Мы заснем, Мендель...

Потаповна *(валится на землю рядом с лежанкой, она целует свисающую безжизненную руку старика).* Сыночек мой, любочка моя!

Арье-Лейб *(перекрывает лицо Менделя платком, садится и начинает тихо, издалека).* В старые старинные времена жил человек Давид. Он был пастух и потом был царь, царь над Израилем, над войском Израиля и над мудрецами его...

Потаповна *(всхлипывает).* Сыночек мой!

Арье-Лейб. Богатство испытал Давид и славу, но не узнал сытости. Сила жаждет, и только печаль утоляет сердце. Состарившись, увидел Давид-царь на крышах Иерусалима, под небом Иерусалима Вирсавию, жену Урии-военачальника. Грудь Вирсавии была красива, ноги ее были красивы, веселье ее было велико. И был послан Урия-военачальник в битву, и царь соединился с Вирсавией, женой мужа, еще не умерщвленного. Грудь ее была красива, веселье ее было велико...

Восьмая сцена

Столовая в доме Криков. Вечер. Комната ярко освещена домерощенной висячей лампой, свечами, вставленными в канделябры, и старинными голубыми лампами, ввинченными в стену. У стола, убранного цветами, заставленного закусками и вином, суетится мадам Попятник, облачившаяся в шелковое платье. В глубине столовой безмолвно сидит Майор. На нем вздулась бумажная манишка, флейта покоится на его коленях, он шевелит пальцами и двигает головой. Много гостей. Одни расхаживают по анфиладе раскрытых комнат, другие сидят у стены. В столовую входит беременная Клаша Зубарева. На ней платок, расписанный гигантскими цветами. За Клашей вваливается пьяный Левка, наряженный в парадную гусарскую форму.

Левка *(орет кавалерийские сигналы).*

Всадники, други, вперед!
Рысью вперед!
По временам коням
Освежайте рот.

Клаша *(хохочет).* Ой, живот! Ой, выкину!..

Левка. Левый шенкель приложи и направо поверни!

Клаша. Ой, уморил!..

Проходят навстречу им Боярский в сюртуке и Двойра.

Боярский. Мамзель Крик, на черное я не скажу, что оно белое, и на белое не позволю себе сказать, что оно черное. С тремя тысячами мы ставим конфексион на Дерибасовской и венчаемся в добрый час.

Двойра. Но почему сразу все три тысячи?

Боярский. Потому, что мы имеем сегодня июль на дворе, а июль — это же не сентябрь. Демисезонный товар работает у меня июль, а сентябрь работает у меня саки... Что вы имеете после сентября? Ничего. Сентяб, октяб, нояб, декаб... На ночь я не скажу, что это день, и на день не позволю себе сказать, что это ночь...

Проходят. Появляются Беня и Бобринец.

Беня. У вас готово, мадам Попятник?

Мадам Попятник. Николаю Второму не стыдно сесть за такой стол!

Бобринец. Вырази мне твою мысль, Беня.

Беня. Моя мысль такая: еврей не первой молодости, еврей, отходивший всю свою жизнь голый, и босой, и замазанный, как ссыльнопоселенец с острова Сахалина... И теперь, когда он, благодаря Бога, вошел в свои пожилые годы, надо сделать конец этой бессрочной каторге, надо сделать, чтобы суббота была субботой...

Проходят Боярский и Двойра.

Боярский. Сентяб, октяб, нояб, декаб...

Двойра. И потом, я хочу, чтобы вы меня немножко любили, Боярский.

Боярский. А что с вами делать, если не любить вас? На котлеты вас рубить? Смешно, ей-Богу!..

Проходят. У стены, под голубой лампой, сидит степенный прасол и парень в тройке, с толстыми ногами. Парень осторожно грызет подсолнухи и прячет шелуху в карман.

Парень с толстыми ногами. Р-раз ему в морду, два ему в морду, старик с катушек слетел.

Прасол. Татары — и те стариков почитают. Жизнь пройти — не поле перейти.

Парень с толстыми ногами. Кабы человек ловчился жить, а то... *(сплевывает шелуху)* а то живет, как поживется. За что почитать-то?

Прасол. Что с дураком толковать...

Парень с толстыми ногами. Бенчик сена одного тыщу пудов купил.

Прасол. Старик по сто покупал — хватало.

Парень с толстыми ногами. Старика они все равно зарежут.

Прасол. Это жиды-то? Это отца-то?

Парень с толстыми ногами. Зарежут до смерти.

Прасол. Толкуй с дураком...

Проходят Беня и Бобринец.

Бобринец. Что же ты хочешь, Беня?

Беня. Я хочу, чтобы суббота была субботой. Я хочу, чтобы мы были люди не хуже других людей. Я хочу ходить вниз ногами и вверх головой... Ты понял меня, Бобринец?

Бобринец. Я понял тебя, Бенчик.

У стены рядом с Пятирубелем сидят надувшиеся от величия богачи муж и жена Вайнер.

Пятирубель *(тщетно ищет у них сочувствия)*. Городовикам ремни обрывал, на главной почте швейцара бил. По четверти выпивал не закусывая, всю Одессу в руках держал... Вот какой старик был!

Вайнер долго ворочает тяжелым слюнявым языком, но разобрать, что он говорит, невозможно.

(Робко.) Они гундосые?

Мадам Вайнер *(злобно)*. Ну да!

Проходят Двойра и Боярский.

Боярский. Сентяб, октяб, нояб, декаб...

Двойра. И потом, я хочу ребенка, Боярский.

Боярский. Вот видите, ребенок при конфексионе — это красиво, это имеет вид. А ребенок без дела — какой это может иметь вид?

В величайшем возбуждении влетает мадам Попятник.

Мадам Попятник. Бен Зхарья приехал! Раввин... Бен Зхарья...

Комната наполняется гостями. Среди них Двойра, Левка, Беня, Клаша Зубарева, Сенька Топун; напомаженные кучера, переваливающиеся лавочники, пересмеивающиеся бабы.

Парень с толстыми ногами. На деньги и раввин прибежал. Тут как тут.

Арье-Лейб и Бобринец вкатывают большое кресло. Оно прячет в развороченных своих недрах крохотное тельце Бен Зхарьи.

Бен Зхарья *(визгливо)*. Еще только рассвет чихает, еще Бог на небе красной водой умывается...

Бобринец *(хохочет, предвкушая замысловатый ответ)*. Почему красной, рабби?

Бен Зхарья. ...еще я на спине лежу, как таракан...

Бобринец. Почему на спине, рабби?

Бен Зхарья. По утрам Бог переворачивает меня на спину, чтобы я не мог молиться. Богу надоели мои молитвы...

Бобринец шумно хохочет.

Еще курицы не вставали, а меня будит Арье-Лейб: бегите к Крикам, рабби, у них ужин, у них обед. Крики дадут вам пить, они дадут вам есть...

Беня. Они дадут вам пить, они дадут вам есть, все, что вы захотите, рабби.

Бен Зхарья. Все, что я захочу?.. И лошадей своих отдашь?

Беня. И лошадей моих отдам.

Бен Зхарья. Сбегайте тогда, евреи, в погребальное братство, запрягите его лошадей в их колесницу и отвезите меня... куда?

Бобринец. Куда, рабби?

Бен Зхарья. На второе еврейское кладбище, дуралей!

Бобринец *(шумно хохочет, срывает с раввина ермолку и целует его облезлую, розовую макушку)*. Ай, хулиган!.. Ай, умница!..

Арье-Лейб (*представляет Беню*). Это он и есть, рабби, сын Менделя — Бенцион.

Бен Захарья (*жует губами*). Бенцион... сын Сиона... *(Молчит.)* Соловья не кормят баснями, сын Сиона, а женщин мудростью...

Левка (*оглушительным голосом*). Кидайтесь на стулья, урканы, жмите скамейки!

Клаша (*качает головой, улыбается*). Ох, здоровый!

Беня (*мечет на брата негодующий взгляд*). Дорогие, присаживайтесь! Мосье Бобринец сядет рядом с рабби.

Бен Захарья (*ерзает в кресле*). Зачем я сяду с этим евреем, длинным, как наше изгнанье? Пусть государственный банк (*тычет пальцем в Клашу*) сядет рядом со мной...

Бобринец (*предвкушая новую остроту*). Почему государственный банк?

Бен Захарья. Она лучше банка. В нее хорошо положишь — она такой процент даст, что пшенице завидно. Плохое в нее положишь — она всеми кишками заскрипит, чтобы выменять поломанную твою копейку на новый золотой... Она лучше банка, она лучше банка...

Бобринец (*поднял кверху палец*). Надо понимать, что он говорит.

Бен Захарья. А где же звезда наша во Израиле, где хозяин дома сего, где рабби Мендель Крик?

Левка. Он сегодня больной.

Беня. Рабби, он здоров... Никифор!

В дверях показывается Никифор
в затрапезном своем армяке.

Пусть взойдет папаша со своей супругой.

Молчание.

Никифор (*отчаянным голосом*). Уважающие гости!..

Беня (*очень медленно*). Пусть взойдет папаша.

Арье-Лейб. Бенчик, у нас, евреев, отца не срамят перед людьми.

Левка. Рабби, человек так не мучает кабанчика, как он мучает папашу.

Вайнер возмущенно лопочет, брызгается слюной.

Беня *(склоняется к мадам Вайнер).* Что он говорит?

Мадам Вайнер. Он говорит — стыд и срам!

Арье-Лейб. Евреи так не делают, Беня!

Клаша. Расти сынов...

Беня. Арье-Лейб, старый человек, старый сват, служитель в синагоге биндюжников и кладбищенский кантор, не расскажешь ли ты мне, как делаются дела у людей?.. *(Он стучит кулаком по столу и говорит с расстановкой, сопровождая каждое слово ударом кулака.)* Пусть взойдут папаша!

Никифор исчез. Склонив голову, расставив ноги, стоит Беня посреди комнаты. Медленная кровь заливает его шею. Молчание. И только бессмысленное бормотанье Бен Зхарьи нарушает томительную тишину.

Бен Зхарья. Бог умывается на небе красной водой. *(Молчит, ерзает в кресле.)* Почему красной, почему не белой? Потому что красная веселее белой...

Половинки боковой двери скрипят, стонут и расходятся. Все лица обращаются в эту сторону. Показывается Мендель с иссеченным запудренным лицом. Он в новом костюме. С ним Нехама в наколке, в тяжелом бархатном платье.

Беня. Друзья, сидящие в моем доме! Этот бокальчик позвольте мне поднять за моего отца, за труженика Менделя Крика, и его супругу, Нехаму Борисовну, которые тридцать пять лет идут по совместной дороге жизни. Дорогие! Мы знаем, слишком хорошо мы знаем, что никто не выложил цементом эту дорогу, никто не поставил скамеек на длинном этом пути, и оттого, что великие кучи людей пробежали по этой дороге, она не стала легче, она стала тяжелее. Друзья, сидящие в моем доме! Я жду от вас, что вы не разбавите водой вино в ваших стаканах и вино в ваших сердцах.

Вайнер восторженно лопочет.

Что он говорит?

Мадам Вайнер. Он говорит — ура!

Беня *(ни на кого не глядя).* Учи меня, Арье-Лейб!.. *(Подносит отцу и матери вино.)* Наши гости почитают вас, папаша. Скажите слово.

Мендель *(озирается и говорит очень тихо).* Желаю доброго здоровья...

Беня. Папаша хочет сказать, что он жертвует сто рублей в чью-нибудь пользу.

Прасол. Толкуют мне про жидов...

Беня. Пятьсот рублей жертвует папаша. В чью пользу, рабби?

Бен Зхарья. В чью пользу? Молоко в девушке не должно киснуть, евреи... В пользу невест-бесприданниц надо пожертвовать!

Бобринец *(заливается хохотом).* Ай, хулиган!.. Ай, умница!..

Мадам Попятник. Я даю туш.

Беня. Давайте!

> Заунывный туш оглашает комнату. Вереница гостей с бокалами тянется к Менделю и Нехаме.

Клаша Зубарева. Ваше здоровье, дедушка!

Сенька Топун. Вагон удовольствия, папаша, сто тысяч на мелкие расходы!

Беня *(ни на кого не глядя).* Учи меня, Арье-Лейб!

Бобринец. Мендель, дай Бог мне иметь такого сына, как твой сын!

Левка *(через весь стол).* Папаша, не серчайте! Папаша, вы свое отгуляли...

Прасол. Толкуют мне про жидов! Я жидов получше вашего знаю...

Пятирубель *(лезет к Бене и порывается целовать его).* Ты нас купишь, черт, и продашь, и в узел завяжешь!

> Громкое рыдание раздается за спиной Бени. Слезы текут по лицу Арье-Лейба и опутывают его бороду. Он трясется и целует плечо Бени.

Арье-Лейб. Пятьдесят лет, Бенчик! Пятьдесят лет вместе с твоим отцом... *(Кричит истерически.)* У тебя был хороший отец, Беня!

Вайнер *(обрел дар речи).* Выведите его!

Мадам Вайнер. Боже, какие штуки!

Боярский. Арье-Лейб, вы ошиблись. Теперь надо смеяться.

Вайнер. Выведите его!

Арье-Лейб *(всхлипывает).* У тебя был хороший отец, Беня...

Мендель бледнеет под своей пудрой. Он протягивает Арье-Лейбу новый платок. Тот вытирает слезы. Плачет и смеется.

Бобринец. Болван, вы не у себя на кладбище!

Пятирубель. Свет наскрозь пройдете, такого Бенчика не сыщете. Я об заклад буду биться...

Беня. Дорогие, присаживайтесь!

Левка. Жмите скамейки, урканы!

Гром сдвигаемых стульев. Менделя усаживают
рядом с рабби и Клашей Зубаревой.

Бен Зхарья. Евреи!

Бобринец. Тихо чтоб было!

Бен Зхарья. Старый дуралей Бен Зхарья хочет сказать слово...

Левка фыркает, падает грудью на стол,
но Беня встряхивает его, и он замолкает.

День есть день, евреи, и вечер есть вечер. День затопляет нас потом трудов наших, но вечер держит наготове веера своей божественной прохлады. Иисус Навин, остановивший солнце, всего только сумасброд. Иисус из Назарета, укравший солнце, был злой безумец. И вот Мендель Крик, прихожанин нашей синагоги, оказался не умнее Иисуса Навина. Всю жизнь хотел он жариться на солнцепеке, всю жизнь хотел он стоять на том месте, где его застал полдень. Но Бог имеет городовых на каждой улице, и Мендель Крик имел сынов в своем доме. Городовые приходят и делают порядок. День есть день, и вечер есть вечер. Все в порядке, евреи. Выпьем рюмку водки!

Левка. Выпьем рюмку водки!..

Дребезжанье флейты, звон бокалов,
бессвязные крики, громовой хохот.

Мария

Пьеса в 8 картинах

Действующие лица

Муковнин Николай Васильевич.

Людмила — его дочь.

Фельзен Катерина Вячеславовна.

Дымшиц Исаак Маркович.

Голицын Сергей Илларионович — бывший князь.

Нефедовна — нянька в доме Муковнина.

Евстигнеич
Бишонков } инвалиды.
Филипп

Висковский — бывший ротмистр гвардии.

Кравченко.

Мадам Дора.

Надзиратель — в милиции.

Калмыкова — горничная в номерах на Невском, 86.

Агаша — дворничиха.

Андрей }
Кузьма } полотеры.

Сушкин.

Сафонов — рабочий.

Елена — его жена.

Нюшка.

Милиционер.

Пьяный — в милиции.

Красноармеец — с фронта.

Действие происходит в Петрограде
в первые годы революции.

Картина первая

Номера на Невском. Комната Дымшица — грязно, нагромождение мешков, ящиков, мебели. Два инвалида, Бишонков и Евстигнеич, раскладывают привезенные продукты. У Евстигнеича — тучного человека с большим красным лицом — выше колен отняты ноги. У Бишонкова зашпилен пустой рукав. На груди у инвалидов — медали, Георгиевские кресты.

Дымшиц бросает на счетах.

Е в с т и г н е и ч. Дорогу всю расшлепали... Зандберг был на Вырице, людям жить давал,— убрали.

Б и ш о н к о в. Слишком тиранят, Исаак Маркович.

Д ы м ш и ц. А Королев есть?

Е в с т и г н е и ч. Зачем «есть» — коцнули. Дорогу как есть расшлепали, все заградиловки новые.

Б и ш о н к о в. Слишком стало затруднительно с продуктовым делом, Исаак Маркович. К одной заградиловке привыкнешь, а ее уже нет. Хоть бы отбирали, а то ведь смерть к глазам приставляют.

Е в с т и г н е и ч. Ума не дашь... Кажный день изобретение делают... Подъезжаем нонче к Царскосельскому — стрельба. Что такое?.. Думаем — власть отошла, а они это моду такую взяли — допрежде всякого разбору бахать.

Б и ш о н к о в. Большое богатство продуктов нонешний день отобрали. Деткам, говорят, пойдет... В Царском Селе в настоящее время одни дети — колония считается.

Е в с т и г н е и ч. Деткам, да с бородой.

Б и ш о н к о в. А если я голодный, неужели ж я себе не возьму? Обязательно я себе возьму, если я голодный.

Д ы м ш и ц. Где Филипп? Я о Филиппе думаю... Зачем вы человека бросили?

Б и ш о н к о в. Мы его, Исаак Маркович, не бросали: он чувства свои потерял.

Е в с т и г н е и ч. Водит его кто-нибудь...

Б и ш о н к о в. Одно слово — тиранство, Исаак Маркович.

Е в с т и г н е и ч. Того же Филиппа взять: мужчина рослый, заметный, а внутренности нет, внутренность слабая... Подъезжаем к вокзалу — стрельба, народ плачет, падает... Я ему говорю: «Филипп, говорю, мы форткой на Загородный пройдем, там вся цепочка своя». А уж он не тот, потерялся. «Я, говорит, опасываюсь идти».— «Ну, говорю, опасываешься,— сиди... Спиртонос — Божий человек, только в морду дадут, чего тебе бояться? На тебе один пояс с вином...» А его уж к полу привалило. Мужчина сильный, лошадиная сила, а внутренность не та.

Б и ш о н к о в. Мы так надеемся, Исаак Маркович,— отыщется. За ним следу большого нет.

Д ы м ш и ц. Почем колбасу брали?

Б и ш о н к о в. Колбасу, Исаак Маркович, по восемнадцать тысяч брали, да и похужело. В настоящее время что Витебск, что Петроград — один завод.

Е в с т и г н е и ч *(открывает в стенке потайное место, переносит туда продукты)*. Подравняли Расею.

Д ы м ш и ц. Крупа почем?

Б и ш о н к о в. Крупа, Исаак Маркович, девять тысяч, а слово напротив скажешь — не бери. Торговлей никак не интересуются. Он того только и ждет, чтобы тебе не понравилось. Такой кураж у этих купцов пошел — не передать!

Е в с т и г н е и ч *(прячет в стену хлебы)*. Супруги сами хлебы пекли, свои труды клали... Кланяться велели.

Д ы м ш и ц. Дети как — живы, здоровы?

Б и ш о н к о в. Дети живы, здоровы, очень благополучны. Одеваны в шубки, богатые детки... Супруга приехать просят.

Д ы м ш и ц. Больше делать нечего... *(Бросает на счетах.)* Бишонков!

Б и ш о н к о в. Я.

Д ы м ш и ц. Не вижу пользы, Бишонков.

Б и ш о н к о в. Слишком затруднительно стало, Исаак Маркович.

Д ы м ш и ц. Расчету не вижу, Бишонков.

Б и ш о н к о в. Расчету, Исаак Маркович, никак не видать... У нас с Евстигнеичем такая думка, что надо на другой товар перекидаться. Продукт — он вещество громоздкое: мука — она громоздкая, крупа — громоздкая, ножка телячья — тоже громоздкая. Надо, Исаак Маркович, на другое перекидаться — на сахарин или

там на камешки... Бриллиант — это прелестное вещество: за щеку положил — и нету.

Д ы м ш и ц. Филиппа нет... Я об Филиппе думаю.

Е в с т и г н е и ч. Пожалуй, покалечили.

Б и ш о н к о в. И то сказать — инвалид, по восемнадцатому году фирма была, а в настоящий момент...

Е в с т и г н е и ч. Куда тебе — образовались! Раньше у народа перед инвалидами совести не хватало, а теперь — ноль внимания. «Ты зачем инвалид?» — спрашивают. «У меня, говорю, бризантный снаряд обе ноги отобрал» — «А в этом, говорят, ничего такого особенного нет, у тебя, говорят, без страдания оторвало, сразу... Ты, говорят, страдания не принимал» — «Как это, говорю, страдания не принимал?» — «А так, говорят, известная вещь: тебе ноги под хлороформом подравняли, ты ничего и не слыхал. У тебя только с пальцами недоразумение, пальцы у тебя вроде стремят, чешутся, хотя они и отобраны, и больше ничего такого с тобой нет» — «Как ты, говорю, можешь это знать?» — «А так, говорит, народ, слава те филькиной сучке, образовался».— «Видно, образовался, если инвалида с поезда скидает... Зачем ты, говорю, меня на путь скидаешь? Я калека...» — «А потому и скидаем, что нам в Расее, говорит, на калек глядеть обрыдло». И скидает, как поленницу... Я, Исаак Маркович, очень на наш народ обижаюсь.

Входит Висковский — в бриджах, в пиджаке. Рубаха расстегнута.

Д ы м ш и ц. Это вы?

В и с к о в с к и й. Это я.

Д ы м ш и ц. А где «здравствуйте»?

В и с к о в с к и й. Людмила Муковнина приходила к вам, Дымшиц?

Д ы м ш и ц. «Здравствуйте» собака съела?.. А если приходила, так что?

В и с к о в с к и й. Кольцо Муковниных у вас, я знаю, Мария Николаевна передать его вам не могла...

Д ы м ш и ц. Передали мне люди, не обезьяны.

В и с к о в с к и й. Как попало к вам это кольцо, Дымшиц?

Д ы м ш и ц. Люди дали, чтоб продать.

В и с к о в с к и й. Продайте мне.

Дымшиц. Почему вам?

Висковский. Пытались вы когда-нибудь быть джентльменом, Дымшиц?

Дымшиц. Я всегда джентльмен.

Висковский. Джентльмены не задают вопросов.

Дымшиц. Люди хотят валюту за кольцо.

Висковский. Вы должны мне пятьдесят фунтов.

Дымшиц. За какие такие дела?

Висковский. За дело с нитками.

Дымшиц. Которые вы просыпали...

Висковский. В конной гвардии нас не учили торговать нитками.

Дымшиц. Вы просыпали потому, что вы горячий.

Висковский. Дайте срок, маэстро, я научусь.

Дымшиц. Что за учение, когда вы не слушаетесь? Вам говорят одно, вы делаете другое... На войне вы там ротмистр или граф — я не знаю, кто вы там,— может быть, на войне нужно, чтобы вы были горячий, но в деле купец должен видеть, куда он садится.

Висковский. Слушаю-с.

Дымшиц. Я серчаю на вас, Висковский, я еще за другое на вас серчаю. Что это был за номер с княжной?

Висковский. Задумано, как побогаче.

Дымшиц. Вы знали, что она девушка?

Висковский. Самый цимис...

Дымшиц. Так вот этого цимиса мне не надо. Я маленький человек, господин ротмистр, и не хочу, чтобы эта княжна приходила ко мне, как Божья матерь с картины, и смотрела на меня глазами, как серебряные ложки... О чем шел разговор?— спрашиваю я вас. Пусть это будет женщина под тридцать, мы говорили, под тридцать пять, домашняя женщина, которая знает, почем пуд лиха, которая взяла бы мою крупу и печеный хлеб и четыреста граммов какао для детей — и не сказала бы мне потом: «Паршивый мешочник, ты меня запачкал, ты мною воспользовался».

Висковский. Про запас остается младшая Муковнина.

Дымшиц. Она вранья. Я не люблю женщину, когда она вранья... Почему вы меня со старшей не познакомили?

В и с к о в с к и й. Мария Николаевна уехала в армию.

Д ы м ш и ц. Вот это был человек — Мария Николаевна, вот тут было на что посмотреть, с кем поговорить... Вы дождались того, что она уехала.

В и с к о в с к и й. Со старшей это сложно, Дымшиц. Это очень сложно.

Е в с т и г н е и ч. «Тебя, говорит, без страху убило, ты, говорит, отмучился»,— вон ведь как он меня обеспечил...

Отдаленный выстрел, потом ближе; выстрелы учащаются. Дымшиц гасит свет, запирает двери на ключ. Свет из окна, зеленые стекла, мороз.

(Шепотом.) Житуха...

Б и ш о н к о в. Окаянство!

Е в с т и г н е и ч. Все матросня орудует...

Б и ш о н к о в. Никак жизни нет, Исаак Маркович!

Стук в дверь. Молчание. Висковский вынимает револьвер из кармана, открывает предохранитель. Снова стук.

Кто там?

Ф и л и п п *(за дверью).* Я.

Е в с т и г н е и ч. Голос дай... Кто это я?

Ф и л и п п. Откройте.

Д ы м ш и ц. Это Филипп.

Бишонков открывает дверь. В комнату проникает бесформенное огромное существо. Вошедший приваливается к стене, молчит. Вспыхивает свет. Половина Филиппова лица заросла диким мясом. Голова его упала на грудь, глаза закрыты.

В тебя стреляли?

Ф и л и п п. Не.

Е в с т и г н е и ч. Наморился, Филипп?

Евстигнеич с Бишонковым снимают с Филиппа тулуп, верхнюю одежду, вытаскивают из-под нее резиновый костюм, бросают его на пол. Безрукий резиновый человек — второй Филипп — распростерт на полу. Пальцы Филиппа изрезаны, кровоточат.

Оборудовали как следует быть... Человеки зовемся...

Ф и л и п п *(голова его все свалена на грудь).* По следу... по следу шел...

Е в с т и г н е и ч. Он шел?

Ф и л и п п. Он.

Е в с т и г н е и ч. В крагах?

Ф и л и п п. Он.

Е в с т и г н е и ч. Таперича взялись...

Д ы м ш и ц. До дому довел?

Ф и л и п п *(с трудом выговаривая слова)*. До дому не довел... Стрельба перехватила, на стрельбу пошел...

Бишонков с Евстигнеичем подхватывают
раненого, укладывают его.

Е в с т и г н е и ч. Я тебе сказывал — воротами пройдем...

Филипп стонет, охает. Вдалеке выстрелы,
пулеметная очередь, потом тишина.

Житуха...

Б и ш о н к о в. Окаянство!..

В и с к о в с к и й. Где кольцо, маэстро?

Д ы м ш и ц. Приспичило с кольцом, горит под вами...

Картина вторая

Комната в доме Муковнина, служащая одновременно спальней, столовой, кабинетом,— комната 20-го года. Стильная старинная мебель; тут же «буржуйка», трубы протянуты через всю комнату; под печкой сложены мелко наколотые дрова. За ширмой одевается, перед тем как ехать в театр, Людмила Николаевна. На лампе греются щипцы для завивки волос. Катерина Вячеславовна гладит платье.

Л ю д м и л а. Сударыня, ты отстала... В Мариинке теперь очень нарядная публика. Сестры Крымовы, Варя Мейендорф — все одеваются по журналу и живут превосходно, уверяю тебя.

К а т я. Да кто теперь хорошо живет? Нет таких.

Л ю д м и л а. Очень есть. Ты отстала, Катюша... Господа пролетарии входят во вкус: они хотят, чтобы женщина была изящна. Ты думаешь, твоему Редько нравится, когда ты ходишь замарашкой? Ничуть не нравится... Господа пролетарии входят во вкус, Катюша.

К а т я. На твоем месте я бы ресниц не делала, и это платье без рукавов...

Л ю д м и л а. Сударыня, вы забываете — я с кавалером.

Катя. Кавалер, пожалуй, не разберет.

Людмила. Не скажи. У него свой вкус, темперамент...

Катя. Рыжие горячи — это известно.

Людмила. Какой же он рыжий, мой Дымшиц? Он шоколадный.

Катя. И правда — у него так много денег?.. Висковский, по-моему, бредит.

Людмила. У Дымшица шесть тысяч фунтов стерлингов.

Катя. Все на калеках нажил?

Людмила. Ничего не на калеках... Вольно же было другим додуматься. У них артель, складчина. Инвалидов до сих пор не обыскивали, легче было провезти.

Катя. Нужно быть евреем, чтобы додуматься...

Людмила. Ах, Катюша, лучше быть евреем, чем кокаинистом, как наши мужчины... Один, смотришь, кокаинист, другой дал себя расстрелять, третий в извозчики пошел, стоит у «Европейской», седоков поджидает... Par le temps qui court* евреи вернее всего.

Катя. Да уж вернее Дымшица не найти.

Людмила. И потом, мы бабы... Katy, мы простые ба-бы, вот как дворникова Агаша говорит, «трепаться надоело». Мы не умеем быть неприкаянными, правда же, не умеем...

Катя. И детей родишь?

Людмила. Рожу двух рыженьких.

Катя. Значит — законный брак?

Людмила. С евреями иначе нельзя.

Катюша. Они страшно семейственны, жена у них советчица, над детьми они трясутся... И потом, еврей всегда благодарен женщине, которая ему принадлежала. Поэтому — эта благородная черта — уважение к женщине.

Катя. Да ты откуда евреев так знаешь?

Людмила. Ну вот — «откуда». Папа в Вильне корпусом командовал, там все евреи... У папы приятель раввин был... Они все философы — их раввины.

Катя *(подает через ширму разглаженное платье)*. После театра — ужин?

Людмила. Не исключено.

---

* В наше время *(фр.)*.

Катя. Конечно, вы выпьете, Людмила Николаевна, порыв страсти, все потонуло в тумане...

Людмила. Пальцем в небо, сударыня!.. Манеж будет продолжаться месяц, два месяца — с евреями так надо. Еще даже не решено, будут ли поцелуи...

Входит генерал в валенках; шинель на красной подкладке переделана в халат; две пары очков.

Муковнин *(читает).* «...Октября шестнадцатого дня тысяча восемьсот двадцатого года, в царствование благословенного императора Александра, рота лейб-гвардии Семеновского полка, забыв долг присяги и воинского повиновения начальству, дерзнула самовольно собраться в позднее вечернее время...» *(Подымает голову.)* В чем же оно выразилось — забвение присяги? Выразилось оно в том, что люди вышли в коридор после переклички и решили просить у командира роты отмены очередного смотра по десяткам на дому... у командира полка бывали и такие смотры. За это, за так называемый бунт, было определено наказание... какое? *(Читает.)* «...Нижних чинов, признанных зачинщиками, лишить живота, людей первой и второй рот, подавших пример беспорядка, наказать виселицей, рядовых, помянутых в параграфе третьем, в пример другим, прогнать шпицрутенами сквозь батальон по шести раз...»

Людмила. Разве это не ужасно?

Катя. Кто же спорит, что прежде было много жестокого?

Людмила. По-моему, большевики должны ухватиться за папину книгу. Им же выгодно, чтобы бранили старую армию.

Катя. Они все требуют к текущему моменту.

Муковнин. Я разбиваю семеновскую трагедию на две главы. Первая — исследование причин мятежа, вторая — описание бунта, истязаний, отсылки в рудники... История моя будет история казармы; не перечень народов, а судьба всех этих Сидоровых и Прошек, отданных Аракчееву, сосланных на двадцатилетнюю военную каторгу.

Людмила. Папа, ты должен прочитать Кате главу об императоре Павле. Если бы жил Толстой, он оценил бы, я уверена.

Катя. В газетах все требуют к настоящему моменту.

Муковнин. Без познания прошлого нет пути к будущему. Большевики исполняют работу Ивана Калиты — собирают русскую землю. Мы, кадровые офицеры, нужны им хотя бы для того, чтобы рассказать о наших ошибках...

Звонок. Возня в прихожей.
Входит Дымшиц с пакетами, в шубе.

Дымшиц. Здравия желаю, Николай Васильевич! Здравия желаю, Катерина Вячеславна! Людмила Николаевна в доме?

Катя. Ждет вас.

Людмила *(из-за ширмы)*. Я одеваюсь...

Дымшиц. Здравия желаю, Людмила Николаевна! На улице такая погода, что хороший хозяин собаку не выпустит... Меня привез Ипполит, наговорил полную голову, все шиворот-навыворот — такого типа поискать надо... Мы не опоздаем, Людмила Николаевна?

Муковнин. На улице белый день, а они в театр.

Катя. Николай Васильевич, театры теперь начинают в пять часов дня.

Муковнин. Электричество экономят?

Катя. Во-первых, электричество. Потом, если поздно возвращаться,— разденут.

Дымшиц *(раскладывая пакеты)*. Маленький окорочок, Николай Васильевич. Я в этом не специалист, но мне его продали как хлебный... Хлебом его кормили или чем другим — при этом мы не были...

Катя отошла в угол, курит.

Муковнин. Право, Исаак Маркович, вы слишком добры к нам.

Дымшиц. Немножко шкварок...

Муковнин *(не понял)*. Виноват!

Дымшиц. У вашего папы вы этого не кушали, но в Минске, в Вилюйске, в Чернобыле их уважают. Это кусочки от гусятины. Вы отведаете и скажете мне ваше мнение... Как поживает книжка, Николай Васильевич?

Муковнин. Книжка подвигается. Я подошел к царствованию Александра Павловича.

Людмила. Читается, как роман, Исаак Маркович. Я считаю, что это напоминает «Войну и мир»,— там, где Толстой о солдатах говорит...

Дымшиц. Очень приятно слушать... На улице пусть стреляют, Николай Васильевич, на улице пусть бьются головой об стенку — вы должны делать свое. Кончите книжку — магарыч мой, и на первые сто экземпляров — я покупатель... Кусочек сальтисона, Николай Васильевич: сальтисон домашний, от одного немца...

Муковнин. Исаак Маркович, право, я рассержусь...

Дымшиц. Это для меня честь, чтобы генерал Муковнин на меня сердился... Сальтисон дивный! Этот немец был довольно видный профессор, теперь занимается колбасами... Людмила Николаевна, я сильно подозреваю, что мы опоздаем.

Людмила (из-за ширмы). Я готова.

Муковнин. Сколько я вам должен, Исаак Маркович?

Дымшиц. Вы мне должны подкову от лошади, которая издохла сегодня на Невском проспекте.

Муковнин. Нет, серьезно...

Дымшиц. Хотите серьезно — две подковы от двух лошадей.

Из-за ширмы выходит Людмила Николаевна. Она ослепительна, стройна, румяна. В мочках ушей бриллианты. На ней черное бархатное платье без рукавов.

Муковнин. Хороша у меня дочка, Исаак Маркович?

Дымшиц. Не скажу — нет.

Катя. Вот это она и есть, Исаак Маркович,— русская красота.

Дымшиц. Не специалист в этом, но вижу, что хорошо.

Муковнин. Я вас еще со старшей моей познакомлю — с Машей.

Людмила. Предупреждаю: Мария Николаевна у нас любимица — и вот, пожалуйте, любимица в солдаты ушла.

Муковнин. Какие же это солдаты, Люка?.. В политотдел.

Дымшиц. Ваше превосходительство, про политотдел спросите меня. Это те же солдаты.

Катя *(отводит Людмилу в сторону).* Право, серег не надо.

Людмила. Ты думаешь?

Катя. Конечно, не надо. И потом — этот ужин...

Людмила. Сударыня, спите спокойно. Ученого учить... *(Целует Катю.)* Катюша, ты глупая, милая... *(Дымшицу.)* Мои ботики... *(Отвернувшись, снимает серьги.)*

Дымшиц *(кидается).* Момент!

Одевание: ботики, шуба, оренбургский платок.
Дымшиц услуживает, мечется.

Людмила. Надеваю и сама удивляюсь — еще не продано... Папа, изволь без меня принять лекарство. И не давай ему работать, Катя.

Муковнин. Мы домовничать будем с Катей.

Людмила *(целует отца в лоб).* Вам нравится мой папка, Исаак Маркович? Правда, он у нас не такой, как у всех...

Дымшиц. Николай Васильевич роскошь, а не человек!

Людмила. Его никто не знает — одни мы... Где вы оставили князя Ипполита?

Дымшиц. Оставил у ворот. Приказ — ждать, дисциплина. Момент — и будем там... Всего хорошего, Николай Васильевич!

Катя. Очень не кутите.

Дымшиц. Очень не будем, теперь это обеспечено.

Людмила. Папочка, до свидания!

Муковнин провожает дочь и Дымшица в переднюю.
Голоса и смех за дверью. Генерал возвращается.

Муковнин. Очень милый и достойный еврей.

Катя *(забилась в угол дивана, курит).* Мне кажется — им всем не хватает такта.

Муковнин. Катя, голубчик, откуда взяться такту?.. Людям позволяли жить на одной стороне улицы и городовыми гнали с другой. Так было в Киеве, на Бибиковском бульваре. Откуда такту взяться? Тут другому надо удивляться — энергии, жизненной силе, сопротивляемости...

К а т я. Энергия эта вошла теперь в русскую жизнь, но мы ведь другие, все это чуждо нам.

М у к о в н и н. Фатализм — вот это нам не чуждо. Распутин и немка Алиса, погубившая династию,— это нам не чуждо. Ничего, кроме пользы, от чудесного этого народа, давшего Гейне, Спинозу, Христа...

К а т я. Вы и японцев хвалили, Николай Васильевич.

М у к о в н и н. Что ж японцы... Японцы — великий народ, у них учиться и учиться.

К а т я. Вот и видно, что Марье Николаевне есть в кого пойти... Вы большевик, Николай Васильевич.

М у к о в н и н. Я русский офицер, Катя, и спрашиваю: как это так, господа, с каких пор, спрашиваю я, правила военной игры стали чуждыми для вас?.. Мы мучили и унижали этих людей, они защищались, они перешли в наступление и дерутся с находчивостью, с обдуманностью, с отчаянием, скажу я,— дерутся во имя идеала, Катя.

К а т я. Идеал?.. Не знаю. Мы несчастны и счастливы не будем. Нами пожертвовали, Николай Васильевич.

М у к о в н и н. Пусть растрясут Ванюху и Петруху, превосходно будет. И времени больше нет, Катя... Единственный русский император, Петр, сказал: «Промедление времени смерти подобно». Вот заповедь! И если это так, то должно же у вас, господа офицеры, хватить мужества посмотреть на карту, узнать, с какого фланга вы обойдены, где и почему нанесено вам поражение... Держать глаза открытыми — мое право, и я не отказываюсь от него.

К а т я. Николай Васильевич, вам надо лекарство принять.

М у к о в н и н. Соратникам моим, людям, с которыми я дрался бок о бок, я говорю: господа, tirez vos conclusions*, промедление времени — смерти подобно. *(Уходит.)*

> За стеной на виолончели холодно и чисто играют фугу Баха. Катя слушает, потом встает, подходит к телефону.

* Делайте выводы (фр.).

Катя. Дайте штаб округа... Дайте Редько... Это ты, Редько?.. Я хотела сказать... Надо думать, кроме тебя, еще есть люди, которые делают революцию, но вот ты один никак не найдешь времени, чтобы повидаться с человеком... С человеком, у которого ты ночуешь, когда тебе это надо...

Пауза.

Редько, прокати меня. Приезжай за мной на машине... Ну да, если ты занят... Нет, я не сержусь. За что же сердиться?.. *(Вешает трубку.)*

Музыка прекращается. Входит Голицын, длинный человек в солдатской куртке и обмотках, с виолончелью в руках.

Катя. Князь, как это вам сказали в трактире — «не играй плачевное»?

Голицын. «Не играй плачевное, не тяни жилы».

Катя. Им веселое нужно, Сергей Илларионович. Люди забыться хотят, отдыха...

Голицын. Не все. Другие требуют чувствительного.

Катя *(садится за рояль)*. Ваша публика — кто она?

Голицын. Грузчики с Обводного.

Катя. Пожалуй, в профсоюз пройдете... Вы и ужин там получаете?

Голицын. Получаю.

Катя *(играет «Яблочко», поет вполголоса)*.

Пароход идет, вода кольцами.
Будем рыбу мы кормить добровольцами.

Подбирайте за мной. Вы им лучше «Яблочко» в трактире сыграйте.

Голицын подбирает, фальшивит, потом поправляется.

Сергей Илларионович, стоит мне заняться стенографией?

Голицын. Стенографией? Не знаю.

Катя.

Я на бочке сижу, слезы капают,
Никто замуж не берет, только лапают...

В стенографистках нужда теперь.

Голицын. Не умею вам сказать. *(Подбирает «Яблочко».)*

Катя. Из всех нас настоящая женщина — Маша. У нее сила, смелость, она женщина. Мы вздыхаем здесь, а она счастлива в своем политотделе... Кроме счастья — какой другой закон выдумали люди?.. Его, верно, и нет, другого закона.

Голицын. Мария Николаевна руль всегда поворачивала круто. Этим она и отличается.

Катя. Она права...

> Ах ты, яблочко, куда котишься...

И потом, у нее роман с этим Аким Иванычем...

Голицын *(перестает играть).* Кто это Аким Иваныч?

Катя. Их командир дивизии, бывший кузнец... Она о нем в каждом письме упоминает.

Голицын. Почему же роман?

Катя. Там между строк есть, я знаю... Или уехать мне в Борисоглебск, к родным? Все-таки гнездо... Вот вы в лавру к монаху этому ходите... как зовут его?

Голицын. Сионий.

Катя. К Сионию. Чему он учит вас?

Голицын. Вы говорили о счастье... Он учит меня видеть его не в чувстве власти над людьми и не в этой беспрестанной жадности,— жадности, которую мы утолить не можем.

Катя. Давайте, Сергей Илларионович.

> Я на бочке сижу, бочка котится,
> Хоть в кармане ни гроша,
> Выпить хочется...

Сионий — красивое имя.

Картина третья

Людмила и Дымшиц в его номере. На столе остатки ужина, бутылки. Видна часть соседней комнаты. Бишонков, Филипп и Евстигнеич играют там в карты. Евстигнеича с отрубленными ногами поставили на стул.

Людмила. Феликс Юсупов был бог по красоте, теннисист, чемпион России. Его красоте недоставало мужественности, в нем была кукольность... С Владимиром Баглеем мы встретились у Феликса. Император так до конца и не понял рыцарскую натуру этого человека. Его называли у нас «тевтонский рыцарь»... Фредерике был дружен с князем Сергеем... Вы знаете князя Сергея, который играет на виолончели?.. На вечере был еще номер hors programme*— архиепископ Амвросий. Старик ухаживал за мною — можете себе представить! — подливал крюшону и делал такую постную, лукавую мину. Вначале я не произвела на Владимира впечатления, он признался мне в этом: «Вы были курносая, si demesurement russet**, с пылающим румянцем...» На рассвете мы поехали в Царское, оставили машину в парке и взяли лошадь. Он сам правил. «Людмила Николаевна, нужно ли вам сказать, что я весь вечер не сводил с вас глаз?..» — «Это учтено Ниной Бутурлиной, mon prince». Я знала, что у них роман, вернее — флирт. «Бутурлина — c'est le passe, Людмила Николаевна...» — «On revient toujours, ses premiers amours, mon prince»***, Владимир не носил великокняжеского титула, он был от морганатического брака, их семья не встречалась с императрицей... Владимир называл эту женщину гением зла. И потом — он был поэт, мальчик, ничего не понимал в политике... Мы приехали в Царское. Рассвет. Над прудом где-то, совсем понизу, запел соловей... Мой спутник повторяет: «Mademoiselle Boutourline c'est le passe»****.— «Mon prince, прошлое возвращается иногда, и возвращения эти ужасны...»

Дымшиц гасит свет, накидывается на Муковнину, валит ее на диван, борьба. Она вырывается, поправляет волосы, платье.

Б и ш о н к о в *(подкидывает карту).* Подсекай...

Ф и л и п п. Подсечешь у тебя, как же!

Е в с т и г н е и ч. Ну, повели к забору, руки связаны... «Ну, говорят, поворачивайся, друг». А он: «Не надо поворачиваться, я военный человек, коцайте так...». А за-

* Сверх программы *(фр.).*
** Такая бесконечно русская *(фр.).*
*** Первые увлечения обычно возвращаются, князь *(фр.).*
**** Мадемуазель Бутурлина — это прошлое *(фр.).*

боры у них вроде плетня, полроста человеческого...
Ночь, конец села, за селом степь, на краю степи — яр...

Б и ш о н к о в (убивая карту). Вот ты и козел!

Ф и л и п п. Отвечаю на все!

Е в с т и г н е и ч. ...Привели, берут на изготовку. Он стоит у плетня, да как снимется от земли, с завязанными-то руками, ровно Господь Бог его от земли отнял. Перелетел через плетень — и наискосок... Они — стрелять... да ночь, темнота, он кружит, петляет — ушел.

Ф и л и п п (сдает карты). Это герой!

Е в с т и г н е и ч. Это герой вечный. Джигит считался. Я его как тебя знал... Полгода гулял, потом прикрыли.

Ф и л и п п. Неужто доделали?

Е в с т и г н е и ч. Доделали. Я считаю — неправильно. Человек из могилы вылез, человек тот свет видал — значит, не судьба его убивать.

Ф и л и п п. Ноль внимания в настоящее время.

Е в с т и г н е и ч. Я считаю — неправильно. Во всех странах такой закон: не добили — твое счастье, живи дальше.

Ф и л и п п. У нас давай только... Доделают.

Б и ш о н к о в. У нас давай...

Л ю д м и л а. Зажгите свет.

Дымшиц открывает выключатель.

Я ухожу. (Оборачивается, смотрит на Дымшица, разражается смехом.) Не надувайте губ, идите ко мне... Скажите, друг мой, как вы все это себе представляете? Должна же я привыкнуть к вам сначала...

Д ы м ш и ц. Я не штиблет, чтобы ко мне привыкать.

Л ю д м и л а. Я не скрываю — какое-то чувство симпатии вы мне внушаете, но надо этому чувству укрепиться... Из армии приедет Маша, вы познакомитесь; в нашей семье без нее ничего не делается... Папа — тот хорошо относится к вам, но он беспомощный — вы видели... И потом, много еще не решено; ваша жена?..

Д ы м ш и ц. При чем здесь жена?

Л ю д м и л а. Я знаю — евреи привязаны к своим детям.

Д ы м ш и ц. Не о чем говорить, ей-Богу, не о чем говорить.

Людмила. Поэтому до поры до времени надо тихонько сидеть рядом со мной, вооружиться терпением...

Дымшиц. С тех пор как евреи ждут мессию — они вооружены терпением. Выпейте еще бокальчик.

Людмила. Я много выпила.

Дымшиц. Это вино мне принесли с броненосца. У великого князя был сундучок на броненосце...

Людмила. Как это вы все достаете?

Дымшиц. Где я достану — там другой не достанет... выпейте этот бокальчик.

Людмила. С условием, что вы будете сидеть тихо.

Дымшиц. Тихо сидят в синагоге.

Людмила. Вот вы и сюртук надели,— верно, для синагоги. Сюртук, Исачок, носили директора гимназии на выпускных актах и купцы на поминальных обедах.

Дымшиц. Я не буду носить сюртука.

Людмила. И потом — билеты. Никогда, мой друг, не покупайте билеты в первом ряду — это делают выскочки, парвеню...

Дымшиц. Я же выскочка и есть.

Людмила. У вас внутреннее благородство — это совсем другое. Вам даже имя ваше не идет... Теперь можно дать объявление в газете, в «Известиях»... Я бы переменила на Алексей... Вам нравится — Алексей?

Дымшиц. Нравится. *(Он снова гасит свет и накидывается на Муковнину.)*

Евстигнеич. Взвозились...

Филипп *(прислушивается)*. Вроде наша...

Бишонков. Мне Людмила Николаевна больше всех по сердцу — она человека привечает... А то ходят дикие, трепаные... Меня по отечеству привечает...

В комнату инвалидов входит Висковский, становится за спиной Евстигнеича, смотрит, как падают карты.

Людмила *(вырывается)*. Позовите мне извозчика...

Дымшиц. Моментально!.. Больше мне делать нечего.

Людмила. Позовите сию минуту!

Дымшиц. На улице тридцать градусов мороза, сумасшедшую собаку выпустить жалко.

Людмила. На мне все порвано... Как я домой покажусь?..

Дымшиц. Где пьют — там и льют.

Людмила. Пошло... Исаак Маркович, вы ошиблись адресом.

Дымшиц. Такое мое счастье.

Людмила. Я же вам говорю — у меня болят зубы, болят невыносимо!..

Дымшиц. Где именье, где вода... При чем тут зубы?

Людмила. Достаньте мне зубных капель... Я страдаю.

Дымшиц выходит, в соседней комнате
сталкивается с Висковским.

Висковский. С легким паром, учитель.

Дымшиц. У нее зубы болят.

Висковский. Бывает...

Дымшиц. Бывает, что и не болят.

Висковский. Липа, Исаак Маркович, обязательно липа.

Филипп. Это изобретение ее, Исаак Маркович, а не зубы болят...

Людмила *(поправила волосы перед зеркалом. Статная, веселая, раскрасневшаяся, она ходит по комнате и напевает).*

> Милый мой строен и высок,
> Милый мой ласков и жесток,
> Больно хлещет шелковый шнурок...

Дымшиц. Я не мальчик, Евгений Александрович,— уже оно давно прошло, то время, когда я был мальчиком.

Висковский. Слушаю-с.

Людмила *(снимает телефонную трубку).* 3-75-02. Папочка, ты?.. Мне очень хорошо... В театре была Надя Иогансон с мужем. Мы ужинаем у Исаака Марковича... Ты обязательно посмотри Спесивцеву, она заменит Павлову... Лекарство ты принял? Тебе надо лечь... Твоя дочь умница, папа, ужасная выдумщица... Катюша, ты?.. Ваше приказание, сударыня, исполнено. Le manège continue, j'ai mal aux dents se soir*. *(Ходит по комнате, поет, взбивает волосы.)*

---

* Манеж продолжается, нынешним вечером у меня болят зубы *(фр.).*

Дымшиц. И она может дождаться того, что в следующий раз меня для нее не будет дома...

Висковский. Дело хозяйское.

Дымшиц. Потому что о моих детях и моей жене пусть меня спрашивают другие, а не она.

Висковский. Слушаю-с.

Дымшиц. Люди недостойны завязать башмак у моей жены, если вы хотите знать,— шнурок от башмака.

Картина четвертая

У Висковского. Он в галифе, в сапогах, без куртки, ворот рубахи расстегнут. На столе бутылки, выпито много. На тахте, привалившись, румяный, короткий Кравченко в военной форме и мадам Дора — тощая женщина в черном, с испанским гребнем в волосах и качающимися большими серьгами.

Висковский. Один удар, Яшка...

Я знал одной лишь силы власть.
Одну, но пламенную страсть...

Кравченко. Сколько же тебе надо?

Висковский. Десять тысяч фунтов. Один удар... Ты видел когда-нибудь фунт стерлингов, Яшка?

Кравченко. И все на нитках?

Висковский. Нитки побоку!.. Бриллианты. Трехкаратники, голубая вода, чистые, без песку. Других в Париже не берут.

Кравченко. Да их небось уже нету.

Висковский. В каждом доме есть бриллианты, надо уметь их взять... У Римских-Корсаковых есть, у Шаховских... Есть еще алмазы в императорском Санкт-Петербурге.

Кравченко. Не выйдет из тебя красный купец, Евгений Александрович.

Висковский. Выйдет!.. У меня отец торговал — выменивал усадьбы на жеребцов... Гвардия сдается, товарищ Кравченко, но не умирает.

Кравченко. Ты бы Муковнину позвал... Мается женщина в коридоре...

Висковский. В Париж, Яшка, я приеду барином.

Кравченко. Дымщиц этот — куда он запропастился?

Висковский. Отсиживается в уборной или в «шестьдесят шесть» играет с курляндчиком и Шапирой... *(Открывает дверь.)* Мисс, к нашему огоньку... *(Выходит в коридор.)*

Дора *(целует у Кравченко руки).* Ты солнце! Ты божество!

Входят Людмила в шубке и Висковский.

Людмила. Это непостижимо! Был уговор...

Висковский. Который дороже денег.

Людмила. Был уговор, что я приду в восемь. Теперь три четверти десятого... и ключа не оставил... Куда же он делся?

Висковский. Поспекулирует и придет.

Людмила. Все-таки они не джентльмены, эти люди...

Висковский. Выпейте водки, девочка.

Людмила. Правда, я выпью, озябла... Непостижимо все-таки!

Висковский. Разрешите вам представить, Людмила Николаевна, мадам Дору, гражданку Французской республики — Liberté, Egalité, Fraternité*. Между прочими достоинствами обладает заграничным паспортом.

Людмила *(подает руку).* Муковнина.

Висковский. Яшку Кравченко вы знаете — прапорщик военного времени, ныне красный артиллерист. Стоит у десятидюймовых орудий кронштадтской крепостной артиллерии и может их повернуть в любом направлении.

Кравченко. Евгений Александрович нынче в ударе.

Висковский. В любом направлении... Все можно представить себе, Яшка. Тебе прикажут разрушить улицу, на которой ты родился,— ты разрушишь ее, обстрелять детский приют — ты скажешь: «Трубка два ноль восемь» — и обстреляешь детский приют. Ты сделаешь это, Яшка, только бы тебе позволили существовать, бренчать на гитаре, спать с худыми женщинами: ты толст и любишь худых... Ты на все пойдешь, и если тебе скажут —

---

* Свобода, Равенство, Братство *(фр.).*

трижды отрекись от своей матери, ты отречешься от нее. Но дело не в том, Яшка,— дело в том, что они пойдут дальше: тебе не позволят пить водку в той компании, которая тебе нравится, книги тебя заставят читать скучные, и песни, которым тебя станут обучать, тоже будут скучные... Тогда ты рассердишься, красный артиллерист, ты взбесишься, забегаешь глазками... Два гражданина придут к тебе в гости: «Пойдем, товарищ Кравченко...». «Вещи,— спросишь ты,— брать с собой или нет?» — «Вещи можно не брать, товарищ Кравченко, дело минутное, допрос, пустяки...» И тебе поставят точку, красный артиллерист,— это будет стоить четыре копейки денег. Высчитано, что пуля от кольта стоит четыре копейки, и ни сантима больше.

Д о р а. Жак, берите меня домой...

В и с к о в с к и й. Твое здоровье, Яков!.. За победоносную Францию, мадам Дора!

Л ю д м и л а (ей все время подливают). Я схожу посмотрю, не вернулся ли он...

В и с к о в с к и й. Поспекулирует и придет... Маркиза, липу с зубами сами придумали?

Л ю д м и л а. Сама... Здорово?.. (Смеется.) Право же, теперь иначе нельзя. Евреи должны уважать женщину, с которой они хотят быть близки.

В и с к о в с к и й. Я смотрю на вас, Люка,— вы похожи на синичку... Выпьем, синичка!

Л ю д м и л а. Теперь за меня примется. Вы чего-то намешали в это пойло, Висковский.

В и с к о в с к и й. Синичка... Все силы Муковниных ушли на Марию, вам остался только ряд мелких зубов.

Л ю д м и л а. Дешево, Висковский.

В и с к о в с к и й. И маленькую твою грудь я не люблю... Грудь женщины должна быть красива, велика, беспомощна, как у овцы...

К р а в ч е н к о. Мы пошли, Евгений Александрович.

В и с к о в с к и й. Никуда вы не пойдете... Синичка, выходи за меня замуж.

Л ю д м и л а. Нет, уж я лучше за Дымшица... Знаем, как за вас выходить: нынче вы напились, завтра у вас похмелье, потом вы уезжаете неведомо куда, потом вы стреляетесь... Нет, уж мы за Дымшица.

Кравченко. Отпусти нас, Евгений Александрович, сделай милость!

Висковский. Никуда вы не пойдете... Тост! Тост за женщину. *(Доре.)* Это Люка... Сестру ее зовут Мария.

Кравченко. Мария Николаевна в армии, кажется?

Людмила. Она на границе теперь.

Висковский. На фронте, на фронте, Кравченко. Дивизией у них командует шестерка.

Людмила. Висковский, это неправда. Он — металлист.

Висковский. Шестерку зовут Аким... Выпьем за женщин, мадам Дора! Женщины любят прапорщиков, половых, акцизных чиновников, китайцев... Их дело любить — в участке разберутся. *(Поднимает бокал.)* «За милых женщин, прелестных женщин, любивших нас хотя бы час...» Впрочем, и часу не было. Паутина. Потом паутина порвалась... Ее сестру зовут Мария... Представь себе, Яшка, что ты полюбил царицу. «Вы гадки,— говорит она тебе,— уходите...»

Людмила *(смеется).* Узнаю Машу...

Висковский. «Вы гадки, уходите...» Конную гвардию отвергли, тогда решено было пойти на Фурштадтскую, шестнадцать, квартира четыре...

Людмила. Висковский, не смейте!

Висковский. За кронштадтскую артиллерию, Яша!.. Было решено пойти на Фурштадтскую. Мария Николаевна вышла из дому в сером костюме tailleur. Она купила фиалки у Троицкого моста и приколола их к петлице своего жакета... Князь — он играет на виолончели — князь убрал свою холостую квартиру, запихал под шкаф грязное белье, немытые тарелки снес на антресоли... Был приготовлен кофе на Фурштадтской и petits fours*. Кофе выпили. Она принесла с собой весну, фиалки и забралась с ногами на диван. Он покрыл шалью ее сильные нежные ноги, навстречу ему сияла улыбка, ободряющая, покорная, печальная ободряющая улыбка... Она обняла его седеющую голову... «Князь! Что же вы, князь?» Но голос у князя оказался, как у папского певчего. Passe, rien ne va plus**.

---

* Печенье *(фр.)*.

** Все в прошлом *(фр.)*.

Людмила. Боже, какая злюка!

Висковский. Вообрази, Яша, царица снимает перед тобой лиф, чулки, панталоны... Может, и ты оробел бы, Яшка...

Людмила Николаевна опрокидывается, хохочет.

Она ушла с Фурштадтской, шестнадцать... Где след ее ноги, чтобы я мог поцеловать его?.. Где след ее ноги?.. Но у Акима, будем надеяться, голос звучит погрубее... Ваше мнение, Людмила Николаевна?

Людмила. Висковский, вы намешали что-то в эту водку... У меня голова кружится...

Висковский. Иди сюда, мелочь! *(С силой берет ее за плечи и приближает к себе.)* Дымшиц — сколько заплатил он тебе за кольцо?

Людмила. Что вы говорите такое?

Висковский. Кольцо не твое, сестры. Ты продала чужое кольцо.

Людмила. Оставьте меня!

Висковский *(отталкивает ее в боковую дверь)*. Иди со мною, мелочь!..

В комнате остаются Дора и Кравченко. В окне медленный луч прожектора. Дора, взъерошенная, выпученная, тянется к Кравченко, целует у него руки, стонет, лепечет. Входит на цыпочках босой Филипп с обваренным лицом, не торопясь, бесшумно берет со стола вино, колбасу, хлеб.

Филипп *(негромко, склонив голову набок)*. Не обидно будет, Яков Иванович?

Кравченко кивает головой, инвалид,
осторожно ступая босыми ногами, уходит.

Дора. Ты солнце! Ты бог! Ты все!

Кравченко молчит, прислушивается. Входит Висковский, закуривает, руки его дрожат. Дверь в соседнюю комнату открыта. Брошенная на диван, плачет Муковнина.

Висковский. Спокойствие, Людмила Николаевна, до свадьбы заживет...

Дора. Жак, я хочу нашу комнату... Берите меня домой, Жак...

Кравченко. Погоди, Дора.

Висковский. По разгонной, граждане?

Кравченко. Погоди, Дора.

Висковский. По разгонной — за дам...

Кравченко. Нехорошо, ротмистр.

Висковский. За дам, Яков Иванович!

Кравченко. Нехорошо, ротмистр.

Висковский. Что именно нехорошо?

Кравченко. Трипперитики не спят с женщинами, господин Висковский.

Висковский *(офицерским голосом).* Как вы сказали?

Пауза. Плач смолкает.

Кравченко. Я сказал — больные гонореей...

Висковский. Снимите очки, Кравченко. Я буду бить вам морду!..

Кравченко вынимает револьвер.

Очень хорошо.

Кравченко стреляет. Занавес. За спущенным занавесом — выстрелы, падение тел, женский крик.

Картина пятая

У Муковниных. В углу, на сундуке, свернулась старуха нянька. Спит. На столе пятно света от лампы. Катя читает Муковнину письмо.

Катя. «...На рассвете меня будит рожок штабного эскадрона. К восьми надо быть в политотделе, я там за все... Правлю статьи в дивизионную газету, веду школу ликбеза. Пополнение у нас — украинцы, языком и выразительностью они напоминают мне итальянцев. Казенная Россия в течение столетий подавляла и унижала их культуру... На нашей Миллионной в Петербурге, в доме против Эрмитажа и Зимнего дворца, мы жили, как в Полинезии,— не зная нашего народа, не догадываясь о нем... Вчера на уроке я прочитала из папиной книги главу об убийстве Павла. Наказание свое император заслужил так очевидно, что никто об этом не задумался; спрашивали меня — здесь сказался точный ум простолюдина — о расположении полка, комнат во дворце, о том, какая рота гвардии была в карауле, среди кого были набраны заговорщики, чем обидел их Павел... Я все мечтаю о том, что папа приедет к нам летом, если только поляки не зашевелятся... Ты увидишь, дружок мой папа, новую армию, новую казарму — в противовес той, о которой ты рассказываешь. К тому времени наш парк расцветет и зазеленеет, лошади поправятся на подножном корму, седла приготовлены... Я говорила Аким Иванычу — он согласен, только бы у вас все было благополучно, милые мои... Теперь ночь. Я освободилась поздно и поднялась к себе по истоптанным четырехсотлетним ступеням. Я живу на вышке, в сводчатой зале, служившей когда-то оружейной графам Красницким. Замок построен на крутизне, у подножия его синяя река, пространство лугов необозримо, с туманной стеной леса вдали... В каждом этаже замка выбита ниша для дозорного; отсюда они следили за приближением татар и русских и лили кипящее масло на головы осаждающих. Старушка Гедвига, экономка последнего Красницкого, приготовила мне ужин и растопила камин, глубокий и черный, как подземелье... В парке внизу переминаются, задремывают лошади. Кубанцы ужинают вокруг костра и заводят песню. Снег налег на деревья, ветви дубов и каштанов переплелись, неровная серебряная крыша накрыла занесенные дорожки, статуи. Они еще сохранились — юноши, бросающие копье, и обнаженные закоченевшие богини с согнутыми руками, с волнистой линией волос и слепыми глазами... Гедвига дремлет и трясет головой, поленья в камине вспыхивают и распадаются. Столетия сделали кирпичи звонкими, как стекло; они озарены золотом в ту минуту, когда я пишу вам... Карточка Алеши у меня на столе... Здесь те самые люди, которые не задумались убить его. Я ушла только что от них и помогла их освобождению... Правильно ли я сделала, Алексей, исполнила ли я твое завещание жить мужественно?.. И тем, что в нем есть неумирающего, он не отвергает меня... Поздно, не могу заснуть — от необъяснимой тревоги за вас, от боязни снов. Во сне я вижу погоню, мучительство, смерть. Я живу странной смесью — близостью к природе, беспокойством о вас. Почему Люка пишет так редко? Несколько дней тому назад я послала ей бумажку, подписанную Акимом Ивановичем, о том, что у меня, как у военнослужащей, не имеют права реквизировать комнату. Кроме того, у папы должна быть охранная грамота на библиотеку. Если срок ее прошел, надо возобновить в Наркомпросе, у Чернышева моста, комната сорок. Я буду счастлива, если Люке удастся основать свою семью, но надо, чтобы этот человек бывал у нас в доме, познакомился бы с папой — тут сердце не обманет. И пусть нянька увидит его... Катюша все жалуется на старуху, что та не работает. Катюша, нянька стара, она вырастила два поколения Муковниных, у нее свои мысли и чувства, она не простой человек... Мне всегда казалось, что в ней мало крестьянского,— а впрочем, что знали мы в нашей Полинезии о крестьянах?.. В Петербурге, говорят, стало еще труднее с продовольствием; у тех, кто не служит, забирают комнаты и белье... Мне стыдно за то, что мы живем хорошо. Два раза Аким Иванович брал меня с собой на охоту, у меня верховая лошадь, Донец...» *(Катя поднимает голову.)* Вот видите, Николай Васильевич, как хорошо.

Муковнин закрывает глаза ладонью.

Не надо плакать...

М у к о в н и н. Я спрашиваю у Бога — у каждого из нас есть Бог его души,— за что ты дал мне, дурному, себялюбивому человеку, таких детей — Машу, Люку?..

К а т я. Но это же хорошо, Николай Васильевич. Зачем плакать?

Картина шестая

Участок милиции ночью. Под лавкой скрючился пьяный. Он двигает пальцами перед самым своим лицом, внушает себе что-то. На лавке дремлет грузный старый человек, хорошо одетый, в енотовой шубе и высокой шапке. Шуба распахнулась, под ней голая серая грудь. Надзиратель допрашивает Муковнину. Кротовая шапочка ее сбита набок, волосы растрепаны, шубка стащена с плеча.

Надзиратель. Имя?

Людмила. Отпустите меня.

Надзиратель. Имя?

Людмила. Варвара.

Надзиратель. Отчество?

Людмила. Ивановна.

Надзиратель. Где работаете?

Людмила. У Лаферма, на табачной фабрике.

Надзиратель. Профбилет?

Людмила. Я не ношу с собой.

Надзиратель. Зачем липу гоните?

Людмила. Я замужем... Отпустите меня...

Надзиратель. Почему вам интересно липу гнать, скажите? Брылева давно знаете?

Людмила. О ком вы говорите?.. Я не знаю.

Надзиратель. Ордера на нитки Брылев подписывал, через вас шло к Гутману, где вы склад сделали?..

Людмила. Что вы говорите? Какой склад?..

Надзиратель. Сейчас — узнаете — какой... *(Милиционеру.)* Позовите Калмыкову.

Милиционер вводит Шуру Калмыкову,
горничную в номерах на Невском, 86.

Надзиратель. Вы коридорная?

Калмыкова. Я подменяю.

Надзиратель. Признаете гражданку?

Калмыкова. Очень отлично признаю.

Надзиратель. Что можете показать?

Калмыкова. Могу отвечать по вопросам... Отец их — генерал.

Надзиратель. Работает она?

Калмыкова. Пару поддает — это у ней работа.

Надзиратель. Муж есть?

Калмыкова. Под кустом венчались... У ней мужьев много. Один от ее зубов весь вечер в отхожем хоронился.

Надзиратель. Какие зубы? Чего плетешь?..

Калмыкова. Людмила Николаевна знает, какие зубы.

Надзиратель *(Муковниной).* Приводы были?.. Сколько?

Людмила. Меня заразили... Я больна.

Надзиратель *(Калмыковой)*. Нам удостоверить надо, сколько у ней приводов.

Калмыкова. Это не знаю, не скажу... Я то не скажу, чего не знаю.

Людмила. Я измучена... Отпустите меня...

Надзиратель. Не волноваться! На меня смотрите.

Людмила. У меня голова кружится... Я упаду...

Надзиратель. На меня смотреть!

Людмила. Боже мой, зачем мне смотреть на вас?..

Надзиратель *(в бешенстве)*. Затем, что я пятые сутки не спавши... Можете вы это понять?..

Людмила. Я могу понять.

Надзиратель *(подступает к ней ближе, берет за плечи и смотрит ей в глаза)*. Приводов сколько — говори...

Картина седьмая

У Муковниных. Горят коптилки. Тени на стенах и потолке. Перед зажженной лампадой молится Голицын. На сундуке спит нянька.

Голицын. ...Истинно, истинно говорю вам: если пшеничное зерно, падая в землю, не умрет, то останется одно, а если умрет, то принесет много плода. Любящий душу свою погубит ее, а ненавидящий душу свою сохранит ее в жизнь вечную. Кто мне служит, мне да последует, и где я, там и слуга мой будет, и кто мне служит — того почтит отец мой. Душа моя теперь возмутилась, и что мне сказать? Отче, избавь меня от часа сего, но на сей час я и пришел...

Катя *(подходит неслышно, становится рядом с Голицыным, кладет голову на его плечо)*. Свидания мои с Редько происходят в штабе, Сергей Илларионович, в бывшей прихожей, там клеенчатый диван есть... Я прихожу, Редько запирает дверь, потом дверь отмыкается...

Голицын. Да.

Катя. Я уезжаю в Борисоглебск, князь.

Голицын. Уезжайте.

Катя. Редько все учит меня, все учит — кого любить, кого ненавидеть... Он говорит — закон больших чисел. Но я-то сама малое число — или это не считается?..

Голицын. Должно считаться.

Катя. Вот видите — должно считаться... Вот я и свободна, нянька... Проснись. Пожалуйста, проснись. Ты царствие небесное проспишь...

Нефедовна (поднимает голову). Люка-то где?

Катя. Люка скоро придет, нянька, а я уезжаю, некому будет тебя бранить.

Нефедовна. Зачем меня бранить, какие мои дела... Я нянька рожденная, для детей взята, детей растить, а их тут нету... Баб полон дом, а ребенков нету. Одна воевать пошла, без нее некому, другая шатается без пути... Какой это может быть дом — без ребенков?

Катя. Вот родим тебе от святого духа...

Нефедовна. Вы треплетесь, разве я не вижу, треплетесь, да толку нет.

Голицын. Уезжайте в Борисоглебск, вы нужны там... В Борисоглебске пустыня, Катерина Вячеславна, в этой пустыне звери пожирают друг друга...

Нефедовна. Вон Молостовы — скверные совсем купчишки — выхлопотали своей няньке пенсион, пятьдесят рублей в месяц... Похлопочи за меня, князь, почему мне пенсион не дают?

Голицын (растапливает «буржуйку»). Меня не послушают, Нефедовна, у меня теперь силы нет.

Нефедовна. Вон ведь простые совсем купчики.

Открывается дверь. Муковнин отступает перед Филиппом, закутанным в тряпье и башлык, громадным и бесформенным. Половина Филиппова лица заросла диким мясом, он в валенках.

Муковнин. Кто вы?

Филипп (продвигается ближе). Я Людмиле Николаевне знакомый.

Муковнин. Что вам угодно?

Филипп. Там заварушка получилась, ваше превосходительство.

Катя. Вы от Исаака Марковича?

Филипп. Так точно, от Исаака Марковича... Вроде как ни с чего и получилось.

К а т я. Людмила Николаевна?..

Ф и л и п п. Там же, при них они и были, в компании... Маленько, ваше превосходительство, перехорошили. Евгений Александрович — одно, Яков Иваныч им вроде как напротив, стали цапаться, оба с мухой...

Г о л и ц ы н. Николай Васильевич, я поговорю с этим товарищем.

Ф и л и п п. Особого такого ничего не случилось, а только недоразумение... Оба с мухой, оружия при себе...

М у к о в н и н. Где моя дочь?

Ф и л и п п. Ваше превосходительство, неизвестно.

М у к о в н и н. Где моя дочь, скажите! Мне все можно сказать.

Ф и л и п п *(чуть слышно).* Законвертовали.

М у к о в н и н. Я смотрел смерти в глаза. Я солдат.

Ф и л и п п *(громче).* Законвертовали, ваше превосходительство.

М у к о в н и н. Арестовали — за что?

Ф и л и п п. Вроде как из-за болезни сыр-бор получился. Яков Иванович говорят: «Вы болезнью наделили», Евгений Александрович — стрелять. Оружия при себе, оружия — тут она...

М у к о в н и н. Это Чека?

Ф и л и п п. Люди взяли, а кто их разберет?.. Люди сейчас неформенные, ваше превосходительство, себя не показывают.

М у к о в н и н. Надо ехать в Смольный, Катя.

К а т я. Никуда вы, Николай Васильевич, не поедете.

М у к о в н и н. Надо ехать в Смольный, сейчас же.

К а т я. Николай Васильевич, дорогой мой...

М у к о в н и н. Дело в том, Катя, что моя дочь должна быть возвращена мне. *(Подходит к телефону.)* Прошу штаб военного округа...

К а т я. Не надо, Николай Васильевич!

М у к о в н и н. Прошу к телефону товарища Редько... Говорит Муковнин... Я не могу объяснить вам лучше, товарищ, кто говорит,— в прошлом я генерал-квартирмейстер Шестой армии... Товарищ Редько, вы?.. Здравствуйте, Федор Никитич. У аппарата Муковнин. Здравия желаю... Если оторвал от дела — сожалею очень... Сегодня, Федор Никитич, в доме восемьдесят шесть по Невскому вечером вооруженными людьми взята моя дочь Людмила. Я не ходатайствую перед вами, Федор Никитич,— знаю, что в организации вашей это не принято,— но только хотел доложить, что мне нужно увидеться со старшей моей дочерью, Марией Николаевной. Дело в том, что я недомогаю в последнее время, Федор Никитич, и чувствую необходимость посоветоваться с Марией Николаевной. Мы посылали телеграммы и срочные письма, Катерина Вячеславна, знаю, и вас затрудняла — ответа нет... Просьба связать по прямому проводу, Федор Никитич... Могу добавить, что я вызван генералом Брусиловым в Москву для переговоров о службе... Вы говорите — доставлено?.. Доставлено восьмого?.. Покорно благодарю, желаю успеха, Федор Никитич. *(Вешает трубку.)* Все хорошо, Машу разыскали, телеграмма вручена восьмого. Она будет в Петербурге завтра, послезавтра самое позднее. Надо убрать Машину комнату, Нефедовна,— подняться завтра чуть свет и убрать... Катюша права — квартира запущена. Мы ужасно все запустили в последнее время, везде пыль. Надо чехлы надеть. У нас есть чехлы, Катюша?

К а т я. Не на всю мебель, но есть.

М у к о в н и н *(мечется по комнате)*. Непременно надеть надо чехлы... Маше приятно будет застать все в том виде, как она оставила. Почему не создать уют, когда это можно сделать... И вот Катя у нас не амюзируется,— ты совсем не амюзируешься*, Катюша, не ходишь в театр, так можно отстать.

К а т я. Маша вернется — я пойду.

М у к о в н и н *(инвалиду)*. Простите, ваше имя-отчество?..

Ф и л и п п. Филипп Андреевич.

М у к о в н и н. Почему вы не садитесь, Филипп Андреевич?.. Мы вас даже за хлопоты не поблагодарили... Надо угостить Филиппа Андреевича... Нянька, найдется у нас чем угостить? Дом наш открыт, Филипп Андреевич, милости просим по-простому, будем рады. Мы вас непременно с Марией Николаевной познакомим...

---

* От французского глагола *s'amuser* — приятно проводить время, развлекаться.

Катя. Вам надо отдохнуть, Николай Васильевич, лечь надо.

Муковнин. И если хотите, я за Люку ни одного мгновения не беспокоюсь. Это урок — урок за ребячество за отсутствие опыта... Если хотите — я доволен... *(Вздрагивает, останавливается, падает на стул. К нему подбегает Катя.)* Спокойствие, Катя, спокойствие...

Катя. Что с вами?

Муковнин. Ничего,— сердце...

Катя и Голицын берут его под руки, уводят.

Филипп. Расстроился.

Нефедовна *(ставит на стол прибор).* Барышню нашу при тебе брали?

Филипп. При мне.

Нефедовна. Билась?

Филипп. Сперва билась, потом пошла ничего.

Нефедовна. Я тебе картошку дам, кисель есть...

Филипп. Поверишь, бабушка, дома пельменей целый ушат навалили, заварушка эта поднялась,— глядь, и уперли.

Нефедовна *(ставит перед Филиппом картошку).* Лицо-то у тебя на войне обварило?

Филипп. Лицо у меня гражданским порядком обварило, давно дело было...

Нефедовна. А война будет? Чего у вас говорят?

Филипп *(ест).* Война, бабушка, будет в августе месяце.

Нефедовна. С поляками, что ли?

Филипп. С поляками.

Нефедовна. Не все им отдали?

Филипп. Они, бабушка, желают иметь свое государство от одного моря и до самого другого моря. Как в старину было, так они и в настоящий момент желают.

Нефедовна. Ишь дураки какие!

Входит Катя.

Катя. Очень худо Николаю Васильевичу. Нужно доктора.

Филипп. Доктор, барышня, сейчас не пойдет.

Катя. Он умирает, нянька, у него нос синий... Уже видно, какой он будет мертвый...

Филипп. Доктора, барышня, сейчас на запоре, в ночное время не пойдут, хоть стреляй в него.

Катя. В аптеку надо за кислородом...

Филипп. Они союзные — их превосходительство?

Катя. Не знаю... Мы ничего здесь не знаем.

Филипп. Если не союзные — не дадут.

Резкий звонок. Филипп идет открывать, возвращается.

Там... там... Мария Николаевна...

Катя. Маша?!

Катя идет вперед, протягивает руки, плачет, останавливается, закрывает лицо руками, потом отнимает их. Перед ней красноармеец, лет девятнадцати, мальчик на длинных ногах, он тащит за собой мешок. Входит Голицын, останавливается у двери.

Красноармеец. Здравствуйте!

Катя. Боже мой, Маша!..

Красноармеец. Тут Мария Николаевна из продуктов кое-что прислали.

Катя. Где же она?.. Она с вами?

Красноармеец. Мария Николаевна в дивизии, сейчас все на местах... Из вещей тут кое-что есть — сапоги...

Катя. Она не приехала с вами?

Красноармеец. Там бои, товарищи, идут — как можно?

Катя. Мы телеграммы посылали, письма...

Красноармеец. Что ни посылайте — все равно... Части день и ночь в движении.

Катя. Вы увидите ее?

Красноармеец. Как же не увидеть?.. Если передать что-нибудь...

Катя. Да, передайте ей, пожалуйста... Передайте, что отец ее умирает и мы не надеемся его спасти. Передайте, что, умирая, он звал ее... Сестра ее Люка не живет с нами больше — она арестована. Скажите, что мы желаем счастья Марии Николаевне, желаем, чтобы она не думала о тех днях и часах, когда ее не было с нами...

Красноармеец озирается, отступает. Шатаясь, выходит из своей комнаты Муковнин. Глаза его блуждают, волосы поднялись, он улыбается.

Муковнин. Вот, Маша, тебя не было, и я не хворал, все время был молодцом, Маша... *(Видит красноармейца.)* Кто это? *(Повторяет громче.)* Кто это?.. Кто это?.. *(Падает.)*

Нефедовна *(опускается на колени рядом с Муковниным).* Ну что, Коля, уходишь?.. Не ждешь няньку...

Старик хрипит. Агония.

Картина восьмая

Полдень. Ослепительный свет. В окне облитые солнцем колонны Эрмитажа, угол Зимнего дворца. Пустая зала Муковниных. В глубине натирают паркет Андрей и подмастерье Кузьма, толстомордый парень. Агаша кричит в окно.

Агаша. Нюшка, проклятущая, не давай дитю об стенку мазаться!.. Куда глаза подевала? Сидишь, что ли, на глазах?.. Выросла — небо прободаешь, а толку все то же... Тихон, слышь, Тихон, зачем у тебя сарай растворенный? Замкни сарай-то... Егоровна, здравствуй! Я у тебя сольцы до первого не достану?.. Первого разживусь по купону — отдам. Девка моя зайдет, насыпь ей в пузырек, до первого... Тихон, слышь, Тихон, у Новосельцевых был? Когда они съезжают?

Голос Тихона. Съезжать, говорят, некуда.

Агаша. Жить умели — умейте и съезжать... До воскресенья дай им срок, а после воскресенья у нас с ними серьез будет, так и скажи... Нюшка, проклятущая, гляди, дите себе в нос землю пихает!.. Бери дите наверх, марш домой, окна мыть!.. *(Полотеру.)* Ну как, мастер, действуешь?

Андрей. Прикладываем труды.

Агаша. Не больно прикладываешь... Углы все пооставляли.

Андрей. Это какие углы?

Агаша. Да все четыре — и пол у тебя рыжий. Разве он должен быть рыжий?.. Не тот колер совсем.

Андрей. Материал теперь не тот, хозяйка.

Агаша. Сам хитришь и малого учишь... За деньгами небось аккуратно придешь.

Андрей. А я тебе, Аграфена, то отвечу, что ты врагу своему закажешь впервой после революции полы чистить... Тут за революцию грязи на три вершка наросло, рубанком не отстругаешь. Мне за это медаль нацепить, за то, что я после революции полы чищу, а ты лаешься...

В глубине проходят Сушкин и Катя в трауре.

Сушкин. Единственно как фанатик мебельной отрасли покупаю, единственно по охоте моей, что не могу мимо античной вещи пройти,— я за античную вещь болею. Громоздкую вещь в настоящий момент покупать — это камень на шею, с ним тонуть, Катерина Вячеславна... Вот сделаешь сегодняшний день покупку — мечтаешь, а завтра ты страдалец, куда бы рассовать.

Катя. Вы забываете, Аристарх Петрович, что здесь ни одной простой вещи нет. Мебель эту сто лет назад Строгановы из Парижа выписывали.

Сушкин. Оттого миллиард двести и даю.

Катя. Что значит теперь этот миллиард, если на хлеб перевести?

Сушкин. А вы не на хлеб, а на мою ненормальность переведите, что я как охотник покупаю. С громоздкой вещью в настоящий момент остаться — ведь это я у них первый кандидат буду... *(Меняя тон.)* Тут у меня и молодежь приготовлена... *(Кричит вниз.)* Ребятежь, подхватывайся, веревки с собой тащи!..

Агаша *(выступает вперед).* Это куда подхватываться?

Сушкин. С кем имею честь-удовольствие?..

Катя. Это наша смотрительница двора, Аристарх Петрович.

Агаша. Ну, хоть дворничиха.

Сушкин. Очень приятно. Теперь, значит, такой разговор: вы нам, как говорится, поможете мебель снести, мы обоюдно вам поможем.

Агаша. Не получится у вас, гражданин.

Сушкин. Что именно у нас не получится?

Агаша. Тут переселенные люди будут, из подвала...

Сушкин. Это нам, конечно, интересно знать, что переселенные...

Агаша. Мебель-то где они возьмут?

С у ш к и н. А вот это нам, гражданка, совершенно неинтересно знать.

К а т я. Агаша, Мария Николаевна поручила мне продать...

С у ш к и н. Прошу прощения, гражданка, мебель-то ваша?

А г а ш а. Мебель не моя, да и не твоя тоже.

С у ш к и н. На это первично отвечу, что мы с вами над одной ямкой не сидели, а вторично я вам скажу, что вы в настоящий момент, гражданка, неприятность себе наживаете.

А г а ш а. Ордер принесешь — я мебель выпущу.

К а т я. Агаша, мебель принадлежит Марии Николаевне, ты же знаешь...

А г а ш а. Я что знала, барышня, то забыла, переучиваюсь теперь.

С у ш к и н. Гляди, баба, нарвешься!

А г а ш а. Не ругайся, выгоню...

К а т я. Уйдемте, Аристарх Петрович.

С у ш к и н. Превышение власти, баба, делаешь.

А г а ш а. Ордер принеси — выпущу.

С у ш к и н. В другом месте поговорим.

А г а ш а. Хочь на Гороховой.

К а т я. Уйдемте, Аристарх Петрович...

С у ш к и н. Я уйду, да вернусь — не один вернусь, с людями.

А г а ш а. Нехорошо делаете, барышня.

Уходят. Андрей и Кузьма кончают натирать,
собирают свой снаряд.

К у з ь м а. Умыла как следует.

А н д р е й. Колкая дамочка.

К у з ь м а. Она и при генерале была?

А н д р е й. При генерале она низко ходила, головы не высовывала.

К у з ь м а. Генерал-то дрался небось?

А н д р е й. Зачем дрался? Совершенно он не дрался. Ты к нему придешь — он с тобой за ручку возьмется, поздоровается... Его и народ любил.

К у з ь м а. Как это так — народ генерала любил?

Андрей. По дурости нашей любили... Он вреда больше положенного не делал. Сам себе дрова колол.

Кузьма. Старый был?

Андрей. Особо старый не был.

Кузьма. А помер...

Андрей. Помирает, брат Кузьма, не зрелый, а поспелый. Значит, поспел.

Входят Агаша, рабочий Сафонов, костлявый молчаливый парень, и беременная жена его Елена, длинная, с маленьким светлым лицом, молодая женщина лет двадцати, не более, она в последних днях. Все нагружены домашним скарбом, тащут с собой табуретки, матрацы, примус.

Погоди, погоди, дай подстелю...

Агаша. Входи, Сафонов, не бойся. Тут тебе и помещаться.

Елена. Нам бы другого чего-нибудь, похуже...

Агаша. Привыкай к хорошему.

Андрей. Плевое дело — к хорошему привыкнуть.

Агаша. Налево кухня, там ванная — мыться... Пойдем, хозяин, остальное притащим... Ты сиди, Елена, не ходи — выкинешь, пожалуй.

Агаша и Сафонов уходят. Андрей собирает свои пожитки — щетки, ведра, Елена садится на табуретку.

Андрей. С новосельем, значит?

Елена. Вроде неудобно помещение, велико...

Андрей. Когда рассыпаться тебе?

Елена. Завтра пойду.

Андрей. Очень просто. На Мойку, что ли, во дворец?

Елена. На Мойку.

Андрей. Дворец этот — нонче называется матери и ребенка — его в прежнее время царица для пастуха построила, теперь там бабы опрастываются. Все по порядку, очень просто.

Елена. Завтра идти. То боюсь, дядя Андрей, а то ничего.

Андрей. Бояться тут нечего: родишь — не чихнешь. Проработает тебе все жилы, разделаешься, опосля этого себя не узнаешь.

Елена. У меня, дядя Андрей, кость узкая...

А н д р е й. Попросят ее, твою кость, она подвинется... Другой раз посмотришь на бабочку: кое-как слеплена, волосьев копна, да ножки, да ручки, а выпечатает такого мужичищу, он водки ведро выпьет да вола кулаком убьет... На все специальность... *(Взваливает на плечи мешок.)* Мальчика желаешь или девочку?

Е л е н а. Мне все равно, дядя Андрей.

А н д р е й. Это верно, что все равно... Я так располагаю: которые дети теперь изготовляются, должны к хорошей жизни поспеть. Иначе-то как же?.. *(Собирает свой инструмент.)* Пошли, Кузьма... *(Елене.)* Родишь — не чихнешь, на все специальность... Поехали, казак.

Полотеры уходят. Елена раскрывает окна, в комнату входят солнце и шум улицы. Выставив живот, женщина осторожно идет вдоль стен, трогает их, заглядывает в соседние комнаты, зажигает люстру, гасит ее. Входит Нюша, непомерная багровая девка, с ведром и тряпкой — мыть окна. Она становится на подоконник, затыкает подол выше колен, лучи солнца льются на нее. Подобно статуе, поддерживающей своды, стоит она на фоне весеннего неба.

Е л е н а. На новоселье придешь ко мне, Нюша?

Н ю ш а *(басом).* Позовешь — приду, а чего поднесешь?..

Е л е н а. Много не поднесу, что найдется...

Н ю ш а. Мне сладенького поднеси, красного... *(Пронзительно и неожиданно она запевает.)*

> Скакал казак через долину,
> Через маньчжурские края,
> Скакал он садиком зеленым.
> Кольцо блестело на руке.
> Кольцо казачка подарила,
> Когда казак пошел в поход.
> Она дарила — говорила, что
> Через год буду твоя.
> Вот год прошел...

Занавес

Беня Крик

киноповесть

Часть первая

Король

Досуги пристава Соковича

 омната Соковича. Под потолком, у окна с геранью, покачивается в клетке канарейка.

У рояля вяжет старушка в чепце. Спицы быстро ходят в ее руках. Видна часть рояля. Отлакированная крышка инструмента блестит.

Пристав играет на рояле с необыкновенным чувством, он шевелит губами, поднимает плечи, открывает рот.

Клавиатура. По клавишам бегают пальцы пристава, украшенные перстнями в форме черепов, копыт, ассирийских печатей.

В клетке заливается канарейка.

Сокович играет, раскачиваясь, и с ним вместе раскачиваются комната, канарейка, спицы, старушка.

В глубине комнаты показывается еврей Маранц в затрапезном сюртуке. Маранц покашливает, скользит, шаркает ногами, упоенный пристав не слышит.

Пальцы пристава бурно рвут клавиши. Над ними склонилось унылое, скептическое лицо Маранца.

Пристав переходит к нежному piano, Маранц не выдерживает. В отчаянии обнимает он голову пристава и прижимает ее к груди.

Сокович вскакивает. Маранц шепчет ему на ухо или, вернее, куда-то пониже уха:

— Пусть мне не дожить повести дочку под венец, если... если не сегодня...

Маранц отступает, вьется, сучит ободранными ногами, потирает руки, мотает головой. Пристав разглядывает его с величайшей серьезностью. Маранц:

— Король выдает сегодня замуж сестру... «Они» перепьются, и вы можете сделать на «них» дивную облаву...

Сокович захлопывает крышку рояля. Он испытующе всматривается в гримасничающее, дергающееся лицо еврея.

На обочине тротуара, перед домом пристава, сидит молодая цыганка во многих трепаных юбках. Цыганка обвешана лентами, монетами, монисто. Она ест баранки и тянет вино из горлышка бутылки, рядом с ней прыгает на цепи мартышка. Вокруг обезьяны в полном неистовстве скачет детвора.

Дверь приставской квартиры открывается, на улицу проскользнул Маранц. Воровато оглядываясь, он быстро идет вдоль стены.

Цыганка схватила обезьяну, побежала за Маранцем, догнала его. Она умильно просит у него милостыню:

— Подай, царевич... Подай, красавец...

Маранц отплевывается, идет дальше. Цыганка проводила его долгим взглядом. Обезьянка, вскочившая на плечо женщины, тоже смотрит вслед Маранцу.

Улица на Молдаванке. Из-за угла показывается биндюг Менделя Крика. Старик пьян, он хлещет лошадей, клячи несутся бурным галопом, прохожие шарахаются в сторону.

Мендель Крик,
слывущий среди биндюжников грубияном

Мендель Крик размахивает кнутом. Раскорячив ноги, старик стоймя стоит в телеге, малиновый пот кипит на его лице. Он велик ростом, тучен, пьян, весел.

Биндюг несется во всю прыть. Пьяный старик орет прохожим:

— Поберегись!..

Навстречу ему, виляя бедрами, идет поющая цыганка. Обезьяна деловито лущит орешки у нее на плече. Цыганка подает старику знак, едва заметный.

Вожжи в руках Менделя. Схваченные железной рукой, они с карьера останавливают лошадей.

Лицо Менделя, внезапно протрезвевшего, обращено к цыганке.

Цыганка проходит мимо Менделя. Она скосила глаз и поет:

— Маранц, матери его сто чертей...

Цыганка вильнула бедрами, она играет с обезьянкой и поет про себя:

— Маранц был у пристава...

Мендель пошевелил вожжами и поехал. Не в пример прежней езде лошади его идут шагом.

Изображение облупившейся вывески: «Извозопромышленное заведение Мендель Крик и Сыновья». На вывеске намалевано ожерелье из подков и английская леди в амазонке с хлыстом. Леди гарцует на битюге, битюг мечет в воздух передние ноги.

Под вывеской у невзрачного одноэтажного дома сидят на лавочке два парня и щелкают семечки. Они хранят важное молчание и смотрят вперед безо всякого выражения. Один из них — молодой перс с оливковым лицом и черными разросшимися бровями, другой — Савка Буцис. Одна рука у Буциса отрезана, обрубок ее зашит в болтающийся рукав, другой, целой рукой он с необыкновенной ловкостью и ухарством выгребает из кармана подсолнухи и издалека, не целясь, бросает их в рот. Промаха у него не бывает.

К дому подъезжает Мендель Крик. Парни — перс и Савка — в полном безмолвии, не поворачивая голов, отдают старику честь. Ворота перед Менделем раскрываются; человек, раскрывающий их, не виден.

Двор, где живут Крики, обширен, окаймлен приземистыми старинными строениями, загроможден голубятнями, телегами, распряженными лошадьми. В углу двора девки доят коров.

Три розовых, зернистых коровьих вымени, женские руки, перебирающие соски, и струи молока, брызгающие в подойник.

Одна из девок кончила доить. Она разгибает спину, потягивается, луч солнца зажигает рябое мясо развеселого ее лица. Девка зажмуривается. Во двор на разгоряченных жеребцах влетает Мендель. Старик прыгает с биндюга, бросает девке вожжи и, переваливаясь на толстых ногах, бежит к дому.

Девка ловко распрягает лошадей, она бьет по мордам играющих жеребцов.

Двухспальная, вернее сказать — четырехспальная, кровать загромождает комнату невесты Двойры Крик. Гигантское это сооружение заброшено несметным количеством расшитых подушечек. К кровати прислонился спиной Беня Крик. Виден подбритый его затылок.

Беня Крик играет на мандолине. Ноги его, обутые в лаковые щегольские штиблеты, положены на табуретку. Костюм Бени носит печать изысканного уголовного шика.

Широчайшая кровать — колыбель рода, побоища и любви. В комнату вваливается папаша Крик. Он стаскивает с себя сапоги; разматывая невообразимо грязные портянки, старик недоверчиво их оглядывает. Как грязно живут люди — приходит ему в голову. Мендель разминает взопревшие пальцы ног и, слегка робея в присутствии сына-«короля», бормочет:

— Маранц был у пристава сегодня...

Пальцы Бени, перебиравшего струны, цепенеют. Струна лопается и завивается вокруг ручки мандолины. Мандолина летит на кровать и врывается в подушки.

Затемнение

С плеча Савки Буциса свисает пустой рукав, заколотый внизу булавкой — рубиновой змейкой.

Улица на Молдаванке. Перс и Савка сидят на лавочке у входной двери в квартиру Маранца. Они поглощены излюбленным занятием — щелкают подсолнухи. К дому Маранца подъезжает экипаж. На козлах осанистый кучер с патриархальным задом и раскидистой бородой. Кучер отмечен необыкновенным сходством с цыганкой, появлявшейся в первых сценах.

Из экипажа выходит Беня, он звонит у парадной двери. Вырезанное в двери окошечко отодвигается, сквозь него просовывается голова Маранца — хранилище немногих волос, чернильных пятен и перьев из подушки. Ужасный испуг отражается на его лице. Беня с удручающей вежливостью снимает перед маклером шляпу.

Равнодушная морда кучера. Он перебирает от скуки монисто, которое раньше было на цыганке.

Маранц спотыкаясь выходит на улицу. Беня здоровается с ним, обнимает его плечи и дружески сообщает:

— ...Есть кое-чего заработать, Маранц.

Указательный и большой палец Бени трутся друг о дружку. Жест этот обозначает, что предстоит выгодное дело.

Маранц колеблется. Силясь разгадать причину внезапного посещения, он всматривается в непроницаемое Бенино лицо.

Указательный и большой пальцы Бени движутся все медленнее, все загадочней:

— Есть кое-чего заработать, Маранц...

Маклер решился. Жена выносит ему из дома сюртук, шоколадный котелок, парусиновый зонтик. Из передней выглядывает куча детей. На измазанных их мордочках чистым, бойким блеском горят семитские глаза. Маранц и Беня садятся в экипаж. Жена Маранца кланяется «королю». Длинные груди ее раскачиваются, как белье, развешанное во дворе и колеблемое ветром. Кучер погнал лошадей.

Удаляющийся экипаж. Видна дородная успокоительная спина кучера, котелок Маранца, панама Бени. Экипаж проезжает мимо постового городового. Городовой отдает Бене честь.

Однорукий Савка подманивает к себе мальчика, сына Маранца. Карапуз, охваченный ужасом и восторгом неизвестности, движется по кривой, путаной линии.

Берег моря. Набегающая волна. Вверху — белые дачи с колоннадами. Экипаж едет по шоссе над самым берегом моря. Беня и Маранц беседуют по-приятельски. Котелок и панама дружелюбно покачиваются. Лошади идут крупной рысью. Местность становится все глуше.

Опасения Маранца сменились чувством умиления перед красотами моря и скал. Он развалился на кожаных подушках, он расстегнул ворот рубахи, для того чтобы загореть немножко. Беня вынимает портсигар, предлагает Маранцу папиросу и говорит небрежно:

— Люди говорят, что ты капаешь на меня приставу, Маранц...

Дрожащие пальцы Маранца пристукивают папиросой по серебряной поверхности Бениного портсигара.

Экипаж въезжает в глухое укрытое место на берегу моря. Скалы, кустарник. Кучер останавливает лошадей, поворачивает к седокам бородатое лицо, перекидывает ноги внутрь экипажа.

Беня подносит Маранцу спичку. Еврей в ужасе закуривает. Он переводит глаза с Бени на кучера, перекинувшего ноги внутрь экипажа. Кучер медленно кладет ноги на плечо Маранцу и снимает с него котелок.

Перс играет с маленьким сыном Маранца в излюбленную детскую игру. Малыш кладет свои ладони на ладони перса и тотчас же их отдергивает. Перс якобы не успевает ударить, зато маленький Маранц колотит изо всех сил. Мальчик совершенно счастлив.

Берег моря. Волна взрывается под скалой. В воду падает котелок Маранца.

Экипаж едет вдоль берега. На Бене по-прежнему панама, но на Маранце не видно больше котелка. Голова его взъерошена и дергается. Кучер поднимает верх экипажа.

По широким, голубым, тающим волнам плывет котелок. Вспененные, запрокинутые морды лошадей.

Игра между мальчиком и персом продолжается. Савка неутомимо грызет подсолнухи.

Экипаж с поднятым верхом проезжает мимо постового городового. Тот снова отдает честь.

Савка увидел вдали экипаж. Он потрепал мальчика по щеке, дал ему пятак и ласковым ударом колена по некоей части прогоняет его.

Из экипажа, остановившегося у дома Маранца, выходит Беня, он направляется к парадной двери.

Перс и Савка снимаются с лавочки и, обнявшись, уходят.

«Мадам» Маранц открывает Бене дверь.

— Люди говорят, мадам Маранц, что покойный ваш муж капал на меня...

В переплете двери искаженное лицо женщины.

Из экипажа медленно выползает труп Маранца.

Спины Савки и перса, лениво, вразвалку идущих по улице.

Труп Маранца, распростертый на земле.

На земле, у лавочки, горка шелухи от подсолнухов, нащелканных Савкой.

Часть вторая

Друзья «короля» едут на свадьбу Двойры Крик

Здание полицейского участка. Кирпичная трехэтажная стена. В третьем этаже тюремные окна, переделенные решетками. В окнах лица заключенных. Арестанты, охваченные необъяснимым восторгом, машут кому-то платками.

Улица на Молдаванке. Сбоку здание участка. Старая еврейка сидит на углу и ищет в волосах у внучки. Слышен шум. Старуха поднимает голову и смотрит на приближающуюся процессию.

Налетчики в свадебных архаических каретах направляются к дому старого Крика. В первой карете Савка и перс. В стальных вытянутых их руках по гигантскому букету. Налетчики одеты под масть Бене Крику, но вместо панам на них крохотные котелки, сдвинутые набок. Кучер украшен бантом и больше похож на шафера, чем на кучера.

Вторая карета — черный колыхающийся громадный ящик. В карете развалился Левка Бык — один из ближайших сподвижников «короля». В руке у него букет, на кучере его бант.

У ворот участка кучка благожелательных городовых. С почтением и завистью следят они за течением пышной процессии.

Третья карета. В ней сидит одноглазый Фроим Грач (левый глаз его вытек, съежился, прикрыт), представляющий разительную противоположность остальным налетчикам. Он в парусиновой бурке, смазных сапогах. Рядом с Грачом, угрюмым и сонливым,— кокетничающее сморщенное личико шестидесятилетней Маньки, родоначальницы слободских бандитов. Она в кружевном платочке. За их экипажем бегут мальчишки и зеваки.

Фроим Грач и Манька,
родоначальница слободских бандитов

Мимо участка медленно проезжает архиерейская карета Фроима и бабушки Маньки.

Арестанты неистово машут платками.

Старуха раскланивается с важностью императрицы, объезжающей войска.

В окне второго этажа сумрачный пристав Сокович.

Кабинет пристава. На стене портрет Николая II. У окна торчит спина Соковича. В широком кресле у стола сидит жирный, с мягким ворочающимся животом помощник пристава Глечик. Помаргивая близорукими глазами, он сосет леденцы, которых у него целая коробка. Спина пристава являет признаки величайшего возбуждения. Она вздрагивает и ежится, как от укуса блохи.

Глечик вкладывает в рот груду леденцов. Они не сразу входят в отверстие его рта, заросшего опущенными усами. Пристав круто поворачивается, подходит к Глечику, тормошит его:

— Каюк Бенчику... Сегодня на свадьбе мы «их» возьмем...

Безнадежное лицо Глечика. Моргая, он спрашивает:

— А зачем их брать?..

Пристав машет рукой и выбегает из кабинета. Толстый Глечик поднимает раскачивающийся свой живот, он понуро плетется за Соковичем. В оттопыривающемся его кармане лежит кусок курицы, завернутый в промасленную бумагу. Грязная бечевка вываливается из кармана Глечика и волочится по полу.

Пристав бежит вниз по лестнице, за ним бредет Глечик.

Мирное житие во дворе участка. У стены мордатый городовой стирает в лохани панталоны. В другом углу одесские обыватели — среди них мудрые, старые евреи и тучные торговки — с большой готовностью прощаются за руку с канцеляристом. Рукопожатие длится долго, руки прощающихся ворочаются самым странным образом, и после каждого судорожного этого рукопожатия канцелярист прячет в карман полтинник. Мимо мудрых стариков и тучных торговок пробегает на рысях Сокович.

У внутренней стены участка выстроились шеренгой городовые. К ним подходит пристав. Городовые едят начальство глазами. Пристав обращается к городовым с речью:

— Братцы, там, где есть государь император,— там не может быть короля...

Ряд усатых раскормленных физиономий. По мере того как пристав продолжает энергическую свою речь, лица городовых увядают.

Группа голубей на голубятне. Кто-то спугнул их хворостиной.

Глечик сует в голубятню длинную хворостину, потом он отбрасывает ее. Ничто не может развлечь его. На оплывшем его лице борются страсти и сомнения.

Томление духа помощника пристава Глечика

Глечик вынимает из кармана записку и читает ее с грустью и тайным каким-то сладострастием.

Изображение пригласительного свадебного билета, увенчанного дворянской короной. В углу надпись чернилами: «Его Превосходительству мосье Глечику». Печатный текст:

«Мендель Ушерович Крик с супругою и Тевья Хананьевич Шпильгаген с супругою просят Вас пожаловать на бракосочетание детей их — Веры Михайловны Крик и Лазаря Тимофеевича Шпильгагена, имеющее быть во вторник, 5 июня 1913 г. С почтением — родители».

Глечик с грустью читает билет. Тяжелый вздох колеблет унылую чащу его усов. Сомнения терзают его. Он отворачивается, закрывает глаза и начинает вертеть пальцами.

— Идти или не идти?

Вертящиеся пальцы Глечика. Один палец пришелся против другого. Значит — идти.

От полноты чувств Глечик бросает собаке свою курицу и убегает.

Глечик бежит по двору. Его чуть не сбивают с ног городовые, волокущие за шиворот арестованного. Арестованный этот — Колька Паковский — тот самый юно-

ша, который являлся уже перед нами в образе цыганки и кучера. Колька растерзан, пьян, ноги его подла-
мываются, он волочится за городовыми и сосредото-
ченно, с пьяной нежностью лижет руку конвоира.

Пристав Сокович, подергивая бодрой ногой, продолжает свою речь:

— Сегодняшняя облава должна дать нам в руки всю
шайку Бени Крика...

Потухшие лица городовых.

К приставу подтаскивают упирающегося Кольку.

— Среди бела дня затеял поножовщину, ваше высокоблагородие...— докладывают конвоиры. Сокович
бросает на Кольку рассеянный взгляд.

— Посадить до утра. Завтра разберемся...

Обмен рукопожатиями между обывателями и канцеляристом продолжается.

Конвоиры тащут Кольку по коридору участка. Он
неутомимо целует сапоги своего стража.

Городовые открывают дверь камеры, вталкивают
Кольку. Он летит кубарем.

Камера. Влетает Колька. Заключенные вскакивают
как по команде, принимают гостя в объятия.

Колька покоится в объятиях окружающих арестан-
тов. Он куражится, сползает на пол. Тюремные жители смотрят на него с жадностью, как на пришельца,
принесшего благую весть. Над падающим Колькой
смыкается их круг.

Снятые сверху лохматые головы, склонившиеся над
Колькой. Круг их медленно расходится, Колька встал,
и все же на полу распростерто человеческое тело.

На полу камеры лежит раздутый резиновый костюм,
наполненный какой-то жидкостью и напоминающий
по форме водолаза.

Затемнение

Клубы пара и дыма заволакивают экран. Из тумана
возникают два беременных живота, обтянутых полосатыми юбками. Животы лежат рядышком на перекладине плиты.

На плите жарятся индюки, гуси, дымится всякая
снедь. Беременные кухарки накладывают пищу

на блюда. Над ними царит крошечная восьмидесятилетняя Рейзл. Иссохшее ее личико, обвиваемое клубами пара, полно величия и священного бесстрастия. В руках у Рейзл большой нож: она распарывает им животы у больших морских рыб, мечущихся по столу.

Беременные кухарки с полосатыми животами передают блюда затрапезным еврейским официантам в нитяных перчатках и улетающих бумажных манишках. На лицах лакеев пылают бородавки и в ненадлежащих местах торчат пучки волос. Они схватывают блюда и убегают.

Издыхающие рыбы мечутся по столу и бьют сияющими хвостами.

Свадьба во дворе Крика. Через весь двор протянуты китайские фонарики. Лакеи пробегают мимо стола, за которым сидят нищие и калеки; нищие пьяны, они корчат рожи, стучат костылями, тащат официантов к себе, лакеи вырываются и бегут к главному столу, за которым неистовствует свита «короля». На первом месте новобрачные: сорокалетняя Двойра Крик, грудастая женщина с зобом и выкатившимися глазами, рядом с ней Лазарь Шпильгаген, тщедушное существо с истрепанным лицом и жидкой шевелюрой; тут же Беня, папаша Крик, Левка Бык, Савка, перс и их дамы — хохочущие молдаванские девки в пламенных шалях. Папаша Крик вопит:

— Горько!..

Пьяная невеста кладет обширную свою грудь на стол, она тянет вино из горлышка бутылки, чешет себе ноги под столом и лезет за пазуху к мужу, к кроткому Шпильгагену. Гости поддерживают клич папаши Крика:

— Горько!..

Налетчики, вскочив на стулья, льют в себя водку прямо из бутылок. Двойра наваливается на упирающегося Шпильгагена, она подтаскивает его к себе, как грузчик подтаскивает по сходням куль муки, и терзает его длинным, мокрым, хищным поцелуем. Налетчики бьют посуду.

Поцелуй Двойры и Шпильгагена. Хромой нищий подползает к новобрачным и с тупым вниманием следит за поцелуем.

Городовой тащит по коридору участка ведро с кипятком.

Камера. Городовой вносит кипяток. Колька выхватывает у него из рук ведро и опрокидывает кипяток на голову городового. Обваренный городовой падает.

Колька выскакивает в коридор. Он бросает резиновый костюм на кучу параш, сваленных в углу, делает в нем надрез и зажигает керосин, льющийся из резинового костюма.

Помощник пристава Глечик застыл в нерешительности у ворот дома Криков. Живот его стянут новым мундиром, за ним волочится сабля, на голове большой старинный картуз с лаковым козырьком. Грудь Глечика украшена медалями о-ва спасания на водах, ведомства императрицы Марии, в память 300-летия дома Романовых и проч. Глечик, робея, приоткрывает ворота.

В нескольких шагах от главного свадебного стола — диковинный музыкант. Перед ним турецкий барабан, к ноге музыканта привязана веревка, он приводит ею в движение медные тарелки на барабане, к колену его прикреплена палка, которой он колотит по барабану, верхняя же часть его тела посвящена громадной трубе, похожей больше на свернувшегося удава, чем на трубу. Голубая палка солнца уткнулась в трубу. Музыкант отдыхает.

В глубине двора показался Глечик. К нему бежит Беня, они целуются три раза в обе щеки. Беня подает знак музыканту.

Музыкант вздрогнул и пришел в движение: он дует в трубу, дергает за веревку и палкой, прикрепленной к колену, бьет в барабан.

Беня ведет Глечика к гостям. Восторг присутствующих по поводу прибытия помощника пристава. Невеста в залитом вином подвенечном платье падает Глечику на грудь, папаша Крик колотит его изо всех сил по спине, шестидесятилетняя Манька целует его в лоб материнским поцелуем. Савка летит к Глечику с двумя бутылками водки в руках. Савкина баба пытается отобрать у него бутылку, он разбивает эту бутылку у нее на голове; налетая на Глечика, Савка всовывает бутылку ему в рот, как ребенку соску, тут же рядом хлопочет папаша Крик с огурцом в руке.

Музыкант неистовствует: каждая его конечность движется в направлении, противоположном направлению параллельной конечности.

Развеселые молдаванские бабы водят хоровод вокруг Глечика, которого накачивают водкой, огурцами, фаршированной рыбой, апельсинами. Бока баб цветут, в середине круга прыгают друг против друга старый Крик и бабушка Манька. Левка Бык, обезумев от восторга, стреляет в воздух. Он расталкивает круг, хватает старуху, вкладывает в ее руку револьвер. Манька сладко зажмуривается, нажимает курок...

Старушечья сморщенная рука, нажимающая курок.

Выстрел. Танец возобновляется с бешеной силой. Папаша Крик останавливается вдруг, он обнюхивает воздух и отводит Беню в сторону:

— Мне сдается, Беня, что здесь пахнет гарью...

Дирижируя танцами, Беня успокаивает отца:

— Папаша, не обращайте внимания на этих глупостей. Прошу вас, выпивайте и закусывайте...

Музыкант в движении, нога его трясется, труба его колышет солнце.

Ухарский молдаванский танец со стрельбой, с битьем посуды, разбрасыванием денег под ноги танцующим.

Край неба, окрашенный пожаром.

Пожарная команда мчится по улицам Молдаванки.

Толпа перед зданием горящего участка. Городовые выбрасывают сундучки из окна, дождь бумаг летит по воздуху. На коне скачет обезумевший Сокович.

Внутри здания в дыму по наклонной доске со страшной быстротой скользят три широких зада.

Стена участка. Из разбитых окон прыгают арестованные. Внизу на земле их принимают в объятия жены.

Музыкант в движении.

Похищение мужей молдаванскими амазонками. Бабы растаскивают арестованных по домам.

Танец во дворе Крика.

Пожарные привинчивают громадный резиновый шланг к водопроводному крану на улице. Они угрожающе направляют шланг в сторону пожарища, открывают кран и... несколько капель воды с великой натугой изливаются на землю. Кран испорчен.

На фоне неба, охваченного заревом, скручиваются две черные балки и рушатся вниз.

У пристава Соковича обгорел ус. Он смотрит на пожарище. Мимо него проходит Беня Крик и растерзанный, залитый керосином и водой Колька Паковский. Беня приподнимает шляпу.

— Ай, ай, ай, какое несчастье... это же кошмар!..

Беня скорбно покачивает головой. Сокович переводит на него мутные, непонимающие глаза.

Затемнение

На дворе у Криков. Рассвет. Потухают фонарики. Упившиеся гости валяются на земле, как рассыпанный штабель дров.

Двуспальная кровать Двойры Крик. Новобрачная тащит к постели Шпильгагена, тот бледнеет, упирается, но сопротивление его слабеет, и он падает на кровать.

Музыкант, обвязанный веревками, палками, медными тарелками, спит, склонившись на барабан.

Часть третья

Как это делалось в Одессе

Много воды и много крови
утекло со дня свадьбы Двойры Крик

Лес знамен. На знаменах надписи: «Да здравствует Временное правительство!».

Грудастая дама в военной форме несет знамя с надписью: «Война до победного конца!».

По улицам марширует женский батальон времен Керенского. Он состоит из дам и девок. На лицах у дам печать решимости и вдохновения, у девок — заспанные лица.

Во весь экран — касса. Отделения ее набиты акциями, иностранной валютой, бриллиантами. Чьи-то руки вкладывают в кассу стопки золотых монет.

Рувим Тартаковский, владелец девятнадцати
пекарен, определяет свое отношение к революции

Кабинет Тартаковского. Несгораемая касса во всю стену. Тартаковский — старик с серебряной бородой и могучими плечами — передает приказчику Мугинштейну деньги. Тот распределяет их по разным отделениям кассы.

Вздымающиеся революционные груди женского батальона текут по улице, набитой зеваками и визжащей детворой.

Тяжелая металлическая дверь кассы медленно захлопывается.

— А теперь, Мугинштейн, пойдем поздравить рабочих...— говорит старик приказчику, и они выходят из кабинета.

Контора Тартаковского. Дореформенное учреждение, похожее на конторки в лондонском Сити времен Диккенса. Все служащие без пиджаков, за ушами у них вставочки, а в ушах вата. Они очень толстые или очень худые. На толстых — фуфайки и замусоленные жилеты, на худых — манишки с бантами. Одни покрыты буйной растительностью, другие — безволосы; одни сидят на оборванных креслах, перекрытых подушками, другие взгромоздились на трехногие высокие стулья, но у всех такое выражение лица, как будто они только что проглотили что-то очень горькое. Один только бухгалтер-англичанин соблюдает нерушимое спокойствие. Он грызет трубку, окутывающую его клубами жесточайшего дыма. В углу мальчик вертит пресс, копирует письма. У окошечка с надписью «Касса» восседает пышная дама, нос с многими горбинками делает ее похожей на гречанку. По комнате проходят Мугинштейн и Тартаковский. Служащие замирают. Мальчик, завидев хозяина, с ожесточением начинает вертеть пресс. Он надувается, багровеет.

Множество сопливых, рахитичных детей, сваленных в кучи. Полуголые, с кривыми ногами, они кишат как черви на земле.

Громадный четырехэтажный дом на Прохоровской улице, на Молдаванке, где скучилась невообразимая еврейская беднота. Зеленые зябкие старики в лохмотьях греются на солнце, часовой мастер в опорках раскинул во дворе свой столик, лысые еврейки в отрепьях стряпают пищу на разбитых ведрах: у ведер этих высажено дно, они заменяют плиты. Тартаковский и Мугинштейн проходят по двору. Оборванные старики поднимаются со своих мест, они устремили на хозяина гноящиеся глаза, залитые кровавой обильной влагой, и кланяются ему. К Тартаковскому подбегает растрепанная еврейка в мужских штиблетах.

— Что будет с клозетом, мосье Тартаковский?— спрашивает она старика. Тартаковский пожимает плечами.

— А что должно быть с клозетом?— отвечает он. Еврейка, ухватив хозяина за руку, тащит его к себе в квартиру.

Женщина ведет Тартаковского вверх по лестнице, заваленной отбросами нечистой нищеты, нищеты, которая ни на что больше не надеется. Взъерошенные, одичалые коты носятся по лестнице.

Женщина притащила Тартаковского в свою уборную. Сиденья в этой уборной нет, оно разбито, в цементном полу дыра, с потолка льется вонючая жидкость. Рядом с уборной, почти в самой уборной, кровать, набитая ватными лоскутьями. На кровати лежит горбатая девушка с аккуратно заплетенными косами. Тартаковский молодцевато хлопает женщину по плечу.

— Николку холера взяла, мадам Гриншпун, теперь всем будет хорошо, и вам будет хорошо...

Горбатая девушка смотрит на Тартаковского. По стене возле ее кровати течет вода.

По земле ползают дети — голые, рахитичные, сопливые дети гетто.

Тартаковский и Мугинштейн идут по двору мимо шевелящейся кучи детей. Старик ищет места, куда бы ему поставить ногу. В глубине двора вход в подвал, в пекарню.

Вывеска над подвалом: «Пекарня и булочная № 16 Акционерного общества Рувим Тартаковский». Сбоку другая вывеска, поменьше: «Принимаются заказы на торты фантази».

Осклизлая лестница, ведущая в подвал, ступени ее разбиты. Мальчик-подручный стаскивает вниз пятипудовый мешок. Он ложится на ступени и поддерживает головой катящийся вниз мешок.

Голые спины двух месильщиков: отлакированная потом спина молодого парня Собкова и кривая, с разбитыми лопатками спина старика. Лопатки эти движутся не в ту сторону, куда им надо. Нескончаемая равномерная игра мускулов на мокрых спинах месильщиков.

Мугинштейн и Тартаковский спускаются по лестнице в пекарню. Они скользят, оступаются, приказчик бережно поддерживает хозяина.

Спины месильщиков. Собков работает и читает газету «Известия Одесского Совета рабочих депутатов», прибитую к стене над месильным чаном. Газета освещена мятущимся пламенем керосиновой лампочки.

Пекарня — смрадный подвал. Скудный свет проникает сквозь запыленные оконца, пробитые у потолка. В углах чадят керосиновые лампы без стекол. Пекари обнажены до пояса. У пылающей печи возится с дровами истопник — веселый кривоногий мужичонка Кочетков, из другой печи мастер вынимает испекшиеся хлебы, посаженные на лопаты с длинными ручками.

Мастер выдергивает из печи лопаты с готовыми хлебами.

Тартаковский и Мугинштейн входят в пекарню. К ним стягиваются рабочие, похожие больше на духов из подземного царства, чем на людей. Тартаковский разглагольствует:

— Поздравляю вас, господа, с любимой свободой... Теперь и мы вздохнем грудью...

Тартаковский с жаром пожимает руки рабочих. Дожидаясь очереди, они вытянулись как хвост у лавки. Пекари, непривычные к такому обращению, суетливо обтирают руки о передник, они протягивают ладони с жалкой неловкостью и сейчас же после рукопожатия счищают с хозяина налетевшую пыль.

Спина Собкова. Парень продолжает месить тесто и читает свою газету. Тартаковский хлопает его по бронзовому играющему плечу и протягивает руку. Собков долго вытаскивает руки из тугого теста, он поворачивает к хозяину лукавое лицо с вихрами и медленно, как деньги на блюде, подносит ему пятерню, убранную тестом. Кочетков — веселый мужичонка — кинулся к Собкову, он принимается счищать тесто с пальцев. Смеющийся Собков смотрит на хозяина в упор. Тартаковский понял, он круто повернулся и отошел. Кочетков подмигивает месильщику.

Змейки из теста колышутся на пятерне Собкова — бесформенной, чудовищно увеличенной.

Затемнение

Кафе Фанкони. Толчея. Деловые дамы с большими ридикюлями, биржевые зайцы с тростями, одесская толпа. На помосте, где обыкновенно помещается оркестр, разбитной молодой человек потрясает кандалами. За его спиной сидит унылая личность с несимметричным лицом, с большими ножницами в руках. Ножницы приспособлены для раскусывания железа.

— Граждане свободной России! Покупайте на счастье наследие проклятого режима в пользу геройских инвалидов. Пятьдесят рублей,— кто больше?

У противоположной стены на бархатном диванчике сидят рядом три инвалида, три обстриженных дремлющих болванчика. Они обвешаны медалями и Георгиевскими крестами.

Декольтированная девица в большой шляпе со свисающими полями ходит с вазочкой между столиками и собирает деньги «на революцию». «Декольте» девицы съехало набок, башмаки ее истоптаны; от восторга, от весны, от деятельности длинный нос ее покрылся мелкими жемчугами пота. За одним из столиков сидит Тартаковский, окруженный стаей подобострастных маклеров. Стол его завален образцами товаров — зернами пшеницы, обрывками кожи, каракулевыми шкурками. Он кладет барышне в вазу двугривенный.

Аукционист на трибуне потрясает кандалами.

Декольтированная девица вьется между столиками. У окна развалился Беня Крик, он старательно пишет что-то на бумажной салфетке. Рядом с ним пьяный Савка, поедающий одну за другой трубочки с кремом. Барышня приблизилась к Бене. Король с шиком бросает в вазочку золотую монету. Аукционист поспешно снимается со своего места, он преподносит Бене одно звено из кандалов. Следом за аукционистом ковыляют инвалиды, они с полной безжизненностью благодарят Беню. Пьяный Савка уставился на это зрелище. Он поднимается на подламывающихся ногах и заглядывает барышне за кофточку в декольте.

Декольте — и сумрачное, внимательное лицо Савки над ним.

Мимо столика Бени проходит Собков, принарядившийся ради воскресенья. Беня приглашает пекаря садиться.

— Вот ты и дождался революции, Собков...

Собков усмехается и показывает глазами на посетителей кафе.

— Революция будет, когда монету у них заберем...

Беня чистит перо полой Савкинового пиджака, мимика его лица чрезвычайно выразительна.

— Насчет монеты ты прав, Собков...— говорит он и снова принимается за писание. Савка заснул. Собков разглядывает посетителей кафе.

У столика Тартаковского. Маклер вываливает из кармана груду золотых крестиков и ладанок.

— Мосье Тартаковский, партию икон за половину даром...

Тартаковский нехотя рассматривает товар, взвешивает крестики на ладони.

Беня сворачивает записку, подзывает официанта, просит передать записку Тартаковскому.

Товар Тартаковскому не подходит. Он отодвигает от себя «партию икон». Лакей подает ему записку.

Письмо Бени, написанное каракулями на салфетке с цветами:

«Мосье Тартаковский, я велел одному человеку найти завтра утром под воротами на Софиевской, 17, пятьдесят тысяч рублей. В случае если он не найдет,

так вас ждет такое, что это неслыханно, и вся Одесса будет об вас говорить.

С почтением Беня Король».

Тартаковский с возмущением комкает письмо, он делает Бене негодующие знаки, яростно дергает себя за ворот — вот, мол, сдирай последнюю рубаху — и немедленно принимается за писание ответа.

Официант подает инвалидам три бокала с гренадином. В бокалы воткнуты соломки. Безрукие болванчики потягивают гренадин через соломки.

Официант передает Бене ответ Тартаковского.

Послание Тартаковского, написанное тоже на салфетке:

«Беня, если бы ты был идиот, то я написал бы тебе как идиоту, но я тебя за такого не знаю, и упаси боже тебя за такого знать, денег у меня нет, а есть язвы, болячки, хлопоты, бессонница. Брось этих глупостей, Беня.

Твой друг Рувим Тартаковский».

Беня прячет письмо Тартаковского в карман, расплачивается, будит Савку. Тот просыпается и, страшно выпучив глаза, хватает Беню за горло. Савке почудилось со сна, что к нему ночью нагрянула полиция. Очухавшись, он мгновенно стихает. Беня, Савка и Собков направляются к выходу. Тартаковский все еще дергает себя за ворот — сдирай, мол, последнюю рубаху... Король разводит руками — дескать, что я могу здесь поделать?..

Екатерининская, угол Дерибасовской. Прелестный весенний день. Одесская фланирующая толпа. Беня подзывает лихача — по-одесски штейгера — и, указывая на пьяного Савку, говорит извозчику:

— Покатай его по воздуху, Ваня...

Савка развалился в экипаже со всей пренебрежительностью, со всем шиком, на какой он способен. Лошадь пошла рысью.

Группа цветочниц на углу Дерибасовской и Екатерининской улиц. Игривые бабы с цветами на фоне витрин лучшего магазина в Одессе — магазина Вагнера. В окнах магазина выставлены заграничные товары — щегольские чемоданы, фарфор, безделушки, духи в коробочках, обитых голубым атласом. Среди цветочниц оборванная девочка лет пятнадцати. Король подходит к девочке, покупает у нее фиалки и незаметно для Собкова сует в ее букеты записочки. Девочка с необыкновенным напряжением смотрит на Беню.

Беня и Собков сворачивают к Николаевскому бульвару.

Вокруг них кипит одесская толпа. В отдалении на черных, худых голых ногах плетется девочка-цветочница. Завороженная, она не сводит с Бени глаз.

Николаевский бульвар. Беня и Собков подходят к решетке у Воронцовского дворца. За решеткой кусты нераспустившейся сирени.

— Скажи, Собков, кроме монеты, чего еще надо большевикам?— спрашивает Беня пекаря. Тот вынимает из кармана книжку Ленина, но Беня отводит рукой книгу.

Беня медленно разжимает губы:

— Не надо книги, объясни душой, своди меня к твоим ребятам, Собков, где они у вас?

Собков простирает руку и указывает на доки, на Пересыпь, на фабрики.

— Вот они!— говорит пекарь.

Панорама Пересыпи, судостроительных заводов, дымящихся пароходов. Рабочие производят погрузку. Они обволакиваются дымом, идущим из пароходной трубы.

Затемнение

Порт. У эстакады группа биндюгов. К мордам лошадей подвешены торбы с овсом. Полуденное солнце. Под одним из биндюгов спит на земле, на нагретых камнях, Фроим Грач. Из-за угла показывается девочка с цветами.

Девочка пробирается к биндюгу Грача. Она щекочет его букетом. Грач просыпается с таким видом, как будто он и не спал. Девочка сует Фроиму записку и убегает.

Записка:

«Грач, есть кое-чего говорить с тобой. Беня».

Грач вскочил на биндюга, он пускает лошадей вскачь.

Затемнение

Персидская чайная — чай-ханэ — на привозной площади. Грузчики и торговцы скотом пьют чай. За прилавком перс, появлявшийся уже в первой части. Цветочница, задевая одной ногой другую, входит в чайную. Перс наливает ей стакан крепкого чаю, девочка просовывает ему записку:

«Абдулла, есть кое-чего говорить с тобой. Беня».

Перс прячет записку. Лицо его исказилось. Он хватает стаканы с недопитым чаем, выливает их, вопит, суетится, выталкивает клиентов, те смотрят на него с величайшим изумлением. Старик в баках вступает с персом в драку, но, убоявшись страшного лица чайханщика, отступает. Одна только девочка спокойно допивает чай. Перс заглушает самовар, льет в трубу воду.

Затемнение

Резник Лёвка Бык, в халате, с окровавленным ножом, стоит на помосте. Внизу столпились еврейки. Они подают резнику (шойхету) куриц и уток для резки. Левка перерезывает горло курицы.

Старая Рейзл подает шойхету петуха. Петух машет крыльями. Левка заносит нож. В это мгновение в резницу проскальзывает девочка-цветочница. В руках у нее букет цветов, она робко ступает по цементному полу, залитому кровью.

Нож дрожит в руке шойхета, глаза его расширяются. Он застыл, петух бьется в его руках.

Затемнение

Часть четвертая

Контора Тартаковского. За главным столом — управляющий Мугинштейн. Окутываясь дымом, работает у своей конторки англичанин. Служащий подносит Мугинштейну бумаги для подписи. Мугинштейн подписывает с роскошным росчерком. Форма одного письма ему не нравится, он бросает его на пол и плюет в сторону служащего, принесшего письмо. Тот, нимало не смутившись, тоже плюет. В это время с улицы в раскрытые окна вскакивают четыре человека в масках, с револьверами в руках.

На четырех подоконниках стоят, выпрямившись во весь рост, налетчики в масках.

— Руки вверх!

Ассортимент поднятых рук.

Фроим Грач, перс, Левка Бык и Колька Паковский занимают входы. На них смехотворные маски из цветного ситца. Всех можно узнать, особенно Грача, у которого маска каждый раз сползает.

Входит Беня. Он направляется к Мугинштейну.

— Кто здесь будет за хозяина?

Трепещущий Мугинштейн:

— Я... я здесь буду за хозяина.

Беня берет руки Мугинштейна, опускает их, дружелюбно здоровается с приказчиком, подводит его к кассе.

— Отчини кассу с Божьей помощью.

Потрясенный Мугинштейн отрицательно качает головой. Беня вытаскивает из кармана револьвер и приказывает Мугинштейну:

— Открой рот...

Медленно раскрывающийся рот Мугинштейна, видны его зубы, растущие вкось.

Беня всовывает револьвер в рот Мугинштейна и медленно, не спуская с приказчика глаз, переводит предохранитель на «огонь». Слюна течет из раскрытого рта, руки Мугинштейна тянутся к штанам. Он вытаскивает связку ключей из потайного места, из мешочка, пришитого к кальсонам.

Ассортимент поднятых рук.

Массивные двери кассы расходятся. Богатство Тартаковского предстало перед взорами зрителей. К кассе подплывает искаженное лицо перса, под черными сводами бровей горят его расширенные глаза.

Беня вытирает полой приказчикова пиджака дуло револьвера, забрызганное слюной. Он прячет револьвер, садится в кресло, закидывает ногу на ногу, раскрывает кожаный саквояж. Для начала Мугинштейн передает ему бриллиантовую дамскую брошку. Беня подходит к кассирше, воздевшей толстые руки, прикалывает к ее груди брошку.

Мощная грудь кассирши ходит ходуном.

Дама растеряна. Она переводит глаза с Бени на брошку. Руки ее подняты. На подмышках у нее большие круглые пятна от пота. Грач подходит к женщине, обнюхивает ее и морщится. Маска сползла у него на подбородок. Беня возвращается на свое место.

Передача ценностей началась. Мугинштейн передает Бене деньги, акции, бриллианты. Беня складывает добычу в саквояж. Они работают не спеша.

Общий вид конторы. Левка Бык препирается со стариком служащим, который кричит, что он не может больше держать руки поднятыми.

— Разбойник, у меня грыжа...— вопит старик. Левка очень внимательно щупает живот старика и разрешает ему опустить руки.

Старик подбежал к кассирше и рассматривает ее брошку.

— Дивный двухкаратник...— говорит он и причмокивает губами.

Передача ценностей продолжается. Она протекает без затруднений, руки Мугинштейна и Бени движутся равномерно.

Левка Бык прогуливается по конторе. Англичанин, страдающий от невозможности покурить, делает ему умоляющие знаки, указывает глазами на трубку. Левка вдвигает трубку в желтые зубы англичанина и зажигает спичку.

Движение рук Мугинштейна и Бени.

Трубка англичанина никак не раскуривается — это происходит оттого, что руки его подняты и бухгалтер не может примять табак. Левка зажигает одну спичку за другой. Вдруг зажженная спичка застывает у него в пальцах.

В окно вскочил пьяный Савка. Он орет, размахивает револьвером.

Левкина спичка догорела до конца. Она обжигает ему пальцы.

Пьяный Савка стреляет, Мугинштейн свалился. Беня, охваченный ужасом и яростью, кричит:

— Тикать с конторы...

Король схватил Савку за лацкан, он встряхивает его, трясет все сильнее.

— Клянусь счастьем матери, Савелий, ты ляжешь рядом с ним...

Налетчики убегают. На полу корчится раненый Мугинштейн. Старик с грыжей ползет к нему под столами. Агонизирующий Мугинштейн и затем...

Обложка книги: «Гигиена брака».

Кудрявая девица, с лицом веснушчатым, незначительным и столь внимательным, что со стороны оно может показаться мрачным, склонилась над книгой «Гигиена брака».

Милиция присяжного поверенного Керенского

Канцелярия милицейского участка. За столами девицы и чахлые студенты еврейского типа. Среди студентов осунувшийся Лазарь Шпильгаген. У телефона кудрявая барышня, увлеченная вопросами гигиены брака. Она долго не обращает внимания на надрывающийся телефонный звонок (телефон старой системы, с наружным звонком) и, наконец, лениво снимает трубку.

— Шпильгаген, доложите начальнику, что на Тартаковского налет...— говорит она соседу, вешает трубку на рычажок и снова погружается в чтение.

Шпильгаген вяло бредет к начальнику. Шнурки его башмаков распущены, он поправляет их по дороге.

Начальник участка, присяжный поверенный Цысин

Кабинет начальника участка. Цысин, брюнет, с измозденной и благородной внешностью, неудержимо ораторствует перед тремя инвалидами, теми самыми, в чью пользу продавали кандалы у Фанкони. Инвалиды затоплены красноречием Цысина. Входит Шпильгаген. Начальник сначала не слушает его, потом приходит в ужасное волнение.

Размахивая руками, Цысин летит по коридору. Старик с грыжей льет из медного чайника воду на кассиршу, упавшую в обморок. Она прикрывает рукой брошку.

Со двора участка медленно выползает танк. Из амбразуры танка выглядывает вдохновенное лицо Цысина.

Пекари, во главе с Собковым, бегут к конторе Тартаковского.

Тысячная толпа во дворе Тартаковского — женщины, ползущие по земле дети, зеваки, ораторы. С томительной медленностью вползает танк. Из танка выскакивает Цысин. Собков обращается к нему:

— Дайте мне несколько боевых ребят, и мы возьмем Короля...

Цысин машет рукой, убегает, за ним устремляется толпа. Один только часовой мастер в опорках остается на своем месте. Он со скучливым видом поднимает к небу глаз, вооруженный лупой; солнце пламенным лучом упирается в лупу.

Комната в доме Криков. На стене в одной раме портреты Льва Толстого и генерала Скобелева. Старушка Рейзл подает суп Фроиму и Бене. Грач макает в суп большие куски хлеба, он уплетает свою порцию с аппетитом. Беня отодвигает тарелку. Рейзл подкладывает ему пупки и яички, но Беня от всего отказывается, ему не до пупков. В комнату врывается Собков.

— Не надо нам уголовных...— кричит пекарь и стреляет в Беню. Промах. Грач кидается на Собкова, подминает его под себя, душит. Беня оттаскивает Фроима.

— Отпусти его, Фроим,— черт разберет этих большевиков, чего им надо...

Грач встает, полузадушенный Собков валяется на полу. Рейзл приносит второе, не удостаивая Собкова взглядом, она переступает через распростертое его тело и раскладывает жаркое по тарелкам. Беня барабанит по столу пальцами.

Затемнение

Через два дня состоялись похороны Мутинштейна. Одесса таких похорон не видала, а мир не увидит

Кантор в торжественном облачении. За ним следуют мальчики в черных плащах и высоких бархатных шапках — синагогальные певчие.

Пышная колесница, три пары лошадей, лошади с плюмажами, мортусы в цилиндрах.

Толпа провожающих гроб. В первом ряду Тартаковский и еще один почтенный купец поддерживают старенькую тетю Песю, мать убитого.

Толпа — присяжные поверенные, члены общества приказчиков-евреев и дамы с серьгами.

Красный автомобиль Бени Крика мчится по улицам Одессы.

Тартаковский и сослуживцы покойного, в числе их — старик с грыжей и англичанин, несут гроб по кладбищенской аллее.

К кладбищенским воротам подкатывает автомобиль Бени Крика. Из него выскакивают Беня, Колька Паковский, Левка Бык и перс. В руках у Бени громадный венок.

Тартаковский и еще двое несут гроб. Их нагоняет Беня с соратниками. Налетчики отстраняют Тартаковского, старика с грыжей, англичанина и подводят стальные плечи под гроб. Невыразимое смятение пробегает по толпе. Тартаковский исчезает. Налетчики выступают медленно, скорбно, с горящими глазами.

Во весь экран — гроб, покачивающийся на плечах налетчиков.

У кладбищенских ворот. Кучер Тартаковского отлучился по нужде. Широкая его спина маячит у закругления кладбищенской стены. Из-за ограды выбегает Тартаковский; он вскакивает в экипаж и сам погоняет лошадей.

Кантор молится над могилой. Беня поддерживает тетю Песю. Кантор берет горсть земли, чтобы бросить ее на гроб, но рука его застывает. К нему направляются два парня, несущие покойника Савку Буциса. Беня — кантору:

— Попрошу оказать последний долг неизвестному, но уже покойному Савелию Буцису.

Кантор, дрожа и примериваясь, куда ему бежать, переходит к гробу Савки. Налетчики окружили труп. Проверяя кантора — не плутует ли он, не сокращает ли панихиду, они внимательно слушают молитву. Толпа тает, люди, отойдя шагов на десять от могил, обращаются в бегство.

Тартаковский нахлестывает лошадей. Кучер бежит за экипажем.

Кладбищенская аллея. Памятники — молящиеся ангелы, пирамиды, мраморные щиты Давида. Бегство смятенной толпы.

У гроба Савки заикается кантор, разливается в три ручья тетя Песя и молятся по заветам отцов налетчики.

У кладбищенских ворот толпа сметает все преграды: экипажи, трамвай, даже грузовые площадки берутся приступом.

Обессиленный кучер Тартаковского, отчаявшись догнать экипаж, раскрывает полы ваточного армяка и садится на землю, чтобы передохнуть.

Поток дрожек и телег. Люди стоят на телегах, их качает, как на корабле во время бури. Две разряженные дамы на телеге из-под угля. Красный автомобиль врезывается в толпу бегущих и исчезает.

Затемнение

Голые спины Собкова и его длинного соседа. Движение мускулов на спинах.

В пекарне. Кочетков подбрасывает дрова в пылающую печь, мастер вынимает готовые хлебы. Входит Беня. Он отзывает Собкова в сторону.

Кладовая. На полках остывают хлебы, длинные ряды хлебов. Входят Собков и Беня.

— Своди меня к твоим ребятам, Собков, и, клянусь счастьем матери, я брошу налеты...

Собков поглаживает корку дымящегося хлеба.

— Заливаешь, парень...— вскидывает он глаза на Беню и тотчас отводит их. Король подходит к нему вплотную и кладет маленькую руку в перстнях на голое грязное плечо пекаря.

— Клянусь счастьем матери, Собков...— повторяет он с силой.

Длинные ряды хлебов остывают на полках, хлебный дух зеленой волной ходит по кладовой, солнечный луч раздирает туман. За изгородью отлакированных хлебов — лица Бени и Собкова, склонившиеся друг к другу.

Часть пятая

Конец Короля

На черном фоне извивается телеграфная лента. Телеграфная лента ползет из аппарата.

Лето от рождества Христова тысяча девятьсот девятнадцатое

Телеграфист принимает в аппаратной комнате депешу по прямому проводу. Военком Собков склонился над ползущей лентой. На столике рядом с аппаратом лежит буханка черного хлеба, изрезанного жилами соломы, и мокнут в миске с водой пайковые селедки. Телеграфист в шерстяной шапке, какую зимой носят лыжники и конькобежцы, рваное его пальто стянуто на животе широким монашеским ремнем, за плечами у него котомка с провизией: он, видимо, собрался уходить.

Буханка хлеба, мокнущие селедки. Пальцы телеграфиста ковыряются в буханке.

Собков читает ленту, ползущую на пулемет, поставленный рядом с аппаратным столиком. Он так же, как и телеграфист, залезает пальцами в самую сердцевину буханки и выковыривает оттуда мякоть.

Телеграфная лента:

«Военкому Собкову тчк Ввиду ожидающегося нажима неприятеля выведите из Одессы и обезоружьте под любым предлогом...»

Пулемет, обмотанный телеграфной лентой. В уголку, поодаль, Кочетков чинит худой свой башмак. Не снимая его с ноги, Кочетков проволокой связывает отвалившуюся подошву.

Продолжение телеграммы:

«...обезоружьте под любым предлогом части Бени Крика тчк»

Башмак Кочеткова — у ранта во всю длину подошвы правильно закрученные, откусанные узлы проволоки.

Собков сунул в карман ленту, он оторвал от буханки кусок и жует его на ходу. Военком и Кочетков выходят из аппаратной.

На черном фоне извивается ослепительная телеграфная лента. Конец ее... вползает в открытый, без капота, автомобильный мотор.

Во дворе телеграфной станции. Кладбище грузовиков и походных кухонь. Одна походная кухня действует. Кашевар-красноармеец стряпает щи. Он топит котел своей кухни деревянными колесами, отбитыми от других походных кухонь; их во дворе неисчислимое множество. Тут же бьется над ободранным, разболтанным автомобилем шофер Собкова. На моторе нет капота, шофер старается наладить машину, но толку от его усилий мало.

Мотор автомобиля — перевязанный проволокой и ремнями, латаный, дымящийся, мотор девятнадцатого года.

Во двор спускаются Собков и Кочетков. Они садятся в автомобиль.

— В казармы, живее...— говорит Собков шоферу, тот вертит ручку, но завести мотор невозможно. Шофер растирает струи пота по багровому лицу, он с ненавистью следит за потугами мотора, перебирает какие-то клапаны и вдруг изо всей силы плюет в самое сердце мотора. Кашевар и Собков приходят ему на помощь, они тоже вертят ручку, но впустую. Кочеткову удается наконец завести машину. Шофер вскакивает на сиденье, дает газ, гигантское облако дыма вылетает из машины, с кряхтением она трогается.

Автомобиль выезжает из ворот. Шофер судорожно работает у руля. Облако дыма все разрастается, оно заволакивает экран, из желтого тумана возникают с необыкновенной резкостью замусоленные игральные карты, раскинутые веером. Их держит жилистая рука. Один палец на этой руке сломан, искривлен. Луч солнца пронизывает карты.

N-ский «революционный» полк
готовится к решительным битвам

Казармы «революционного» полка Бени Крика. На веревках, протянутых во всю длину казармы, развешано сохнущее солдатское белье. На белье казенные клейма.

Под веревками, где особенно густо нанизаны кальсоны с клеймами, идет азартная игра в карты, игра блатных. Партнеры — лупоглазый перс и папаша Крик, нацепивший на себя крохотный картуз с красноармейской звездой. Вокруг стола — толпа мазунов-налетчиков, знакомые нам по свадьбе Двойры Крик. Перс, убежденный в том, что победить его козыри невозможно, сдает карты с торжеством, со страстью. На лице папаши Крика написано кроткое уныние. Он долго размышляет, морщится, закрывает один глаз и, наконец, «убивает» первую карту перса.

Залитые солнцем карты в руке старого Крика.

Старик с грустью «убивает» вторую карту перса. К нему придвигается голая спина Кольки Паковского.

Рядом с Менделем на высоком стуле сидит обнаженный до пояса Колька Паковский. Старый китаец производит над ним операцию татуировки. Он наколол уже на спине Кольки у правой лопатки мышь и теперь загибает за плечо длинный и гибкий мышиный хвост.

Мендель бьет одну за другой все карты партнера. Лицо перса омрачилось. Он платит проигрыш новыми часами из вороненой стали. На столе возле него гора нераспакованных ящиков с новыми, только что из магазина, часами.

Казарма, забитая сохнущим бельем. В дальнем углу у окна Левка Бык в кожаном переднике, измазанном кровью, рассекает недавно зарезанного вола. Он и в казарме занимается прямым своим делом. Его окружили «красноармейцы», ждущие порции. За окном виднеются головы торговок, выстроившихся в очередь: они тоже ждут раздачи. Левка наделяет красноармейцев кровоточащим мясом, изредка он накалывает на нож чудовищные куски мяса и, не оборачиваясь, швыряет их за окно, как укротитель швыряет конину в клетку с тиграми.

Игра продолжается. Настал черед перса торжествовать. Дергаясь, хохоча, дрожа от возбуждения, он бьет карты старика и требует выигрыш. Папаша Крик платит новенькими кредитками, которые он вытаскивает из пачки, перевязанной как в банке. Две кредитки оказываются без оборота — одна сторона напечатана, на другой ничего нет. Старик подзывает одного из мазунов, отдает ему негодные кредитки.

— Скажи Юсиму, что он у меня умоется юшкой за такую работу... Пусть допечатает...

Мазун прячет кредитки и уходит. В дверях он сталкивается с Тартаковским и пропускает его в казарму. На Тартаковском сломанный солдатский картуз; лицо его носит следы удивительного маскарада — усы сбриты, а борода оставлена, как у голландского шкипера.

Тартаковский пробирается на цыпочках вдоль стены. В руках у него бархатный мешочек с неизвестным содержимым. Старик перекрасился и одет соответственно духу времени — на нем рваный сюртук, на ногах опорки, только живот величествен по-прежнему. Следом за ним скользят еще два почтенных еврея. На одном из них кепи велосипедиста, сюртук и краги, на другом кепи поменьше и куртка с брандебурами.

Командир N-ского «революционного» полка

Двор в здании красноармейских казарм. На одной из внутренних дверей вывеска — «Пехотный имени французской (тут от руки мелом дописано — и германской) революции полк». Беня в фантастической форме верхом на лошади. Фроим Грач стоит посредине двора и щелкает кучерским кнутом. Беня мчится карьером и описывает по двору правильные круги, как в манеже.

Низкая дверь. Три живота с трудом протискиваются сквозь узкую щель.

Скачка продолжается. Тартаковский и трепещущие его спутники проникают во двор. Они кланяются Бене, неутомимо описывающему круги. Командир N-ского «революционного» полка дает лошади шпоры, взвивает плеть, подскакивает к толстякам, те приседают. Тартаковский протягивает Бене бархатный мешочек с неизвестным содержимым.

Вышитая цветами надпись на бархатном мешочке: «От революционных кустарей города Одессы».

Беня разворачивает дары. В бархатном мешочке оказывается свиток Торы, пергамент намотан на лакированные резные палки. Беня передает Тору Фроиму

Грачу. Тогда Тартаковский подступает ближе, он гладит дрожащей рукой морду лошади и начинает речь:

— Революционные кустари просят вас...

Бесстрастное лицо Бени, руки его, величественно сложенные на луке седла. Подальше — Фроим, разматывающий свиток. Тартаковский продолжает:

— ...просят вас защищать революционную Одессу в самой революционной Одессе и...

Фроим разматывает Тору и вынимает из нее одну за другой царские сторублевки.

Беня скосил угол глаза в сторону Фроима. Тартаковский продолжает:

— ...в самой революционной Одессе и не выступать на какой-то там фронт...

Гром распахнувшихся ворот, столб дыма, влетевший во двор, прервали речь революционного кустаря. Вслед за струей дыма тройка пожарных лошадей вкатывает во двор испортившийся по дороге автомобиль Собкова. На одной из лошадей восседает красноармеец в войлочных туфлях на босу ногу. Военком и Кочетков прыгают на землю, бегут к казарме. Шофер подходит к дымящемуся мотору, долго в него всматривается, поднимает к небу затуманенные глаза и задумчиво несколько раз подряд плюет в магнето.

Собков и Кочетков пробегают рысью калитку, сквозь которую с таким трудом проходили животы революционных кустарей.

Голос Тартаковского опустился до шепота, он все веселее и любовнее треплет морду лошади, два других делегата поглаживают ее бока. Беня наклонился к ним ближе; в другом углу Фроим скатывает пергамент.

Игра в казарме ведется с неослабевающей страстью. У противоположной стены, недалеко от Левки, расшвыривающего мясо, мылит себе щеку парень с грубым лицом, подстриженными усиками и забинтованными ногами. Тут же, на койке, спиной к зрителям спит коротковатая пухлая женщина в модных башмаках до колен. В казарму вбегают Собков и Кочетков. Военком вскакивает на трибуну, поставленную под перекрещенными знаменами.

— Товарищи!

Новоявленные «товарищи» лениво стягиваются к военкому. Левка обтирает о передник нож и идет к трибуне. Сюда же собираются мазуны: парень с намыленной щекой, китаец, Колька Паковский, обнаженный до пояса, и другие. Только перс и папаша Крик не встают с места, не прерывают игры — они по-прежнему обмениваются новыми часами и новыми кредитками.

— Товарищи!— повторяет Собков. «Товарищи» устремили на него тусклые взоры. Они видны со спины, все как по команде чешут одной босой ногой другую.

— Рабочая власть, простив прежние ваши преступления, требует честного служения пролетариату...— говорит Собков. Парень с намыленной щекой стоит к нему в профиль, лицо его уныло, большие пальцы играют. Левка Бык натирает нож до блеска. Военком продолжает:

— Доверяя вам, Исполком решил образовать из вашего полка заградительные продовольственные отряды...

Собков прерывает речь, для того чтобы проследить, какое впечатление сделало на налетчиков неожиданное его заявление. Налетчики аплодируют. Веселая эта работа — аплодисменты — нравится им, они хлопают все горячее. Распаленный военком лезет в карман за платком, рука его уходит все глубже, все дальше, не встречая никаких препятствий. Карман вырезан.

Превосходно вырезанный карман Собкова.

Военком застыл с раскрытым ртом. Ребята расползаются по своим местам; парень с грубым лицом, подстриженными усиками и забинтованными ногами мылит вторую щеку, дама его шевелится, просыпается, поворачивается к Собкову мятым лицом с кудряшками. Сбитый с толку военком переводит глаза с налетчиков на зевающую женщину, спустившую с койки жирные ножки в модных башмаках.

По казарме бежит мазун, вернувшийся с допечатанными деньгами. Он отдает их папаше Крику.

Собков, опомнившись, вытаскивает револьвер. Колька Паковский, растянувшийся в кресле, поворачивает голову вполоборота и снова отводит ее. Китаец все возится над его плечом, он расцветил красками мыши-

ный хвост, обвившийся змеей вокруг Колькиного соска; Кочетков схватил военкома за руку.

Пальцы военкома, схваченные Кочетковым, слабеют, выпускают револьвер.

Часть шестая

Соблазненный «продовольственными» перспективами, полк Бени Крика решил выступить из Одессы

Пустынная улица в Одессе. Лавки заколочены досками, болтами, крюками. К двери нищенской лавчонки прибито изображение греческого короля, под ним надпись: «Здесь торгует иностранный подданный Меер Гринберг». Одинокая собака сидит посредине мостовой. Порванные телеграфные провода лежат у ее ног. Они склонились перед собакой, как знамена перед военачальником. Тучный хромой человек быстро уходит вдоль улицы, он тяжело налегает на ногу, выгнутую колесом. Далеко в пролете вымершей улицы в красной пыли солнца видна уходящая его спина.

Из-за угла выезжает на кровной лошади Беня Крик. Множество ленточек вплетено в гриву его коня. Рядом с ним едут Собков на лохматой сибирской лошаденке и одноглазый Фроим Грач в галифе. Остальной костюм Фроима — парусиновая бурка, смазные сапоги и кнут — остался без изменений. Тут же шагает Кочетков. Отваливающиеся его подошвы разевают унылые пасти. За всадниками следуют музыканты, восседающие на мулах. Мулы эти остались от времен оккупации Одессы цветными войсками. Мулы прядают длинными ушами; седел, стремян на них нет, они перекрыты семейными коврами. Впереди оркестра движется свадебный музыкант, поднявший к небесам сияющую свою трубу, о которой было уже сказано, что она походит больше на удава, чем на музыкальный инструмент.

В далекой перспективе, в запылившемся огне заката, спина уходящего хромца. Он подошел к посудной лавке, единственной незаколоченной лавке, и повернул к зрителю красное, вспотевшее доброе лицо.

Вслед за оркестром выступает орда Бени Крика. Бывшие налетчики в касках, они обмотаны пулеметными лентами, штаны носят навыпуск; одни идут босиком, на других разношенная, правда дырявая, но лакированная обувь. В толпе Бениных сподвижников — детские коляски, провожающие жены, матери, невесты. Все это визжит и путает ряды. За Колькой Паковским, не поспевая, семенит мать, маленькая старушка, она несет его ружье и ранец. Левка Бык толкает коляску годовалого своего сына. Рядом с ним жена — задорливая молдаванская баба, завороченная в пурпурную шаль. Левка Бык и его семейство выходят из рядов, он с тоской окидывает взглядом длинный ряд заколоченных лавок.

Показалась «артиллерия» — тачанки с пулеметами. Следом за «артиллерией» движется биндюг, на котором сооружено что-то вроде балагана. На биндюге надпись громадными буквами: «Труппа Политпросвета при N-ском имени французской революции пехотном полку». В глубине балагана — матрос с лентами и выпуклой грудью играет на ободранном пианино. Лилипуты — мужчина и женщина, одетые в бальные платья,— протягивают к публике кружки с надписью: «На украшение казармы».

В единственной незаколоченнои лавке. Товары — фаянсовые унитазы, канализационные трубы, сиденья для ватерклозетов. Длинный мальчик с зелеными веснушками и тонкой шеей поливает пол из медного чайника. Он описывает на полу затейливые фигуры, рисует водой человечков и буквы. Хозяин лавки, хромой немец, вытирает полотенцем беспомощное широкое лицо. Он устал от быстрой ходьбы. На раскаленных отваливающихся его щеках кипит обильный пот, пот доброго толстого человека. Обтерев лицо, он лезет с полотенцем за пазуху, в это мгновенье дверь открывается и в лавку вламывается Левка Бык в сопровождении своего семейства.

Чайник дрогнул в руках мальчика. Изящные петли прервались, вода льется на пол безо всякого порядка.

Ряд фаянсовых сверкающих унитазов. Над ними склонилась испытующая рожа Левки. Он видит, что взять нечего, он колеблется, уходит, возвращается, захватывает с горя унитаз, особенно пышно расписанный розовыми цветами, швыряет его в коляску сына и уходит. Немец застыл с полотенцем за пазухой.

На углу Дерибасовской и Екатерининской. Кафе Фанкони заколочено, цветочниц нет на углу. Босая девочка в мешке, та самая девочка, которая разносила записки Бени,— прижалась к пустой витрине магазина Вагнера. Первый ряд колонн — Беня, Фроим и Собков — поравнялись с нею. Торопясь и дрожа, она вытаскивает из-за пазухи розу, завернутую в газетную бумагу; путаясь между лошадьми, оборвыш бежит к Бене и протягивает ему розу.

Порт. Причальная линия так называемой арбузной гавани заставлена дубками. Закат золотит грязные паруса, воду, усеянную корками, и груды арбузов, мириады арбузов. Суденышки набиты ими до краев.

Выгрузка арбузов из дубка. Хозяин судна, грек, бросает арбуз грузчику, стоящему на берегу, тот передает арбуз другому грузчику, и так по всей линии до вагона. Расстояние между грузчиками — два-три шага.

Движение арбуза, перебрасываемого из рук в руки.

Несколько Бениных ребят наблюдают с каменными лицами погрузку арбузов. В рядах их происходит едва уловимое движение. С непостижимой быстротой бросают они в море грузчиков и образуют свою цепь от дубков до вагона. После мгновенной заминки выгрузка арбузов продолжается с прежней точностью.

Движение арбуза, перебрасываемого из рук в руки.

Грузчики, бывалые ребята, барахтаются в воде. Греки — хозяева дубков — наставляют паруса, готовятся к бегству. Вечер. В порту зажигаются огни.

Полк Бени Крика грузится в теплушки. Будущие «продовольственники» натаскали в вагоны груды мешков.

У дверей классного вагона, первого от паровоза, дежурит Кочетков. Беня и Фроим входят в вагон. Кочетков запирает за ними дверь на ключ. Фроим услышал визг ключа в замке, он обернулся, прыгнул, уставился на скуластого простоватого Кочеткова, постучал в стекло:

— Пусти до ветру, Кочетков...

Кочетков приставил винтовку к ноге:

— Какой там ветер на войне?..

Фроим внимательно осмотрел Кочеткова и скрылся в глубине вагона.

Дубки, круто скосив паруса, уходят в море. Мокрые грузчики карабкаются на берег. Вечер.

На перроне зажгли газовые фонари. Левка Бык тащит к вагону кучу мешков. Его встречает Собков и спрашивает:

— Зачем столько мешков, Левка?

Левка, согнувшийся под своей ношей, смотрит с удивлением на недогадливого военкома.

— Для того чтобы бороться с мешочниками, нужны мешки...— отвечает он и бежит дальше. За ним с корзиной в руках поспешает старая Манька — патриарх слободских бандитов.

Беня стоит в окне вагона. К нему подбегает запыхавшаяся Манька. Она вынимает из корзины четверть спирту и мандолину и подает их командиру. Паровоз дает свисток.

Ребята Бени Крика катят по путям вагон с арбузами; они прицепляют его к своему поезду.

Полк погрузился. Красноармейцы из регулярных частей закрывают двери теплушек. Медленно, неотвратимо движутся двери на железных роликах. Пасти теплушек закрылись все сразу. Красноармейцы вскочили на тормозные площадки.

Паровоз дает последний свисток и трогается.

Красноармейцы, спрятанные за пакгаузами, прыгают на тормоза, лезут на крыши вагонов.

Дальние паруса в ночном море. Изрезанная луна в обвалах туч. Поезд набирает скорость.

Уходящая Одесса — витая линия огней в порту, мигающий глаз маяка, отблески луны на черной воде, колыхающиеся тела шаланд и дыры парусов, пропускающие звезды.

В салон-вагоне. Ободранное просторное купе хранит следы недавнего великолепия. В углу ввинченная в пол золоченая ванна с орлами. На столе целый поросенок и четверть спирта. Собков разливает в разбитые черепки водку. На пиршестве присутствуют лилипуты, одетые в бальные туалеты. Не заметно ни вилок, ни ножей. Фроим разрывает поросенка руками.

В передней. Домовитый Кочетков устраивается у закрытой двери купе. Он поставил винтовку между ног, разостлал на столике грязный платок, высыпал табак и гильзы, обстругал палочку для набивки папирос.

Собков, Беня, Фроим и лилипуты чокаются посудинами разнообразнейшей формы и размеров — у черепков отбиты края, донышки перевязаны проволокой. Все выпили, кроме Собкова, вылившего свою водку за воротник. Беня и Фроим заметили его маневр, они переглянулись, подложили револьверы под карту-двухверстку, брошенную на стол.

Кочетков набивает папиросы, руки его движутся неторопливо. Он складывает папиросы аккуратными стопками.

Фроим разливает водку. Не спуская глаз друг с друга, компания чокается. Под картой-двухверсткой топорщатся револьверы. Одни только лилипуты пьют весело, с жадностью.

Мчащийся поезд. Ночь. По крышам, у сцеплений, у тормозов мелькают ползущие силуэты красноармейцев. Последний вагон отрывается от поезда и катится назад. Искра бежит по рельсам вслед за оторвавшимся вагоном.

В купе. «Комсостав» пьет. На этот раз Беня и Фроим вылили свою водку, но сделали они это искуснее, чем Собков, ни для кого не заметно.

Кочетков в передней набивает папиросы.

В купе все притворяются пьяными. Собков целуется слюнявым размягченным поцелуем с Беней и Фроимом. Лилипуты, действительно пьяные, порываются танцевать. Фроим поднимает их на вытянутых руках и, выкидывая ноги в больших сапогах, отплясывает неведомый, сумрачный, старательный танец.

Второй вагон отрывается от состава и бежит обратно в ночь. Искра, подпрыгивая на рельсах, летит за ним.

Низко опустив голову, не меняя выражения лица, Беня играет на мандолине. Развалившись в кресле, Собков, вдребезги якобы пьяный, хлопает в ладоши. Фроим пляшет с лилипутами. Маленькая женщина обвила короткими ручонками кирпичную шею Фроима и целует его в губы.

Под столом течет струйка вылитой водки.

Кочетков набивает папиросы.

Пьяные лилипуты свалились. Они обнялись и заснули. Беня швырнул мандолину в сторону, он разливает водку. Фроим, Собков и он сплели руки для того, чтобы выпить на брудершафт.

На брудершафт

Все трое подносят черепки к губам. В это мгновение поезд остановился. От резкого толчка расплескалась водка, руки пивших на брудершафт медленно расплетаются. Собков подбегает к окну и открывает штору. Ночь залита пламенем гигантского костра. Багровые лучи ложатся на лица Бени и Фроима.

Поезд остановился в поле. В поезде остался только паровоз и салон-вагон, остальной состав отцеплен. Вагон Бени увешан вооруженными красноармейцами — они на крыше, на подножках, у тормозов, у окон. Костер пылает в пятидесяти шагах от полотна железной дороги. Два чабана варят мирную похлебку в закопченном котелке. Из созревших хлебов выползают красноармейцы — кудлатые, низкорослые, босые мужики — и с ружьями наперевес бегут к вагону. Пламя костра вытягивается на дулах их ружей.

Собков отошел от окна, он бросил в золоченую ванну стакан с водкой.

— Не серчай, Беня...— сказал он и выскользнул из вагона. Беня переводит глаза с Фроима на ванну, с ванны на спящих в углу обнявшихся лилипутов. Фроим складывает из топорных иссеченных своих пальцев фигу и подносит ее к лицу «короля».

Кочетков, стоя на подножке вагона, раздает папиросы кудлатым мужикам. Они вперебивку суют руки в его шапку.

Беня показался у окна.

Толкающиеся руки мужиков в шапке Кочеткова.

Беня обводит взглядом красноармейцев, облепивших вагон, дула ружей, устремленные на него, босого мужика, усевшегося на крюке, где сцепление, и Собкова, застывшего перед окном с телефонным аппаратом в руках.

В купе. Фроим с бешеной поспешностью разбивает пол вагона. Он рассчитывает ускользнуть через дыру в полу. К нему подкрадывается Кочетков и стреляет в голову одноглазого биндюжника. Фроим повернул к Кочеткову залитое кровью, притихшее, укоризненное лицо.

Собков не сводит глаз с открытого окна. В руках его аппарат полевого телефона. Беня медленно опускает штору.

Лилипуты, разбуженные выстрелом, вскочили. Кочетков подносит палец к губам. «Т-с-с»,— делает он, подходит к Бене, берет его за руку.

— Жили — не ссорились...— говорит Кочетков и поворачивает Беню вокруг своей руки. В дверях вагона показались красноармейцы с ружьями наизготовку.

Подбритый затылок Бени. На нем появляется пятно, рваная рана, кровь, брызгающая во все стороны.

Затемнение

В кабинете председателя Одесского Исполкома. Под мертвой пышной электрической люстрой горит керосиновая лампа. Председатель, сонный человек в папахе, в белой рубахе навыпуск и с обмотанной шеей, наклонился над диаграммой: «Кривая выработки кожевенных фабрик за первую половину 1919 года». Инженер из ВСНХ дает ему объяснения. Звонит телефон, председатель снимает трубку.

В поле у костра. Лежащий на земле Собков говорит по телефону. Рядом с ним прикрытые рогожей трупы Бени и Фроима Грача. Босые их ноги высовываются из-под рогожи.

Председатель, выслушав донесение, положил трубку. Он поднимает на инженера сонные глаза.

— Продолжайте, товарищ...

Две головы — одна в спутанной папахе, другая расчесанная — склоняются над диаграммой.

Дневник
[конармейский]

Дневник 1920 г.
[конармейский]

Житомир. 3.6.20

Утром в поезде, приехал за гимнастеркой и сапогами. Сплю с Жуковым, Топольником, грязно, утром солнце в глаза, вагонная грязь. Длинный Жуков, прожорливый Топольник, вся редакционная коллегия — невообразимо грязные человеки.

Дрянной чай в одолженных котелках. Письма домой, пакеты в Югроста, интервью с Поллаком, операция по овладению Новоградом, дисциплина в польской армии — слабеет, польская белогвардейская литература, книжечки папиросной бумаги, спички, до (украинские) жиды, комиссары, глупо, зло, бессильно, бездарно и удивительно неубедительно. Выписка Михайлова из польских газет.

Кухня в поезде, толстые солдаты с налитыми кровью лицами, серые души, удушливый зной в кухне, каша, полдень, пот, прачки толстоногие, апатичные бабы — станки — описать солдат и баб, толстых, сытых, сонных.

Любовь на кухне.

После обеда в Житомир. Белый, не сонный, а подбитый, притихший город. Ищу следов польской культуры. Женщины хорошо одеты, белые чулки. Костел.

Купаюсь у Нуськи в Тетереве, скверная речонка, старые евреи в купальне с длинными тощими ногами, обросшими седым волосом. Молодые евреи. Бабы на Тетереве полощут белье. Семья, красивая жена, ребенок у мужа.

Базар в Житомире, старый сапожник, синька, мел, шнурки.

Здания синагог, старинная архитектура, как все это берет меня за душу.

Стекло к часам 1200 р. Рынок. Маленький еврей-философ. Невообразимая лавка — Диккенс, метлы и золотые туфли. Его философия — все говорят, что они воюют за правду и все грабят. Если бы хоть какое-нибудь правительство было доброе. Замечательные слова, бороденка, разговариваем, чай и три пирожка с яблоками — 750 р. Интересная старуха, злая, толковая, неторопливая. Как они все жадны к деньгам. Описать базар, корзины с фруктами вишень, внутренность харчевни. Разговор с русской, пришедшей одолжить лоханку. Пот, чахлый чай, въедаюсь в жизнь, прощайте, мертвецы.

Зять Подольский, заморенный интеллигент, что-то о профсоюзах, о службе у Буденного, я, конечно, русский, мать еврейка, зачем?

Житомирский погром, устроенный поляками, потом, конечно, казаками.

После появления наших передовых частей поляки вошли в город на 3 дня, еврейский погром, резали бороды, это обычно, собрали на рынке 45 евреев, отвели в помещение скотобойни, истязания, резали языки, вопли на всю площадь. Подожгли 6 домов, дом Конюховского на Кафедральной — осматриваю, кто спасал — из пулеметов, дворника, на руки которому мать сбросила из горящего окна младенца,— прикололи, ксендз приставил к задней стене лестницу, таким способом спасались.

Заходит суббота, от тестя идем к цадику. Имени не разобрал. Потрясающая для меня картина, хотя совершенно ясно видно умирание и полный декаданс. Сам цадик — его широкоплечая, тощая фигурка. Сын — благородный мальчик в капотике, видны мещанские, но просторные комнаты. Все чинно, жена — обыкновенная еврейка, даже типа модерн.

Лица старых евреев. Разговоры в углу о дороговизне. Я путаюсь в молитвеннике. Подольский поправляет. Вместо свечи — коптилка.

Я счастлив, огромные лица, горбатые носы, черные с проседью бороды, о многом думаю, до свиданья, мертвецы. Лицо цадика, никелевое пенсне.

— Откуда вы, молодой человек?

— Из Одессы.

— Как там живут?

— Там люди живы.

— А здесь ужас.

Короткий разговор.

Ухожу потрясенный.

Подольский, бледный и печальный, дает мне свой адрес, чудесный вечер. Иду, думаю обо всем, тихие, чужие улицы. Кондратьев с черненькой еврейкой, бедный комендант в папахе, он не имеет успеха.

А потом ночь, поезд, разрисованные лозунги коммунизма (контраст с тем, что я видел у старых евреев).

Стук машин, своя электрическая станция, свои газеты, идет сеанс синематографа, поезд сияет, грохочет, толстомордые солдаты стоят в хвост у прачек (на два дня).

Житомир. 4.6.20

Утром — пакеты в Югроста, сообщение о житомирском погроме, домой, Орешникову, Нарбуту.

Читаю Гамсуна. Собельман рассказывает мне сюжет своего романа.

Новая рукопись Иова, старик, живший в столетиях, отсюда унесли ученики, чтобы симулировать вознесение, пресыщенный иностранец, русская революция.

Шульц, вот главное, сластолюбие, коммунизм, как мы берем у хозяев яблоки, Шульц разговаривает, его лысина, яблоки за пазухой, коммунизм, фигура Достоевского, тут что-то есть, тут надо выдумать, это неистощимое любострастие, Шульц на улицах Бердичева.

Хелемская, у которой был плеврит, понос, пожелтела, грязный капот, яблочный мусс. Зачем ты здесь, Хелемская? Тебе надо выйти замуж, муж — техническая контора, инженер, аборт или первый ребенок, вот какова была твоя жизнь, твоя мать, ты брала раз в неделю ванну, твой роман Хелемская, и вот как тебе надо жить, и ты приспособишься к революции.

Открытие коммунистического клуба в редакции. Вот он пролетариат — эти из подполья невероятно чахлые еврейки и евреи. Жалкое, страшное племя, иди вперед. Описать потом концерт, женщины поют малороссийские песни.

Купание в Тетереве. Киперман, как мы ищем пищу. Что такое Киперман? Какой я дурак, замотал деньги. Он колеблется как тростина, у него большой нос, и он нервен, может быть, сумасшедший, однако обжулил, как он оттягивает уплату, заведует клубом. Описать его штаны, нос и неторопливый говор, мучения в тюрьме, страшный человек Киперман.

Ночь на бульваре. Погоня за женщинами. Четыре аллеи, четыре стадии: знакомство, беседа, возникновение желания, удовлетворение желания, внизу Тетерев, лекпом старый, который говорит, что у комиссаров все есть, и вино, но он благожелателен.

Я и украинская редакция.

Гужин, на которого сегодня пожаловалась Хелемская, ищет чего-нибудь получше. Я устал. И вдруг одиночество, течет передо мною жизнь, а что она обозначает?

Житомир. 5.6.20

Получил в поезде сапоги, гимнастерку. Еду на рассвете в Новоград. Машина Thornicroft. Все взято у Деникина. Рассвет на монастырском или школьном дворе. Спал на машине. В 11 часов в Новограде. Дальше на другом Thornicroft'е. Обходной мост. Город живее, развалины кажутся обычными. Беру мой чемодан. Штаб уехал на Корец. Одна из евреек родила, в лечебнице, конечно. Длинный и горбоносый просит службу, бегает за мной с чемоданом. Обещал завтра вернуться. Новоград — Звягель.

На грузовике снабженец в белой папахе, еврей и сутуловатый Морган. Ждем Моргана, он в аптеке, у братишки триппер. Машина идет из-под Фастова. Два толстых шофера. Летим, настоящий русский шофер, вытрясло все внутренности. Поспевает рожь, скачут ординарцы, несчастные, огромные запыленные грузовики, раздетые польские пухлые беловолосые мальчики, пленные, польские носы.

Корец, описать, евреи у большого дома, ешиве бохер в очках, о чем они говорят, старики с желтыми бородами, сутуловатые коммерсанты, хилые, одинокие.

Хочу остаться, но телефонисты сворачивают провода. Конечно, штаб уехал. Рвем яблоки и вишни. С бешеной скоростью дальше. Потом шофер, красный кушак, ест хлеб пальцами, запачканными машинным маслом. Не доезжая 6 верст — магнето залито маслом. Починка под палящим солнцем, пот и шоферы. Доезжаю на телеге с сеном (забыл — инспектор артиллерии Тимошенко (?) осматривает орудия в Корце. Наши генералы). Вечер. Ночь. Парк в Тоще. Мчится Зотов с штабом, скачут обозы, штаб уехал на Ровно, тьфу ты, пропасть. Евреи, решаю остаться у Дувид Ученик, солдаты отговаривают, евреи просят. Умываюсь, блаженство, много евреев. Братья Ученика — близнецы? Раненые зовут знакомиться. Здоровые черти, ранены в мякоть ноги, сами передвигаются. Настоящий чай, ужинаю. Дети Ученика, маленькая, но многоопытная девочка с прищуренными глазами, трепещущая девчушка 6 лет, толстая жена с золотыми зубами. Сидят вокруг меня, в доме тревога. Ученик рассказывает — ограбили поляки, потом эти налетели, с гиканьем и шумом, все разнесли, вещи жены.

Девочка — вы не еврей? Ученик сидит и смотрит, как я ем, на его коленях дрожит девочка. Она напугана, погреба и стрельба и ваши. Я говорю — будет хорошо, что такое революция, говорю от избытка. С нами плохо, нас будут грабить, не ложитесь спать.

Ночь, фонарь перед окном, еврейская грамматика, болит душа, волосы у меня свежие, свежая тоска. Пот от чаю. Подмога — Цукерман с винтовкой. Радиотелеграфист. Солдаты во дворе, гонят спать, хихикают. Подслушиваю: предчувствуют, становись, скошу косой.

Лови арестованную. Звезды, ночь над местечком. Казак высокий, с серьгой, с белым донышком шапки. Арестовали сумасшедшую Стасовой — тюфяк, поманила пальцем, идем, я тебе дам, у меня бы всю ночь работала, вилась, скакала бы да не бегала. Солдаты гонят спать. Ужинают — яичница, чай, жаркое, невообразимая грубость, развалясь у стола, хозяйка, дай. Ученик перед своим домом, выставили дежурного, комедия, иди спать, я сторожу свой дом. Страшная история с арестованной сумасшедшей. Ищут — убьют.

Не сплю. Я помешал, они сказали — все пропало.

Тяжелая ночь, дурак с поросячьим телом — радиотелеграфист. Грязные ногти и деликатное обхождение. Беседа о еврейском вопросе. Раненый в черной рубашке — молокосос и хам, старые евреи бегают, женщины в разгоне. Никто не спит. Какие-то девушки на крылечке, какой-то солдат спит на диване.

Пишу дневник. Есть лампа. Парк перед окном, проезжает обоз. Никто не ложится спать. Приехала машина. Морган ищет священника, я веду его к евреям.

Горынь, евреи и старухи у крылечек. Тоща ограблена, в Тоще чисто, Тоща молчит. Чистая работа. Шепотом — все забрали и даже не плачут, специалисты. Горынь, сеть озер и притоков, вечерний свет, здесь был бой перед Ровно. Разговоры с евреями, мое родное, они думают, что я русский, и у меня душа раскрывается. Сидим на высоком берегу. Покой и тихие вздохи за спиной. Иду защищать Ученика. Я им сказал, что у меня мать еврейка, история, Белая Церковь, раввин.

Ровно. 6.6.20

Спал тревожно, несколько часов. Просыпаюсь, солнце, мухи, постель хорошая, еврейские розовые подушки, пух. Солдаты стучат костылями. Снова — дай, хозяйка. Жареное мясо, сахар из граненой стопочки, сидят развалясь, чубы свисают, одеты по-походному, красные штаны, папахи, обрубки ног висят молодцевато. У женщин кирпичные лица, бегают, все не спали. Дувид Ученик бледен, в жилетке. Мне — не уезжайте до того, как они здесь. Забирает фура. Солнце, напротив парк, фура ждет, уехали. Конец. Спас.

Вчера вечером прибыла машина. В 1 час едем из Тощи на Ровно. Горынь на солнце сияет. Гуляю утром. Оказывается, хозяйка не ночевала дома, прислуга с подругами сидела с солдатами, хотевшими ее изнасиловать, всю ночь до рассвета, кормила их беспрерывно яблоками, степенные разговоры, надоело воевать, хотим жениться, идите спать. Девочка кривоглазая разговорилась, Дувид одел жилет, талес, степенно молится, благодарит, на кухне мука, месят, зашевелились, прислуга толстоногая, босая, толстая еврейка с мягкой грудью, убирает и беспрерывно рассказывает. Речи хозяйки — она за то, чтобы было хорошо. Дом оживает.

Еду на Thornicroft'e в Ровно. Две павшие лошади. Сломанные мосты, автомобиль на мостках, все трещит, бесконечные обозы, скопления, ругань, описать обоз в полдень перед сломанным мостом, всадники, грузовики, двуколки со снарядами. Наш грузовик мчится бешено, хотя он весь изломан, пыль.

Не доезжая 8 верст — стал. Вишни, сплю, потею на солнце. Кузицкий, потешная фигурка, моментально гадает, раскладывает карты, фельдшер из Бородяниц, бабы платили за лечение натурой, жареными курицами и собой, все тревожится — отпустит ли его начсанчасти, показывает действительные раны, когда сходит, хромает, бросил девицу на дороге в 40 верстах от Житомира, иди, она говорила, что за ней ухаживает наштадив. Теряет хлыстик, сидит полуголый, болтает, врет без удержу, карточка брата, бывшего штаб-ротмистра, теперь начдива, женатого на польской княгине, расстрелян деникинцами.

Я медик.

В Ровно пыль, пыльное золото, расплавленное, течет над скучными домишками.

Проходит бригада, Зотов в окне, ровенцы, вид казаков, изумительное спокойное, уверенное войско. Еврейские девицы и юноши следят с восхищением, старые евреи смотрят равнодушно. Дать воздух Ровно, что-то раздерганное, неустойчивое, и есть быт и польские вывески.

Описать вечер.

Хасты, черноволосая и хитрая девица, приехавшая из Варшавы, ведет, фельдшер, злое словесное зложвоние, кокетство, вы у нас будете есть, умываюсь в проходной комнате, все неудобно, блаженство, я грязен и потен, потом горячий чай с моим сахаром.

Описать тот Хаст, сложная фурия, невыносимый голос, думают, что я не понимаю по-еврейски, ссорятся беспрерывно, животный страх, отец — не простая вещь, улыбающийся фельдшер, лечит от трипперов (?), улыбается, невидим, но, кажется, вспыльчив, мать — мы интеллигенты, у нас ничего нет, он же фельдшер, работник, пусть будут эти, но тихо, мы измучены, явление ошеломляющее — круглый сын с хитрой и идиотской улыбкой за стеклами круглых очков, вкрадчивая беседа, за мной ухаживают, масса сестер, все сволочи (?). Зубной врач, какой-то внук, с которым все разговаривают так же визгливо и истерически, как со стариками, приходят молодые евреи — ровенцы с плоскими и пожелтевшими от страха лицами и рыбьими глазами, рассказывают о польских издевательствах, показывают паспорта, был торжественный декрет о присоединении к Польше и Волыни, вспоминаю польскую культуру, Сенкевича, женщин, великодержавие, опоздали родиться, теперь классовое самосознание.

Даю стирать белье. Пью чай беспрерывно и потею зверски и всматриваюсь в Хастов внимательно, пристально. Ночь на диване. В первый раз со дня выезда разделся. Закрывают все ставни, горит электричество, духота страшная, там спит масса людей, рассказы о грабежах буденновцев, трепет и ужас, за окном фыркают лошади, по Школьной улице обозы, ночь.

Белёв. 11.7.20

Ночевал с солдатами штабного эскадрона, на сене. Спал плохо, думаю о рукописях. Тоска, упадок энергии, знаю, что превозмогу, когда это будет? Думаю о Хастах, гниды, вспоминаю все, и эти вонючие души, и бараньи глаза, и высокие, скрипучие неожиданные голоса, и улыбающийся отец. Главное — улыбка и он, вспыльчивый, и много тайн, смердящих воспоминаний о скандалах. Огромная фигура — мать, она зла, труслива, обжорлива, отвратительна, остановившийся, ожидающий взор. Гнусная и подробная ложь дочери, смеющиеся глаза сына из-под очков.

Слоняюсь по селу. Еду в Клевань, местечко взято вчера 3-й кавбригадой 6-й дивизии. Наши разъезды появились на линии шоссе Ровно — Луцк, Луцк эвакуируется.

8—12-го тяжелые бои, убит Дундич, убит Щадилов, командир 36-го полка, пало много лошадей, завтра будем знать точно.

Приказы Буденного об отобрании у нас Ровно, о неимоверной усталости частей, о том, что яростные атаки наших бригад не дают прежних результатов, беспрерывные бои с 27 мая, если не дадут передышки — армия сделается небоеспособной.

Не рано ли издавать такой приказ? Разумно, будят тыл — Клевань. Похороны 6 или 7 красноармейцев. Поехал за тачанкой. Похоронный марш, на обратном пути с кладбища — походный бравурный марш, процессии не видно. Столяр — бородатый еврей — бегает по местечку, он сколачивает гробы.

Главная улица — тоже Schossowa*.

Моя первая реквизиция — записная книга. Со мной ходит служка Менаше. Обедаю у Мудрика, старая песня, евреи разграблены, недоумение, ждали советскую власть как избавителей, вдруг крики, нагайки, жиды. Меня обступил целый круг, я им рассказываю о ноте Вильсону, об армиях труда, еврейчики слушают, хитрые и сочувственные улыбки, еврей в белых штанах лечился в сосновом лесу, хочет домой. Евреи сидят на завалинках, девицы и старики, мертво, знойно, пыльно, крестьянин (Парфентий Мельник, тот самый, что служил на военной службе в Елисаветполе) жалуется, что лошадь распухла от молока, забрали от жеребенка, тоска, рукописи, рукописи, вот что туманит душу.

Полковник Горов выбран населением — войт — 60 лет, дореформенная благородная крыса. Говорим об армии, о Брусилове, если Брусилов пошел, чего же нам думать. Седые усы, шамкает, бывший человек, курит самодельный табак, живет в управлении, старика жалко.

Писарь в волостном управлении, красивый хохол, идеальный порядок, переучивался по-польски, показывает мне книги, статистику в волости — 18600 человек, из них 800 человек поляков, хотели присоединить к Польше, торжественный акт о присоединении к польскому государству.

* Шоссейная (*польск.*).

Писарь тоже дореформенный, в бархатных штанах, с хохлацкой мовой, тронутый новым временем, усики.

Клевань, его дороги, улицы, крестьяне и коммунизм далеко друг от друга.

Хмелеводство, много рассадников, четырехугольные зеленые стены, сложная культура.

У полковника — голубые глаза, у писаря — шелковистые усы.

Ночь, работа штаба в Белёве. Что такое Жолнаркевич? Поляк? Его чувства? Трогательная дружба двух братьев. Константин и Михайло. Жолнаркевич — старый служака, точный, работоспособный без надрыва, энергичный без шума, польские усы, польские тонкие ноги. Штаб — это Жолнаркевич, еще 3 писаря, заматывающихся к ночи.

Колоссальное дело, расположение бригад, нет припасов, самое главное — операционные направления, делается незаметно. Ординарцы спят на земле у штаба. Горят тонкие свечки, наштадив в шапке отирает лоб и диктует, диктует беспрерывно — оперсводки, приказания Артдивизиону, Плетарму, держим направление на Луцк.

Ночь, сплю на сене рядом с Лепиным, латышом, бродят оторвавшиеся кони, выхватывают сено из-под головы.

Белёв. 12.7.20

Утром — начал журнал военных действий, разбираю оперсводки. Журнал — будет интересная штука.

После обеда еду верхом на лошади ординарца Соколова (больного возвратным тифом, он лежит рядом на земле в кожаной куртке, худой и породистый, с плетью в исхудавшей руке, ушел из госпиталя, не кормили, и было скучно, лежал больной в эту страшную ночь оставления Ровно, весь был залит водой, длинный, шатается, любопытно разговаривает с хозяевами, но и повелительно, точно все мужики его враги). Шпаков, чешская колония. Богатый край, много овса и пшеницы, еду через деревни — Пересопница, Милостово, Плоски, Шпаково. Есть льнянка, из нее подсолнечное масло, и много гречихи.

Богатые деревни, жаркий полдень, пыльные дороги, прозрачное небо без облака, лошадь ленивая, хлещу — бежит. Первая моя поездка верхом. В Милостове — беру подводу Шпакова — еду за тачанкой и лошадьми с предписанием от штаба дивизии.

Мягкосердечие. С восхищением вглядываюсь в нерусскую, чистую, крепкую жизнь чехов. Хороший староста, по всем направлениям скачут всадники, каждый раз новые требования, сорок подвод сена, 10 свиней, агенты Опродкома — хлеба, квитанция у старосты — овес получили — спасибо. Разведком 34-го полка.

Крепкие избы сияют на солнце, черепица, железо, камень, яблоки, каменное здание школы, полугородского типа женщины, яркие передники. Идем к мельнику Юрипову, самый богатый и интеллигентный, высокий, красивый, типичный чех с западноевропейскими усами. Прекрасный двор, голубятня, это умиляет меня, новые мельничные машины, былое благосостояние, белые стены, обширный двор, одноэтажный просторный светлый дом и комната — хорошая, вероятно, семья у этого чеха, отец — жилистый бедняк,— все добрые, крепкий сын с золотыми зубами, стройный и широкоплечий. Хорошая, наверное, молодая жена и дети.

Усовершенствованная, конечно, мельница.

Чех набит квитанциями. Забрали четырех лошадей и дали записки в Ровенский уездный комиссариат, забрали фаэтон, дали взамен разломанную тачанку, квитанции три на муку и овес.

Приходит бригада, красные знамена, мощное спаянное тело, уверенные командиры, опытные, спокойные глаза чубатых бойцов, пыль, тишина, порядок, оркестр, рассасываются по квартирам, комбриг кричит мне — ничего не брать отсюда, здесь наш район. Чех беспокойными глазами следит за мотающимся в отдалении молодым ловким комбригом, вежливо разговаривает со мной, отдает сломанную тачанку, но она рассыпается. Я не проявляю энергии. Идем во второй, в третий дом. Староста указывает, где можно взять. У старика действительно фаэтон, сын жужжит над ухом, сломано, пе-

редок плохой, думаю — есть у тебя невеста или едете по воскресеньям в церковь, жарко, лень, жалко, всадники рыщут, так выглядит сначала свобода. Ничего не взял, хотя и мог, плохой из меня буденновец.

Обратно, вечер, во ржи поймали поляка, как на зверя охотятся, широкие поля, алое солнце, золотой туман, колышутся хлеба, в деревне гонят скот, розовые пыльные дороги, необычайной нежной формы, из краев жемчужных облаков — пламенные языки, оранжевое пламя, телеги поднимают пыль.

Работаю в штабе (лошадь скакала здорово), иду спать рядом с Лепиным. Он латыш, морда туповатая, поросячья, очки, кажется, добр. Генштабист.

Острит тупо и неожиданно. Бабка, когда ты умрешь, и вцепился.

В штабе нет керосина. Он говорит — мы стремимся к свету, у нас нет освещения, буду играть с деревенскими девушками, протянул руку, не пускает, морда напряженная, свинячья губа вздрагивает, очки шевелятся.

Белёв. 13.7.20

Я именинник. 26 лет. Думаю о доме, о своей работе, летит моя жизнь. Нет рукописей. Тупая тоска, буду превозмогать. Веду свой журнал, будет интересная вещь.

Писаря красивые молодые, штабные русские молодые люди поют арии из опереток, развращены немного штабной работой. Описать ординарцев — наштадива и прочих — Черкашин, Тарасов — барахольщики, лизоблюды, льстецы, обжоры, лентяи, наследие старого, знают господина.

Работа штаба в Белёве. Хорошо налаженная машина, прекрасный начальник штаба, машинная работа и живой человек. Открытие — поляк, убрали его, по требованию начдива вернули, любим всеми, хорошо живет с начдивом, что он чувствует? И не коммунист, и поляк, и служит верно, как цепная собака, разбери.

Об операциях.

Где стоят наши части.

Операция на Луцк.

Состав дивизии, комбриги.

Как протекает работа штаба — директива, потом приказ, потом оперативная сводка, потом разведсводка, тащим политотдел, ревтрибунал, конский запас.

Еду в Ясиневичи обменять экипаж на тачанку и лошадей. Пыль невероятная, жара. Едем через Пересопницу, отрада в полях, 27-й год, думаю, готова рожь, ячмень, местами очень хорош овес, мак отцветает, вишен нет, яблоки неспелые, много льнянки, гречихи, много вытоптанных полей, хмель.

Богатая, но в меру, земля.

Начальник конского запаса Дьяков — феерическая картина, красные штаны с серебряными лампасами, пояс с насечкой, ставрополец, фигура Аполлона, короткие седые усы, 45 лет, есть сын и племянник, ругань фантастична, привозят из отдела снабжения, разломал стол, но достал. Дьяков, его любит команда, командир у нас геройский, был атлетом, полуграмотен, теперь «я инспектор кавалерии», генерал, Дьяков — коммунист, смелый старый буденновец. Встретился с миллионером, дама под ручкой, что, господин Дьяков, не встречался ли я с вами в клубе? Был в 8-ми государствах, выйду на сцену, моргну.

Танцор, гармонист, хитрец, враль, живописнейшая фигура. С трудом читает бумажки, каждый раз теряет их, одолела, говорит, канцелярщина, откажусь, что без меня делать будут, ругань, разговор с мужиками, те разинули рты.

Тачанка и пара тощих лошадей, о лошадях.

К Дьякову с требованиями, уф, заморился, раздавать белье, все в затылок, отношения отеческие, ты будешь (больному) старшим гуртовщиком. Домой. Ночь. Штабная работа.

Живем в доме матери старосты. Веселая хозяйка говорит скороговоркой, подол подоткнут, работает как муравей на своих, да еще на 7 человек. Черкашин (ординарец Лепина) наглый и надоедливый, не дает покоя, все мы требуем, какие-то дети шляются, сено забираем, в хате, полной мух, детей, стариков, невеста, толкутся солдаты и горланят. Старуха больна. Старики приходят в гости и горестно молчат, лампочка.

Ночь, штаб, выспренний телефонист, К. Карлыч пишет донесения, ординарцы, дежурные писаря спят, на деревне ни зги, сонный писарь стучит приказ, К. Карлыч, точный как часы, молчаливо приходят ординарцы.

Операция на Луцк. Ведет 2-я бригада, пока не взяли. Где наши передовые части?

Белёв. 14.7.20

С нами живет Соколов. Лежит на сене, длинный, русский, в кожаных сапогах. Румяный орловец, безобидный парень Миша. Лепин, когда никто не видит, заигрывает с наймичкой, тупое, напряженное лицо, наша хозяйка говорит скороговоркой, присказки, работает без устали, старуха свекровь — высохшая старушонка, любит ее, Черкашин, ординарец Лепина, понукает, сыпет не замолкая.

Лепин заснул в штабе, совершенно идиотское лицо, никак не может проснуться. На деревне стон, меняют лошадей, дают одров, травят хлеба, забирают скот, жалобы начальнику штаба, Черкашина арестовывают, избил плетью мужика. Лепин 3 часа пишет письмо в Трибунал, Черкашин, мол, находился под влиянием возмутительно провокационных выходок красного офицера Соколова. Не советую — 7 солдат в одной хате.

Злой и тощий Соколов говорит мне — мы все уничтожаем, ненавижу войну.

Почему все они — Жолнаркевич, Соколов — здесь, на войне? Все это бессознательно, инертно, недуманье. Хороша система.

Франк Мошер. Сбитый летчик американец, босой, но элегантен, шея как колонна, ослепительно белые зубы, костюм в масле и грязи. Є тревогой спрашивает меня, неужели я совершил преступление, воюя с советской Россией. Сильно наше дело. Ах, как запахло Европой, кафе, цивилизацией, силой, старой культурой, много мыслей, смотрю, не отпускаю. Письмо майора Фонт-Ле-Ро — в Польше плохо, нет конституции, большевики сильны, социалисты в центре внимания, но не у власти. Надо учиться новым способам войны. Что говорят западноевропейским солдатам? Русский империализм, хотят уничтожить национальности, обычаи — вот главное, захватить все славянские земли, какие старые слова. Нескончаемый разговор с Мошером, погружаюсь в старое, растрясут тебя, Мошер, эх, Конан-Дойль, письма в Нью-Йорк. Лукавит Мошер или нет — судорожно добивается, что такое большевизм. Грустное и сладостное впечатление.

Свыкаюсь со штабом, у меня повозочный 39-летний Грищук, 6 лет в плену в Германии, 50 верст от дому (он из Кременецкого уезда), не пускают, молчит.

Начдив Тимошенко в штабе. Колоритная фигура. Колосс, красные полукожаные штаны, красная фуражка, строен, из взводных, был пулеметчиком, артиллерийский прапорщик в прошлом. Легендарные рассказы. Комиссар 1-й бригады испугался огня, ребята на коней; начал бить плетью всех начальников, Книгу, полковых, стреляет в комиссара, на коней, суки, гонится, 5 выстрелов, товарищи, помогите, я тебе дам, помогите, прострелил руку, глаз, осечку револьвер, а я комиссара отчитал, электризует казаков, буденновец, с ним ехать на позиции, или поляки убьют, или он убьет.

2-я бригада атакует Луцк, к вечеру отошла, противник контратакует, большие силы, хочет пробиться на Дубно. Дубно занято нами.

Сводка — взят Минск, Бобруйск, Молодечно, Проскуров, Свенцяны, Сарны, Старо-Константинов, подходят к Галиции, где будет к. маневр — на Стыри или Буге. Ковель эвакуируется, большие силы во Львове, показание Мошера. Будет удар.

Благодарность начдива за бои перед Ровно. Привести приказ.

Деревня, глухо, огонь в штабе, арестованные евреи. Буденновцы несут коммунизм, бабка плачет. Эх, тускло живут россияне. Где украинская веселость? Начинается жатва. Поспевает мак, где бы взять зерно для лошадей и вареники с вишнями?

Какие дивизии левее?

Мошер босой, полдень, тупой Лепин.

Белёв. 15.7.20

Допрос перебежчиков. Показывают наши листовки. Велика их сила, листовки помогают казакам.

Любопытный у нас комиссар — Бахтуров, боевой, толстый, ругатель, всегда на позициях.

Описать должность военного корреспондента, что такое военный корреспондент?

Надо брать оперативные сводки у Лепина, это — мука. Штаб помещается в доме крещеного еврея.

Ординарцы стоят ночью у здания штаба.

Начинают косить. Я учусь распознавать растения. Завтра именины сестры.

Описание Волыни. Гнусно живут мужики, грязно, едим, лирический Матяш, бабник, даже когда со старухой говорит — и то протяжнее.

Лепин ухаживает за наймичкой.

Наши части в 1,5 верстах от Луцка. Армия готовится к конному наступлению — сосредотачивает силы во Львове, подвозит к Луцку.

Взяли воззвание Пилсудского — Воины Речи Посполитой. Трогательное воззвание. Могилы наши белеют костьми пяти поколений борцов, наши идеалы, наша Польша, наш светлый дом, ваша родина смотрит на вас, трепещет, наша молодая свобода, еще одно усилие, мы помним о вас, все для вас, солдаты Речи Посполитой.

Трогательно, грустно, нету железных большевистских доводов — нет посулов, и слова — порядок, идеалы, свободная жизнь. Наша берет!

Новоселки. 16.7.20

Получен приказ армии — захватить переправы на реке Стыри на участке Рожище — Яловичи.

Штаб переходит в Новоселки, 25 верст. Еду с начдивом, штабной эскадрон, скачут кони, леса, дубы, тропинки, красная фуражка начдива, его мощная фигура, трубачи, красота, новое войско, начдив и эскадрон — одно тело.

Квартира, молодые хозяева и богатые довольно, есть свиньи, корова, одно слово — немае.

Рассказ Жолнаркевича о хитром фельдшере. Две женщины, надо справиться. Дал одной касторки, когда ее схватило — направился к другой.

Страшный случай, солдатская любовь, двое здоровых казаков сторговались с одной — выдержишь, выдержу, один три раза, другой полез — она завертелась по комнате и загадила весь пол, ее выгнали, денег не заплатили, слишком была старательная.

О буденновских начальниках — кондотьеры или будущие узурпаторы? Вышли из среды казаков, вот главное — описать происхождение этих отрядов, все эти Тимошенки, Буденные сами набирали отряды, главным образом — соседи из станицы, теперь отряды получили организацию от Соввласти.

Приказ по дивизии выполняется, сильная колонна двигается из Луцка на Дубно, эвакуация Луцка, очевидно, отменяется, туда прибывают войска и техника.

У молодых хозяев — она высокая, со следами деревенской красоты, копается среди 5-ти детей, валяющихся на лавке. Любопытно — каждый ребенок ухаживает за другим, мама, дай ему цицки. Мать — стройная и красная, лежит строго среди этих копошащихся детей. Муж добр. Соколов: этих щенят надо перестрелять, зачем плодить. Муж: из маленьких будут большие.

Описать наших солдат — Черкашина (сегодня явился маленько ущемленный из Трибунала) — наглого, длинного, испорченного, какой он житель коммунистической России, Матяш, хохол, беспредельно ленивый, охочий до баб, всегда в какой-то истоме, с расшнурованными сапогами, ленивые движения, ординарец Соколова — Миша, был в Италии, красивый, неряшливый.

Описать — поездка с начдивом, небольшой эскадрон, свита начдива, Бахтуров, старые буденновцы, при выступлении — марш.

Наштадив сидит на лавке — крестьянин захлебывается от негодования, показывает полумертвого одра, которого ему дали взамен хорошей лошади. Приезжает Дьяков, разговор короток, за такую-то лошадь можешь получить 15 тысяч, за такую — 20 тысяч. Ежели поднимется, значит, это лошадь.

Берут свиней, кур, деревня стонет. Описать наше снабжение. Сплю в хате. Ужас их жизни. Мухи. Исследование о мухах, мириады. Пятеро маленьких, кричащих, несчастных.

Продовольствие от нас скрывают.

Новоселки. 17.7.20

Начинаю военный журнал с 16/VII. Еду в Полжу — Политотдел, там едят огурцы, солнце, спят босые за стогами сена. Яковлев обещает содействие. День проходит в работе. У Лепина вспухла губа. У него покатые плечи. Тяжело с ним. Новая страница — изучаю оперативную науку.

Возле одной из хат — зарезанная теля. Голубоватые соски на земле, кожа только. Неописуемая жалость! Убитая молодая мать.

Новоселки — Мал. Дорогостай. 18.7.20

Польская армия сосредотачивается в районе Дубно — Кременец для решительного наступления. Мы парализуем маневр, предупредим. Армия переходит в наступление на южном участке, наша дивизия в армейском резерве. Наша задача — захватывать переправы через Стырь в районе Луцка.

Выступаем утром в Мал. Дорогостай (севернее Млынова), обоз оставляем, больных и административный штаб тоже, очевидно, предстоит операция.

Получен приказ из югзапфронта, когда будем идти в Галицию — в первый раз советские войска переступают рубеж,— обращаться с населением хорошо. Мы идем не в завоеванную страну, страна принадлежит галицийским рабочим и крестьянам, и только им, мы идем им помогать установить советскую власть. Приказ важный и разумный, выполнят ли его барахольщики? Нет.

Выступаем. Трубачи. Сверкает фуражка начдива. Разговор с начдивом о том, что мне нужна лошадь. Едем, леса, пашни жнут, но мало, убого, кое-где по две бабы и два старика. Волынские столетние леса — величественные зеленые дубы и грабы, понятно, почему дуб — царь.

Едем тропинками с двумя штабными эскадронами, они всегда с начдивом, это отборные войска. Описать убранство их коней, сабли в красном бархате, кривые сабли, жилетки, ковры на седлах. Одеты убого, хотя у каждого по 10 френчей, такой шик, вероятно.

Пашни, дороги, солнце, созревает пшеница, топчем поля, урожай слабый, хлеба низкорослые, здесь много чешских, немецких и польских колоний. Другие люди, благосостояние, чистота, великолепные сады, объедаем несозревшие яблоки и груши, все хотят на постой к иностранцам, ловлю и себя на этом желании, иностранцы запуганы.

Еврейское кладбище за Малином, сотни лет, камни повалились, почти все одной формы, овальные сверху, кладбище заросло травой, оно видело Хмельницкого, теперь Буденного, несчастное еврейское население, все повторяется, теперь эта история — поляки — казаки — евреи — с поразительной точностью повторяется, новое — коммунизм.

Все чаще и чаще встречаются окопы старой войны, везде проволока, ее хватит для заборов еще лет на 10, разоренные деревни, везде строятся, но слабо, нет ничего, никаких материалов, цемента.

На привалах с казаками, сено лошадям, у всех длинная история — Деникин, свои хутора, свои предводители, Буденные и Книги, походы по 200 человек, разбойничьи налеты, богатая казацкая вольница, сколько офицерских голов порублено. Газету читают, но как слабо западают имена, как легко все повернуть.

Великолепное товарищество, спаянность, любовь к лошадям, лошадь занимает 1/4 дня, бесконечные мены и разговоры. Роль и жизнь лошади.

Совершенно своеобразное отношение к начальству — просто, на «ты».

М. Дорогостай разрушено было совершенно, строится.

Въезжаем в сад к батюшке. Берем сено, едим фрукты, тенистый, солнечный, прекрасный сад, белая церковка, были коровы, лошади, попик в косичке растерянно ходит и собирает квитанции. Бахтуров лежит на животе, ест простоквашу с вишнями, дам тебе квитанции, право, дам.

У попа объели на целый год. Погибает, говорят, он просится на службу, есть у вас полковые священники?

Вечером на квартире. Опять немае — все врут, пишу журнал, дают картошку с маслом. Ночью в деревне, огромный багровый пламенный круг перед глазами, из разоренного села сбегают желтые пашни. Ночь. Огоньки в штабе. Всегда огоньки в штабе, Карл Карлович диктует приказание наизусть, никогда ничего не забывает, понурив головы, сидят телефонисты. Карл Карлович служил в Варшаве.

М. Дорогостай — Смордва — Бережцы. 19.7.20

Ночь спал плохо. Рези в желудке. Вчера ели зеленые груши. Чувствую себя скверно. Выезжаем на рассвете.

Противник атакует на участке Млынов — Дубно. Мы ворвались в Радзивилов.

Сегодня на рассвете решительное наступление всех дивизий — от Луцка до Кременца. 5-я, 6-я дивизии — сосредоточены в Смордве, достигнуто Козино.

Берем, значит, на юг. Выступаем из М. Дорогостай. Начдив здоровается с эскадронами, лошадь трепещет. Музыка. Вытягиваемся по дороге. Невыносимая. Идем через Млынов — Бережцы, в Млынов нельзя заехать, а это еврейское местечко. Подъезжаем к Бережцы, канонада, канцелярия поворачивает назад, пахнет мазутом, по откосам ползут отряды кавалерии. Смордва, дом священника, заплаканные провинциальные барышни в белых чулках, давно таких не видел, раненая попадья, хромая, жилистый поп, крепкий дом, штадив и начдив 14, ждем прибытия бригад, наш штаб на возвышенности, поистине большевистский штаб — начдив Бахтуров, военкомы. Нас обстреливают, начдив молодец — умен, напорист, франтоват, уверен в себе, сообразил обходное движение на Бокунин, наступление задерживается, распоряжения бригадам. Прискакали Колосов и Книга (знаменитый Книга, чем он знаменит). Великолепная лошадь Колосова, у Книги лицо хлебного приказчика, деловитый хохол. Приказания быстры, все советуются, обстрел увеличивается, снаряды падают в 100 шагах.

Начдив 14 пожиже, глуп, разговорчив, интеллигент, работает под буденновца, ругается беспрерывно, я дерусь всю ночь, не прочь прихвастнуть. Длинными лентами извиваются на противоположном берегу бригады, обстрел обозов, столбы пыли. Буденновские полки с обозами, с коврами по седлам.

Мне все хуже. У меня 39 и 8. Приезжают Буденный и Ворошилов.

Совещание. Пролетает начдив. Бой начинается. Лежу в саду у батюшки. Грищук апатичен совершенно. Что такое Грищук, покорность, тишина бесконечная, вялость беспредельная. 50 верст от дому, 6 лет не был дома, не убегает.

Знает, что такое начальство, немцы научили.

Начинают прибывать раненые, перевязки, голые животы, долготерпение, нестерпимый зной, обстрел с обеих сторон беспрерывный, нельзя забыться. Буденный и Ворошилов на крылечке. Картина боя, возвращаются кавалеристы, запыленные, потные, красные, никаких следов волнения, рубал, профессионалы, все протекает в величайшем спокойствии — вот особенность, уверенность в себе, трудная работа, мчатся сестры на лошадях, броневик Жгучий. Против нас — особняк графа Ледоховского, белое здание над озером, невысокое, некричащее, полное благородства, вспоминаю детство, романы — много еще вспоминаю. У фельдшера — жалкий красивый молодой еврей — может быть, получал жалованье у графа, сер от тоски. Извините, как положение на фронте? Поляки издевались и мучили, он думает, что теперь настанет жизнь, между прочим, казаки не всегда хорошо поступают.

Отзвуки боя — скачущие всадники, донесения, раненые, убитые.

Сплю у церковной ограды. Какой-то комбриг спит, положив голову на живот какой-то барышни.

Вспотел, полегчало. Еду в Бережцы, там канцелярия, разоренный дом, пью вишневый чай, ложусь в хозяйкину постель, потею, порошок аспирина. Хорошо бы поспать. Вспоминаю — у меня жар, зной, у церковной ограды солдаты с воем, а другие с хладнокровием, припускают жеребцов.

Бережцы, Сенкевич, пью вишневый чай, лег на пружинный матрац, ребенок какой-то задыхается рядом. Забылся часа на два. Будят. Я пропотел. Едем ночью обратно в Смордву, оттуда дальше, опушка леса. Поездка ночью, луна, где-то впереди эскадрон.

Избушка в лесу. Мужики и бабы спят вдоль стен. Константин Карлович диктует. Картина редкая — вокруг спит эскадрон, все во тьме, ничего не видно, из лесу тянет холодом, натыкаюсь на лошадей, в штабе — едят, больной, ложусь у тачанки на землю, сплю 3 часа, укрытый шалью и шинелью Барсукова, хорошо.

20.7.20. Высоты у Смордвы. Пелча

Выступаем в 5 часов утра. Дождь, сыро, идем лесами. Операция идет успешно, наш начдив верно указал путь обхода, продолжаем загибать. Промокли, лесные дорожки. Обход через Бокуйку на Пелчу. Сведения, в 10 часов взята Добрыводка, в 12 часов после ничтожного сопротивления Козин. Мы преследуем противника, идем на Пелчу. Леса, лесные дорожки, эскадроны вьются впереди.

Здоровье мое лучше, неисповедимыми путями.

Изучаю флору Волынской губернии, много вырублено, вырубленные опушки, остатки войны, проволока, белые окопы. Величественные зеленые дубы, грабы, много сосны, верба — величественное и кроткое дерево, дождь в лесу, размытые дороги в лесу, ясень.

По лесным тропинкам в Пелчу. Приезжаем к 10 часам. Опять село, хозяйка длинная, скучно — немае*,

* Ничего нет (*укр.*).

очень чисто, сын был в солдатах, дает нам яиц, молока нет, в хате невыносимо душно, идет дождь, размывает все дороги, черная глюкающая грязь, к штабу не подойти. Целый день сижу в хате, тепло, там дождь за окном. Как скучна и пресна для меня эта жизнь — цыплята, спрятанная корова, грязь, тупость. Над землей невыразимая тоска, все мокро, черно, осень, а у нас в Одессе...

В Пелче захватили обоз 49-го польского пехотного полка. Дележ под окном, совершенно идиотская ругань, притом подряд, другие слова скучны, их не хочется произносить, о ругани, Спаса мать, гада мать, крестьянки ежатся, Бога мать, дети спрашивают,— солдаты ругаются. Бога мать. Застрелю, бей.

Мне достается бумажный мешок и сумка к седлу. Описать эту мутную жизнь. Хлопец не идет работать на поле. Сплю на хозяйской кровати. Узнали о том, что Англия предложила мир Сов. России с Польшей, неужели скоро кончим?

21.7.20. Пелча — Боратин

Нами взят Дубно. Сопротивление, несмотря на то что мы говорим,— ничтожное. В чем дело? Пленные говорят и видно — революция маленьких людей. Много об этом можно сказать, красота фронтона Польши, есть трогательность, моя графиня. Рок, гонор, евреи, граф Ледоховский. Пролетарская революция. Как я вдыхаю запах Европы — идущий оттуда.

Выезжаем в Боратин через Добрыводка, леса, поля, тихие очертания, дубы, опять музыка и начдив, и сбоку — война. Привал в Жабокриках, ем белый хлеб. Грищук кажется мне иногда ужасным — забит? Немцы, эта жующая челюсть.

Описать Грищука.

В Боратине — крепкое, солнечное село. Хмиль, смеющийся дочке, молчаливый, но богатый крестьянин, яичница на масле, молоко, белый хлеб, чревоугодие, солнце, чистота, отхожу от болезни, для меня все крестьяне на одно лицо, молодая мать. Грищук сияет, ему дали яичницу с салом, прекрасная, тенистая клуня*, клевер. Отчего Грищук не убегает?

Прекрасный день. Мое интервью с Костантином Карловичем. Что такое наш казак? Пласты: барахольство, удальство, профессионализм, революционность, звериная жестокость. Мы авангард, но чего? Население ждет избавителей, евреи свободы — приезжают кубанцы...

Командарм вызывает начдива на совещание в Козин. 7 верст. Еду. Пески. Каждый дом остался в сердце. Кучки евреев. Лица, вот гетто, и мы старый народ, измученные, есть еще силы, лавка, пью кофе, великолепный, лью бальзам на душу лавочника, прислушивающегося к шуму в лавке. Казаки кричат, ругаются, лезут на полки, несчастная лавка, потный рыжебородый еврей... Брожу без конца, не могу оторваться, местечко было разрушено, строится, существует 400 лет, остатки синагоги, великолепный разрушенный старый храм, бывший костел, теперь церковь, очаровательной белизны, в три створки, видный издалека, теперь церковь. Старый еврей — я люблю говорить с нашими — они меня понимают. Кладбище, разрушенный домик рабби Азраила, три поколения, памятник под выросшим над ним деревом, эти старые камни, все одинаковой формы, одного содержания, этот замученный еврей — мой проводник, какая-то семья тупых толстоногих евреев, живущих в деревянном сарае при кладбище, три гроба евреев-солдат, убитых в русско-германскую войну. Абрамовичи из Одессы, хоронить приезжала мать, и я вижу эту еврейку, хоронящую сына, погибшего за противное ей, непонятное, преступное дело.

Новое и старое кладбище — местечку 400 лет.

Вечер, хожу между строениями, евреи и еврейки читают афиши и прокламации, Польша — собака буржуазии и прочее. Смерть от насекомых и не уносите печей из теплушек.

Евреи — портреты, длинные, молчаливые, длиннобородые, не наши толстые и govial**. Высокие старики, шатающиеся без дела. Главное — лавка и кладбище.

* Сарай для сушки и обмолота хлеба (*укр.*).
** Жизнерадостные (*лат.*).

7 верст обратно в Боратин, прекрасный вечер, душа полна, богатые хозяева, лукавые девушки, яичница, сало, наши гоняют мух, русско-украинская душа. Мне, верно, не интересно.

22.7.20. Боратин

До обеда — доклад в Полештарм. Хорошая солнечная погода, богатое, крепкое село, иду на мельницу, что такое водяная мельница, еврей-служка, потом купаюсь в холодной мелкой речке под нежарким солнцем Волыни. Две девочки играют в воде, странное, с трудом преодолимое желание сквернословить, скользкие и грубые слова.

Соколову худо. Даю ему лошадей для отправки в госпиталь. Штаб выезжает в Лешнюв (Галиция, в первый раз переходим границу). Я жду лошадей. Хорошо в деревне, светло, сыто.

Выезжаю через два часа на Хотин. Дорога леском, тревога. Грищук туп и страшен. Я на тяжелой лошади Соколова. Я один на дороге. Светло, прозрачно, не жарко, легкая теплота. Фурманка впереди, пять человек, похожих на поляков. Игра, едем, останавливаемся, откуда? Взаимный страх и тревога. У Хотина видны наши, въезжаем, стрельба. Дикая скачка назад, тащу коня на поводу. Пули жужжат, воют. Артиллерийский огонь. Грищук то несется с мрачной и молчаливой энергией, то в опасные минуты — непонятен, вял, черен, заросшая челюсть. В Боратине уже никого нет. Обоз за Боратином, начинается каша. Обозная эпопея, отвращение и мерзость. Командует Гусев. Стоим полночи у Козина, стрельба. Высылаем разведку, никто ничего не знает, разъезжают верховые, имеющие деловой вид, высокий немчик — райкомендант, ночь, хочется спать, чувство беспомощности — не знаешь, куда тебя везут, думаю, что это 20—30 человек из загнанных нами в леса, набег. Но откуда артиллерия? Засыпаю на полчаса, говорят, была перестрелка, наши выслали цепь. Двигаемся дальше. Лошади измучены, ужасная ночь, двигаемся колоссальным обозом в непроглядной тьме, неизвестно, через какие деревни, пожарище где-то сбоку, пересекают дорогу другие обозы — потрясен фронт или обозная паника?

Ночь тянется бесконечно, попадаем в яму. Грищук странно правит, нас бьют сзади дышлом, крики где-то вдали, останавливаемся через каждые полверсты и стоим томительно, бесцельно, долго.

У нас рвется вожжа, тачанка не повинуется, отъезжаем в поле, ночь, у Грищука припадок звериного, тупого, безнадежного и бесящего меня отчаяния: о, сгорили б те вожжи, о,— сгори да сгори. Он слеп, он признается в этом, Грищук, он ничего не видит ночью. Обоз нас оставляет, дороги тяжелы, черная грязь, Грищук, хватаясь за обрывок вожжи,— неожиданным своим звенящим тенорком — пропадем, поляк догонит, канонада отовсюду, обозные — мы в кругу. Едем на авось с порванной вожжой. Тачанка визжит, тяжелый мутный рассвет вдали, мокрые поля. Фиолетовые полосы на небе, с черными провалами. На рассвете — местечко Верба. Железнодорожное полотно — мертвое, мелкое, пахнет Галицией. 4 часа утра.

23.7.20. В Вербе

Евреи, не спавшие ночь, стоят жалкие, как птицы, синие, взлохмаченные, в жилетах и без носков. Мокрый безрадостный рассвет, вся Верба забита обозами, тысячи повозок, все возницы на одно лицо, перевязочные отряды, штаб 45-й дивизии, слухи тяжелые и, вероятно, нелепые, и эти слухи несмотря на цепь наших побед... Две бригады 11-й дивизии в плену, поляки захватили Козин, несчастный Козин, что там будет? Стратегическое положение любопытное, 6-я дивизия в Лешнюве, поляки в Козине, в Боратине, в тылу, исковерканные пироги. Ждем на дороге из Вербы. Стоим два часа, Миша в белой высокой шапке с красной лентой скачет по полю. Все едят — хлеб с соломой, зеленые яблоки, грязными пальцами, вонючими ртами — грязную, отвратительную пищу. Едем дальше. Изумительно — остановки через каждые 5 шагов, нескончаемые линии обозов 45-й и 11-й дивизий, мы то теряем наш обоз, то находим его. Поля, потоптанное жито, объеденные, еще не совсем объеденные деревни, местность холмистая, куда приедем? Дорога на Дубно. Леса, великолепные старинные тенистые леса. Жара, в лесах тень. Много вырублено для военных надобностей, будь они прокляты, голые опушки с торчащими пнями. Древние волынские, дубенские леса, узнать, где-то достают мед, пахучий, черный.

Описать леса.

Кривиха, разоренные чехи, сдобная баба. Следует ужас, она варит на 100 человек, мухи, распаренная и растрясенная комиссарская Шурка, свежина с картошкой, берут все сено, косят овес, картошка пудами, девочка сбивается с ног, остатки благоустроенного хозяйства. Жалкий длинный улыбающийся чех, полная, хорошая, иностранная женщина — жена.

Вакханалия. Сдобная гусевская Шурка со свитой, красноармейцы — дрянь, обозники, все это топчется на кухне, сыплет картошку, ветчина, пекут коржи. Температура невыносимая, задыхаешься, тучи мух. Замученные чехи. Крики, грубость, жадность. Все же великолепный у меня обед — жареная свинина с картошкой и великолепный кофе. После обеда сплю под деревьями — тихий тенистый откос, качели летают перед глазами. Перед глазами — тихие зеленые и желтые холмы, облитые солнцем, и леса, дубенские леса. Сплю часа три. Потом в Дубно. Еду с Прищепой, новое знакомство, кафтан, белый башлык, безграмотный коммунист, он ведет меня к жене. Муж — а гробер менч* — ездит на лошаденке по деревням и скупает у крестьян продукты. Жена — сдобная, томная, хитрая, чувственная молодая еврейка, 5 месяцев замужем, не любит мужа, впрочем, чепуха, заигрывает с Прищепой. Центр внимания на меня — er ist ein** [нрзб] — вглядывается, спрашивает фамилию, не отрывает глаз, пьем чай, у меня идиотское положение, я тих, вял, вежлив и за каждое движение благодарю. Перед глазами — жизнь еврейской семьи, приходит мать, какие-то ба-

---

* Грубиян (*еврейск.*).
** Он (*нем.*).

рышни, Прищепа — ухажер. Дубно переходило несколько раз из рук в руки. Наши, кажется, не грабили. И опять все трепещут, и опять унижение без конца, и ненависть к полякам, рвавшим бороды. Муж — будет ли свобода торговли, немножко купить и сейчас же продать, не спекулировать. Я говорю — будет, все идет к лучшему — моя обычная система — в России чудесные дела — экспрессы, бесплатное питание детей, театры, интернационал. Они слушают с наслаждением и недоверием. Я думаю — будет вам небо в алмазах, все перевернет, всех вывернет, в который раз, и жалко.

Дубенские синагоги. Все разгромлено. Осталось два маленьких притвора, столетия, две маленькие комнатушки, все полно воспоминаний, рядом четыре синагоги, а там выгон, поля и заходящее солнце. Синагоги приземистые старинные зеленые и синие домишки, хасидская, внутри — архитектуры никакой. Иду в хасидскую. Пятница. Какие изуродованные фигурки, какие изможденные лица, все воскресло для меня, что было 300 лет, старики бегают по синагоге — воя нет, почему-то все ходят из угла в угол, молитва самая непринужденная. Вероятно, здесь скопились самые отвратительные на вид евреи Дубно. Я молюсь, вернее, почти молюсь и думаю о Гершеле, вот как бы описать. Тихий вечер в синагоге, это всегда неотразимо на меня действует, четыре синагожки рядом. Религия? Никаких украшений в здании, все бело и гладко до аскетизма, все бесплотно, бескровно, до чудовищных размеров, для того чтобы уловить, нужно иметь душу еврея. А в чем душа заключается? Неужто именно в наше столетие они погибают?

Уголок Дубно, четыре синагоги, вечер пятницы, евреи и еврейки у разрушенных камней — все памятно. Потом вечер, селедка, грустный, оттого что не с кем совокупиться, Прищепа и дразнящая, раздражающая Женя, ее еврейские и блистающие глаза, толстые ноги и мягкая грудь. Прищепа — руки грузнут, и ее упорный взгляд, и дурак муж, кормящий в крохотном закутке перемененную лошадь.

Ночуем у других евреев, Прищепа просит, чтобы ему играли, толстый мальчик с твердым, тупым лицом, задыхаясь от ужаса, говорит, что у него нет настроения. Лошадь напротив в дворике. Грищуку 50 верст от дому. Он не убегает.

Поляки наступают в районе Козина — Боратино, они у нас в тылу, 6-я дивизия в Лешнюве, Галиция. Идет операция на Броды, Радзивилов вперед и одной бригадой на тыл. 6 дивизия в тяжких боях.

24.7.20

Утром — в Штарме. 6 дивизия ликвидирует противника, напавшего на нас в Хотине, район боев Хотин — Козин, и я думаю — несчастный Козин.

Кладбище, круглые камни.

Из Кривих с Прищепой еду в Лешнюв на Демидовку. Душа Прищепы — безграмотный мальчик, коммунист, родителей убили кадеты, рассказывает, как собирал свое имущество по станице. Декоративен, башлык, прост как трава, будет барахольщик, презирает Грищука за то, что тот не любит и не понимает лошадей. Едем через Хорупань, Смордву и Демидовку. Запомнить картину — обозы, всадники, полуразрушенные деревни, поля и леса, дубы, изредка раненые и моя тачанка.

В Демидовке к вечеру. Еврейское местечко, я настораживаюсь. Евреи по степи, все разрушено. Мы в доме, где масса женщин. Семья Ляхецких, Швехвелей, нет, это не Одесса. Зубной врач — Дора Ароновна, читает Арцыбашева, а вокруг гуляет казачье. Она горда, зла, говорит, что поляки унижали чувство собственного достоинства, презирает за плебейство коммунистов, масса дочерей в белых чулках, набожные отец и мать. Каждая дочь — индивидуальность, одна жалкая, черноволосая, кривоногая, другая — пышная, третья — хозяйственная, и все, вероятно, старые девы.

Главные раздоры — сегодня суббота. Прищепа заставляет жарить картошку, а завтра пост, 9 Аба, и я молчу, потому что я русский. Зубной врач, бледная от гордости и чувства собственного достоинства, заявляет, что никто не будет копать картошки, потому что праздник.

Долго мною сдерживаемый Прищепа прорывается — жиды, мать, весь арсенал, они все, ненавидя нас и меня, копают картошку, боятся в чужом огороде, валят на кресты, Прищепа негодует. Как все тяжко — и Арцыбашев, и сирота гимназистка из Ровно, и Прищепа в башлыке. Мать ломает руки — развели огонь в субботу, кругом брань. Здесь был Буденный и уехал. Спор между еврейским юношей и Прищепой. Юноша в очках, черноволос, нервен, алые воспаленные веки, неправильная русская речь. Он верит в Бога, Бог — это идеал, который мы носим в нашей душе, у каждого человека в душе есть свой Бог, поступаешь дурно — Бог скорбит, эти глупости высказываются восторженно и с болью. Прищепа оскорбительно глуп, он разговаривает о религии в древности, путает христианство с язычеством, главное — в древности была коммуна, конечно, плетет без толку, ваше образование — никакого, и евреи — 6 классов Ровенской гимназии — говорит по Платонову — трогательно и смешно — роды, старейшины, Перун, язычество.

Мы едим как волы, жареный картофель и по 5 стаканов кофе. Потеем, все нам подносят, все это ужасно, я рассказываю небылицы о большевизме, расцвет, экспрессы, московская мануфактура, университеты, бесплатное питание, ревельская делегация, венец — рассказ о китайцах, и я увлекаю всех этих замученных людей. 9 Аба. Старуха рыдает, сидя на полу, сын ее, который обожает свою мать и говорит, что верит в Бога, для того чтобы сделать ей приятное, приятным тенорком поет и объясняет историю разрушения храма. Страшные слова пророков — едят кал, девушки обесчещены, мужья убиты, Израиль подбит, гневные и тоскующие слова. Коптит лампочка, воет старуха, мелодично поет юноша, девушки в белых чулках, за окном Демидовка, ночь, казаки — все, как тогда, когда разрушали храм. Иду спать на дворе, вонючем и мокром.

Беда с Грищуком — он в каком-то остолбенении, ходит как сомнамбула, лошадей кормит слабо, о бедах заявляет post-factum*, благоволит к мужикам и детям.

---

* Задним числом (*лат.*).

Приехали с позиции пулеметчики, останавливаются в нашем дворе, ночь, они в бурках. Прищепа ухаживает за еврейкой из Кременца, хорошенькая, полная, в гладком платье. Она нежно краснеет, кривой тесть сидит неподалеку, она цветет, с Прищепой можно поговорить, она цветет и жеманится, о чем они беседуют, потом — он спать, провести время, ей мучительно, кому ее душа понятнее, чем мне? Он — будем писать, я думаю с тоской — неужели она, говорит Прищепа, согласилась (у него все соглашаются). Вспоминаю, у него, вероятно, сифилис, вопрос — излечился.

Девушка потом — я буду кричать. Описать их первые деликатные разговоры, о чем же вы думаете — она интеллигентный человек, служила в Ревкоме.

Боже, думаю я, женщины теперь слышат все ругательства, живут по-солдатски, где нежность?

Ночью гроза и дождь, бежим в хлев, грязно, темно, мокро, холодно, пулеметчиков на рассвете гонят на позиции, они собираются под проливным дождем, бурки и иззябшие лошади. Жалкая Демидовка.

25.7.20

Утром отъезд из Демидовки. Мучительные два часа, евреек разбудили в 4 часа утра и заставили варить русское мясо, и это 9 Аба. Девушки полуголые и встрепанные бегают по мокрым огородам, похоть владеет Прищепой неотступно, он нападает на невесту сына кривого старика, в это время забирают подводу, идет ругань невероятная, солдаты едят из котлов мясо, она — я буду кричать, ее лицо, он прижимает к стене, безобразная сцена. Она всячески отбивает подводу, они спрятали ее на чердаке, будет хорошая еврейка. Она препирается с комиссаром, говорящим о том, что евреи не хотят помогать Красной Армии.

Я потерял портфель, потом нашел его в штабе 14 дивизии в Лишня.

Едем на Остров — 15 верст, оттуда дорога на Лешнюв, там опасно, польские разъезды. Батюшка, его дочь, похожая на Плевицкую или на веселый скелет.

Киевская курсистка, все истосковались по вежливости, я рассказываю небылицы, она не может оторваться. 15 опасных верст, скачут часовые, проезжаем границу, деревянный настил. Везде окопы.

Приезжаем в штаб. Лешнюв. Полуразрушенное местечко. Русские достаточно запаскудили. Костел, униатская церковь, синагога, красивые здания, несчастная жизнь, какие-то призрачные евреи, отвратительная хозяйка, галичанка, мухи и грязь, длинный, одичавший оболтус, славяне второго сорта. Передать дух разрушенного Лешнюва, худосочие и унылая полузаграничная грязь.

Сплю в клуне. Идет бой под Бродами и у переправы — Чуровице. Циркуляры о советской Галиции. Пасторы. Ночь в Лешнюве. Как все это невообразимо грустно, и эти одичалые и жалкие галичане, и разрушенные синагоги, и мелкая жизнь на фоне страшных событий, до нас доходят только отсветы.

26.7.20. Лешнюв

Украина в огне. Врангель не ликвидирован. Махно делает набеги в Екатеринославской и Полтавской губерниях. Появились новые банды, под Херсоном — восстание. Почему они восстают, короток коммунистический пиджак?

Что с Одессой, тоска.

Много работы, восстанавливаю прошлое. Сегодня утром взяты Броды, опять окруженный противник ушел, резкий приказ Буденного, 4 раза выпустили, умеем раскачать, но нет сил задержать.

Совещание в Козине, речь Буденного, перестали маневрировать, лобовые удары, теряем связь с противником, нет разведки, нет охранения, начдивы не имеют инициативы, мертвые действия.

Разговариваю с евреями, в первый раз — неинтересные евреи. Сбоку разрушенная синагога, рыженький из Броды, земляки из Одессы.

Переезжаю к безногому еврею, благоденствие, чистота, тишина, великолепный кофе, чистые дети, отец потерял обе ноги на ит. фронте, новый дом, строятся, жена корыстолюбива, но прилична, вежлива, маленькая тенистая комнатка, отдыхаю от галичан.

У меня тоска, надо все обдумать, и Галицию, и мировую войну, и собственную судьбу.

Жизнь нашей дивизии. О Бахтурове, о начдиве, о казаках, мародерство, авангард авангарда. Я чужой.

Вечером паника, противник потеснил нас из Чуровице, был в 1,5 верстах от Лешнюва. Начдив ускакал и прискакал. И начинается странствие, и снова ночь без сна, обозы, таинственный Грищук, лошади идут бесшумно, брань, леса, звезды, где-то стоим. На рассвете Броды, все это ужасно — везде проволока, обгоревшие трубы, малокровный город, пресные дома, говорят, здесь есть товары, наши не преминут, здесь были заводы, русское военное кладбище и поистине — безвестные одинокие кресты у могил — русские солдаты.

Белая совсем дорога, вырубленные леса, все исковеркано, галичане на дорогах, австрийская форма, босые с трубками, что в их лицах, какая тайна ничтожества, обыденщины, покорности.

Радзивилов — хуже Брод, проволока на столбах, красивы здания, рассвет, жалкие фигуры, оборванные фрукты, обтрепанные зевающие евреи, разбитые дороги, снесенные распятия, бездарная земля, подбитые католические храмы, где ксендзы — а здесь были контрабандисты, и я вижу прежнюю жизнь.

Хотин. 27.7.20

От Радзивилова — бесконечные деревни, мчащиеся вперед всадники, тяжело после бессонной ночи.

Хотин — та самая деревня, где нас обстреляли. Квартира — ужасная — нищета, баня, мухи, степенный, кроткий, стройный мужик, прожженная баба, ничего не дает, достаю сало, картошку. Живут нелепо, дико, комнатенка и мириады мух, ужасная пища, и не надо ничего лучше — и жадность, и отвратительное неизменяющееся устройство жилища, и воняющие на солнце шкуры, грязь без конца раздражает.

Был помещик — Свешников, разбит завод, разбита усадьба, величественный остов завода, красное кирпичное здание, размещенные аллеи, уже нет следа, мужики равнодушны.

У нас хромает артснабжение, втягиваюсь в штабную работу — гнусная работа убийства. Вот заслуга коммунизма — нет хоть проповеди вражды к врагам, только, впрочем, к польским солдатам.

Привезли пленных, одного совершенно здорового ранил двумя выстрелами без всякой причины красноармеец. Поляк корчится и стонет, ему подкладывают подушку.

Убит Зиновьев, молоденький коммунист в красных штанах, хрипы в горле и синие веки.

Носятся поразительные слухи — 30-го начинают переговоры о перемирии.

Ночью в вонючей дыре, называемой двором. Не сплю поздно, захожу в штаб, дела с переправой не блестящи.

Поздняя ночь, красный флаг, тишина, жаждущие женщин красноармейцы.

28.7.20. Хотин

Бой за переправу у Чуровице. 2-я бригада в присутствии Буденного — истекает кровью. Весь пехотный батальон — ранен, избит почти весь. Поляки в старых блиндированных окопах. Наши не добились результата. Крепнет ли у поляков сопротивление?

Разложения перед миром — не видно.

Я живу в бедной хате, где сын с большой головой играет на скрипке. Терроризирую хозяйку, она ничего не дает. Грищук, окаменелый, плохо ухаживает за конями, оказывается, он приучен голодом.

Разрушенная экономия, барин Свешников, разбитый величественный винный завод (символ русского барина?), когда выпустили спирт — все войска перепились.

Раздраженный — я не перестаю негодовать, грязь, апатия, безнадежность русской жизни невыносимы, здесь революция что-то сделает.

Хозяйка прячет свиней и корову, говорит быстро, елейно и с бессильной злобой, ленива, и я чувствую, что она разрушает хозяйство, муж верит в власть, очарователен, кроток, пассивен, похож на Строева.

Скучно в деревне, жить здесь — это ужасно. Втягиваюсь в штабную работу. Описать день — отражение боя, идущего в нескольких верстах от нас, ординарцы, у Лепина вспухла рука.

Красноармейцы ночуют с бабами.

История — как польский полк четыре раза клал оружие и защищался вновь, когда его начинали рубить.

Вечер, тихо, разговор с Матяж, он беспредельно ленив, томен, соплив и как-то приятно, ласково похотлив. Страшная правда — все солдаты больны сифилисом. У Матяж, выздоравливает (почти не лечась). У него был сифилис, вылечил за две недели, он с кумом заплатил бы в Ставрополе 10 коп. серебром, кум умер, у Миши есть много раз, у Сенечки, у Гераси сифилис, и все ходят к бабам, а дома невесты. Солдатская язва. Российская язва — страшно. Едят толченый хрусталь, пьют не то карболку, размолоченное стекло. Все бойцы — бархатные фуражки, изнасилования, чубы, бои, революция и сифилис. Галиция заражена сплошь.

Письмо Жене, тоска по ней и по дому.

Надо следить за особотделом и ревтрибуналом.

Неужели 30-го переговоры о мире?

Приказ Буденного. Мы в четвертый раз выпустили противника, под Бродами был совершенно окружен.

Описать Матяжа, Мишу. Мужики, в них хочется вникать.

Мы имеем силы маневрировать, окружать поляков, но хватка, в сущности, слабая, они пробиваются, Буденный сердится, выговор начдиву. Написать биографии начдива, военкома Книги и проч.

29.7.20. Лешнюв

Утром уезжаем в Лешнюв. Снова у прежнего хозяина — чернобородого, безногого Фроима. За время моего отсутствия его ограбили на 4 тысячи гульденов, забрали сапоги. Жена — льстивая сволочь, холоднее ко мне, видит, что поживиться трудно, как они жадны. Я разговариваю с ней по-немецки. Начинается дурная погода.

У Фроима — дети хромоногие, их много, я их не разбираю, корову и лошадь он прячет.

В Галиции невыносимо уныло, разбитые костелы и распятие, хмурое небо, прибитое, бездарное, незначительное население. Жалкое, приученное к убийству, солдатам, непорядку, степенные русские плачущие бабы, взрытые дороги, низкие хлеба, нет солнца, ксендзы в широких шляпах — без костелов. Гнетущая тоска от всех строящих жизнь.

Славяне — навоз истории?

День протекает тревожно. Поляки прорвали расположение 14-й дивизии правее нас, вновь заняли Берестечко. Сведений никаких, кадриль, они заходят нам в тыл.

Настроение в штабе.. Константин Карлович молчит. Писаря — эта откормленная, наглая, венерическая шпанка — тревожится. После тяжкого однообразного дня — дождливая ночь, грязь — у меня туфли. Вот и начинается могущественный дождь, истинный победитель.

Шлепаем по грязи, пронизывающий мелкий дождь.

Стрельба орудийная и пулеметная все ближе. Меня клонит ко сну нестерпимо. Лошадям нечего дать. У меня новый кучер — поляк Говинский, высокий, проворный, говорливый, суетливый и, конечно, наглый парень.

Грищук идет домой, иногда он прорывается — я замученный, по-немецки он не мог научиться, потому что хозяин у него был серьезный, они только ссорились, но никогда не разговаривали.

Оказывается еще — он голодал семь месяцев, а я скупо давал ему пищу.

Совершенно босой, с впавшими губами, синими глазами — поляк. Говорлив и весел, перебежчик, мне он противен.

Клонит ко сну непреодолимо. Спать опасно. Ложусь одетый. Рядом со мною две ноги Фроима стоят на стуле. Светит лампочка, его черная борода, на полу валяются дети.

Десять раз встаю — Говинский и Грищук спят — злоба. Заснул к четырем часам, стук в дверь — ехать.

Паника, неприятель у местечка, стрельба из пулеметов, поляки приближаются. Все скачет. Лошадей не могут вывести, ломают ворота, Грищук со своим отвратительным отчаянием, нас четыре человека, лошади не кормлены, надо заехать за сестрой, Грищук и Говинский хотят ее бросать, я кричу не своим голосом — сестра? Я зол — сестра глупа, красива. Летим по шоссе на Броды, я покачиваюсь и сплю. Холодно, пронизывает ветер и дождь. Надо следить за лошадьми, сбруя ненадежна, поляк поет, дрожу от холода, сестра говорит глупости. Качаюсь и сплю. Новое ощущение — не могу раскрыть век. Описать — невыразимое желание спать.

Опять бежим от поляка. Вот она — кав. война. Просыпаюсь — мы стоим перед белыми зданиями. Деревня? Нет, Броды.

30.7.20. Броды

Унылый рассвет. Надоела сестра. Где-то бросили Грищука. Дай ему Бог.

Куда заехать? Усталость гнетет. 6 часов утра. Какой-то галичанин, к нему. Жена на полу с новорожденным. Он — тихий старичок, дети с голой женой, их трое, четверо.

Еще какая-то женщина. Пыль, прибитая дождем. Подвал. Распятие. Изображение святой Девы. Униаты, действительно, ни то, ни другое. Сильный католический налет. Блаженство — тепло, какая-то горячая вонь от детей, женщин. Тишина и уныние. Сестра спит, я не могу, клопы. Нет сена, я кричу на Говинского. У хозяев нет хлеба, молока.

Город разрушен, ограблен. Город огромного интереса. Польская культура. Старинное, богатое, своеобразное еврейское поселение. Эти ужасные базары, карлики в капотах, капоты и пейсы, древние старики. Школьная улица, 9 синагог, все полуразрушено, осматриваю новую синагогу, архитектура [нрзб] кондьеш, шамес, бородатый и говорливый еврей — хоть бы мир, как будет торговля, рассказывает о разграблении города казаками, об унижениях, чинимых поляками. Прекрасная синагога, какое счастье, что у нас есть хотя бы старые камни. Это еврейский город — это Галиция, описать. Окопы, разбитые фабрики, Бристоль, кельнерши, «западноевропейская» культура и как жадно на это бросаешься. Эти жалкие зеркала, бледные австрийские евреи — хозяева. И рассказы — здесь были американские доллары, апельсины, сукно.

Шоссе, проволока, вырубленные леса и уныние, уныние без конца. Есть нечего, надеяться не на что, война, все одинаково плохи, одинаково чужие, враждебные, дикие, была тихая и, главное, исполненная традиций жизнь.

Буденновцы на улицах. В магазинах — только ситро, открыты еще парикмахерские. На базаре у мегер — морковь, все время идет дождь, беспрерывный, пронзительный, удушающий. Нестерпимая тоска, люди и души убиты.

В штабе — красные штаны, самоуверенность, важничают мелкие душонки, масса молодых людей, среди них и евреи, состоят в личном распоряжении командарма и заботятся о пище.

Нельзя забыть Броды, и эти жалкие фигуры, и парикмахеров, и евреев, пришедших с того света, и казаков на улицах.

Беда с Говинским, лошадям совершенно нет корма. Одесская гостиница Гальперина, в городе голод, есть нечего, вечером хороший чай, утешаю хозяина, бледного и растревоженного, как мышь. Говинский нашел поляков, взял у них кепи, кто-то помог и Говинскому. Он нестерпим, лошадей не кормит, где-то шатается, болтает, ничего не может достать, боится, чтобы его не арестовали, а его пытались уже арестовать, приходили ко мне.

Ночь в гостинице, рядом супруги и разговоры, и слова и... в устах женщины, о русские люди, как отвратительно вы проводите ваши ночи и какие голоса стали у ваших женщин. Я слушаю затаив дыхание, и мне тяжко.

Ужасная ночь в этих замученных Бродах. Быть наготове. Я таскаю ночью сено лошадям. В штабе. Можно спать, противник наступает. Вернулся домой, спал крепко, с помертвевшим сердцем, разбудил Говинский.

31.7.20. Броды, Лешнюв

Утром перед отъездом на Золотой улице ждет тачанка, час в книжном магазине, немецкий магазин. Есть все великолепные неразрезанные книги, альбомы. Запад, вот он Запад, и рыцарская Польша, хрестоматия, история всех Болеславов, и почему-то мне кажется, что это красота, Польша, на ветхое тело набросившая сверкающие одежды. Я роюсь, как сумасшедший, перебегаю, темно, идет поток и разграбление канцелярских принадлежностей, противные молодые люди из профкомиссии архивоенного вида. Отрываюсь от магазина с отчаянием.

Хрестоматии, Тетмайер, новые переводы, масса новой национальной польской литературы, учебники.

Штаб в Станиславчике или Кожошкове. Сестра, она служила по Чрезвычайкам, очень русская, нежная и сломанная красота. Жила со всеми комиссарами, так я думаю, и вдруг — альбом Костромской гимназии, классные дамы, идеальные сердца, Романовский пансион, тетя Маня, коньки.

Снова Лешнюв и мои хозяева, страшная грязь, налет гостеприимства, уважения к русским и по моей доброте сошел, неприветливо у разоряемых людей.

О лошадях, кормить нечем, худеют, тачанка рассыпается, из-за пустяков, я ненавижу Говинского, какой-то веселый, прожорливый неудачник. Кофе мне уже не дают.

Противник обошел нас, от переправы оттеснил, зловещие слухи о прорыве в расположении 14-й дивизии, скачут ординарцы. К вечеру — в Гржималовку (севернее Чуровице) — разоренная деревня, достали овес, беспрерывный дождь, короткая дорога в штаб для моих туфель непроходима, мучительное путешествие, позиция надвигается, пил великолепный чай, горячо, хозяйка притворилась сначала больной, деревня все время находилась в сфере боев за переправу. Тьма, тревога, поляк шевелится.

К вечеру приехал начдив, великолепная фигура, перчатки, всегда с позиции, ночь в штабе, работа Константина Карловича.

1.8.20. Гржималовка, Лешнюв

Боже, август, скоро умрем, неистребима людская жестокость. Дела на фронте ухудшаются. Выстрелы у самой деревни. Нас вытесняют с переправы. Все уехали, осталось несколько человек штабных, моя тачанка стоит у штаба, я слушаю бой, хорошо мне почему, нас немного, нет обозов, нет административного штаба, спокойно, легко, огромное самообладание Тимошенки. Книга апатичен, Тимошенко: если не выбьет — расстреляю, передай на словах, все же начдив усмехается. Перед нами дорога, разбухшая от дождя, пулемет вспыхивает в разных местах, невидимое присутствие неприятеля в этом сером и легком небе. Неприятель подошел к деревне. Мы теряем переправу через Стырь. Едем в злополучный Лешнюв, в который раз?

Начдив к 1-й бригаде. В Лешнюве — ужасно, заезжаем на два часа, административный штаб утекает, стена неприятеля вырастает повсюду.

Бой под Лешнювом. Наша пешка в окопах, это замечательно, волынские босые, полуидиотические парни — русская деревня, и они действительно сражаются против поляков, против притеснявших панов. Нет ружей, патроны не подходят, эти мальчики слоняются по облитым зноем окопам, их перемещают с одной опушки на другую. Хата у опушки, мне делает чай услужливый галичанин, лошади стоят в лощинке.

Сходил на батарею, точная, неторопливая, техническая работа.

Под пулеметным обстрелом, визжание пуль, скверное ощущение, пробираемся по окопам, какой-то красноармеец в панике, и, конечно, мы окружены. Говинский был на дороге, хотел бросить лошадей, потом поехал, я нашел его у опушки, тачанка сломана, перипетии, ищу, куда бы сесть, пулеметчики сбрасывают, перевязывают раненого мальчика, нога в воздухе, он рычит, с ним приятель, у которого убили лошадь, подвязываем тачанку, едем, она скрипит, не вертится. Я чувствую, что Говинский меня погубит, это — судьба, его голый живот, дыры в башмаках, еврейский нос и вечные оправдания. Я пересаживаюсь в экипаж Михаила Карловича, какое облегчение, я дремлю, вечер, душа потрясена, обоз, стоим по дороге к Белавцам, потом мы по дороге, окаймленной лесом, вечер, прохлада, шоссе, закат,— катимся к позициям, отвозим мясо Константину Карловичу.

Я жаден и жалок. Части в лесу, они отошли, обычная картина, эскадрон, Бахтуров читает сообщение о III Интернационале, о том, что съехались со всего мира, белая косынка сестры мелькает между деревьями, зачем она здесь? Едем обратно, что такое Михаил Карлович? Говинский удрал, лошадей нет. Ночь, сплю в экипаже рядом с Михаилом Карловичем. Мы под Белавцами.

Описать людей, воздух.

Прошел день, видел смерть, белые дороги, лошадей между деревьями, восход и закат. Главное — буденновцы, кони, передвижения и война, между житом ходят степенные, босые и призрачные галичане.

Ночь на экипаже.

(У леска стоял с тачанкой писарей).

2.8.20. Белавцы

История с тачанкой. Говинский приближается к местечку, конечно, кузнеца не нашел. Мой скандал с кузнецом, толкнул женщину, визг и слезы. Галичане не хотят починять. Арсенал средств, убеждения, угрозы, просьбы, больше всего подействовало обещание сахару. Длинная история, один кузнец болен, тащу его к другому, плач, его тащут домой. Мне не хотят стирать белья, никакие меры воздействия не помогают.

Наконец починяют.

Устал. В штабе тревога. Уходим. Противник нажимает, бегу предупредить Говинского, зной, боюсь опоздать, бегу по песку, предупредил, догнал штаб за селом, никто не берет меня, уходят, тоска, еду несколько времени с Барсуковым, двигаемся на Броды.

Мне дают санитарную тачанку 2-го эскадрона, подъезжаем к лесу, стоим с Иваном, повозочным. Приезжает Буденный, Ворошилов, будет решительный бой, ни шагу дальше. Дальше разворачиваются все три бригады, говорю с комендантом штаба. Атмосфера начала боя, большое поле, аэропланы, маневры кавалерии на поле, наша конница, вдали разрывы, начался бой, пулеметы, солнце, где-то сходятся, заглушенное «ура», мы с Иваном отходим, опасность смертельная, что я чувствую, это не страх, это пассивность, он, кажется, боится, куда ехать, группа с Корочаевым идет направо, мы почему-то налево, бой кипит, нас догоняют на лошади — раненые, смертельно бледный — братишка, возьми, штаны окрашены кровью, угрожает нам стрелять, если не возьмем, осаживаем, он страшен, куртку Ивана заливает кровь, казак, остановились, буду перевязывать, у того легкая рана, в живот, кость повреждена, везем еще одного, у которого лошадь убили. Описать раненого. Долго плутаем под огнем по полям, ничего не видать, эти равнодушные дороги и травка, посылаем верховых, выехали на шоссе — куда ехать, Радзивилов или Броды?

В Радзивилове должен быть административный штаб и все обозы, по моему мнению, в Броды ехать интереснее, бой идет за Броды. Победило мнение Ивана, одни обозники говорят, что в Бродах — поляки, обозы бегут, Штарм выехал, едем в Радзивилов. Приезжаем ночью. Все это время ели морковь и горох — сырые, пронзительный голод, грязные, не спали. Я выбрал хату на окраине Радзивилова. Угадал, нюх выработался. Старик, девушка. Кислое молоко великолепно, съели, готовится чай с молоком, Иван идет за сахаром, пулеметная стрельба, грохот обозов, выскакиваем, лошадь захромала, так уж полагается, убегаем в панике, стреляют по нас, ничего не понимаем, сейчас поймает, мчимся на мост, столпотворение, провалились в болото, дикая паника, валяется убитый, брошенные подводы, снаряды, тачанки. Пробка, ночь, страх, обозы стоят бесконечные, двигаемся, поле, стали, спим, звезды. Во всей этой истории мне больше всего жаль погибшего чая, до странности жаль. Я об этом думаю всю ночь и ненавижу войну.

Какая тревожная жизнь.

3.8.20

Ночь в поле, двигаемся с линейкой в Броды. Город переходит из рук в руки. Та же ужасная картина, полуразрушено, город ждет снова. Питпункт, на окраине встречаюсь с Барсуковым. Еду в штаб. Пустынно, мертво, уныло. Зотов спит на стульях, как мертвец. Спят Бородулин и Поллак. Здание Пражского банка, обобранное и разодранное, клозеты, эти банковские загородки, зеркальные стекла.

Говорят, что начдив в Клёкотове, пробыли в опустошенных, предчувствующих Бродах часа два, чай в парикмахерской. Иван стоит у штаба. Ехать или не ехать? Едем в Клёкотов, сворачиваем с Лешнювского шоссе, неизвестность, поляки или мы, едем на ощупь, лошади замучены, хромают все сильнее, едим в селе картошку, показываются бригады, неизъяснимая красота, грозная сила двигается, бесконечные ряды, фольварк, имение разрушенное, молотилка, локомобиль Клентона, трактор, локомобиль работал, жарко.

Поле сражения, встречаю начдива, где штаб, потеряли Жолнаркевича. Начинается бой, артиллерия кроет, недалеко разрывы, грозный час, решительный бой — остановим польское наступление или нет, Буденный Колесникову и Гришину — расстреляю, они уходят бледные пешком.

До этого — страшное поле, усеянное порубленными, нечеловеческая жестокость, невероятные раны, проломленные черепа, молодые белые нагие тела сверкают на солнце, разбросанные записные книжки, листки, солдатские книжки, Евангелия, тела в жите.

Впечатления больше воспринимаю умом. Начинается бой, мне дают лошадь. Вижу, как строятся колонны, цепи, идут в атаку, жалко этих несчастных, нет людей, есть колонны, огонь достигает высочайшей силы, в безмолвии происходит рубка. Я двигаюсь, слухи об отозвании начдива?

Начало моих приключений, двигаюсь с обозами к шоссе, бой усиливается, нашел питпункт, на шоссе обстреляли, свист снарядов, разрывы в 20 шагах, чувство безнадежности, обозы скачут, я прибился к 20-му полку 4-й дивизии, раненые, вздорный командир, нет, говорит, не ранен, ударился, профессионалы, и все поля, солнце, трупы, сижу у кухни, голод, сырой горох, лошадь нечем кормить.

Кухня, разговоры, сидим на траве, полк вдруг выступает, мне нужно к Радзивилову, полк идет к Лешнюву, и я бессилен, боюсь оторваться. Бесконечное путешествие, пыльные дороги, я пересаживаюсь на телегу, Квазимодо, два ишака, жестокое зрелище — этот горбатый кучер, молчаливый, с лицом темным, как муромские леса.

Едем, у меня ужасное чувство — я отдаляюсь от дивизии. Теплится надежда — потом можно будет проводить раненого в Радзивилов, у раненого еврейское бледное лицо.

Въезжаем в лес, обстрел, снаряды в 100 шагах, бесконечное кружение по опушкам.

Песок тяжелый, непролазный. Поэма о лошадях замученных.

Пасека, обыскиваем ульи, четыре хаты в лесу — ничего нет, все обобрано, я прошу хлеба у красноармейца, он мне отвечает — с евреями не имею дело, я чужой, в длинных штанах, не свой, я одинок, едем дальше, от усталости едва сижу на лошади, мне надо самому за ней ухаживать, въехали в Конюшков, крадем ячмень, мне говорят — ищите, берите, все берите — я ищу сестру по деревне, истерика у баб, забирают через 5 минут после приезда, какие-то бабы бьются, причитают, рыдают невыносимо, тяжко от непрекращающихся ужасов, ищу сестру, у меня непреодолимая печаль, похитил кружку молока у командира полка, вырвал поляницу из рук сына крестьянки.

Через 10 минут выезжаем. Вот те и на! Поляки где-то близко. Опять назад, я думаю, что не выдержу, еще и рысью, сначала еду с командиром, потом пристаю к обозам, хочу пересесть на телегу, у всех один ответ —

пристали кони, ну, скинь меня и садись сам, сядь, дорогой, только здесь убитые, я смотрю на рядно, под ним убитые.

Приезжаем в поле, там много обозов 4-й дивизии, батарея, опять кухня, ищу сестер, тяжелая ночь, хочу спать, надо кормить лошадь, я лежу, лошади поедают великолепную пшеницу, красноармейцы в пшенице — бледные, совсем мертвые. Лошадь мучает, я гоняюсь за ней, пристал к сестре, спим на тачанке, сестра — старая, лысая, вероятно еврейка, мученица, эта невыносимая брань, повозочный ее сталкивает, лошади путаются, повозочного не разбудишь, он груб и ругается, она говорит — наши герои — ужасные люди. Она укрывает его, они спят обнявшись, несчастная, старая сестра, хорошо бы застрелить возницу, брань, ругань, сестра не от мира сего — засыпаем. Просыпаюсь через два часа — украли уздечку. Отчаяние. Рассвет. Мы в 7 верстах от Радзивилова. Еду на ура. Несчастная лошадь, все мы несчастные, полк пойдет дальше. Трогаюсь.

За этот день — главное — описать красноармейцев и воздух.

4.8.20

Двигаюсь один к Радзивилову. Тяжкая дорога. Никого по пути, лошадь пристала, боюсь на каждом шагу встретить поляков. Прошло благополучно, в районе Радзивилова никаких частей, в местечке — смутно, меня посылают на станцию, опустошенное и совершенно привыкшее к переменам население. Шеко на автомобиле. Я в квартире Буденного. Еврейская семья, барышни, группа из гимназии Бухтеевой, Одесса, сердце замерло.

О счастье, дают какао и хлеб. Новости — новый начдив — Апанасенко, новый наштадив — Шеко. Чудеса.

Приезжает Жолнаркевич с эскадроном, он жалок, Зотов объявляет, что он смещен, пойду торговать на Сухаревку лепешками, что же новая школа, вы, говорит, войска расставлять умеете, в старину умел, теперь без резервов не умею.

У него жар, он говорит то, чего говорить не следовало, перебранка с Шеко, тот сразу поднял тон, начальник штаба приказал вам явиться в штаб, мне сдавать нечего, я не мальчик, чтобы шляться по штабам, оставил эскадрон и уехал. Уезжает старая гвардия, все ломается, вот и нет Константина Карловича.

Еще впечатление — и тяжкое и незабываемое — приезд на белой лошади начдива с ординарцами. Вся штабная сволочь, бегущая с курицами для командарма, относятся покровительственно, хамски, Шеко — высокомерен, спрашивает об операциях, тот объясняет, улыбается, великолепная, статная фигура и отчаяние. Вчерашний бой — блестящий успех 6-й дивизии — 1000 лошадей, 3 полка загнаны в окопы, противник разгромлен, отброшен, штаб дивизии в Хотине. Чей это успех — Тимошенки или Апанасенки? Тов. Хмельницкий — еврей, жрун, трус, нахал, при командарме — курица, поросенок, кукуруза, его презирают ординарцы, нахальные ординарцы, единственная забота ординарцев — курицы, сало, жрут, жирные, шоферы жрут сало,— все на крылечке перед домом. Лошади есть нечего.

Настроение совсем другое, поляки отступают. Броды хотя ими заняты, снова бьем, вывез Буденный.

Хочу спать, не могу. Перемены в жизни дивизии будут иметь важное значение. Шеко на подводе. Я с эскадроном. Едем на Хотин, опять рысь, 15 верст сделали. Живу у Бахтурова. Он убит, нет начдива, чувствует, что и ему не быть. Дивизия потрясена, бойцы ходят тихие,— нарастает или нет. Наконец-то я поужинал — мясо, мед. Описать Бахтурова, Ивана Ивановича и Петро. Сплю в клуне, наконец-то покой.

5.8.20. Хотин

День покоя. Ем, шляюсь по залитой солнцем деревне, отдыхаем, обедал, ужинал — есть мед, молоко.

Главное — внутренние перемены, все перевернуто.

Начдива жалко до боли, казачество волнуется, разговоры из-под угла, интересное явление, собираются, шепчутся, Бахтуров подавлен, герой был начдив, теперь командир в комнату не пускает, из 600 — 6000, тяжкое унижение, в лицо бросили — вы предатель, Тимошенко засмеялся,— Апанасенко, новая и яркая фигура, некрасив, коряв, страстен, самолюбив, честолюбив, написал воззвание в Ставрополь и на Дон о непорядках тыла, для того чтобы сообщить в родные места, что он начдив. Тимошенко был легче, веселее, шире и, может быть, хуже. Два человека, не любили они, верно, друг друга. Шеко разворачивается, невероятно корявые приказы, высокомерие. Совсем другая работа штаба. Обозов и административного штаба нету. Лепин поднял голову — он зол, туп и возражает Шеко.

Вечером музыка и пляска — Апанасенко ищет популярности, круг шире, Бахтурову выбирает лошадь из польских, нынче все ездят на польских, великолепные кони, узкогрудые, высокие, английские, рыжие кони, этого нельзя забыть. Апанасенко заставляет проводить лошадей.

Целый день — разговоры об интригах. Письмо в тыл. Тоска по Одессе.

Запомнить — фигура, лицо, радость Апанасенки, его любовь к лошадям, как проводит лошадей, выбирает для Бахтурова.

Об ординарцах, связывающих свою судьбу с «господами». Что будет делать Михеев, хромой Сухоруков, все эти Гребушки, Тарасовы, Иван Иванович с Бахтуровым. Все идут следом.

О польских лошадях, об эскадронах, скачущих в пыли на высоких, золотистых, узкогрудых польских конях. Чубы, цепочки, костюмы из ковров.

В болоте завязли 600 коней, несчастные поляки.

6.8.20. Хотин

На том же месте. Приводимся в порядок, куем лошадей, едим, перерыв в операциях.

Моя хозяйка — маленькая, пугливая, хрупкая женщина с измученными и кроткими глазами. Боже, как ее мучают солдаты, это бесконечное варево, крадем мед. Приехал домой хозяин, бомбы с аэроплана угнали у него коней. Старик не ел 5 суток, теперь отправляется по белу свету искать своих коней, эпопея. Старый старик.

Знойный день, густая, белая тишина, душа радуется, кони стоят, им молотят овес, возле них целый день спят казаки, кони отдыхают — это на первом плане.

Изредка мелькает фигура Апанасенки, в отличие от замкнутого Тимошенки он — свой, он — отец командир.

Утром уезжает Бахтуров, за ним свита, слежу за работой нового военкома, тупой, но обтесавшийся московский рабочий, вот в чем сила — шаблонные, но великие пути, три военкома — обязательно описать прихрамывающего Губанова, грозу полка, отчаянного рубаку, молодого 23-летнего юношу, скромный Ширяев, хитрый Гришин. Сидят в садку, военком выспрашивает, сплетничают, высокопарно говорят о мировой революции, хозяйка отряхивает яблоки, потому что все объели, секретарь военкома, длинный, с звонким голосом, ходит, ищет пищу.

В штабе новые веяния — Шеко пишет особенные приказы, высокопарные и трескучие, но короткие и энергичные, подает свои мнения Реввоенсовету, действует по собственной инициативе.

Все грустят о Тимошенко, бунта не будет.

Почему у меня непроходящая тоска? Потому, что далек от дома, потому что разрушаем, идем как вихрь, как лава, всеми ненавидимые, разлетается жизнь, я на большой непрекращающейся панихиде.

Иван Иванович, сидя на скамейке, говорит о днях, когда он тратил по 20 тысяч, по 30 тысяч. У всех есть золото, все набрали в Ростове, перекидывали через седло мешок с деньгами — и пошел. Иван Иванович одевал и содержал женщин. Ночь, клуня, душистое сено, но воздух тяжелый, чем-то я придавлен, грустной бездумностью моей жизни.

7.8.20. Берестечко

Теперь вечер, 8. Только что зажглись лампы в местечке. В соседней комнате панихида. Много евреев, заунывные родные напевы, покачиваются, сидят по скамьям, две свечи, неугасимая лампочка на подоконнике. Панихида по внучке хозяина, умершей от испуга после грабежей. Мать плачет, под молитву рассказывает мне, мы стоим у стола, горе молотит меня вот уже два месяца. Мать показывает карточку, истертую от слез, и все говорят — красавица необычайная, какой-то командир бегал за яром, стук ночью, поднимали с кровати, рылись поляки, потом казаки, беспрерывная рвота, истекла. И главное у евреев — красавица, такой в местечке не было.

Памятный день. Утром — из Хотина в Берестечко. Еду с секретарем военкома Ивановым, длинный, прожорливый парень без стержня, оборванец — и вот, муж певицы Комаровой, мы концертировали, я ее выпишу. Русский менаде.

Труп убитого поляка, страшный труп, вздутый и голый, чудовищно.

Берестечко переходило несколько раз из рук в руки. Исторические поля под Берестечком, казачьи могилы. И вот главное, все повторяется — казаки против поляков, больше — хлоп против пана.

Местечко не забуду, дворы крытые, длинные, узкие, вонючие, всему этому 100—200 лет, население крепче, чем в других местах, главное — архитектура, белые водянисто-голубые домики, улички, синагоги, крестьянки. Жизнь едва-едва налаживается. Здесь было здорово жить — ценное еврейство, богатые хохлы, ярмарки по воскресеньям, особый класс русских мещан — кожевников, торговля с Австрией, контрабанда.

Евреи здесь менее фанатичны, более нарядны, ядрены, как будто даже веселее, старые старики, капоты, старушки, все дышит стариной, традицией, местечко насыщено кровавой историей еврейско-польского гетто. Ненависть к полякам единодушна. Они грабили, мучили, аптекарю раскаленным железом к телу, иголки под ногти, выщипывали волосы за то, что стреляли в польского офицера — идиотизм. Поляки сошли с ума, они губят себя.

Древний костел, могилы польских офицеров в ограде, свежие холмы, давность 10 дней, белые березовые кресты, все это ужасно, дом ксендза уничтожен, я нахожу старинные книги, драгоценнейшие рукописи латинские. Ксендз Тузинкевич — я нахожу его карточку, толстый и короткий, трудился здесь 45 лет, жил на одном месте, схоластик, подбор книг, много латыни, издания 1860 года, вот когда жил Тузинкевич, квартира старинная, огромная, темные картины, снимки со съездов прелатов в Житомире, портреты папы Пия X, хорошее лицо, изумительный портрет Сенкевича — вот он, экстракт нации. Над всем этим воняет душонка Сухина. Как это ново для меня — книги, душа католического патера, иезуита, я ловлю душу и сердце Тузинкевича, и я ее поймал. Лепин трогательно вдруг играет на пианино. Вообще — он иногда поет по-латышски. Вспомнить его босые ножки — умора. Это очень смешное существо.

Ужасное событие — разграбление костела, рвут ризы, драгоценные сияющие материи разодраны, на полу, сестра милосердия утащила три тюка, рвут подкладку, свечи забраны, ящики выломаны, буллы выкинуты, деньги забраны, великолепный храм — 200 лет, что он видел (рукописи Тузинкевича), сколько графов и холопов, великолепная итальянская живопись, розовые патеры, качающие младенца Христа, великолепный темный Христос, Рембрандт, Мадонна под Мурильо, а может быть Мурильо, и главное — эти святые упитанные иезуиты, фигурка китайская, жуткая за покрывалом, в малиновом кунтуше, бородатый еврейчик, лавочка, сломанная рака, фигура святого Валента. Служитель трепещет, как птица, корчится, мешает русскую речь с польской, мне нельзя прикоснуться, рыдает. Зверье, они пришли, чтобы грабить, это так ясно, разрушаются старые боги.

Вечер в местечке. Костел закрыт. Перед вечером иду в замок графов Рациборовских. 70-летний старик и его мать 90 лет. Их было всего двое, сумасшедшие, говорят в народе. Описать эту пару. Графский старинный польский дом, наверное, больше 100 лет, рога, старинная светлая плафонная живопись, остатки рогов, маленькие комнаты для дворецких вверх, плиты, переходы, экскременты на полу, еврейские мальчишки, рояль «Стейнвей», диваны вскрыты до пружин, припомнить белые легкие и дубовые двери, французские письма

1820 года, notre petit héros acheve 7 semaines*. Боже, кто писал, когда писали, растоптанные письма, взял реликвии, столетие, мать — графиня, рояль «Стейнвей», парк, пруд.

Не могу отделаться — вспоминаю Гауптмана, Эльгу.

Митинг в парке замка, евреи Берестечка, тупой Винокуров, бегает детвора, выбирают Ревком, евреи наматывают бороды, еврейки слушают о российском рае, международном положении, о восстании в Индии.

Тревожная ночь, кто-то сказал быть наготове, наедине с чахлым мешуресом, неожиданное красноречие, о чем он говорил?

8.8.20. Берестечко

Вживаюсь в местечко. Здесь были ярмарки. Крестьяне продают груши. Им платят давно не существующими деньгами. Здесь жизнь била ключом — евреи вывозили хлеб в Австрию, контрабанда товаров и людей, близость заграницы.

Необыкновенные сараи, подземелья.

Живу у содержательницы постоялого двора, рыжая тощая сволочь. Ильченко купил огурцов, читает «Журнал для всех» и рассуждает об экономической политике, во всем виноваты евреи, тупое славянское существо, при разграблении Ростова набившее карман. Какие-то приемыши, недавно умершая. История с аптекарем, которому поляки запускали под ногти булавки, обезумевшие люди.

Жаркий день, жители слоняются, начинают оживать, будет торговля.

Синагога, Торы, 36 лет тому назад построил ремесленник из Кременца, ему платили 50 рублей в месяц, золотые павлины, скрещенные руки, старинные Торы, во всех шамесах нет никакого энтузиазма, изжеванные старики, мосты на Берестечко, как всколыхнули, поляки придавали всему этому давно утраченный колорит. Старичок, у которого остановился Корочаев, разжало-

* Нашему маленькому герою исполняется 7 недель (фр.).

ванный начдив, со своим оруженосцем-евреем. Короча-ев был предчека где-то в Астрахани, поковырять его — оттуда посыплется. Дружба с евреем. Пьем чай у ста-ричка. Тишина, благодушие. Слоняюсь по местечку, внутри еврейских лачуг идет жалкая, мощная, неуми-рающая жизнь, барышни в белых чулках, капоты, как мало толстяков.

Ведем разведку на Львов. Апанасенко пишет посла-ния Ставропольскому исполкому, будем рубить головы в тылу, он восхищен. Бой у Радзихова, Апанасенко ве-дет себя молодцом — мгновенная распланировка войск, чуть не расстрелял отступившую 14-ю дивизию. При-ближаемся к Радзихову. Газеты московские от 29/VII. Открытие II конгресса III Интернационала, наконец осуществленное единение народов, все ясно: два мира и объявлена война. Мы будем воевать бесконечно. Рос-сия бросила вызов. Пойдем в Европу, покорять мир. Красная Армия сделалась мировым фактором.

Надо приглядеться к Апанасенко. Атаман.

Панихида тихого старика по внучке.

Вечер, спектакль в графском саду, любители из Бе-рестечка, денщик болван, барышни из Берестечка, за-тихает, здесь бы пожить, узнать.

9.8.20. Лашков

Переезд из Берестечко в Лашков, Галиция. Экипаж начдива, ординарец начдива Левка — тот самый, что цыганит и гоняет лошадей. Рассказ о том, как он плетил соседа Степана, бывшего стражником при Деникине, обижавшего население, возвратившегося в село. «Заре-зать» не дали, в тюрьме били, разрезали спину, прыгали по нему, танцевали, эпический разговор: хорошо тебе, Степан? Худо. А тем, кого ты обижал, хорошо было? Ху-до было. А думал ты, что и тебе худо будет? Нет, не ду-мал. А надо было подумать, Степан, вот мы думаем, что ежели попадемся, то зарежете, ну да м. и., а теперь, Сте-пан, будем тебя убивать. Оставили чуть теплого. Другой рассказ о сестре милосердия Шурке. Ночь, бой, полки строятся, Левка в фаэтоне, сожитель Шуркин тяжело ранен, отдает Левке лошадь, они отвозят раненого, возвращаются к бою. Ах, Шура, раз жить, раз помирать. Ну да ладно. Она была в заведении в Ростове, скачет в строю на лошади, может отпустить пятнадцать. А теперь, Шурка, поедем, отступаем, лошади запутались в проволоке, проскакал 4 версты, село, сидит, рубит проволоку, проходит полк, Шура выезжает из рядов, Левка готовит ужинать, жрать охота, поужинали, поговорили, идем, Шура, еще разок. Ну ладно. А где?

Ускакала за полком, пошел спать. Если жена приедет — убью.

Лашков — зеленое, солнечное, тихое, богатое галицийское село. Живу у дьякона. Жена только что родила. Придавленные люди. Чистая, новая хата, а в хате ничего. Рядом типичные галицийские евреи. Думают — не еврей ли? Рассказ — ограбили, обрубил голову двум курицам, нашел вещи в клуне, выкопал из-под земли, согнал всех в хату, обычная история, запомнить мальчика с бакенбардами. Рассказывают мне, что главный раввин живет в Бельзе, поистребили раввинов.

Отдыхаем, в моем палисаднике 1-й эскадрон. Ночь, у меня на столе лампочка, тихо фыркают лошади, здесь все кубанцы, вместе едят, спят, варят, великолепное, молчаливое содружество. Все они мужиковаты, по вечерам полными голосами поют песни, похожие на церковные, преданность коням, небольшие кучки — седло, уздечка, расписная сабля, шинель, я сплю, окруженный ими.

Сплю днем на поле. Операций нет, какая это прекрасная и нужная вещь — отдых. Кавалерия, кони отходят от этой нечеловеческой работы, люди отходят от жестокости, вместе живут, поют песни тихими голосами, что-то друг дружке рассказывают.

Штаб в школе. Начдив у священника.

10.8.20. Лашков

Отдых продолжается. Разведка на Радзихов, Соколовку, Стоянов, все к Львову. Получено известие, что взят Александровск, в международном положении гигантские осложнения, неужели будем воевать со всем светом?

Пожар в селе. Горит клуня священника. Две лошади, бившиеся что есть мочи, сгорели. Лошадь из огня не выведешь. Две коровы удрали, у одной потрескалась кожа, из трещин — кровь, трогательно и жалко.

Дым обволакивает все село, яркое пламя, черные пухлые клубы дыма, масса дерева, жарко лицу, все вещи из поповского дома, из церкви выбрасывают в палисадник. Апанасенко в красном казакине, в черной бурке, гладко выбритое лицо — страшное явление, атаман.

Наши казаки, тяжкое зрелище, тащут с заднего крыльца, глаза горят, у всех неловкость, стеснение, неискоренима эта так называемая привычка. Все хоругви, старинные Четьи-Минеи, иконы вынесены, странные раскрашенные бело-розовые, бело-голубые фигурки, уродливые, плосколицые, китайские или буддийские, масса бумажных цветов, загорится ли церковь, крестьянки в молчании ломают руки, население, испуганное и молчаливое, бегает босичком, каждый садится у своей хаты с ведром. Они апатичны, прибиты, нечувствительны — необычайно, они бросились бы даже тушить. С воровством удалось совладать — солдаты, как хищные, затрудненные звери ходят вокруг батюшкиных чемоданов, говорят, там золото, у попа можно взять, портрет графа Андрея Шептицкого, митрополита Галицкого. Мужественный магнат с черным перстнем на большой и породистой руке. У старого священника, 35 лет прослужившего в Лашкове, трепещет все время нижняя губа, он рассказывает мне о Шептицком, тот не «выхован» в польском духе, из русинских вельмож, «граф на Шептицах», потом ушли к полякам, брат — главнокомандующий польскими войсками, Андрей вернулся к русинам. Своя давняя культура, тихая и прочная. Хороший интеллигентный батюшка, припасший мучку, курицу, хочет поговорить об университетах, о русинах, несчастный, у него живет Апанасенко в красном казакине.

Ночью — необыкновенное зрелище, ярко догорает шоссе, моя комната освещена, я работаю, горит лампочка, покой, душевно поют кубанцы, их тонкие фигуры у костров, песни совсем украинские, лошади ложатся спать. Иду к начдиву. Мне о нем рассказывает Винокуров — партизан, атаман, бунтарь, казацкая вольница, дикое восстание, идеал — Думенко, сочащася рана, надо подчиняться организации, смертельная ненависть к аристократии, попам и, главное, к интеллигенции, которую он в армии не переваривает. Институт он кончит — Апанасенко, чем не времена Богдана Хмельницкого?

Глубокая ночь. 4 часа.

11.8.20. Лашков

День работы, сидение в штабе, пишу до усталости, день покоя. К вечеру дождь. У меня в комнате ночуют кубанцы, странно — смирные и воинственные, домовитые и немолодые крестьяне ясного украинского происхождения.

О кубанцах. Содружество, всегда своей компанией, под окном ночью и днем фыркают кони, великолепный запах навоза, солнца, спящих казаков, два раза в день варят огромные ведра похлебки и мясо. Ночью кубанцы в гостях. Беспрерывный дождь, они сушатся и ужинают у меня в комнате. Религиозный кубанец в мягкой шляпе, бледное лицо, светлые усы. Они истовы, дружественны, дики, но как-то более привлекательны, домовиты, меньше ругатели, спокойнее, чем донцы и ставропольцы.

Сестра приехала, как все ясно, это надо описать, она стерта, хочет уезжать, там все были — комендант, эти по крайней мере говорят, Яковлев, и ужас, Гусев. Она жалка, хочет уходить, грустна, говорит непонятно, хочет о чем-то со мною поговорить и смотрит на меня доверчивыми глазами, мол, я друг, а остальные, остальные слезни (?). Как быстро уничтожили человека, принизили, сделали некрасивым. Она наивна, глупа, восприимчива даже к революционной фразе и чудачка, много говорит о революции, служила в Культпросвете ЧК, сколько мужских влияний.

Интервью с Апанасенко. Это очень интересно. Это надо запомнить. Его тупое, страшное лицо, крепкая сбитая фигура, как у Уточкина.

Его ординарцы (Левка), статные золотистые кони, прихлебатели, экипажи, приемыш Володя — маленький казак со старческим лицом, ругается, как большой.

Апанасенко — жаден к славе, вот он — новый класс. Несмотря на все оперативные дела — отрывается и каждый раз возвращается снова, организатор отрядов, просто против офицерства, 4 Георгия, службист, унтер-офицер, прапорщик при Керенском, председатель полкового комитета, срывал погоны у офицеров, длинные месяцы в астраханских степях, непререкаемый авторитет, профессионал военный.

Об атаманах, их там много было, доставали пулеметы, дрались со Шкуро и Мамонтовым, влились в Красную Армию, героическая эпопея. Это не марксистская революция, это казацкий бунт, который хочет все выиграть и ничего не потерять. Ненависть Апанасенки к богатым, к интеллигентам, неугасимая ненависть.

Ночь с кубанцами, дождь, душно, какая-то странная чесотка у меня.

12.8.20. Лашков

Четвертый день в Лашкове. Необычайно забитая галицийская деревня. Жили лучше русских, хорошие дома, много добропорядочности, уважение к священникам, честны, но обескровлены, сваренный ребёнок у моих хозяев, как он родился и зачем он родился, в матери ни кровинки, где-то что-то беспрерывно скрывают, где-то хрюкают свиньи, где-то, вероятно, спрятано сукно.

Свободный день, хорошее дело — корреспондентство, ежели его не запускать.

Надо писать в газету и жизнеописание Апанасенки.

Дивизия отдыхает — какая-то тишина на сердце и люди лучше — песни, костры, огонь в ночи, шутки, счастливые, апатичные кони, кто-то читает газету, походка вразвалку, куют лошадей. Как все это выглядит. Уезжает в отпуск Соколов, даю ему письмо домой.

Пишу — все о трубках, о давно забытых вещах, Бог с ней, с революцией, туда и надо устремиться.

Не забыть бы священника в Лашкове, плохо бритый, добрый, образованный, может быть, корыстолюбивый, какое там корыстолюбие — курица, утка, дом его, хорошо жил, смешливые гравюрки.

Трения военкома с начдивом, тот встал и вышел с Книгой в то время, когда Яковлев, начподив, делал доклад, Апанасенко пришел к военкому.

Винокуров — типичный военком, гнет свою линию, хочет исправлять 6-ю дивизию, борьба с партизанщиной, тяжелодум, морит меня речами, иногда груб, всем на «ты».

13.8.20. Нивица

Ночью приказ — двигаться на Буск — 35 верст восточнее Львова.

Утром выступаем. Все три бригады сосредоточены в одном месте. Я на Мишиной лошади, научилась бежать, но шагом не идет, трусит ужасно. Целый день на коне с начдивом. Хутор Порады. В лесу 4 неприятельских аэроплана, пальба залпами. Три комбрига — Колесников, Корочаев, Книга. Василий Иванович хитрит, пошел на Топоров в обход (Чаныз), нигде не встретил неприятеля. Мы на хуторе Порады, разбитые хаты, извлекаю из люка старуху, голубцы. Вместе с наблюдателем на батарее. Наша атака у леска.

Беда — болото, каналы, негде развернуться кавалерии, атаки в пешем строю, вялость, падает ли мораль? Упорный бой и все же легкий (по сравнению с империалистической бойней) под Топоровом, берут с трех сторон, не могут взять, ураганный огонь нашей артиллерии из двух батарей.

Ночь. Все атаки не удались. На ночь — штаб переезжает в Нивицу. Густой туман, пронзительный холод, лошадь, дорога лесами, костры и свечи, сестры на тачанках, тяжелый путь после дня тревог и конечной неудачи.

Целый день по полям и лесам. Интереснее всех — начдив, усмешка, ругань, короткие возгласы, хмыканья, пожимает плечами, нервничает, ответственность за все, страстность, если бы он там был, все было бы хорошо.

Что запомнилось? Езда ночью, визг баб в Порадах, когда у них начали (прервал писанье, в 100 шагах разорвались две бомбы, брошенные с аэроплана. Мы у опушки леса с запада ст. Майданы) брать белье, наша атака, что-то невидное, нестрашное издали, какие цепочки, всадники ездят по лугу, издалека все это совершается неизвестно для чего, все это не страшно.

Когда вплотную подошли к местечку, началась горячка, момент атаки, момент, когда берут город, тревожная, лихорадочная, возрастающая, доводящая до отчаяния безнадежности трескотня пулеметов, беспрерывные разрывы и над всем этим — тишина сверху и ничего не видно.

Работа штаба Апанасенко — каждый час донесения командарму, выслуживается.

Озябшие, усталые приехали в Нивицу. Теплая кухня. Школа.

Пленительная жена учителя, националистка, какое-то внутреннее веселье в ней, расспрашивает, варит нам чай, защищает свою мову, ваша мова хорошая и наша мова, и все смех в глазах. И это в Галиции, хорошо, давно я этого не слышал. Сплю в классе на соломе рядом с Винокуровым.

Насморк.

14.8.20

Центр операций — взятие Буска и переправа через Буг. Целый день атака на Топоров, нет отставили. Опять нерешительный день. Опушка леса у ст. Майданы. Противником взят Лопатин.

К вечеру выбили. Снова Нивица. Ночевка у старухи, двор вместе со штабом.

15.8.20

Утром в Топорове. Бои у Буска. Штаб в Буске. Форсировать Буг. Пожар на той стороне. Буденный в Буске. Ночевка в Яблоновке с Винокуровым.

16.8.20

К Ракобутам, бригада переправилась.
Еду опрашивать пленных.
Снова в Яблоновке. Выступаем на Н. Милатин, ст. Милатин, паника, ночевка в странноприимнице.

17.8.20

Бои у железной дороги, у Лисок. Рубка пленных.
Ночевка в Задвурдзе.

18.8.20

Не имел времени писать. Выступили. Выступили 13.8. С тех пор передвижения, бесконечные дороги, флажок эскадрона, лошади Апанасенки, бои, фермы, трупы. Атака на Топоров в лоб, Колесников в атаку, болото, я на наблюдательном пункте, к вечеру ураганный огонь из двух батарей. Польская пехота сидит в окопах, наши идут, возвращаются, коноводы ведут раненых, не любят казаки в лоб, проклятый окоп дымится. Это было 13-го. День 14-го — дивизия двигается к Буску, должна достигнуть его во что бы то ни стало, к вечеру подошли верст на десять. Там надо произвести главную операцию — переправиться через Буг. Одновременно ищут брода.

Чешская ферма у Адамы, завтрак в экономии, картошка с молоком, Сухоруков, держащийся при всех режимах, ж — му, ему подпевает Суслов, всякие Левки. Главное — темные леса, обозы в лесах, свечи над сестрами, грохот, темпы передвижения. Мы на опушке леса, кони жуют, герои дня аэропланы, авдеятельность все усиливается, атака аэропланов, беспрерывно курсируют по 5—6 штук, бомбы в 100 шагах, у меня пепельный мерин, отвратительная лошадь. В лесу. Интрига с сестрой. Апанасенко сделал ей с места в карьер гнусное предложение, она, как говорят, ночевала, теперь говорит о нем с омерзением, но ей нравится Шеко, а она нравится военкомдиву, который маскирует свой интерес к ней тем, что она, мол, беззащитна, нет средств передвижения, нет защитников. Она рассказывает, как за ней ухаживал Константин Карлович, кормил, запрещал писать ей письма, а писали ей бесконечно. Яковлев ей страшно нравился, начальник регистрационного отдела, белокурый мальчик в красной фуражке, просил руку и сердце и рыдал, как дитя. Была еще какая-то история, но я об ней ничего не узнал. Эпопея с сестрой — и главное, о ней много говорят и ее все презирают, собственный кучер не разговаривает с ней, ее ботиночки, переднички, она оделяет, книжки Бебеля.

Женщина и социализм.

О женщинах в Конармии можно написать том. Эскадроны в бой, пыль, грохот, обнаженные шашки, неистовая ругань, они с задравшимися юбками скачут впереди, пыльные, толстогрудые, все б..., но товарищи, и б... потому, что товарищи, это самое важное, обслуживают всем, чем могут, героини, и тут же презрение к ним, поят коней, тащут сено, чинят сбрую, крадут в костелах вещи и у населения.

Нервность Апанасенки, его ругня, есть ли это сила воли?

Ночь снова в Нивице, сплю где-то на соломе, потому что ничего не помню, все на мне порвано, тело болит, СТО верст на лошади.

Ночую с Винокуровым. Его отношение к Иванову. Что такое этот прожорливый и жалкий высокий юноша с мягким голосом, увядшей душой, острым умом. Военком с ним невыносимо груб, беспрерывно матом, ко всему придирается, что же ты, и мат, не знаешь, не сделал, собирай манатки, выгоню я тебя.

Надо проникнуть в душу бойца, ужасно, проникаю, все это ужасно, зверье с принципами.

За ночь 2-я бригада ночным налетом взяла Топоров. Незабываемое утро. Мы мчимся на рысях. Страшное, жуткое местечко, евреи у дверей как трупы, я думаю, что еще с вами будет, черные бороды, согбенные спины, разрушенные дома, тут же [нрзб], остатки немецкой благоустроенности, какое-то невыразимое привычное и горячее еврейское горе. Тут же монастырь.

Апанасенко сияет. Проходит вторая бригада. Чубы, костюмы из ковров, красные кисеты, короткие карабины, начальники на статных лошадях, буденновская бригада. Смотр, оркестры, здравствуйте, сыны революции, Апанасенко сияет.

Из Топорова — леса, дороги, штаб у дороги, ординарцы, комбриги, мы влетаем на рысях в Буск, в его восточную половину. Какое очаровательное место (18-го летит аэроплан, сейчас будет бросать бомбы), чистые еврейки, сады, полные груш и слив, сияющий полдень, занавески, в домах остатки мещанской, чистой и, может быть, честной простоты, зеркала, мы у толстой галичанки, вдовы учителя, широкие диваны, много слив, усталость невыносимая от перенапряжения (снаряд пролетел, не разорвался), не мог уснуть, лежал у стены рядом с лошадьми и вспоминал пыль дороги и ужас обозной толкотни, пыль — величественное явление нашей войны.

Бой в Буске. Он на той стороне моста. Наши раненые. Красота — там горит местечко. Еду к переправе — острое ощущение боя, надо пробегать кусок дороги, потому что он обстреливает, ночь, пожар сияет, лошади стоят под хатами, идет совещание с Буденным, выходит Реввоенсовет, чувство опасности, Буск в лоб не взяли, прощаемся с толстой галичанкой и едем в Яблоновку глубокой ночью, кони едва идут, ночуем в дыре, на соломе, начдив уехал, дальше у меня и военкома нету сил.

1-я бригада нашла брод и переправилась через Буг у Поборжаны. Утром с Винокуровым на переправу. Вот он Буг, мелкая речушка, штаб на холме, я измучен дорогой, меня отправляют обратно в Яблоновку допрашивать пленных. Беда. Описать чувство всадника: усталость, конь не идет, ехать надо далеко, сил нет, выжженная степь, одиночество, никто не поможет, версты бесконечно.

Допрос пленных в Яблоновке. Люди в нижнем белье, есть евреи, белокурые полячки, истомленные, интеллигентный паренек, тупая ненависть к ним, залитое кровью белье раненого, воды не дают, один толстомордень-кий тычет мне документы. Счастливцы — думаю я, —

как вы ушли. Они окружают меня, они рады звуку моего благожелательного голоса, несчастная пыль, какая разница между казаками и ими, жила тонка.

Из Яблоновки еду обратно на тачанке в штаб. Опять переправа, бесконечные переправляющиеся обозы (они не ждут ни минуты, вслед за наступающими частями) грузнут в реке, рвутся постромки, пыль душит, галицийские деревни, мне дают молоко, в одной деревне обед, только что оттуда ушли поляки, все спокойно, деревня замерла, зной, полуденная тишина, в деревне никого, изумительно то, что здесь такая ничем не возмутимая тишина, свет, покой — как будто фронта и в 100 верстах нету. Церкви в деревнях.

Дальше неприятель. Два голых зарезанных поляка с маленькими лицами порезанными сверкают во ржи на солнце.

Возвращаемся в Яблоновку, чай у Лепина, грязь, Черкашин унижает его и хочет бросить, если присмотреться, лицо у Черкашина страшное, в его прямой, высокой как палка фигуре угадывается мужик — и пьяница, и вор, и хитрец.

Лепин — грязен, туп, обидчив, непонятен.

Длинный нескончаемый рассказ красивого Базкунова, отец, Нижний Новгород, заведующий химотделом, Красная Армия, деникинский плен, биография русского юноши, отец — купец, был изобретателем, торговал с ресторанами московскими. В течение всего пути толковал с ним. Это мы едем на Милатин, по дороге — сливы. В ст. Милатине церковь, квартира ксендза, ксендз в роскошной квартире — это незабываемо,— он ежеминутно жмет мне руку, отправляется хоронить мертвого поляка, приседает, спрашивает — хороший ли начальник, лицо типично иезуитское, бритое, серые глаза бегают, и как это хорошо, плачущая полька, племянница, просящая, чтобы ей вернули телку, слезы и кокетливая улыбка, совсем по-польски. Квартиру не забыть, какие-то безделушки, приятная темнота, иезуитская, католическая культура, чистые женщины и благовоннейший и растревоженный патер, против него монастырь. Мне хочется остаться. Ждем решения — где остаться — в старом или новом Милатине. Ночь. Паника.

Какие-то обозы, где-то поляки прорвались, на дороге столпотворение вавилонское, обозы в три ряда, я в Милатинской школе, две красивые старые девы, мне стало страшно, как напомнили они мне сестер Шапиро из Николаева, две тихие интеллигентные галичанки, патриотки, своя культура, спальня, может быть, папильотки, в этом грохочущем, воюющем Милатине, за стенами обозы, пушки, отцы командиры рассказывают о подвигах, оранжевая пыль, клубы, монастырь ими заверчен. Сестры угощают меня папиросами, они вдыхают мои слова о том, что все будет великолепно — как бальзам, они расцвели, и мы по-интеллигентски заговорили о культуре.

Стук в дверь. Комендант зовет. Испуг. Едем в новый Милатин. *Н. Милатин*. С военкомом в странноприимнице, какое-то подворье, сараи, ночь, своды, прислужница ксендза, мрачно, грязно, мириады мух, усталость ни с чем не сравнимая, усталость фронта.

Рассвет, выезжаем, должны прорвать железную дорогу (все это происходит 17/VIII), железную дорогу Броды — Львов.

Мой первый бой, видел атаку, собираются у кустов, к Апанасенке ездят комбриги — осторожный Книга, хитрит, приезжает, забросает словами, тычут пальцами в бугры — по-под лесом, по-над лощиной, открыли неприятеля, полки несутся в атаку, шашки на солнце, бледные командиры, твердые ноги Апанасенко, ура.

Что было? Поле, пыль, штаб у равнины, неистово ругающийся Апанасенко, комбриг — уничтожить эту сволочь в ... бандяги.

Настроение перед боем, голод, жара, скачут в атаку, сестры.

Гремит ура, поляки раздавлены, едем на поле битвы, маленький полячок с полированными ногтями трет себе розовую голову с редкими волосами, отвечает уклончиво, виляя, «мекая», ну, да, Шеко воодушевленный и бледный, отвечай, кто ты — я, мнется — вроде прапорщика, мы отъезжаем, его ведут дальше, парень с хорошим лицом за его спиной заряжает, я кричу — Яков Васильевич! Он делает вид, что не слышит, едет дальше, выстрел, полячок в кальсонах падает на лицо и дергается. Жить противно, убийцы, невыносимо, подлость и преступление.

Гонят пленных, их раздевают, странная картина — они раздеваются страшно быстро, мотают головой, все это на солнце, маленькая неловкость, тут же командный состав, неловкость, но пустяки, сквозь пальцы. Не забуду я этого «вроде» прапорщика, предательски убитого.

Впереди — вещи ужасные. Мы перешли железную дорогу у Задвурдзе. Поляки пробиваются по линии железной дороги к Львову. Атака вечером у фермы. Побоище. Ездим с военкомом по линии, умоляем не рубить пленных, Апанасенко умывает руки. Шеко обмолвился — рубить, это сыграло ужасную роль. Я не смотрел на лица, прикалывали, пристреливали, трупы покрыты телами, одного раздевают, другого пристреливают, стоны, крики, хрипы, атаку произвел наш эскадрон, Апанасенко в стороне, эскадрон оделся как следует, у Матусевича убили лошадь, он со страшным, грязным лицом бежит, ищет лошадь. Ад. Как мы несем свободу, ужасно. Ищут в ферме, вытаскивают, Апанасенко — не трать патронов, зарежь. Апанасенко говорит всегда — сестру зарезать, поляков зарезать.

Ночуем в Задвурдзе, плохая квартира, я у Шеко, хорошая пища, беспрерывные бои, я веду боевой образ жизни, совершенно измучен, мы стоим в лесах, кушать целый день нечего, приезжает экипаж Шеко, подвозит, часто на наблюдательном пункте, работа батарей, опушки, лощины, пулеметы косят, поляки главным образом защищаются аэропланами, они становятся грозными, описать воздушную атаку, отдаленный и как будто медленный стук пулемета, паника в обозах, нервирует, беспрерывно планируют, скрываемся от них. Новое применение авиации, вспоминаю Мошера, капитан Фонт-Ле-Ро во Львове, наши странствия по бригадам, Книга только в обход, Колесников в лоб, едем с Шеко в разведку, беспрерывные леса, смертельная опасность, на горках, перед атакой пули жужжат вокруг, жалкое лицо Сухорукова с саблей, мотаюсь за штабом, мы ждем донесений, а они двигаются, делают обходы.

Бои за Баршовице. После дня колебаний к вечеру поляки колоннами пробиваются к Львову. Апанасенко увидел и сошел с ума, он трепещет, бригады действуют всем, хотя имеют дело с отступающими, и бригады вытягиваются нескончаемыми лентами, в атаку бросают 3 кавбригады, Апанасенко торжествует, хмыкает, пускает нового комбрига 3 Литовченко взамен раненого Колесникова, видишь, вот они, иди и уничтожь, они бегут, корректирует действия артиллерии, вмешивается в приказания комбатарей, лихорадочное ожидание, думали повторить историю под Задвурдзе, не вышло. Болото с одной стороны, губительный огонь с другой. Движение на Остров, 6-я кавдивизия должна взять Львов с юго-восточной стороны.

Колоссальные потери в комсоставе: ранен тяжело Корочаев, убит его помощник — еврей убит, начальник 34-го полка ранен, весь комиссарский состав 31-го полка выбыл из строя, ранены все наштабриги, буденновские начальники впереди.

Раненые ползут на тачанках. Так мы берем Львов, донесения командарму пишутся на траве, бригады скачут, приказы ночью, снова леса, жужжат пули, нас сгоняет с места на место артогонь, тоскливая боязнь аэропланов, спеши тебя, будет разрыв, во рту скверное ощущение и бежишь. Лошадей нечем кормить.

Я понял — что такое лошадь для казака и кавалериста. Спешенные всадники на пыльных горячих дорогах, седла в руках, спят как убитые на чужих подводах, везде гниют лошади, разговоры только о лошадях, обычай мены, азарт, лошади мученики, лошади страдальцы, об них — эпопея, сам проникся этим чувством — каждый переход больно за лошадь.

Визиты Апанасенко со свитой к Буденному. Буденный и Ворошилов на фольварке, сидят у стола. Рапорт Апанасенко, вытянувшись. Неудача особого полка — проектировали налет на Львов, вышли, в особом полку сторожевое охранение, как всегда, спало, его сняли, поляки подкатили пулемет на 100 шагов, изловили коней, поранили половину полка.

Праздник Спаса — 19 августа — в Баршовице, убиваемая, но еще дышащая деревня, покой, луга, масса гусей (с ними потом распорядились, Сидоренко или Егор рубят шашкой гусей на доске), мы едим вареного гуся в тот день, белые, они украшают деревню, на зеленых (лугах), население праздничное, но хилое, призрачное, едва вылезшее из хижин, молчаливое, странное, изумленное и совсем согнутое.

В этом празднике есть что-то тихое и придавленное.

Униатский священник в Баршовице. Разрушенный, испоганенный сад, здесь стоял штаб Буденного, и сломанный, сожженный улей, это ужасный варварский обычай — вспоминаю разломанные рамки, тысячи пчел, жужжащих и бьющихся у разрушенного улья, их тревожные рои.

Священник объясняет мне разницу между униатством и православием. Шептицкий великий человек, ходит в парусиновой рясе. Толстенький человек, черное, пухлое лицо, бритые щеки, блестящие глазки с ячменем.

Продвижение к Львову. Батареи тянутся все ближе. Малоудачный бой под Островом, но все же поляки уходят. Сведения об обороне Львова — профессора, женщины, подростки. Апанасенко будет их резать — он ненавидит интеллигенцию, это глубоко, он хочет аристократического по-своему, мужицкого, казацкого государства.

Прошла неделя боев — 21 августа наши части в 4-х верстах у Львова.

Приказ — всей Конармии перейти в распоряжение запфронта. Нас двигают на север — к Люблину. Там наступление. Снимают армию, стоящую в 4-х верстах от города, которого добивались столько времени. Нас заменит 14-я армия. Что это — безумие или невозможность взять город кавалерией? 45-верстный переход из Баршовице в Адамы будет мне памятен всю жизнь. Я на своей пегой лошаденке, Шеко в экипаже, зной и пыль, пыль из Апокалипсиса, удушливые облака, бесконечные обозы, идут все бригады, облака пыли, от которых нет спасения, страшно задыхаешься, кругом грай, движение, уезжаю с эскадроном по полям, теряем Шеко, начинается самое страшное, езда на моем неспевающем коньке, бесконечно едем, и все рысью, я выматываюсь, эскадрон хочет обогнать обозы, обгоняем, боюсь отстать, лошадь идет как пух, по инерции, идут все бригады, вся артиллерия, оставили для заслона по одному полку, которые должны присоединиться к дивизии с наступлением темноты. Проезжаем ночью через мертвый, тихий Буск. Что особенного в галицийских городах? Смешение грязного и тяжелого Востока (Византии и евреев) с немецким пивным Западом. От Буска 15 км. Я не выдержу. Меняюсь лошадьми. Оказывается, нет покрышки на седле. Ехать мучительно. Каждый раз я принимаю другую позу. Привал в Козлове. Темная изба, хлеб с молоком. Какой-то крестьянин, мягкий и приветливый человек, был военнопленным в Одессе, я лежу на лавке, заснуть нельзя, на мне чужой френч, лошади во тьме, в избе душно, дети на полу. Приехали в Адамы в 4 часа ночи. Шеко спит. Я ставлю где-то лошадь, сено есть, и ложусь спать.

21.8.20. Адамы

Испуганные русины. Солнце. Хорошо. Я болен. Отдых. Днем все в клуне, сплю, к вечеру лучше, ломит голова, болит. Я у Шеко живу. Холуй наштадива, Егор. Едим хорошо. Как мы добываем пищу. Воробьев принял 2-й эскадрон. Солдаты довольны. В Польше, куда мы идем, можно не стесняться, с галичанами, ни в чем не повинными, надо было осторожнее, отдыхаю, не сижу на седле.

Разговор с комартдивизионом Максимовым, наша армия идет зарабатывать, не революция, а восстание дикой вольницы.

Это просто средство, которым не брезгует партия.

Два одессита — Мануйлов и Богуславский, опрвоенком авиации, Париж, Лондон, красивый еврей, болтун, статья в европейском журнале, помнаштадив, евреи в Конармии, я ввожу их в корень. Одет во френч — излишки одесской буржуазии, тяжкие сведения об Одессе. Душат. Что отец? Неужели все отобрали? Надо подумать о доме.

Прихлебательствую.

Апанасенко написал письмо польским офицерам. Бандяги, прекратите войну, сдайтесь, а то всех порубим, паны. Письмо Апанасенки на Дон, Ставрополь, там чинят затруднения бойцам, сыны революции, мы герои, мы неустрашимые, идем вперед.

Описание отдыха эскадрона, визг свиней, тащут курей, агенты, туши на площади. Стирают белье, молотят овес, скачут со снопами, лошади, помахивая ушами, жрут овес. Лошадь это всё. Имена: Степан, Миша, Братишка, Старуха. Лошадь — спаситель, это чувствуется каждую минуту, однако избить может нечеловечески. За моей лошадью никто не ухаживает. Слабо ухаживают.

22.8.20. Адамы

У Мануйлова — помнаштадив — болит живот. Конечно. Служил у Муравьева, чрезвычайка, что-то военно-следственное, буржуй, женщины, Париж, авиация, что-то с репутацией, и он коммунист. Секретарь Богуславский — испуганно молчит и ест.

Спокойный день. Движение дальше на север.

Живу с Шеко. Ничего не могу делать. Устал, разбит. Сплю и ем. Как мы едим. Система. Каптёры, фуражиры, ничего не дают. Прибытие красноармейцев в деревню, обшаривают, варят, всю ночь трещат печи, страдают хозяйские дочки, визг свиней, к военкому с квитанциями. Жалкие галичане.

Эпопея — как мы едим. Хорошо — свиньи, куры, гуси. «Барахольщики», «молошники» те, которые отстают.

23—24.8.20. Витков

Переезд в Витков на подводе. Институт обывательских подвод, несчастные обыватели, их мотают по две-три недели, отпускают, дают пропуск, другие солдаты перехватывают, снова мотают. Случай — при нас приехал мальчик из обоза. Ночь. Радость матери.

Идем в район Красностав — Люблин. Взяли армию, находившуюся в 4-х верстах от Львова. Кавалерия не могла взять.

Дорога в Витков. Солнце. Галицийские дороги, нескончаемые обозы, заводные лошади, разрушенная Галиция, евреи в местечках, уцелевшая ферма где-нибудь, чешская, предположим, налет на неспелые яблоки, на пасеки.

О пасеках подробно в другой раз.

В дороге, на телеге, думаю, тоскую о судьбах революции.

Местечко особенное, построенное после разрушения по одному плану, белые домики, деревянные высокие крыши, тоска.

Живем с помнаштадивами, Мануйлов ничего не понимает в штабном деле, муки с лошадьми, никто не дает, едем на обывательских подводах, у Богуславского сиреневые кальсоны, в Одессе успех у девочек.

Солдаты просят спектакля. Их кормят — «Денщик подвел».

Ночь наштадива — где 33-й полк, где пошла 2-я бригада, телефон, армприказ комбригу 1, 2, 3!

Дежурные ординарцы. Устройство эскадронов, командиры эскадронов — Матусевич и бывший комендант Воробьев, неизменно веселый и, кажется, глупый человек.

Ночь наштадива — вас просят к начдиву.

25.8.20. Сокаль

Наконец город. Проезжаем местечко Тартакув, евреи, развалины, чистота еврейского типа, раса, лавчонки.

Я все еще болен, не могу опомниться от львовских боев. Какой спертый воздух в этих местечках. В Сокале была пехота, город нетронут, наштадив у евреев. Книги, я увидел книги. Я у галичанки, богатой к тому же, едим здорово, курицу в сметане.

Еду на лошади в центр города, чисто, красивые здания, все загажено войной, остатки чистоты и своеобразия.

Революционный комитет. Реквизиции и конфискации. Любопытно: крестьянство не трогают совершенно. Все земли в его распоряжении. Крестьянство в стороне.

Объявления революционного комитета.

Сын хозяина — сионист и ein angesprochener Nationalist*. Обычная еврейская жизнь. Они тяготеют к Вене, к Берлину, племянник, молодой юноша, занимается философией и хочет поступить в университет. Едим масло и шоколад. Конфеты.

У Мануйлова трения с наштадивом. Шеко посылает его к...

У меня самолюбие, ему не дают спать, нет лошади, вот тебе Конармия, здесь не отдохнешь. Книги — polnische, juden**.

Вечером — начдив в новой куртке, упитанный, в разноцветных штанах, красный и тупой, развлекается — музыка ночью, дождь разогнал. Идет дождь, мучительный галицийский дождь, сыпет и сыпет, бесконечно, безнадежно.

Что делают в городе наши солдаты? Темные слухи.

Богуславский изменил Мануйлову. Богуславский раб.

26.8.20. Сокаль

Осмотр города с молодым сионистом. Синагоги — хасидская, потрясающее зрелище, 300 лет назад, бледные красивые мальчики с пейсами, синагога, что была 200 лет тому назад, те же фигурки в капотах, двигаются, размахивают руками, воют. Это партия ортодоксов — они за Белзского раввина, знаменитый Белзский раввин, удравший в Вену. Умеренные за Гусятинского раввина. Их синагога. Красота алтаря, сделанного каким-то ремесленником, великолепие зеленоватых люстр, изъеденные столики, Белзская синагога — видение старины. Евреи просят воздействовать, чтобы их не разоряли, забирают пищу и товары.

---

* Речистый националист (*нем.*).
** Польские, еврейские (*нем.*).

Жиды всё прячут. Сапожник, сокальский сапожник, пролетарий. Фигура подмастерья, рыжий хасид — сапожник.

Сапожник ждал Советскую власть — он видит жидоедов и грабителей, и не будет заработку, он потрясен и смотрит недоверчиво. Неразбериха с деньгами. Собственно говоря, мы ничего не платим, 15—20 рублей. Еврейский квартал. Неописуемая бедность, грязь, замкнутость гетто.

Лавчонки, все открыты, мел и смола, солдаты рыщут, ругают жидов, шляются без толку, заходят в квартиры, залезают под стойки, жадные глаза, дрожащие руки, необыкновенная армия.

Организованное ограбление писчебумажной лавки, хозяин в слезах, всё рвут, какие-то требования, дочка с западноевропейской выдержкой, но жалкая и красная, отпускает, получает какие-то деньги и магазинной своей вежливостью хочет доказать, что все идет как следует, только слишком много покупателей. Хозяйка от отчаяния ничего не соображает.

Ночью будет грабеж города — это все знают.

Вечером музыка — начдив развлекается. Утром он писал письма на Дон и Ставрополь. Фронту невмоготу выносить безобразия тыла. Вот пристал!

Холуи начдива водят взад и вперед статных коней с нагрудниками и нахвостниками.

Военком и сестра. Русский человек — хитрый мужичок, грубый, иногда наглый и путаный. Он о сестре высокого мнения, выщупывает меня, выспрашивает, он влюблен.

Сестра идет прощаться к начдиву, это после всего, что было. С ней спали все. Хам Суслов в смежной комнате — начдив занят, чистит револьвер.

Получаю сапоги и белье. Сухоруков получал, сам распределял, это обер-холуй, описать.

Разговор с племянником, который хочет в университет.

Сокаль — маклера и ремесленники, коммунизм, говорят мне, вряд ли здесь привьется.

Какие раздерганные, замученные люди.

Несчастная Галиция, несчастные евреи.

У моего хозяина — 8 голубей.

У Мануйлова острый конфликт с Шеко, у него в прошлом много грехов. Киевский авантюрист. Приехал разжалованный из наштабригов 3.

Лепин. Темная, страшная душа.

Сестра — 26 и 1.

27.8.20

Бои у Знятыня, Длужнова. Едем на северо-запад. Полдня в обозе. Движение на Лащов, Комаров. Утром выехали из Сокаля. Обычный день — с эскадронами, начдивом мотаемся по лесам и полянам, приезжают комбриги, солнце, 5 часов не слезал с лошади, проходят бригады. Обозная паника. Оставил обозы у опушки леса, поехал к начдиву. Эскадроны на горе. Донесения командарму, канонада, аэропланов нет, переезжаем с места на место, обычный день. К ночи тяжкая усталость, ночуем в Василов. Назначенного пункта — Лащова не достигли.

В Василове или поблизости 11-я дивизия, столпотворение, Бахтуров — малюсенькая дивизия, он несколько поблек, 4-я дивизия ведет успешные бои.

28.8.20. Комаров

Из Василова выехал на 10 минут позже эскадронов. Еду с тремя всадниками. Бугры, поляны, разрушенные экономии, где-то в зелени красные колонны, сливы. Стрельба, не знаем, где противник, вокруг нас никого, пулеметы стучат совсем близко и с разных сторон, сердце сжимается, вот так каждый день отдельные всадники ищут штабы, возят донесения. К полудню нашел в опустошенной деревне, где в льохи* спрятались все жители, под деревьями, покрытыми сливами. Еду с эскадроном. Вступаем с начдивом, красный башлык, в Комаров. Недостроенный великолепный красный костел.

* Погреб, подвал (*укр.*).

До того как вступили в Комаров, после стрельбы — ехал один — тишина, тепло, ясный день, какое-то странное прозрачное спокойствие, душа побаливает, один, никто не надоедает, поля, леса, волнистые долины, тенистые дороги.

Стоим против костела.

Приезд Ворошилова и Буденного. Ворошилов разносит при всех, недостаток энергии, горячится, горячий человек, бродило всей армии, ездит и кричит, Буденный молчит, улыбается, белые зубы. Апанасенко защищается, зайдем в квартиру, почему, кричит, выпускаем противника, нет соприкосновения, нет удара.

Апанасенко не годится?

Аптекарь, предлагающий комнату. Слух об ужасах. Иду в местечко. Невыразимый страх и отчаяние.

Мне рассказывают. Скрытно в хате, боятся, чтобы не вернулись поляки. Здесь вчера были казаки есаула Яковлева. Погром. Семья Давида Зиса, в квартирах, голый, едва дышащий старик-пророк, зарубленная старуха, ребенок с отрубленными пальцами, многие еще дышат, смрадный запах крови, все перевернуто, хаос, мать над зарубленным сыном, старуха, свернувшаяся калачиком, 4 человека в одной хижине, грязь, кровь под черной бородой, так в крови и лежат. Евреи на площади, измученный еврей, показывающий мне все, его сменяет высокий еврей. Раввин спрятался, у него все разворочено, до вечера не вылез из норы. Убито человек 15 — Хусид Ицка Галер — 70 лет, Давид Зис — прислужник в синагоге — 45 лет, жена и дочь — 15 лет, Давид Трост, жена — резник.

У изнасилованной.

Вечером — у хозяев, казенный дом, суббота вечером, не хотели варить, до тех пор пока не прошла суббота.

Ищу сестер, Суслов смеется. Еврейка докторша.

Мы в странном старинном доме, когда-то здесь все было — масло, молоко.

Ночью — обход местечка.

Луна, за дверьми, их жизнь ночью. Вой за стенами. Будут убирать. Испуг и ужас населения. Главное — наши ходят равнодушно и пограбливают где можно, сдирают с изрубленных.

Ненависть одинаковая, казаки те же, жестокость та же, армии разные, какая ерунда. Жизнь местечек. Спасения нет. Все губят — поляки не давали приюта. Все девушки и женщины едва ходят. Вечером — словоохотливый еврей с бороденкой, имел лавку, дочь бросилась от казака со второго этажа, переломала себе руки, таких много.

Какая мощная и прелестная жизнь нации здесь была. Судьба еврейства. У нас вечером, ужин, чай, я сижу и пью слова еврея с бороденкой, тоскливо спрашивающего — можно ли будет торговать.

Тяжкая, беспокойная ночь.

29.8.20. Комаров, Лабуне, Пневск

Выезд из Комарова. Ночью наши грабили, в синагоге выбросили свитки Торы и забрали бархатные мешки для седел. Ординарец военкома рассматривает тефилии, хочет забрать ремешки. Евреи угодливо улыбаются. Это — религия.

Все с жадностью смотрят на недобранное, ворошат кости и развалины. Они пришли для того, чтобы заработать.

Захромала моя лошадь, беру лошадь наштадива, хочу поменять, я слишком мягок, разговор с солтысом*, ничего не выходит.

Лабуне. Водочный завод. 8 тысяч ведер спирта. Охрана. Идет дождь, пронизывающий, беспрерывный. Осень, все к осени. Польская семья управляющего. Лошади под навесом, красноармейцы, несмотря на запрет, пьют. Лабуне — грозная опасность для армии.

Все таинственно и просто. Люди молчат, и ничего не заметно как будто. О, русский человек. Все дышит тайной и грозой. Смирившийся Сидоренко.

Операция на Замостье. Мы в 10 верстах от Замостье. Там спрошу об Р. Ю.

Операция, как всегда, несложна, обойти с запада и с севера и взять. Тревожные новости с запфронта. Поляки взяли Белосток.

* Сельский староста (польск.).

Дальше едем. Разграбленное поместье Кулаговского у Лабуньки. Белые колонны. Пленительное, хоть и барское устройство. Разрушение невообразимое. Настоящая Польша — управляющие, старухи, белокурые дети, богатые, полуевропейские деревни с солтысом, войтом*, все католики, красивые женщины. В имении тащут овес. Кони в гостиной, вороные кони. Что же — спрятать от дождя. Драгоценнейшие книги в сундуке, не успели вывезти — конституция, утвержденная сеймом в начале 18-го века, старинные фолианты Николая I, свод польских законов, драгоценные переплеты, польские манускрипты 16-го века, записки монахов, старинные французские романы.

Наверху не разрушение, а обыск, все стулья, стены, диваны распороты, пол вывернут, не разрушали, а искали. Тонкий хрусталь, спальня, дубовые кровати, пудреница, французские романы на столиках, много французских и польских книг о гигиене ребенка, интимные женские принадлежности разбиты, остатки масла в масленице, молодожены?

Отстоявшаяся жизнь, гимнастические принадлежности, хорошие книги, столы, банки с лекарствами — все исковеркано святотатственно. Невыносимое чувство, бежать от вандалов, а они ходят, ищут, передать их поступь, лица, шляпы, ругань — гад, в Бога мать, Спаса мать, по непролазной грязи тащат снопы с овсом.

Подходим к Замостью. Страшный день. Дождь-победитель не затихает ни на минуту. Лошади едва вытягивают. Описать этот непереносимый дождь. Мотаемся до глубокой ночи. Промокли до нитки, устали, красный башлык Апанасенки. Обходим Замостье, части в 3-4 верстах от него. Не подпускают бронепоезда, кроют нас артогнем. Мы сидим на полях, ждем донесений, несутся мутные потоки. Комбриг Книга в хижине, донесение. Отец командир. Ничего не можем сделать с бронепоездами. Выяснилось, что мы не знали, что здесь есть железная дорога, на карте не отмечена, конфуз, вот наша разведка.

* Староста, городской голова (*польск.*).

Мотаемся, все ждем, что возьмут Замостье. Черта с два. Поляки дерутся все лучше. Лошади и люди дрожат. Ночуем в Пневске. Польская ладная крестьянская семья. Разница между русскими и поляками разительна. Поляки живут чище, веселее, играют с детьми, красивые иконы, красивые женщины.

30.8.20

Утром выезжаем из Пневска. Операция на Замостье продолжается. Погода по-прежнему ужасная, дождь, слякоть, дороги непроходимы, почти не спали, на полу, на соломе, в сапогах, будь готов.

Опять мотня. Едем с Шеко к 3-й бригаде. Он с револьвером в руках идет в наступление на станцию Завады. Сидим с Лепиным в лесу. Лепин корчится. Бой у станции. У Шеко обреченное лицо. Описать «частую перестрелку». Взяли станцию. Едем к полотну железной дороги. 10 пленных, одного не успеваем спасти. Револьверная рана? Офицер. Кровь идет изо рта. Густая красная кровь в комьях, заливает все лицо, оно ужасное, красное, покрыто густым слоем крови. Пленные все раздеты. У командира эскадрона через седло перекинуты штаны. Шеко заставляет отдать. Пленных одевают, ничего не одели. Офицерская фуражка. «Их было девять». Вокруг них грязные слова. Хотят убить. Лысый хромающий еврей в кальсонах, не поспевающий за лошадью, страшное лицо, наверное? офицер, надоедает всем, не может идти, все они в животном страхе, жалкие, несчастные люди, польские пролетарии, другой поляк — статный, спокойный, с бачками, в вязаной фуфайке, держит себя с достоинством, все допытываются — не офицер ли. Их хотят рубить. Над евреем собирается гроза. Неистовый путиловский рабочий, рубать их всех надо, гадов, еврей прыгает за нами, мы тащим с собой пленных все время, потом отдаем на ответственность конвоиров. Что с ними будет? Ярость путиловского рабочего, пена брызжет, шашка, порубаю гадов и отвечать не буду.

Едем к начдиву, он при 1 и 2-й бригадах. Все время находимся в виду Замостья, видны его трубы, дома, пытаемся взять его со всех сторон. Подготовляется ночная атака. Мы в 3-х верстах от Замостья, ждем взятия города, будем там ночевать. Поле, ночь, дождь, пронизывающий холод, лежим на мокрой земле, лошадям нечего дать, темно, едут с донесениями. Наступление будут вести 1 и 3-я бригады. Обычный приезд Книги и Левды, комбрига 3, малограмотного хохла. Усталость, апатия, неистребимая жажда сна, почти отчаяние. В темноте идет цепь, спешена целая бригада. Возле нас — пушка. Через час — пошла пехота. Наша пушка стреляет беспрерывно, мягкий, лопающийся звук, огни в ночи, поляки пускают ракеты, ожесточенная стрельба, ружейная и пулеметная, ад, мы ждем, 3 часа ночи. Бой затихает. Ничего не вышло. Все чаще и чаще у нас ничего не выходит. Что это? Армия поддается?

Едем на ночлег верст за 10 в Ситанец. Дождь усиливается. Усталость непередаваемая. Одна мечта — квартира. Мечта осуществляется. Старый растерянный поляк со старухой. Солдаты, конечно, растаскивают его. Испуг чрезвычайный, все сидели в погребах. Масса молока, масла, лапша, блаженство. Я каждый раз вытаскиваю новую пищу. Замученная хорошая старушка. Восхитительное топленое масло. Вдруг обстрел, пули свистят у конюшен, у ног лошадей. Снимаемся. Отчаяние. Едем в другую окраину села. Три часа сна, прерываемого донесениями, расспросами, тревогой.

31.8.20. Чесники

Совещание с комбригами. Фольварк. Тенистая лужайка. Разрушение полное. Даже вещей не осталось. Овес растаскиваем до основания. Фруктовый сад, пасека, разрушение пчельника, страшно, пчелы жужжат в отчаянии, взрывают порохом, обматываются шинелями и идут в наступление на улей, вакханалия, тащат рамки на саблях, мед стекает на землю, пчелы жалят, их выкуривают смолистыми тряпками, зажженными тряпками.

Черкашин. В пасеке — хаос и полное разрушение, дымятся развалины.

Я пишу в саду, лужайка, цветы, больно за все это.

Армприказ оставить Замостье, идти на выручку 14-й дивизии, теснимой со стороны Комарова. Местечко снова занято поляками. Несчастный Комаров. Езда по флангам и бригадам. Перед нами неприятельская кавалерия — раздолье, кого же рубить, как не их, казаки есаула Яковлева. Предстоит атака. Бригады накапливаются в лесу — версты 2 от Чесники.

Ворошилов и Буденный все время с нами. Ворошилов, коротенький, седеющий, в красных штанах с серебряными лампасами, все время торопит, нервирует, подгоняет Апанасенку, почему не подходит 2-я бригада. Ждем подхода 2-й бригады. Время тянется мучительно долго. Не торопить меня, товарищ Ворошилов. Ворошилов — все погибло к и. м.

Буденный молчит, иногда улыбается, показывая ослепительные белые зубы. Надо сначала пустить бригаду, потом полк. Ворошилову не терпится, он пускает в атаку всех, кто есть под рукой. Полк проходит перед Ворошиловым и Буденным. Ворошилов вытянул огромный револьвер, не давать панам пощады, возглас принимается с удовольствием. Полк вылетает нестройно, ура, даешь, один скачет, другой задерживает, третий рысью, кони не идут, котелки и ковры. Наш эскадрон идет в атаку. Скачем версты четыре. Они колоннами ждут нас на холме. Чудо — никто не пошевелился. Выдержка, дисциплина. Офицер с черной бородой. Я под пулями. Мои ощущения. Бегство. Военкомы заворачивают. Ничего не помогает. К счастью, они не преследуют, иначе была бы катастрофа. Стараются собрать бригаду для второй атаки, ничего не получается. Мануйлову угрожают наганами. Героини сестры.

Едем обратно. Лошадь Шеко ранена, он контужен, страшное окаменевшее его лицо. Он ничего не разбирает, плачет, мы ведем лошадь. Она истекает кровью.

Рассказ сестры — есть сестры, которые только симпатию устраивают, мы помогаем бойцу, все тяготы с ним, стреляла бы в таких, да чем стрелять будешь, х-м, да и того нет.

Комсостав подавлен, грозные призраки разложения армии. Веселый дураковатый Воробьев, рассказывает о своих подвигах, подскочил, 4 выстрела в упор. Апанасенко неожиданно оборачивается, ты сорвал атаку, мерзавец.

Апанасенко мрачен, Шеко жалок.

Разговоры о том, что армия не та, пора на отдых. Что дальше? Ночуем в Чесники — смерзли, устали, молчим, непролазная, засасывающая грязь, осень, дороги разбиты, тоска. Впереди мрачные перспективы.

1.9.20. Теребин

Выступаем из Чесники ночью. Постояли часа два. Ночь, холод, на конях. Трясемся. Армприказ — отступать, мы окружены, потеряли связь с 12-й армией, связи ни с кем. Шеко плачет, голова трясется, лицо обиженного ребенка, жалкий, разбитый. Люди — хамы. Ему Винокуров не дал прочитать армприказа — он не у дел. Апанасенко с неохотой дает экипаж, я им не извозчик.

Бесконечные разговоры о вчерашней атаке, вранье, искреннее сожаление, бойцы молчат. Дурак Воробьев звонит. Его оборвал начдив.

Начало конца 1-й Конной. Толки об отступлении.

Шеко — человек в несчастье.

У Мануйлова — 40, лихорадка, его все ненавидят, Шеко преследует, почему? Не умеет себя держать. Хитрый, вкрадчивый, себе на уме, ординарец Борисов, никто не жалеет — вот где ужас. Еврей?

Армию спасает 4-я дивизия. Вот и предатель — Тимошенко.

Приезжаем в Теребин, полуразрушенная деревня, холод. Осень, сплю днем в клуне, ночью вместе с Шеко.

Разговор с Арзамом Слягит. Рядом на лошадях. Говорили о Тифлисе, фруктах, солнце. Я думаю об Одессе, душа рвется.

Тащим кровоточащего коня Шеко за собой.

2.9.20. Теребин — Метелин

Жалкие деревни. Неотстроенные хижины. Полуголое население. Мы разоряем радикально. Начдив на позиции. Армприказ — сдерживать противника, стремящегося к Бугу, наступать на Вакиево — Гостиное. Толкаемся, но успехов не удерживаем. Толки об ослаблении боеспособности армии все увеличиваются. Бегство из армии. Массовые рапорты об отпусках, болезнях.

Главная болячка дивизии — отсутствие комсостава, все командиры из бойцов, Апанасенко ненавидит демократов, ничего не смыслят, некому вести полк в атаку.

Эскадронные командуют полками.

Дни апатии, Шеко поправляется, он угнетен. Тяжело жить в атмосфере армии, давшей трещину.

3,4,5.9.20. Малице

Передвинулись вперед, к Малице.

Новый помнаштадив — Орлов. Гоголевская фигура. Патологический враль, язык без костей, еврейское лицо, главное — ужасная, если в нее вдуматься, легкость разговора, болтовни, вранья, боль (хромает), партизан, махновец, окончил реальное училище, командовал полком. От легкости этой страшно, что там внутри?

Мануйлов наконец, хоть и со скандалом, сбежал, были угрозы арестом, какая бестолковость Шеко, направили его в 1-ю бригаду, идиотство, Штарм направил в авиацию. Аминь.

Живу с Шеко. Туп, добр, если уколоть в нужное место, бездарен, без постоянной воли. Пресмыкательствую, зато ем. Томный полуодессит Богуславский, мечтающий об одесских «девочках», нет-нет, а съездит ночью за армприказом. Богуславский на казачьем седле.

1-й взвод 1-го эскадрона. Кубанцы. Поют песни. Степенные. Улыбаются. Не шумят.

Левда подал рапорт о болезни. Хитрый хохол. «У меня ревматизм, не в силах работать». Три рапорта из бригад, сговорились; если не отвести на отдых — дивизия погибнет, нет задора, лошади стали, люди апатичны, 3-я бригада два дня в поле, холод, дождь.

Грустная страна, непролазная грязь, отсутствующие мужики, прячут лошадей в лесах, тихо плачущие бабы.

Рапорт Книги — не имея сил управляться без комсостава...

Все лошади в лесах, красноармейцы меняют, наука, спорт.

Барсуков разлагается. Хочет в учебное заведение.

Идут бои. Наши пытаются наступать на Вакиев — Тонятыги. Ничего не выходит. Странное бессилие.

Поляк медленно, но верно нас отжимает. Начдив не годится, ни инициативы, ни нужного упорства. Его гнойное честолюбие, женолюбие, чревоугодие и, вероятно, лихорадочная деятельность, если это нужно будет.

Образ жизни.

Книга пишет — нет прежнего задора, бойцы ходят вялые.

Все время погода, нагоняющая тоску, дороги разбиты, страшная российская деревенская грязь, не вытащишь сапог, солнца нет, дождь, пасмурно, проклятая страна.

Я болен, ангина, жар, едва передвигаюсь, страшные ночи в задымленных чадных избах на соломе, все тело растерзано, искусано, чешется, в крови, ничего не могу делать.

Операции протекают вяло, период равновесия с начинающимся преобладанием на стороне поляка.

Комсостав пассивен, да его и нет.

Я бегаю к сестре на перевязки, надо идти огородами, непролазная грязь. Сестра живет во взводе. Героиня, хотя и совокупляется. Изба, курят, ругаются, меняют портянки, солдатская жизнь, еще один человек — сестра. Кто брезгает из одной чашки — выбрасывается.

Противник наступает. Мы взяли Лотов, отдаем его, он нас отжимает, ни одно наше наступление не удается, отправляем обозы, я еду в Теребин на подводе Барсукова, дальше — дождь, слякоть, тоска, переезжаем Буг, Будятичи. Итак, решено отдать линию Буга.

6.9.20. Будятичи

Будятичи занято 44-й дивизией. Столкновения. Они поражены дикой ордой, накинувшейся на них. Орлов — даешь, катись.

Сестра гордая, туповатая, красивая сестра плачет, доктор возмущен тем, что кричат — бей жидов, спасай Россию. Они ошеломлены, начхоза избили нагайкой, лазарет выбрасывают, реквизируют и тянут свиней без всякого учета, а у них есть порядок, всякие уполномоченные с жалобами у Шеко. Вот и буденновцы.

Гордая сестра, каких мы никогда не видели,— в белых башмаках и чулках, стройная полная нога, у них организация, уважение человеческого достоинства, быстрая, тщательная работа.

Живем у евреев.

Мысль о доме все настойчивее. Впереди нет исхода.

7.9.20. Будятичи

Мы занимаем две комнаты. Кухня полна евреями. Есть беженцы из Крылова, жалкая кучка людей с лицами пророков. Спят вповалку. Целый день варят и пекут, еврейка работает как каторжная, шьет, стирает. Тут же молятся. Дети, барышни. Хамы-холуи жрут беспрерывно, пьют водку, хохочут, жиреют, икают от желания женщины.

Едим через каждые два часа.

Часть отведена за Буг, новая фаза операции.

Вот уже две недели, как все упорнее и упорнее говорят о том, что армию надо отвести на отдых. На отдых — боевой клич!

Наклевывается командировка — в гостях у начдива — всегда едят, его рассказы о Ставрополе, Суслов толстеет, густо хам посажен.

Ужасная бестактность — представлены к ордену Красного Знамени Шеко, Суслов, Сухоруков.

Противник пытается перейти на нашу сторону Буга, 14-я дивизия, спешившись, отбила его.

Пишу удостоверения.

Оглох на одно ухо. Последствия простуды? Тело расчесано, все в ранах, недомогаю. Осень, дождь, уныло, грязь тяжелая.

8.9.20. Владимир-Волынский

Утром на обывательской подводе — в административный штаб. Аттестат, канитель с деньгами. Полутыловая гнусность — Гусев, Налетов, деньги в Ревтрибунале. Обед у Горбунова.

На тех же клячах в Владимир. Езда тяжелая, грязь непролазная, дороги непроходимы. Приезжаем ночью. Мотня с квартирой, холодная комната у вдовы. Евреи-лавочники. Папаша и мамаша — старики.

Горе ты, бабушка? Чернобородый, мягкий муж. Рыжая беременная еврейка моет ноги. У девочки понос. Теснота, но электричество, тепло.

Ужин — клецки с подсолнечным маслом — благодать. Вот она — густота еврейская. Думают, что я не понимаю по-еврейски, хитрые как мухи. Город — нищ.

Спим с Бородиным на перине.

9.9.20. Владимир-Волынский

Город нищ, грязен, голоден, за деньги ничего не купишь, конфеты по 20 рублей и папиросы. Тоска. Штарм. Уныло. Совет профессиональных союзов, еврейские молодые люди. Хождение по совнархозам и профкомиссиям, тоска, военные требуют, озорничают. Дохлые молодые евреи.

Пышный обед — мясо, каша. Единственная утеха — пища.

Новый военком штаба — обезьянье лицо.

Хозяева хотят выменять мою шаль. Не дамся.

Мой возница — босой, с заплывшими глазами. Рассея.

Синагога. Молюсь, голые стены, какой-то солдат забирает электрические лампочки.

Баня. Будь проклята солдатчина, война, скопление молодых, замученных, одичавших, еще здоровых людей.

Внутренняя жизнь моих хозяев, какие-то дела делаются, завтра пятница, уже готовятся, хорошая старуха, старик с хитринкой, притворяются нищими. Говорят — лучше голодать при большевиках, чем есть булку при поляках.

10.9.20. Ковель

Полдня на разбитом, унылом, ужасном вокзале во Владимире-Волынском. Тоска. Чернобородый еврей работает. В Ковель приезжаем ночью. Неожиданная радость — поезд Поарма. Ужин у Зданевича, масло. Ночую в радиостанции. Ослепительный свет. Чудеса. Хелемская сожительствует. Лимфатические железы. Володя. Она обнажилась. Мое пророчество исполнилось.

11.9.20. Ковель

Город хранит следы европейско-еврейской культуры. Советских (денег) не берут, стакан кофе без сахару — 50 рублей, дрянной обедишка на вокзале — 600 рублей.

Солнце, хожу по докторам, лечу ухо, чесотка.

В гости к Яковлеву, тихие домики, луга, еврейские улички, тихая жизнь, ядреная, еврейские девушки, юноши, старики у синагоги, может быть парики, Соввласть как будто не возмутила поверхности, эти кварталы за мостом.

В поезде грязно и голодно. Все исхудали, обовшивели, пожелтели, все ненавидят друг друга, сидят, запершись в своих кабинках, даже повар исхудал. Разительная перемена. Живут в клетке. Хелемская грязная кухарит, контакт с кухней, она кормит Володю, еврейская жена «из хорошего дома».

Целый день ищу пищу.

Район расположения 12-й армии. Пышные учреждения — клубы, граммофоны, сознательные красноармейцы, весело, жизнь кипит ключом, газеты 12-й армии, Армупроста, командарм Кузьмин, пишущий статьи, с виду работа Политотдела поставлена хорошо.

Жизнь евреев, толпы на улице, главная улица Луцкая, хожу с разбитыми ногами, пью неисчислимое количество чая и кофе. Мороженое — 500 р. Позволяют себе весьма. Суббота, все лавочки закрыты. Лекарство — 5 р.

Ночую в радиостанции. Ослепительный свет, умствующие радиотелеграфисты, один пытается играть на мандолине. Оба читают запоем.

12.9.20. Киверцы

Утром — паника на вокзале. Артстрельба. Поляки в городе. Невообразимое жалкое бегство, обозы в пять рядов, жалкая, грязная, задыхающаяся пехота, пещерные люди, бегут по лугам, бросают винтовки, ординарец Бородин видит уже рубящих поляков. Поезд отправляется быстро, солдаты и обозы бегут, раненые с искаженными лицами скачут к нам в вагон, политработник, задыхающийся, у которого упали штаны, еврей с тонким просвечивающим лицом, может быть, хитрый еврей, вскакивают дезертиры со сломанными руками, больные из санлетучки.

Заведение, которое называется 12-й армией. На одного бойца — 4 тыловика, 2 дамы, 2 сундука с вещами, да и этот единственный боец не дерется. Двенадцатая армия губит фронт и Конармию, открывает наши фланги, заставляет затыкать собой все дыры. У них сдался в плен, открыли фронт, уральский полк или башкирская бригада. Паника позорная, армия небоеспособна. Типы солдат. Русский красноармеец-пехотинец — босой, не только не модернизованный, совсем «убогая Русь», странники, распухшие, обовшивевшие, низкорослые, голодные мужики.

В Голобах выбрасывают всех больных и раненых и дезертиров. Слухи, а потом факты: захвачено загнанное в Владимир-Волынский тупик снабжение 1-й Конной, наш штаб перешел в Луцк, захвачено у 12-й армии масса пленных, имущества, армия бежит.

Вечером приезжаем в Киверцы.

Тяжкая жизнь в вагоне. Радиотелеграфисты все покушаются меня выжить, у одного по-прежнему расстроен желудок, он играет на мандолине, другой умничает, потому что он дурак.

Вагонная жизнь, грязная, злобная, голодная, враждебная друг к другу, нездоровая. Курящие и жрущие москвички без обличья, много жалких людей, кашляющие москвичи, все хотят есть, все злы, у всех животы расстроены.

13.9.20. Киверцы

Ясное утро, лес. Еврейский Новый год. Голодно. Иду в местечко. Мальчики в белых воротничках. Ишас Хакл угощает меня хлебом с маслом. Она «сама» зарабатывает, бой-баба, шелковое платье, в доме прибрано. Я растроган до слез, тут помог только язык, мы разговариваем долго, муж в Америке, рассудительная и неторопливая еврейка.

Длинная стоянка на станции. Тоска по-прежнему. Берем из клуба книжки, читаем запоем.

14.9.20. Клевань

Стоим в Клевани сутки, все на станции. Голод, тоска. Не принимает Ровно. Железнодорожный рабочий. Печем у него коржи, карточки. Железнодорожный сторож. Они обедают, говорят ласковые слова, нам ничего не дают. Я с Бородиным, его легкая походка. Целый день добываем пищу, от одной сторожки к другой. Ночевка в радиостанции при ослепительном освещении.

15.9.20. Клевань

Начинаются третьи сутки нашего томительного стояния в Клевани, то же хождение за пищей, утром богато пили чай с коржами. Вечером поехал в Ровно на подводе авиации 1-й Конной. Разговор о нашей авиации, ее нет, все аппараты сломаны, летчики не умеют летать, машины старые, латаные, никуда не годные. Больной горлом красноармеец — вот он тип. Едва говорит, там, вероятно, все заложено, воспалено, лезет пальцем соскребывать в глотке пленку, сказали, что помогает соль, сыплет соль, четыре дня не ел, пьет холодную воду, потому что никто не дает горячей. Говорит косноязычно о наступлении, о командире, о том, что они босые, одни идут, другие не идут, манит пальцем.

Ужин у Гасниковой.

Притяжение
Бездны

Притяжение Бездны

Двадцатый век многое открыл человечеству, и прежде всего в нем самом. Раньше человек жил, ясно представляя себе, что хорошо, а что — не очень, что прекрасно, а что — безобразно и т.п. Грех был грехом, даже если тебя не увидели при этом соседи или начальство. В двадцатом столетии нравственные понятия утратили пугающую определенность. Шалея от собственной смелости, простые русские люди творили такое, по сравнению с чем семь смертных грехов выглядели невинными детскими шалостями. Так Человек открыл для себя Бездну...

Исаак Эммануилович Бабель появился на свет 13 июля 1894 года в городе Одессе на Молдаванке, о чем имеется соответствующая запись в метрической книге о родившихся евреях. Вскоре семья Бабеля переехала в Николаев, где 16 июля 1898 года родилась его младшая сестра Мария. Здесь же в сентябре 1905 года Исаак был зачислен в первый класс коммерческого училища им. С.Ю. Витте. Через несколько месяцев Бабели возвратились в Одессу, и Исаак поступил во второй класс коммерческого училища им. императора Николая I (видимо, мода на заведения обязательно «им. кого-то там» существовала уже тогда).

Одесское коммерческое училище содержалось в основном на средства купечества и готовило квалифицированных работников для банков и коммерческих предприятий. Оно размещалось в большом трехэтажном здании с просторными классами, кабинетами, лабораториями, большим двором, садом и даже церковью. Программа училища равнялась курсу гимназии без латинского языка, однако к основному курсу в этом заведении прибавляли ряд специальных предметов: химию, товароведение, бухгалтерию, коммерческие исчисления, законоведение, политическую экономию. Много внимания в училище уделялось иностранным языкам — французскому, немецкому, английскому.

Исаак не испытывал особого влечения к коммерции, но в таких заведениях для евреев была установлена более высокая процентная норма на поступление, поэтому он просто пользовался возможностью получить образование. Уже мальчиком он очень любил историю и литературу. В 13-14 лет Исаак прочел все тома «Истории Государства Российского» Н.М. Карамзина. Это при том, что читать ему приходилось ночью при свете маленькой керосиновой лампочки, под столом, покрытым скатертью, доходившей до пола. Такие предосторожности не были порождены мальчишеской тягой к тайнам и приключениям. Отец Исаака, почтенный торговец средней руки, следил за тем, чтобы мальчик не бездельничал и каждую свободную минуту занимался чем-нибудь полезным. В результате Исаак с утра до вечера штудировал множество наук; до шестнадцати лет по настоянию отца изучал еврейский язык, Талмуд и Тору.

В училище его часто видели с книгами Расина, Корнеля, Мольера на французском языке. Он с удовольствием писал что-нибудь по-французски, выполняя задания своего домашнего учителя, и даже пробовал сочинять рассказы на французском языке, но вскоре бросил. В эти же годы он брал уроки игры на скрипке у П.С. Столярского.

В июне 1911 года Исаак Бабель получил аттестат об окончании коммерческого училища и прилагавшееся к нему звание почетного гражданина и поступил в Киевский коммерческий институт. В Киеве он часто бывал в доме делового партнера его отца, промышленника Б.В. Гронфайна. Там Бабель познакомился с его дочерью, рыжеволосой красавицей Женей, которая училась в последнем классе гимназии. Они подружились, а затем полюбили друг друга, но вынуждены были скрывать свои чувства — студент-голодранец был явно неподходящей партией для дочери киевского богача.

В феврале 1913 года в киевском журнале «Огни» за подписью «И.Бабель» был напечатан рассказ «Старый Шлойме». Незадолго до этого Бабель приехал в Одессу и прочел своим друзьям только что написанную пьесу. Чтение произвело на всех большое впечатление, и Бабелю стали наперебой предлагать отвезти пьесу в Петербург и отдать какому-нибудь редактору для публикации. Взволнованный юный автор категорически отверг саму возможность вести с кем бы то ни было переговоры о продаже того, что написано кровью его сердца. Такие заявления легко даются, когда человек находится на содержании отца и не испытывает материальных затруднений.

Не стоит, однако, думать о молодом Бабеле как о личности «нежной и удивительной». С юности его притягивали места, где можно было наблюдать жизнь такой, как она есть, без всяких прикрас. Позднее его не без оснований сравнивали с Мопассаном, он и сам чувствовал и любил в себе это сходство. С французским классиком Бабеля сближало стремление описать мир во всем богатстве его красок, когда рядом, как и в жизни, уживаются грех и святость, слезы и улыбка радости, кровь, убийства и серая рутина будней. Часто Бабеля завораживал и увлекал сам контраст, немыслимое соседство противоположностей. Его манил мир крайностей и опасностей,— лишь там, считал Бабель, можно подсмотреть тайну бытия, узнать истинную сущность окружающего мира.

Например, многие вспоминали, что любимейшим наблюдательным пунктом в Одессе у Бабеля был «Гамбринус». Эта пивнушка пользовалась дурной репутацией: там собирались матросы, проститутки, сутенеры и прочий портовый сброд, не редкостью были драки и поножовщина. Такие места, где любили бывать битые жизнью и кое-что повидавшие люди, Бабель быстро отыскивал и в Москве, и в Париже, и в Марселе. Знакомые, которых он иногда брал с собой, обычно сидели за столиком как на иголках и только и ждали, когда можно будет уйти. И только сам писатель оставался там часами, находя все, что он видел и слышал, «чрезвычайно интересным с бытописательской точки зрения». Там он мог по-настоящему ощутить вкус жизни, чтобы передать его потом в своих рассказах, «острых, как спирт, и цветистых, как драгоценные камни».

В 1916 году он сдал выпускные экзамены в Киеве и одновременно поступил на IV курс юридического факультета Петроградского психоневрологического института.

В этом же году в жизни Бабеля-писателя случилось одно из самых важных событий — он познакомился с А.М. Горьким. Именно с подачи Горького в 11 номере журнала «Летопись» были напечатаны два рассказа Бабеля «Элья Исаакович и Маргарита Прокофьевна» и «Мама, Римма и Алла». Бабель на всю жизнь сохранил благоговейно-любовное отношение к своему литературному «отцу».

Тем не менее Горький был не очень доволен первыми рассказами Бабеля и посоветовал ему некоторое время потихоньку писать, но не публиковать написанное, а главное — окунуться в водоворот жизни, как можно лучше изучить ее. Одним словом, Горький поступил с Бабелем так, как с ним когда-то обошелся его собственный дед — отправил его «в люди».

Скучать Бабелю не пришлось — за опубликованные в «Летописи» рассказы его решили привлечь к уголовной ответственности по обвинениям в порнографии (в одном рассказе речь о девушках, не умевших делать аборт) и «попытке ниспровергнуть государственный строй». Разбирательство не состоялось из-за подоспевшей февральской революции, жертвой которой стало здание Окружного суда со всеми хранившимися в нем бумагами.

Вскоре к власти пришли большевики, а Бабель отправился с заявлением в иностранный отдел ЧК в Петрограде, где он проработал переводчиком с января по май 1918 года. Этот поступок удивил многих. Чтобы объяснить его, стоит вспомнить фразу, однажды оброненную Бабелем: «Человек должен все знать. Это невкусно, но любопытно».

С марта того же года он стал корреспондентом петроградской оппозиционной газеты «Новая жизнь» и ушел из нее лишь за четыре дня до ее официального закрытия. Извилистые журналистские тропы приводили его то на панихиду в больничной мертвецкой, то в родильный дом, то в зоопарк, то на бойню. Местом встречи с собратьями по перу служили муравейники редакций и известная кофейня Иванова и Шмарова на Невском. Бабелю тогда было двадцать три года, хотя выглядел он от силы лет на восемнадцать. Его тогдашнему знакомому он запомнился веселым и озорным взглядом и острым языком.

Однажды в своих блужданиях по лихому и кровавому Питеру образца 1918 года Бабель забрел в Аничков дворец. Не встретив никаких препятствий, он поселился явочным порядком на диване в кабинете Александра III. Позднее он рассказывал, как однажды заглянул в ящик царского письменного стола и нашел там коробку великолепных папирос — подарок царю Александру от турецкого султана Абдул-Гамида.

На его глазах в грязи и крови рождался новый мир, буйная энергия и сила которого завораживали любознательного одессита. В конце лета он принял участие в экспедициях Наркомпрода по «добыванию продовольствия из крестьян». Он явно стремился везде побывать и все увидеть своими глазами.

Желание связать свою судьбу с Женей Гронфайн на время отвлекло Бабеля от исследования революции. В свое время отец Жени при упоминании о предложении Бабеля расстегнул сюртук, засунул руки за вырезы жилета и, покачиваясь на каблуках, издал пренебрежительное: «П-с-с!». Учитывая столь явно выраженную неконструктивную позицию родных невесты, молодые просто выбрали в 1919 году время и сбежали в Одессу, где и поженились. Сначала старый Гронфайн сгоряча проклял весь бабелевский род до седьмого колена, но через несколько лет отношения наладились: большевики отобрали у Гронфайна завод, а Бабель стал известным писателем, о котором высоко отзывался, «вы только подумайте, сам Максим Горький!».

В начале 1920 года Бабель работал заведующим редакционно-издательским отделом Госиздата Украины, но недолго. Спокойная семейная жизнь закончилась в апреле, когда Бабель, тайком от родных получив удостоверение от Югроста на имя Кирилла Васильевича Лютова, попросту сбежал из дома на польский фронт. Его не остановила даже астма, которой он, как коренной одессит, страдал с детства.

Он прибыл в Ростов-на-Дону, где Первая конная армия готовилась к победоносному перенесению революционного процесса на территорию Польши. Убедительность аргументам должны были придать отборные казацкие части. Некоторое время Бабель находился при штабе армии, а затем перевелся в шестую кавдивизию. Он участвовал в боях, вел дневник, отправлял корреспонденции в Югроста и печатался в газете политотдела армии «Красный кавалерист». В армии его любили, ценили за чувство юмора и спокойное бесстрашие в критических ситуациях.

Затея с революционной колонизацией Польши позорно провалилась, лишний раз обнаружив «полководческий дар» славной троицы в лице Буденного, Ворошилова и Сталина. По пути отступления казаки срывали злость на мирном населении, устраивая еврейские погромы. О размерах бесчинств свидетельствует хотя бы то, что позднее по распоряжению Троцкого триста наиболее активных участников погромов были расстреляны. Однажды Бабель не выдержал и попытался вступиться за избиваемых. Идейные разногласия товарищи по оружию быстро выяснили при помощи кулаков, причем Бабелю порядком досталось. Потом казаки уложили его на тачанку и долго возили за собой, не покидая в самые опасные моменты,— сначала Бабель отходил от побоев, а потом заболел тифом.

Кое-как подлечившись, Бабель вернулся в конце года в Одессу и весь следующий год провел в родном городе. Он «переваривал» конармейские впечатления и хищным писательским взором вглядывался в разухабистую одесскую жизнь.

Хаос революции и гражданской войны способствовал превращению Одессы в настоящую криминальную столицу юга Российской федерации. Колоритные фигуры королей преступного мира, страстно и весело ходивших «по краю» жизни, не могли не привлечь внимания Бабеля. Чтобы ближе познакомиться с криминальной Одессой, он отправился на Молдаванку.

Молдаванкой в Одессе называется часть города, прилегающая к товарной железнодорожной станции. В те годы там обитали две тысячи одесских воров и налетчиков. Бабель поселился в центре Молдаванки, у старого еврея Циреса и его мрачной, медлительной и крикливой жены тети Хавы. Польстившись квартплатой, Цирес пустил к себе жильца, но узнав, что тот писатель, очень опечалился.

— Ой, месье Бабель! — покачал он головой.— Я вам скажу, что вы не найдете здесь ни на копейку успеха, но зато сможете заработать полный карман неприятностей!

Только несколько ночей спустя Бабель понял истинную причину вздохов Циреса и причитаний тети Хавы — старик был обыкновенным наводчиком! А кто захочет рисковать и связываться с жадным Циресом, пустившим в самое сердце Молдаванки какого-то фраера, к тому же писателя? Бабель решил съехать с квартиры, предварительно выпытав у Циреса все, что тот знал интересного о потаенной жизни Молдаванки. Он обладал удивительным даром располагать к общению окружающих людей, часто совсем незнакомых, находить в них самобытные, яркие черты и выпытывать все, что они могли бы рассказать интересного. Как говорили в Одессе, «с Божьей помощью вынимать из человека начисто душу».

Однако вместо этого Бабелю пришлось в срочном порядке забирать вещи и уносить ноги, потому что Цирес был убит у себя на квартире ударом «финки». Старик пал жертвой собственной алчности: он умудрился навести на одну и ту же кассу двоих налетчиков — Сеньку Вислоухого и Пятирубеля. По правилам, если на одном деле сходились два налетчика, дело отменялось. Старый Цирес был наказан в тот же день — такого на Молдаванке не прощали.

В апреле 1922 года Бабель выехал с сестрой и женой в Сухуми, а обратно возвратился только в январе 1923-го. Почти все это время он лечился на курортах Грузии, изредка публикуя очерки в тбилисской газете «Заря Востока».

...В начале 20-х годов одесские издания из-за нехватки бумаги печатались на оборотной стороне больших листов табачных и чайных бандеролей, оставшихся в огромном количестве от дореволюционных времен. Именно так, на желтой полупрозрачной бумаге, впервые увидели свет новые рассказы писателя, с которых для нас и начался творческий путь Бабеля. 11 февраля 1923 года в одесских

«Известиях» был опубликован рассказ «Письмо». Последующие полтора года в одесских и московских изданиях — «Леф», «Красная новь», «Прожектор» — выходили один за другим все новые рассказы конармейского и одесского циклов.

В 1921 и 1923 годах Бабель со всей своей семьей снимал летом дачу на 9-й станции Фонтана. Фонтанами называлась местность к западу, где на много километров вдоль побережья протянулась полоса старых садов и полуразрушенных дач. Различали Большой, Средний и Малый Фонтаны, хотя самих фонтанов там отродясь никто не видел. Вся полоса Фонтанов была разбита на 16 станций по числу остановок трамвая. 9-я станция находилась недалеко от моря, здесь слышался гул прибоя и витал чарующий аромат жареной скумбрии. Ее готовили на железных листах, которые обитатели Фонтанов сдирали с крыш заброшенных дач и сторожек.

Бабеля уже начинали узнавать, за ним толпами ходили одесские литературные мальчики, что его ужасно раздражало. Когда Бабель не писал и не отбивался от очередного отряда зевак, явившихся из города «посмотреть на Бабеля», он любил поваляться на пляже, почитать вслух стихи Киплинга, «Былое и думы» Герцена или поэму Артюра Рембо «Пьяный корабль» на французском языке. Среди слушателей Бабеля был писатель Паустовский, который жил на соседней «вилле», как говорили на Фонтанах. «Вилла» Паустовского нависала одной стеной над обрывом, от нее часто отваливались куски яркой розовой штукатурки и весело катились к морю.

В 1924 году Бабель похоронил отца, продал имущество и перевез семью в подмосковный Сергиев-Посад. В конце года его сестра с мужем, мать и жена уехали за границу, как оказалось, навсегда. Бабель остался в Сергиевом-Посаде и с головой ушел в литературную работу. Один за другим выходили его сборники рассказов — «Конармия», «Одесские рассказы», «История моей голубятни»,— пьеса «Закат», киносценарии. Таким был итог ухода «в люди» и семилетнего «молчания» Бабеля.

Слава и популярность Бабеля росли стремительно. Его стали переводить на иностранные языки, редакции лучших журналов осаждали его, просили рассказы. В 1930 году «Новый мир» напечатал ответы зарубежных писателей, в основном немецких, на анкету о советской литературе. В большинстве писем на первом месте стоял Бабель.

Восторг этот, правда, разделяли далеко не все. «Конармия», с ее кровью, ужасами, жестоким реализмом сцен братоубийственной войны плохо сочеталась с официозными сказочками о гражданской войне, которые уже начали плести партийные идеологи и литераторы. Результаты титанических усилий этих мифотворцев хорошо известны — у всех на слуху имена Чапаева, Щорса, Лазо, Олеко Дундича, Буденного, Ворошилова, Фрунзе, хотя из всех них только последний был действительно крупным военачальником и сыграл заметную роль в ходе войны. Особенно оскорбился Буденный, которому нравилось ходить в былинных героях и совсем не хотелось видеть в советской печати иную идейную точку зрения на события недавнего прошлого — о художественных достоинствах книги речь не шла, легендарный командарм едва ли был в состоянии их оценить. Ожесточенная полемика в прессе длилась до конца 20-х годов. Во главе критиков с обвинениями Бабеля в «бабизме» и «обозном вдохновении» выступал Буденный, а на защиту писателя встал Горький.

Затем Бабель снова исчез с литературного небосклона, и надолго. Бабель вообще был странной фигурой для советского писателя: имея прекрасную биографию и послужной список, он не воспользовался успехом, чтобы добиться высокого поста, твердого и стабильного положения для себя и семьи. У него никогда не было дорогой мебели, секретаря, долгое время не было даже своего угла. Внешне он также не походил на маститого писателя: невысокого роста, широкоплечий, на короткой шее — лысоватая голова. На лице выделялись лукаво поблескивающие глазки и широкий рот с подвижными губами. Одевался он неброско, в приглушенные тона, за модой не гнался — лишь бы было удобно. При этом Бабель не был аскетом, любил жизнь и понимал толк в тех радостях, которые она дарит людям. Как он сам сказал однажды: «Человек живет для удовольствия, чтобы спать с женщиной, есть в жаркий день мороженое».

В июле 1927 года Бабель вместе с тещей выехал в Париж к жене. Он прекрасно владел французским языком, парижским жаргоном и потому не нуждался в провожатых во время своих блужданий по городу. Он любил слушать уличных певцов, был хорошо знаком с жизнью нищих, проституток, студентов, художников. Словом, у него был свой Париж, как и своя Одесса,— недаром свое знакомство с новым городом Бабель всегда начинал с торговой площади. Евгения Борисовна, жена Бабеля зарабатывала на жизнь живописью, но это приносило мало дохода, поэтому писатель старался помогать ей и из Москвы, и тем, что ему удавалось заработать в Париже.

За границей он пробыл больше года, но на родину возвращался с охотой: жизнь во Франции была для него явно пресной и скучноватой. «Жить здесь в смысле индивидуальной свободы превосходно, но мы — из России — тоскуем по ветру больших мыслей и больших страстей»,— так писал Бабель своему знакомому из Парижа в январе 1928 года. Летом 1929 года до него дошла весть, что в Париже у него родилась дочь Наташа. Это был последний отзвук минувшей поездки.

В феврале 1930 года Бабель выехал в Бориспольский район под Киевом — знакомиться с ходом коллективизации. На рубеже двадцатых-тридцатых годов он проявлял неподдельный интерес к тому, что творилось тогда в деревне. Одним из результатов писательских наблюдений можно считать рассказ «Колывушка» — страшное повествование о раскулачивании, рисующее этот процесс как разрушение первооснов существования человека на земле.

В июле в «Литературной газете» была напечатана провокационная статья Б.Ясенского «Бабель на Ривьере», где Бабелю приписывались откровенные и совсем не ласковые мысли по поводу того, что творилось в России и русской литературе. Бабелю пришлось срочно оправдываться, выступать на секретариате Союза писателей и т.д. Не удивительно, что как только все проблемы были улажены, он опять исчез. На этот раз — в подмосковное село Молоденово. Уже в августе он писал родным, что косит и жнет вместе со всей деревней.

Эти исчезновения были неотъемлемой чертой существования Бабеля: он любил наблюдать жизнь, но сам при этом предпочитал оставаться вне досягаемости. Как и его любимый Мопассан, Бабель много путешествовал, часто менял место жительства и избегал чьего-либо внимания к своей частной жизни. Это касалось и творчества — вопреки расхожему мнению рассказы Бабеля отнюдь не автобиографичны, разве что в отдельных деталях.

Места убежищ Бабеля часто определяла его пламенная любовь к лошадям. Когда он бывал в Москве, он постоянно пропадал на ипподроме вместе с другими завсегдатаями — актером М.М. Яншиным, драматургом Н.Р. Эрдманом. Бабель лично знал всех жокеев и лошадей, был вхож в конюшни, но никогда не играл на бегах — он любил только самих животных и все, что с ними было связано. Жена безошибочно узнавала, когда Бабель уходил к лошадям: в этот день из сахарницы пропадал весь сахар. Он как-то даже говорил, что собирается написать «Лошадиный роман». В 1926 году он жил некоторое время в окрестностях знаменитого Хреновского конного завода, а в 1930—1932 годах большую часть времени провел в Молоденово, тоже славившемся конным заводом.

Бытовые трудности мало тяготили его — в Молоденово, к примеру, он писал на хозяйском верстаке. Единственное, без чего Бабель не мог прожить, причем с юности, это стакан крепчайшего горячего чая — по две ложки заварки на каждую чашку! Заваривание этого напитка было для него священнодействием; «первач», т.е. первый стакан свежезаваренного чая, он мог уступить только дорогому гостю, не преминув известить его об этой жертве.

В 1932 году ему выделили во временное пользование две комнаты в квартире в районе Красной Пресни. Получив в середине года разрешение на поездку во Францию к родным, он попросил посторожить жилплощадь на время отсутствия свою недавнюю знакомую Антонину Пирожкову. Это была молодая, красивая и энергичная женщина, работавшая инженером в Метрострое.

В Париже он встретился с семьей — его дочери Наташе уже исполнилось три года. Жена, естественно, была не в восторге от такого супружества. Все эти годы она слала Бабелю письма, просила, требовала, грозилась выйти замуж за другого, если он не приедет через месяц. Бабель в ответ успокаивал ее и по-прежнему помогал. По разным причинам он не хотел, чтобы его родные возвращались в «советчину», прекрасно отдавая себе отчет в том, как называлось то, что происходило на родине. «Здешний таксист гораздо свободнее, чем советский ректор университета»,— сказал он Ю.Анненкову в Париже в ноябре 1932 года.

Летом следующего года Бабель получил приглашение от Горького приехать в Сорренто. Захватив с собой жену и дочь, он приехал в Италию. Поездка удалась как нельзя лучше — Бабель посетил Сорренто, Капри, Неаполь, Флоренцию, Рим, около месяца колесил вместе с Максимом Пешковым на автомобиле по Италии.

В Советской России тем временем начали раздаваться голоса, недовольные долгим отсутствием Бабеля, а также тем, что у него за границей жена и дочь. Голоса в основном принадлежали представителям литературной среды. Бабель понял: это предупреждение. Его подталкивали к выбору — вернуться или остаться, но насовсем. Он не воспользовался этой возможностью и осенью 1933 года возвратился в Москву. Возможность, как выяснилось позже, была последней.

Вскоре после возвращения он вновь отправился в путь, на этот раз в Кабардино-Балкарию, к своему другу Беталу Калмыкову, руководителю республики. Калмыков был первым в республике охотником, наездником, сборщиком кукурузы и пользовался огромной любовью населения. Сопровождавшая Бабеля Пирожкова рассказывала, что однажды Калмыков вместе с пятью сотнями рядовых колхозников совершил восхождение на Эльбрус без всякого особого снаряжения. Этим походом он выразил свое пренебрежение к историям о невероятно трудных покорениях Эльбруса альпинистами, о которых регулярно писали газеты.

Как и многие, Калмыков погиб в 1937 году. Его вызвали в Москву, в ЦК, и там на него неожиданно набросились четверо или пятеро бравых вояк из НКВД. Зная о физической силе Бетала, его не рискнули арестовать обычным способом.

А Бабель продолжал переезжать, знакомиться с новыми людьми и регионами и... почти ничего не печатать. Этот феномен объясняли по-разному. С одной стороны, Бабель действительно писал медленно. Он был очень требователен к себе, по двадцать и более раз переписывал отдельные рассказы. Он безжалостно истреблял многословие, добиваясь, чтобы каждое сравнение было «точным, как логарифмическая линейка, и естественным, как запах укропа».

С другой стороны, советская литература с годами становилась более подконтрольной и идеологически выдержанной. Бабелю все труднее удавалось сочинять пригодные для публикации вещи и оставаться при этом самим собой,— создателем пряных, острых и жестоких рассказов о том, как люди любят, живут и умирают. А надо было писать про бодрых и энергичных строителей, которые с мужественной улыбкой на трудовом лице разравнивают пепелище старой России и возводят на нем могучие корпуса бараков светлого будущего. Выходом для него стали многочисленные киносценарии и... авансы под обещанные разнообразным редакциям будущие произведения. За ним охотились редакторы, курьеры и юрисконсульты с исполнительными листами на руках, но одолеть эту хитрую тактику им было не под силу.

«Молчание Бабеля» стало притчей во языцех в писательских кругах. О нем писали статьи и фельетоны, злословили в кулуарах и на писательских заседаниях и даже, кажется, пели куплеты на эстраде. Вопрос о том, какое всей этой публике было дело до того, пишет Бабель или нет, в советском обществе не мог быть задан. Игнорировать критику, часто одобренную высокими инстанциями, было невозможно. Бабель время от времени каялся и оправдывался, иногда за него заступались другие. На первом съезде советских писателей за Бабеля вступился Илья Эренбург. Он сравнил себя с плодовитой крольчихой, а Бабеля — со слонихой, и сказал, что отстаивает право слоних беременеть раз в несколько лет. Публика посмеялась, и от Бабеля в очередной раз отстали.

Время от времени в душе Бабеля оживала мечта — бросить чужие города, вернуться в Одессу, снять домик на Ближних Мельницах, сочинять истории, стариться... Эту мысль разделял и его друг, другой одессит, поэт Эдуард Багрицкий. Планы их так и остались планами — в феврале 1934 года Багрицкий умер от воспаления легких. Бабель принял самое деятельное участие в похоронах друга, и даже присутствовал при его кремации. Он прошел куда-то вниз, куда обычно не допускали никого, и наблюдал за процессом сжигания через специальный глазок. Потом Бабель рассказывал, как приподнялось в огне тело и как он заставил себя досмотреть до конца. Приблизило ли его это зрелище к пониманию вечной загадки бытия, тайны жизни и смерти? «Человек должен знать все...»

В 30-е годы он часто бывал в народных судах, где слушал разные дела и изучал судебную обстановку. Летом 1934 года он регулярно заходил к своей знакомой, которая работала в женской юридической консультации. Она рассказывала, как Бабель приходил, садился в угол и часами слушал жалобы женщин на своих соседей и мужей.

Он изучал устройство огромного репрессивного механизма не только «снизу». Бабель общался с наркомом внутренних дел Генрихом Ягодой, который часто захаживал к Горькому и был неравнодушен к жене Максима Пешкова. Поговаривали даже, что в смерти Максима Ягода сыграл не последнюю роль...

Однажды Бабель остался наедине с Ягодой и спросил его: «Генрих Григорьевич, скажите, как надо себя вести, если попадешь к вам в лапы?». Ягода живо ответил: «Все отрицать, какие бы обвинения мы ни предъявляли, говорить «нет», только «нет», все отрицать — тогда мы бессильны». Нарком явно лукавил — на Лубянке давно уже шли бои без правил, и победить в них можно было разве что с Божьей помощью.

Бабель был вхож и к преемнику Ягоды, Ежову, поскольку был давним знакомым его жены, Евгении Соломоновны. Особенно его любили приглашать, когда у Ежовых собирались гости — Бабель был великолепным, артистическим рассказчиком. Компанию ему в такие вечера составляли театральный режиссер Соломон Михоэлс и Леонид Утесов, люди остроумные и интересные, способные расшевелить любую компанию. Бабель пользовался этими визитами по-своему: он наблюдал за Ежовым, пытаясь разобраться в тайных пружинах пляски смерти, которая развернулась в стране. Это же профессиональное любопытство толкало его на другие жутковатые экскурсии: на фабрику, где изъятые «вредные» книги шли на изготовление бумаги, в детдом, куда отправляли сирот при живых родителях, которые были просто репрессированы.

В 1936 году вышло последнее прижизненное издание сочинений Бабеля на русском языке. Писатель, правда, подал в 1938 году заявление в издательство «Советский писатель» о переиздании своих произведений в виде однотомника (!), но результата так и не дождался. Все это увеличивало его материальные затруднения, но Бабеля это мало трогало — он всегда жил просто и не умел накапливать материальные ценности. Он охотно селился в гостиницах, пользовался мебелью, купленной по случаю при распродаже в комитете Красного Креста. Его первая жена так и не сумела привыкнуть к тому, что Бабель мог явиться под вечер в их комнату с несколькими однополчанами и заявить: «Женя, они будут ночевать у нас...».

Свою вторую жену он тоже частенько озадачивал проявлениями доброты, явно выходившими за рамки обычного человеческого поведения. Имея возможность подарить человеку какую-нибудь вещь, он иногда просто не мог совладать с собой. И Бабель дарил свои рубашки, галстуки, часы, а то и прихватывал кое-что из вещей Антонины.

В 1936 году в писательском поселке Переделкино началось строительство дачи для Бабеля. Он долго отказывался от этой привилегии, с опасением относясь к самой мысли о писательском «общежитии». Он согласился лишь тогда, когда точно выяснил, что дачи далеко отстоят друг от друга и общаться с собратьями по перу не придется.

Время требовало проявлений слепой лояльности, и даже вечно ускользавшему Бабелю не удалось сохранить себя незапятнанным. В 1937 году в «Литературной газете» за 1 февраля появилась статья Бабеля «Ложь, предательство и смердяковщина», где и он присоединился к бичеванию жертв политического террора, которые якобы «хотели продать первое в мире рабочее государство фашизму, военщине, банкирам, самым отвратительным и несправедливым проявлениям материальной силы на земле». Почти как в анекдоте: «Продам Родину по сходной цене. Рубли не предлагать».

В 1937 году у Бабеля и Антонины Пирожковой родилась дочь Лида.

В начале мая 1939 года Бабель наконец-то переехал на свою дачу, заканчивать работу над очередным киносценарием. А рано утром 15 мая его арестовали. Почти одновременно с Бабелем были арестованы режиссер Всеволод Мейерхольд и журналист Михаил Кольцов. При обыске отобрали все рукописи Бабеля, уместившиеся в пять папок. Судьба их неясна, по-видимому, их просто сожгли.

...На Лубянку Бабеля доставили вместе с женой, которую потом отпустили. Пытаясь как-то поддержать любимого человека, Антонина сказала:

— Буду вас ждать, буду считать, что вы уехали в Одессу... Только не будет писем...

Бабель ответил:

— Я вас очень прошу, чтобы девочка не была жалкой.

...Через две недели начался допрос Бабеля, который продолжался трое суток без перерыва. Заплечных дел мастера добились своего: Бабель признал себя «членом антисоветской троцкистской организации с 1927 г., агентом французской и австрийской разведок — с 1934 г.», и дал показания против нескольких своих знакомых. 23 июня в следствии по делу Бабеля наметилось обращение к закону — было подписано постановление о его аресте (произведенном 15 мая). 10 октября Бабель подал заявление об отказе от прежних показаний. Это он делал еще трижды, но Военную коллегию Верховного суда СССР такие мелочи никогда не смущали. 26 января 1940 года Бабелю был вынесен смертный приговор.

В декабре 1954 года Бабеля реабилитировали «за отсутствием состава преступления». Правоохранительные органы еще долго морочили всем голову, утверждая, что Бабель умер 17 марта 1941 года от паралича сердца. Лишь спустя несколько десятилетий выяснилось, что смертный приговор был приведен в исполнение незамедлительно, 27 января 1940 года. Бездна, в которую Бабель так долго вглядывался, в конце концов поглотила и его...

Вадим Татаринов

Жизнь знаменитых писателей
всегда состоит не только
из широко известных фактов
и «этапов большого пути»,
но и из мелких житейских случаев,
анекдотов, забавных историй.
В них мудрые классики
и достойные подражания
современники предстают
более человечными, чудаковатыми
и часто не менее интересными,
чем их произведения.
Приведенные ниже истории
основаны на воспоминаниях людей,
в разное время знавших
Исаака Бабеля.
Итак, однажды Бабель...

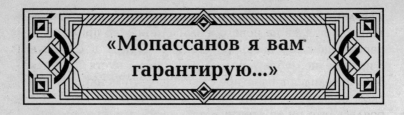

«Мопассанов я вам гарантирую...»

* * *

...напился. Вообще-то говоря, Бабель гулякой не был и споить его было трудно. Это удалось сделать Сергею Есенину на собственной свадьбе. Бабель вернулся домой лишь под утро, без паспорта и бумажника. Он не помнил ничего о том, что ели, пили и говорили, куда поехали и с кем спорили, но на всю жизнь в его памяти запечатлелось, как читал, или, вернее, пел Есенин в ту ночь свои стихи. Кудрявый голубоглазый поэт был единственным человеком, которому удалось подчинить Бабеля своей воле.

* * *

Бабель очень любил Мопассана, само слово «Мопассан» служило у него высшей похвалой и признанием мастерства исполнителя, будь то актер, писатель или сапожник. Сам Бабель, хорошо говоривший по-французски, бывал в Париже и посетил там последнюю квартиру Мопассана. Он любил рассказывать о витавшем в ней запахе бриллиантина и кофе, о нагретых солнцем розовых кружевных абажурах, похожих на панталоны дорогих куртизанок... Свой рассказ он однажды закончил так:

— У нас в Одессе не будет своих Киплингов. Мы мирные жизнелюбы. Но зато у нас будут свои Мопассаны. Потому что у нас много моря, солнца, красивых женщин и пищи для размышлений. Мопассанов я вам гарантирую...

* * *

Бабель совсем не походил на писателя. Его внешность часто наводила незнакомых людей на совершенно необоснованные подозрения: Бог его знает, что это за человек и чем занимается. В очерке «Начало» Бабель рассказал, как, приехав впервые в Петербург (ему было тогда

22 года), он снял комнату в квартире инженера. Внимательно поглядев на нового жильца, инженер приказал запереть на ключ дверь из комнаты Бабеля в столовую, а из передней убрать пальто и калоши. Спустя 20 лет Бабель поселился в квартире старой француженки в парижском предместье Нейи. Хозяйка запирала его на ночь — боялась, что он ее зарежет.

А однажды Бабель был за границей и, по просьбе Горького, зашел к Шаляпину. Он передал известному певцу письмо и должен был получить от него какую-то дорогую вазу, чтобы привезти ее из Парижа Горькому не то в Москву, не то на Капри.

Бабель у Шаляпина доверия явно не вызвал. Он долго сличал принесенное письмо с остальными письмами Горького, чтобы убедиться в его подлинности. Наконец Шаляпин вздохнул и пригласил Бабеля следовать за ним — то ли боялся оставить посланца одного в комнате, то ли не хотел таскать по дому тяжеленную вазу. Подержав в руках внушительное произведение керамического искусства, Шаляпин вдруг пристально посмотрел на Бабеля и спросил:

— Послушайте, а вы случайно не одессит?

— Одессит,— признался Бабель.

— Хо-хо!— воскликнул певец.— И вы надеетесь, что я вам доверю?

Он бережно упрятал вазу в шкаф и проводил Бабеля к выходу.

* * *

Известно, что Бабель обожал лошадей и все, что с ними связано, а кроме того, был превосходным рассказчиком. Вот одна из его историй на любимую тему.

В Москве до революции работали на бегах американцы братья Винкфилд. Старший был трезвенник, скопидом, домосед. А младший был кутила, транжира и, в общем, прохвост. Но зато на лошадей у него было шестое чувство. После революции старший брат вернулся в Штаты и сразу получил хорошее место. А младший отправился в Париж, с треском прокутил все свои деньги и остался без гроша.

Американский консул сообщил на родину о скандальных похождениях Винкфилда-младшего, а коллеги-тренеры с удовольствием раздували эту историю, побаиваясь талантливого конкурента. Бедняга смог устроиться на работу лишь к какому-то фермеру, у которого была конюшня на десяток лошадей. Он чуствовал себя, как гвардейский офицер, разжалованный в солдаты, но не на Кавказ, а куда-нибудь в Царево-Кокшайск. Владельцы конюшен, тренеры и жокеи с ним не встречались, не здоровались и не кланялись.

Прошло два года. Винкфилд-младший купил у фермера кобылку, подготовил ее и тайком записал на бега. К концу сезона она стала лучшей двухлеткой в Соединенных Штатах. Через год судьбу сестры повторил жеребец-трехлетка.

На Винкфилда-младшего посыпались заманчивые предложения, у него появились деньги. И тогда он заказал в самой большой гостинице — «Уолдорф-Астория» — роскошный банкет с русской икрой и французским шампанским. На банкет он пригласил владельцев конюшен, тренеров и жокеев. Набился полный зал, потому что удача — это удача, а шампанское — это шампанское. Винкфилд-младший взял слово, оглядел гостей и, прищурившись, спросил:

— Ну что, сукины дети, можно зарыть чужой талант в землю?

* * *

Когда Буденный, недовольный «Конармией», выступил в печати насчет «бабизма Бабеля», родился следующий анекдот.

...Как-то у Семена Михайловича Буденного спросили, а как он, собственно, относится к Бабелю? Бравый командарм не растерялся и, молодецки подкрутив пышный ус, достойно ответил:

— А это... Гм... Смотря какой бабель!

* * *

Даже в Америке благожелательное отношение к чужому таланту творческим людям свойственно, но не очень. Что уж говорить о советских писателях, которых партия коммунистов умело стравливала друг с другом, заставляя драться за дачи, премии и творческие командировки за государственный счет. Поэтому стоило Бабелю перестать печататься, как про него тут же пошли истории, что он человек равнодушный, чуждый советским идеалам и вообще — не наш.

Один редактор толстого литературного журнала решил наставить Бабеля на путь истинный. Он пригласил писателя к себе и усадил в мягкое глубокое кресло для посетителей. Сидеть в нем было настолько неудобно, что человек начисто утрачивал весь боевой пыл и думал лишь о том, чтобы сохранить чувство собственного достоинства в позе, когда колени едва не касаются лба. Редактор до этой встречи с Бабелем знаком не был. Чтобы беседа шла непринужденнее, он сразу перешел на «ты» и стал обращаться к гостю запросто — Исаак. Он убеждал писателя познакомиться с жизнью народа, для начала написав что-нибудь о тружениках метро.

Выслушав отеческое наставление значительного лица, Бабель встал с кресла и с той же задушевной интонацией предложил:

— Слушай, дружок, а не поговорить ли нам о чем-нибудь другом? О литературе у тебя как-то не получается.

Пока редактор переводил дух, Бабель, не дожидаясь ответа, вежливо простился и вышел. Беднягу редактора, говорят, потом долго утешали и отпаивали валерьянкой.

* * *

По разным причинам Бабель в 30-е годы писал мало, а печатал и того меньше. Поскольку жить ему на что-то надо было, а другой профессии у него не было, то время от времени он договаривался о будущей работе в какой-нибудь редакции. Взяв аванс, Бабель исчезал, и получить от него обещанную рукопись было большим счастьем, которое, как известно, улыбается не всем.

Однажды Бабель получил грозное послание от бухгалтерии одного из изданий: вернуть взятый аванс. В ответ он послал... лаконичную телеграмму, содержание которой можно свести к следующему: «Письмо получил, долго хохотал, денег не вышлю».

* * *

Как-то осенью в Ясную Поляну нагрянула писательская делегация во главе с Лебедем-Кумачом. Угощение накрыли в старинной комнате, за длинными столами. За спиной гостей неслышной походкой ходили старики, из тех, что служили еще Толстому, и наливали водку в большие рюмки. К тому месту, где сидели Бабель и Виктор Шкловский, старик с водкой как-то подозрительно зачастил. Шкловский накрыл рюмку рукой и спросил:

— Почему все время к нам?

— Его сиятельство приказали.

— Какое сиятельство?

Старик тихо ответил:

— Лев Николаевич.

Шкловский перевел дыхание и спросил еще раз: так чье приказание?

— Графа. Приказано наливать по шуму, чтобы шум был ровный: где молчат — наливать, где шумят — пропускать, так, чтобы шум был ровный.

* * *

Дело было в Одессе, в начале 20-х годов. В доме по улице Ришельевской, угол Почтовой, жила семья Бабелей, а этажом ниже — молодой человек по имени Доля. Вместе со своим однокашником по гимназии Доля пробовал себя в сочинительстве. Свой самый лучший рассказ он рискнул дать на отзыв Бабелю. В рассказе описывалась волнующая сцена, которую Доля видел собственными глазами: по длинной безлюдной улице, ведущей к порту, бешено мчались дрожки. Извозчик неистово нахлестывал лошадь, а за его спиной сидел красивый молодой офицер с револьвером в руке. К офицеру доверчиво льнула дама. Время от времени он постреливал из револьвера над ухом у извозчика — для острастки. Как только дрожки скрылись из виду, по улице прогрохотала тачанка с преследователями. Все.

Наконец Бабель прочел рассказ. Семья Доли, его однокашник и он сам с трепетом ждали приговора прославленного писателя. Отзыв Бабеля был суров, но справедлив: «рассказ» Доли не более, чем эскиз, а писать нужно учиться долго и старательно. Доля был безутешен.

— Так что же, значит, мне совсем не писать? Вы убили меня, Исаак Эммануилович.

На это Бабель ему ответил так:

— Доля! Мы на войне. Все мы в эти дни можем оказаться либо на дрожках, либо в тачанке. И вот что скажу я тебе сейчас, а кстати, пусть намотает это на ус и твой молчаливый товарищ: на войне лучше быть убитым, чем числиться без вести пропавшим.

* * *

Париж, 1927 год, осень. Погода стояла неважная, и Бабель договорился с приятелями о походе в Лувр. Однако явившись в назначенное время в «зал Джоконды», приятели Бабеля не дождались. На следующий день он прислал записку с извинениями.

«Дорогой друг, простите мою неаккуратность. Меня вдруг обуяла нестерпимая жажда парламентаризма, и я, идя к Джоконде, попал в палату депутатов. Не жалею об этом. Что за говоруны французы! Встретимся — расскажу. Привет супруге. Ваш И.Бабель».

В другой раз они договорились встретиться в «зале Венеры Милосской». Бабель опять не пришел: по пути в Лувр он увидел в витрине магазина автомашины последних марок.

— По красоте,— рассказывал он,— по цвету и по пластичности они не уступают вашим Джоконде и Венере Милосской. Какая красота! Потом я набрел на витрину бриллиантов. В витрине лежали словно куски солнца! Решительно, в этих витринах больше современности, чем в музеях.

Так им в тот раз и не удалось сходить с Бабелем в Лувр.

Однажды старый знакомый спросил Бабеля, почему он практически не пишет. Бабель ответил: «Есть такая детская игра в фанты: барыня послала сто рублей, что хотите, то купите, «да» и «нет» — не говорите, белое, черное — не называйте, головой не качайте. По такому принципу я писать не могу. Кроме того, у меня плохой характер. Вот у Катаева хороший характер. Когда он изобразит мальчика бледного, голодного и отнесет свою работу редактору, и тот скажет, что советский мальчик не должен быть худым и голодным,— Катаев вернется к себе и спокойно переделает мальчика,— мальчик станет здоровым, краснощеким, с яблоком в руке. У меня плохой характер — я этого сделать не могу». Дело было не то в конце 1937 года, не то в начале 1938-го.

* * *

В середине 20-х годов в Одессе гастролировала Айседора Дункан. Вечером в гостинице «Лондонская» состоялось чествование знаменитой танцовщицы в узком кругу, которое устроили писатели Борис Пильняк, Всеволод Иванов, художник Борис Эрдман, Бабель и еще двое их приятелей. Молодая девушка, жена одного из приятелей, тоже страстно хотела присутствовать на этом мероприятии. И хотя Айседора Дункан не выносила женщин на подобных встречах, Бабель сумел уговорить ее.

После ужина с большого стола все убрали, и аккомпаниатор сел за рояль. Айседора поднялась на стол и начала медленный танец. Босая и полунагая, она постепенно сбрасывала с себя все свои знаменитые разноцветные прозрачные шарфики. Делала она это очень ритмично, в такт музыке.

Остается добавить, что у присутствовавшей при этом девушки зрелище оставило двойственное впечатление. Хорошо еще, что тогда она не знала, каким аргументом Бабель убедил Айседору допустить ее на этот ужин. Он намекнул танцовщице, что девушка — вовсе не девушка, а известный в Одессе гермафродит, и к тому же фанатичный поклонник ее таланта.

В 1927 году Бабель приехал в Одессу, выступил на встрече с читателями, а затем заглянул в ресторан «Фанкони». Он попал на небольшую пирушку, которую устроил директор ресторана в честь окончания поэтического конкурса на самый краткий и выразительный рифмованный текст для новой вывески заведения. Победу одержал лозунг: «Пирожные всевозможные».

Директор ресторана тут же усадил Бабеля за стол и предложил выпить за успешное окончание поэтического турнира, тонко намекнув, что речь идет и о его, Бабеля, литературной смене.

Бабель тут же заметил, что ему сегодня вообще везет на встречи со знаменитостями. Например, час тому назад, во время перерыва на только что закончившемся вечере, к нему подошел человек в визитке, с тростью и котелком в руке. Он попросил разрешения представиться коллеге и пожаловался на затянувшийся застой в творчестве: после шумного и всеобщего успеха своего предыдущего произведения он никак не может войти в нормальную рабочую колею и одарить публику новым шедевром. Себя этот человек не назвал, видимо, совершенно убежденный в том, что Бабель его, конечно, и так хорошо знает. Смущенный возникшей ситуацией, Бабель вертелся и так и эдак, стараясь навести собеседника на разговор, который помог бы догадаться, кто же он. В конце концов выяснилось, что он беседует с автором действительно знаменитого шлягера «Ужасно шумно в доме Шнеерсона».

* * *

Фотографироваться Бабель не любил, но... нет правил без исключений. Татьяне Тэсс как-то удалось уговорить его попозировать. Одна из получившихся фотографий Бабеля заинтересовала. На ней чуть сощуренные глаза писателя смотрели на что-то видимое только ему одному, в углах пухлых губ дрожала усмешка. Все лицо дышало лукавством и столько в нем было ума, юмора, иронии, неутомимого любопытства, столько неукротимого интереса к жизни...

Бабель задумался, а потом вынул ручку — черный «Паркер» — и надписал на обороте фотографии:

«В борьбе с этим человеком проходит моя жизнь.

И.Б.»

* * *

Столица, суета, писательские интриги утомляли Бабеля, который любил природу, лошадей и людей попроще. Поэтому он часто исчезал, а потом оказывалось, что он уже с месяц живет, скажем, в подмосковной деревне Молоденово. Вот как он однажды выразил свои молоденовские впечатления:

«Третий день болит голова. Дьявольский климат. При таком климате надо бы каждому гражданину, ни в чем особенном не замеченному, раздавать по карточкам по крупице радия, чтобы он лучеиспускал. Неумолчно ревет корова. Она требует трех вещей: травы, солнца и супружества. Ревет она упрямо, забирая все выше, вытягивает морду из стойла и таращит глаза. С таким откровенным характером, конечно, ей легко живется на свете...»

* * *

Как-то Бабель ехал в компании на авиационный парад в Тушино. Проезжая по какой-то боковой улочке, они увидели склад с надписью: «Брача песка строго воспрещается». Бабель тотчас вспомнил аналогичное объявление, встреченное им в Крыму: «Рубить сосны на елки строго запрещено».

* * *

Антонина Пирожкова, вторая жена писателя, часто оставляла маленькую дочь на Бабеля, потому что работала в Метрострое инженером, а муж сидел дома. С работы она часто звонила домой с вопросом:

— Как дела?

На что Бабель вполне мог ответить:

— Дома все хорошо, только ребенок ел один раз.

— Как так?!

— Один раз... с утра и до вечера...

Или — о домработнице Шуре:

— Дома ничего особенного, Шура на кухне со своей подругой играет в футбол... Грудями перебрасываются.

* * *

Летом 1936 года Бабель и Эйзенштейн работали в Ялте над картиной «Бежин луг». Эйзенштейн, как человек в то время одинокий, завтракал то у оператора Эдуарда Тиссе и его жены Марии Аркадьевны, то у Бабелей. За завтраком у Бабелей Эйзенштейн часто делился впечатлениями о предыдущих трапезах: «А какие бублики я вчера ел у Марианны Аркадьевны!» или «Роскошные помидоры были вчера на завтрак у Тиссе!». И жена Бабеля с утра пораньше бежала на базар или в булочную, чтобы купить помидоры или горячие бублики. Так продолжалось до тех пор, пока жены Бабеля и Тиссе не разговорились и не выяснили, что за завтраком у Тиссе Эйзенштейн вел себя точно так же. С тех пор хозяйки уже не старались превзойти друг друга.

* * *

Зная доброту Бабеля, который не мог сказать человеку прямо, что рукопись никуда не годится, его одолевали графоманы. Стоило такого маньяка пера чем-нибудь обнадежить, как он начинал без устали звонить по телефону, делиться творческими открытиями и носить новые варианты своих произведений. Замученный Бабель начинал прятаться и маскироваться. По телефону он отвечал совершенно бесподобным женским голосом. А когда начала говорить его дочь Лида, он заставлял ее брать трубку и отвечать: «Папы нет дома». Но фантазия ребенка не могла удовлетвориться лишь дежурной фразой, и Лида всегда прибавляла что-нибудь от себя. Например: «Он ушел гулять в новых калошах».

* * *

Рассказы Бабеля многие считают автобиографическими, часто совершенно необоснованно. Например о рассказе «Мой первый гонорар» писатель говорил, что сюжет его был подсказан петроградским журналистом П.И. Старицыным. Дело было так. Старицын, раздевшись у проститутки и взглянув на себя в зеркало, увидел, что похож «на вздыбленную розовую свинью». Ему стало настолько противно, что он побыстрее оделся, сказал женщине, что он — мальчик у армян, и ушел. Спустя какое-то время он, сидя в трамвае, увидел на остановке ту самую проститутку. Она его тоже узнала и весело крикнула: «Привет, сестричка!».

* * *

В Москве у Бабелей одно время бывал китайский политэмигрант, поэт Эми Сяо. Однажды за обедом Бабель спросил у него:

— Скажите, Сяо, каков идеал женщины для китайского мужчины?

Тот ответил:

— Женщина должна быть так изящна и слаба, что должна падать от дуновения ветра.

Летом 1937 года Эми Сяо отдыхал на Черноморском побережье. Возвратившись осенью, он привел к Бабелям полную девушку по имени Ева и представил ее как свою жену. У нее было прелестное лицо, синие глаза, стриженая под мальчика головка и довольно грузное тело. Когда они ушли, Бабель задумчиво сказал:

— Идеалы одно, жизнь — другое.

* * *

Бабель любил искусство и литературу, дружил с Багрицким, Есениным, Маяковским, но общаться с писателями и литературной публикой не любил. Он как-то признался: «Когда нужно пойти на собрание писателей, у меня такое чувство, что сейчас предстоит дегустация меда с касторкой...».

Одно время Бабель всерьез хотел поселиться под Одессой у моря, за Большим Фонтаном, в тихом и пустынном месте — только море и степь.

По разным причинам это ему не удалось, и он поселился под Москвой, в месте далеко не пустынном — в писательском поселке Переделкино. На вопрос, каково ему там, он ответил:

— Природа замечательная. Но сознание, что справа и слева от тебя сидят и сочиняют еще десятки людей,— в этом есть что-то устрашающее...

* * *

Когда Бабеля забрали в НКВД, его дачу в Переделкино опечатали. Вскоре выяснилось, что пропало два ковра, которые украл брат сторожа. Вора поймали, когда он уже продал ковры, и отобрали у него две тысячи рублей. Жену Бабеля пригласили из милиции прийти и получить эти деньги. Получив разрешение от НКВД, она все никак не могла выбрать время для поездки. Прошло около месяца. Когда она добралась до одинцовского отделения милиции, выяснилось, что за это время деньги успел украсть бухгалтер, за что был судим и получил пять лет тюрьмы. Невезучие, в общем, Бабелям попались ковры.

(По воспоминаниям Л. Славина,
К. Паустовского, И. Эренбурга,
И. Гехта, О. Савича, Г. Мунблита,
А. Нюрнберга, К. Левина, Т. Стах,
В. Шкловского, М. Беркова,
С. Голованивского, Т. Тэсс,
А. Н. Пирожковой)

Содержание

ISBN 5-04-002863-6

9 785040 028634

АООТ «Тверской полиграфический комбинат»
170024, г. Тверь, пр-т Ленина, 5.